OBŁĘD '44

Tego autora polecamy również

PAKT RIBBENTROP–BECK

PIOTR ZYCHOWICZ

OBŁĘD '44

**Czyli jak Polacy zrobili prezent Stalinowi,
wywołując Powstanie Warszawskie**

DOM WYDAWNICZY REBIS

Redaktor
Grzegorz Dziamski

Fotografia na okładce
© EAST NEWS

Wydawca podjął wszelkie starania w celu ustalenia
właścicieli praw autorskich reprodukcji zamieszczonych w książce.
W wypadku jakichkolwiek uwag czy niedopatrzeń
prosimy o kontakt z wydawnictwem.

prawolubni

Wydanie I
Poznań 2013

ISBN 978-83-7818-441-6

Dom Wydawniczy REBIS Sp. z o.o.
ul. Żmigrodzka 41/49, 60-171 Poznań
tel. 61-867-47-08, 61-867-81-40; fax 61-867-37-74
e-mail: rebis@rebis.com.pl
www.rebis.com.pl

Skład: (KALADAN) www.kaladan.pl

Nie ma takiego błędu,
którego Polacy by nie popełnili.

Winston Churchill

Część I

PAKT
Z DIABŁEM

Rozdział 1

Przegrana wojna

Polska w wyniku drugiej wojny światowej poniosła największą klęskę spośród wszystkich państw, które brały udział w tym konflikcie. Była to również największa klęska w długich i tragicznych dziejach narodu polskiego. Dwaj zbrodniczy okupanci, Niemcy i Związek Sowiecki, eksterminowali nasze elity i zgładzili kilka milionów naszych obywateli. W gruzy obrócona została nasza stolica. Straciliśmy połowę terytorium i – na pół wieku – niepodległość. Przetrącono nam kręgosłup.

Mimo wręcz apokaliptycznej skali tej katastrofy Polacy patrzą dziś na drugą wojnę światową z bezbrzeżnym samozachwytem. Już od szkolnej ławy wbija nam się do głów, że z klęski tej musimy być dumni. Że nasi ówcześni przywódcy polityczni i wojskowi byli niemylnymi mężami stanu, którzy podejmowali „jedynie słuszne" działania. Że nie popełnili ani jednego błędu, nie zrobili żadnego fałszywego kroku, a całe zło, które na nas spadło, jest winą naszych zbrodniczych sąsiadów i wiarołomnych sojuszników.

Niestety piękne baśnie mają na ogół niewiele wspólnego z rzeczywistością. Służą zabawianiu dzieci, którym nie wypada mówić, jak paskudne jest prawdziwe życie i jak odpychający jest prawdziwy świat.

Nie można jednak być dzieckiem wiecznie. Od końca drugiej wojny światowej minie niedługo siedemdziesiąt lat i najwyższa pora wreszcie powiedzieć sobie pewne rzeczy wprost. Nawet jeżeli są to rzeczy nieprzyjemne i przykre, których wolelibyśmy nie słyszeć.

Otóż głęboko zakorzenione w polskiej świadomości mity dotyczące drugiej wojny światowej są fałszywe. Darzony przez Polaków tak niezasłużoną miłością Napoleon Bonaparte powiedział kiedyś, że wojnę wygrywa ten, kto popełnia najmniej błędów. Powiedzenie to do żadnego innego narodu i do żadnego innego okresu historycznego nie pasuje lepiej niż do Polaków podczas drugiej wojny światowej. Konflikt ten z naszej strony był bowiem jednym wielkim pasmem koszmarnych błędów.

Polityka prowadzona przez Polskę podczas drugiej wojny światowej szła wbrew polskiemu interesowi narodowemu. Polityka ta była dla sprawy polskiej ogromnie szkodliwa, spowodowała olbrzymie straty. Na najważniejszych stanowiskach wojskowych i politycznych – zarówno na wychodźstwie, jak i w Polskim Państwie Podziemnym – zamiast mężów stanu znaleźli się ludzie, którzy nie dorośli do rządzenia. Bez charyzmy, inteligencji, wyobraźni. A przede wszystkim zrozumienia, na czym polega polityka międzynarodowa.

Elity polityczne naszego państwa w latach drugiej wojny światowej całkowicie oderwały się od rzeczywistości i zatraciły poczucie racji stanu. Ludzie, którzy decydowali o losie Rzeczypospolitej, nie podejmowali decyzji, opierając się na chłodnej analizie rzeczywistości, ale na swoich hurraoptymistycznych przewidywaniach i nadziejach. Nadziejach, które okazały się mirażami.

Wskazać tu trzeba przede wszystkim na dwóch premierów – Władysława Sikorskiego i Stanisława Mikołajczyka. A także na kierownictwo Polskiego Państwa Podziemnego z generałem Tadeuszem Borem-Komorowskim na czele. Byli to ludzie, których rozumowanie polityczne stało na poziomie rozumowania egzaltowanej pensjonarki. Ślepo wpatrzeni w „sojuszników" do końca wierzyli w „papierowe gwarancje" i byli święcie przekonani, że za „wielki wkład w zwycięstwo nad Niemcami" nie ominie Polski nagroda.

Podczas drugiej wojny światowej żaden naród nie ulegał też tak łatwo jak polski prowokacjom i podszeptom obcych agentów. Żaden tak lekkomyślnie, bezsensownie i na tak wielką skalę nie szafował krwią swoich najlepszych synów i córek. Jeżeli rzeczywiście w narodzie polskim drzemią jakieś mistyczne skłonności samobójcze, to nigdy wcześniej i nigdy później nie dały one o sobie znać tak mocno jak w tragicznych dla nas latach 1939–1945.

Wedle największego z polskich mitów dotyczących drugiej wojny światowej naród polski od pierwszego do ostatniego dnia wojny niezłomnie walczył przeciwko dwóm wrogom – Niemcom i Związkowi Sowieckiemu. Oparł się totalitarnej pokusie i – jako jedyny naród okupowany – nie wydał z siebie Quislinga. W efekcie rzekomo zachowaliśmy czystość i dzisiaj, chociaż wojna skończyła się dla nas straszliwą porażką polityczną, możemy ze spokojem patrzeć w lustro. Jesteśmy bowiem moralnymi zwycięzcami.

Niestety to nieprawda. Wcale nie walczyliśmy niezłomnie przeciwko dwóm wrogom. Walczyliśmy niezłomnie tylko przeciwko jednemu wrogowi – Niemcom. Z drugim wrogiem, Związkiem Sowieckim, nie tylko nie walczyliśmy, ale też ochoczo współpracowaliśmy.

Zasada podwójnych standardów, jaką stosowaliśmy wobec obu zbrodniczych najeźdźców, zaczęła obowiązywać już 17 września 1939 roku. Podczas gdy Wojsko Polskie w zachodniej Polsce dzielnie przeciwstawiało się Wehrmachtowi, marszałek Edward Śmigły-Rydz jednostkom rozlokowanym na wschodzie kraju wydał rozkaz „z bolszewikami nie walczyć". W efekcie oddaliśmy Stalinowi połowę ojczyzny niemal bez jednego wystrzału. Nieliczne starcia polsko-sowieckie, do których doszło we wrześniu 1939 roku, wynikały z tego, że rozkaz naczelnego wodza albo nie dotarł do poszczególnych oddziałów, albo został przez niektórych oficerów uznany za prowokację i odrzucony.

Najbardziej fatalną konsekwencją tej zadziwiającej postawy było niewypowiedzenie wojny Związkowi Sowieckiemu przez Polskę, choć państwo to napadło na nas i oderwało połowę naszego terytorium. Rzeczpospolita znalazła się więc wobec bolszewików w dziwacznym położeniu. W stanie wojny de facto, ale nie de iure. Potem już było tylko gorzej. Kolejny polski rząd, kierowany przez generała Sikorskiego, który z taką mściwością i zacięciem zwalczał wszystko, co pachniało sanacją, akurat w tej sprawie wszedł w buty swoich poprzedników. Pod kierownictwem Sikorskiego Polska wstąpiła na otwartą drogę ugody ze Związkiem Sowieckim. Zaczęło się w 1941 roku od podpisania paktu Sikorski–Stalin, który do historii – aby nie drażnić Polaków, większą wagę przywiązujących do pozorów niż do treści układów politycznych – przeszedł jako pakt Sikorski–Majski.

Przez cały okres trwania tego kuriozalnego „sojuszu" Polacy w sposób pożałowania godny nadskakiwali Stalinowi. Nie zmieniło się to ani na jotę w roku 1943 po ujawnieniu zbrodni katyńskiej i zerwaniu stosunków dyplomatycznych przez Sowiety. Choć bolszewicy nie ukrywali, że zamierzają odebrać Polsce połowę jej terytorium, zarówno rząd na uchodźstwie, jak i Polskie Państwo Podziemne udzielały im wszelkiej możliwej pomocy i uparcie dążyły do kompromisu. Nie ośmielono się tknąć palcem działającej na terenie Polski niezwykle groźnej bolszewickiej agentury, próby podjęcia walki z sowiecką partyzantką były surowo potępiane przez czynniki rządowe. Tak to Polacy sami kręcili stryczek na własną szyję.

Polityka Polski podczas drugiej wojny światowej nosiła wszelkie znamiona obłędu. Jego apogeum przypadło na rok 1944, kiedy najpierw Polacy podjęli masową kolaborację z sowieckim okupantem. Akcja „Burza" – bo o niej mowa – była jednym z najbardziej zawstydzających epizodów naszych dziejów. A jej ukoronowanie – hekatomba Powstania Warszawskiego – największym tych dziejów dramatem. W roku 1944, w akompaniamencie chórów anielskich, patriotycznych pieśni i obleśnego rechotu Stalina, popełniliśmy zbiorowe samobójstwo.

Powstanie Warszawskie, którego skutkiem była zagłada polskiej elity i najważniejszego polskiego ośrodka kulturalno-politycznego, leżało tylko i wyłącznie w interesie Związku Sowieckiego. Powstanie, z którego jesteśmy dzisiaj tak dumni, było nie tylko bezsensowną rzezią najlepszych Polaków, ale i otworzyło Józefowi Stalinowi drogę do sowietyzacji i łatwego ujarzmienia Polski. Po wyrżnięciu Armii Krajowej łapskami Hitlera nie miał już kto przeciwstawić się nowemu okupantowi.

Tragiczny bezsens Powstania Warszawskiego nakazuje wreszcie zadać głośno pytanie, które można czasami usłyszeć wypowiadane szeptem w kuluarach konferencji naukowych i w gabinetach uniwersytetów. Na ile decyzja o wywołaniu powstania na ulicach milionowego miasta była suwerenna? Jaki wpływ na tę fatalną decyzję Komendy Głównej Armii Krajowej miała sowiecka prowokacja i działanie czerwonych agentów na szczytach polskiej machiny władzy? Wnioski, które nasuwają się na podstawie analizy dostępnych materiałów, są szokujące.

Książka, którą trzymają państwo w rękach, jest przede wszystkim próbą odpowiedzi na pytanie, jak to było możliwe. Dlaczego Polacy, tak niezłomni wobec jednego okupanta, byli tak ugodowi wobec drugiego. Dlaczego do jednego okupanta strzelali, a przed drugim się płaszczyli.

Jako Polak nie potrafię bowiem myśleć bez wstydu o roku 1944, gdy młodym żołnierzom Armii Krajowej kazano witać na polskiej ziemi chlebem i solą morderców z katyńskiego lasu. Nie mogę myśleć bez wstydu o tym, że 200 tysięcy moich rodaków zostało pogrzebanych pod gruzami stolicy mojego kraju, bo kilku panów wpadło na pomysł, że będą uroczyście witać w Warszawie „sojusznika naszych sojuszników". A w rzeczywistości – czego nie mogli lub nie chcieli zrozumieć – największego z wrogów, jakich kiedykolwiek miała Polska: Związek Sowiecki.

Liczne fakty i tezy zawarte w tej książce dla wielu czytelników mogą być wstrząsające. Są one bowiem sprzeczne z utartymi poglądami i propagandowymi tezami, którymi faszerują nas media, podręczniki szkolne, dyżurni telewizyjni historycy i przede wszystkim politycy. Uważam jednak, że nie ten jest prawdziwym patriotą, kto powtarza piękne frazesy, żeby utrzymać swoich rodaków i siebie w błogim samozadowoleniu. Patriotą jest ten, kto ma odwagę cywilną wskazać popełnione błędy. Bez uznania tych błędów i wyciągnięcia z nich wniosków będziemy bowiem skazani na ich powtarzanie w przyszłości.

Rozdział 2

Na wschodzie
trzymamy kciuki
za Wehrmacht

Pierwszym ogniwem łańcucha kolejnych fatalnych pomyłek, które uczyniły z nas największą ofiarę drugiej wojny światowej, było zarzucenie logicznego rozumowania. Logika jasno wskazywała bowiem, że skoro we wrześniu 1939 roku Rzeczpospolita została napadnięta przez dwóch wrogów i przez dwóch wrogów została rozebrana, to niepodległość odzyska, jeżeli o b a j ci wrogowie zostaną pokonani.

Oprócz logiki wskazywało na to również niedawne doświadczenie historyczne. W wyniku pierwszej wojny światowej Rzeczpospolita odrodziła się niczym feniks z popiołów właśnie dlatego, że konflikt ten przegrały zarówno Niemcy, jak i Rosja. Najpierw w roku 1917 Niemcy rozbiły Rosję, a rok później same załamały się na froncie zachodnim. W efekcie Polacy nie tylko odzyskali wolność, ale jeszcze rozepchnęli się łokciami na mapie Europy.

Jasne więc było, że podczas kolejnego światowego konfliktu Polska będzie mogła odzyskać niepodległość, tylko jeśli ten scenariusz się powtórzy. Dla wielu Polaków wychowanych na PRL-owskiej propagandzie to teza szokująca, ale jest ona niepodważalna. Polska mogła wyjść zwycięska z ostatniego konfliktu europejskiego tylko i wyłącznie wtedy, gdyby na froncie wschodnim III Rzesza pokonała Związek Sowiecki, a w drugiej fazie wojny kapitulowała na zachodzie na rzecz Wielkiej Brytanii i Stanów Zjednoczonych. Obaj nasi wrogowie leżeliby wówczas w gruzach i wybiłaby nasza godzina.

Bezsporność tej tezy potwierdził przebieg wydarzeń. Polska przegrała drugą wojnę światową wyłącznie dlatego, że wygrał ją Związek Sowiecki. Załamanie się III Rzeszy nie przyniosło nam automatycznie – jak to się wydawało naszym „genialnym strategom" z Londynu i podziemnej Warszawy – odzyskania wolności. Na placu boju pozostał bowiem zwycięski Związek Sowiecki, który naszą ojczyznę zalał swoimi armiami i ujarzmił. W efekcie na niepodległość musieliśmy czekać aż do czasu, gdy to państwo się załamało, co niestety nastąpiło dopiero w roku 1991.

Jest więc oczywiste, że w interesie Polski leżało, żeby Sowiety upadły już podczas wojny, i do takiego rozwoju wypadków Polacy powinni się byli przyczyniać. Niestety postąpiliśmy na opak, robiąc wszystko, by pomóc bolszewikom zwyciężyć Niemcy i zająć naszą ojczyznę. Było to skutkiem błędnej polityki sterowanego przez Brytyjczyków rządu na uchodźstwie i suflującego mu kierownictwa ruchu oporu w kraju.

Nie, nie są to żadne wydumane teorie snute po latach zza biurka. Podczas drugiej wojny światowej byli Polacy, którzy właśnie tak rozumowali i usiłowali zawrócić naród z drogi wiodącej prosto ku przepaści. Mało tego, przez pewien, niestety bardzo krótki czas zdrowy rozsądek zdawał się dominować nawet wśród czynników kierowniczych Polskiego Państwa Podziemnego.

Zacznijmy od „Biuletynu Informacyjnego", oficjalnego organu Związku Walki Zbrojnej, poprzednika Armii Krajowej. W pierwszym numerze tego pisma, który ukazał się po wybuchu wojny niemiecko-sowieckiej, zamieszczony został artykuł pod wiele mówiącym tytułem *Panu Bogu chwała i dziękczynienie*.

Żaden z nas nigdy nie wątpił w zwycięstwo Wielkiej Brytanii nad Niemcami – pisał jego autor. – Ale dalekowzroczni politycy polscy z troską myśleli o tej chwili, w której runie wreszcie potęga germańska, gdyż oprócz nas na ten dzień zachwiania się Niemiec czekał również olbrzym rosyjski, potężnie uzbrojony, nietknięty wyczerpaniem wojny. To, co się stało 22 czerwca 1941 roku, wyzwala nas od zmory nierównej walki z Moskwą nazajutrz po załamaniu się Rzeszy. Albowiem przed własnym upadkiem Rzesza przygotuje Polsce cudny dzień na odrodzenia podarunek: podważenie, a może nawet rozbicie imperium sowieckiego!

I dalej:

Gdyby nawet Rzeszy udało się zdobyć całą Rosję – nie wzmocni to Niemiec. Łatwo sobie wyobrazić, ile ten kraj wchłonie po przypuszczalnym pobiciu niemieckich wojsk okupacyjnych. Zwycięstwo nad Rosją nie da Rzeszy żadnych korzyści. Na odwrót – niesie z sobą same tylko straty! Hitler tak samo dobrze jak my zdaje sobie sprawę, że zwycięstwo nad Rosją będzie zwycięstwem nikomu na nic nie przydatnym. Nikomu na nic nie przydatnym? Źle powiedzieliśmy! Zwycięstwo to będzie zbawienne dla Rzeczypospolitej Polskiej i ludów ciemiężonych przez Sowiety.

Czytając te ustępy, trudno nie pochylić czoła przed rozumem politycznym autora. I trudno nie czuć żalu na myśl o tym, że ta przenikliwa analiza sytuacji nie stała się podstawą do opracowania polskiej strategii wobec konfliktu dwóch naszych zaborców. Ileż cierpień i ile upokorzeń zostałoby wówczas oszczędzone narodowi polskiemu.

Anonimowy autor *Panu Bogu chwała i dziękczynienie* nie był zresztą wcale odosobniony. W podobnym duchu pisała „Rzeczpospolita Polska", organ podziemnych władz cywilnych, czyli Delegatury Rządu na Kraj, piłsudczykowska „Polska Walczy", a także narodowy „Szaniec". Dowcip opowiadany wówczas na ulicach Warszawy mówił, że tory, którymi niemieckie pociągi wiozły wojsko na front wschodni, Polacy chętnie wysmarowaliby masłem.

W „Biuletynie Informacyjnym" z 3 lipca 1941 roku napisano tymczasem, że w wojnie między Hitlerem a Stalinem „dla wyzwolenia naszej Ojczyzny korzystniejsza jest przegrana Sowietów". A trzy tygodnie później artykuł wstępny pisma nosił charakterystyczny tytuł *Nie martwmy się niemieckimi zwycięstwami*. „Sukcesy niemieckie na Wschodzie wywołały w niektórych środowiskach polskich zdenerwowanie i przygnębienie – pisał autor. – Czy istnieją choćby najmniejsze powody do smutku? Stanowczo nie. Rozbicie zaborczej potęgi moskiewskiej jest nieodzownym warunkiem dla odzyskania przez nas wolności". Święte słowa! Musimy zdać sobie sprawę i wreszcie przyjąć do wiadomości to, co pisał „Biuletyn". Że „rozbicie zaborczej potęgi moskiewskiej było nieodzownym warunkiem dla odzyskania przez nas wolności". Jest to jedno z najmądrzejszych zdań napisanych przez Polaków podczas drugiej wojny światowej. Szkoda, że tak szybko o nim zapomniano.

Wydaje się, że na ówczesne ideowe oblicze Polskiego Państwa Podziemnego olbrzymi wpływ miał pierwszy dowódca ZWZ generał Stefan Grot-Rowecki. W rozkazie wysłanym jeszcze w 1940 roku do komendantów okręgów wschodnich pisał on: „Najwygodniejszym dla nas rozwiązaniem byłoby, gdyby Niemcy, zaatakowawszy Rosję, zniszczyli jej siłę militarną". Jak widać, był to nie tylko znakomity żołnierz, oficer obdarzony olbrzymim autorytetem i charyzmą, ale również człowiek zdolny do racjonalnego politycznego myślenia. Aresztowanie go w roku 1943 przez Niemców było jedną z największych polskich tragedii drugiej wojny światowej. Po jego odejściu polskie podziemie znalazło się na równi pochyłej.

Tymczasem w 1941 roku podobne nastroje panowały również wśród wojska na wychodźstwie. Zastępca szefa Sztabu Naczelnego Wodza pułkownik Leon Mitkiewicz po powrocie z Ameryki w końcu czerwca notował: „W całym sztabie w Londynie zastałem nastroje oczekiwania – nie chcę powiedzieć, że radosnego – że za parę tygodni Rosja będzie definitywnie rozbita i że Niemcy w tryumfie zakończą wojnę z Rosją w Moskwie, obalając ustrój sowiecki".

Ten nastrój radości, o którym bał się napisać wprost Mitkiewicz, był w pełni uzasadniony. Losy Polski przesądzały się bowiem na froncie wschodnim i było w naszym interesie, aby to Niemcy na nim zatriumfowały.

Wybuch wojny niemiecko-sowieckiej – pisał konserwatywny polski publicysta Władysław Studnicki – rozbudził nadzieję nawet u tych, którzy zwątpili w pomyślny obrót wypadków. Z rozrzewnieniem i ze łzami w oczach przysłuchiwano się radiowemu obwieszczeniu wojny. Pamiętano, że Polska zawdzięcza swą niepodległość klęskom Rosji, a zwrot zachodnich swoich dzielnic zwycięstwu Aliantów. Przez klęskę Rosji odzyskamy nasze wschodnie dzielnice, przez porażkę Niemiec w walce z Ameryką i Anglią odzyskamy niepodległość.

Cytować tak można by jeszcze długo. Jak widać, nie brakowało w Polsce rozsądnych ludzi. Jaką wobec tego postawę powinni byli zająć Polacy wobec wojny między Hitlerem a Stalinem? Sojusz z Niemcami nie wchodził w grę i możemy tę ewentualność od razu odrzucić. Obie strony nie miały na to najmniejszej ochoty. Skoro więc nie mogliśmy Niemcom pomóc w tak pożądanym dla nas dziele zniszczenia Związku Sowieckiego, to chociaż nie powinniśmy byli im w tym przeszkadzać.

W interesie państwa polskiego było ogłoszenie ścisłej neutralności wobec konfliktu niemiecko-sowieckiego. I, co ciekawe, ta neutralność została ogłoszona. „Przypominamy – pisał „Biuletyn Informacyjny" – że polskie czynniki miarodajne w kraju wyraźnie określiły, że Polaków obowiązuje na terenie obu okupacji wroga w stosunku do obu najeźdźców neutralność. Stwierdzamy z całym naciskiem, że ktokolwiek z Polaków odważy się dobrowolnie pomagać którejkolwiek ze stron – uznany będzie za zdrajcę".

Bardzo to było słuszne. Problem polegał tylko na tym, że zgodnie z tą definicją już niedługo za zdrajców należałoby uznać zarówno rząd w Londynie z premierem i wszystkimi ministrami, jak i samo Polskie Państwo Podziemne. Aby zrozumieć, jak doszło do tej – nomen omen – rewolucyjnej zmiany, musimy teraz pozostawić okupowaną Polskę i przenieść się do Londynu. Bakcyl obłędu przyszedł bowiem stamtąd.

Rozdział 3

Sowiety, wróg numer jeden

23 czerwca 1941 roku, dzień po wybuchu wojny między Hitlerem a Stalinem, polski premier i naczelny wódz generał Władysław Sikorski wystąpił z przemówieniem radiowym do kraju. Było to wystąpienie przełomowe. Do tej pory każdy uczciwy Polak uważał bowiem, że Polska została najechana przez dwóch wrogów, że obaj ci wrogowie stanowią dla Polaków takie samo zagrożenie i że obu tych wrogów należy w równym stopniu zwalczać.

Teraz od swojego premiera zdumieni Polacy usłyszeli nagle coś diametralnie przeciwnego. Generał Sikorski dokonał wolty. Już w pierwszych słowach przemówienia stwierdził, że Niemcy są „głównym wrogiem narodu polskiego". Skąd taki pomysł – nie wyjaśnił. Pogląd ten został jednak narzucony Polakom jako niepodważalny dogmat. I dogmat ten obowiązywał aż do końca wojny.

„Dla nas, Polaków – mówił Sikorski – Niemcy pozostaną odwiecznym i nieprzejednanym wrogiem, z którym nie ma paktów i nie ma zgody. Muszą one być obalone, obezwładnione i zniszczone, ażeby było miejsce dla Polski w rodzinie wolnych narodów". Jednocześnie w tej samej mowie naczelny wódz bez mrugnięcia okiem oferował „pakty i zgodę" Związkowi Sowieckiemu.

Zanim przejdziemy do dalszych fragmentów tego kuriozalnego przemówienia, warto przez chwilę zastanowić się nad ową dziwaczną hierarchią nieprzyjaciół zaproponowaną przez Sikorskiego. Pogląd, że to Niemcy w 1941 roku były wrogiem Polski numer jeden, poddany chłodnej analizie nie wytrzymuje krytyki. Polska została bowiem napadnięta i rozebrana przez d w ó c h wrogów. Obaj zagrabili mniej więcej po połowie polskiego terytorium. Może więc skala represji niemieckich była większa? Skądże. Gdy generał Sikorski wystąpił ze swoją karkołomną koncepcją ugody z Józefem Stalinem, bilans zbrodni obu okupantów na narodzie polskim był porównywalny, a nawet – jak wynika z raportów podziemia wysyłanych do Londynu – okupację sowiecką uważano za bardziej represyjną.

Zbrodnie wojenne we wrześniu, deportacje setek tysięcy Polaków w głąb Związku Sowieckiego, tortury i masowe mordy w kazamatach NKWD, pobór w sołdaty, konfiskaty własności prywatnej, walka z religią, eksterminacja jeńców wojennych. Do tego zdruzgotanie więzów społecznych, deprawacja i skala zniewolenia jednostki wielokrotnie przewyższająca wszystko, co działo się na zachodnich terenach Polski włączonych do Rzeszy, nie mówiąc już o Generalnym Gubernatorstwie.

Bardzo ważnym kryterium oceny, który z zaborców stanowił większe zagrożenie dla Polski, był również stosunek do obu tych państw Wielkiej Brytanii i stojących za jej plecami Stanów Zjednoczonych. A więc mocarstw, które – jak Sikorski był święcie przekonany – wygrają wojnę i będą po niej dyktować warunki pokoju i wytyczać granice. O ile Anglosasi nawet przez chwilę nie uznali zaboru zachodniej połowy Polski przez Niemców, to wobec roszczeń terytorialnych Związku Sowieckiego wobec wschodniej połowy Polski znajdowali wiele zrozumienia. Ta różnica bardzo źle wróżyła na przyszłość.

W świetle tych faktów trudno przyznać generałowi Sikorskiemu rację, że to Niemcy byli wrogiem numer jeden Polaków.

Hitler to zryw, emocja, krzyk, rewolucja, pęd, a przede wszystkim brak umiaru. Stalin to podchodzenie i odchodzenie, to brak krzyku i frazesów, to przede wszystkim zimna kalkulacja, to umiar – pisał Stanisław Cat-

-Mackiewicz. – Hitler to żelazo, które albo wali w głowę, albo się łamie; Stalin to jakiś potworny polip, który wsysa w siebie i któremu odrasta to ramię, które się obetnie. Gdy Hitler się cofa, to znaczy, że przegrał; gdy Stalin się cofa, to znaczy, że przygotowuje napaść. Stalin, nasz wróg najniebezpieczniejszy, jest jednocześnie największym geniuszem taktyki politycznej XX wieku.

Doprawdy trudno się z tą oceną nie zgodzić.

Prosowieckie przemówienie premiera z 23 czerwca i jego kolejne podobne działania podjęte w następnych dniach najbardziej szokują w kontekście tego, co działo się zaraz po niemieckim ataku na Sowiety. Otóż na rozkaz Ławrientija Berii NKWD dokonał bestialskich masowych mordów na więźniach politycznych przetrzymywanych w zakładach karnych i aresztach na okupowanych przez bolszewików polskich ziemiach wschodnich.

Uznano, że „wrogowie ludu" w żadnym razie nie mogą się dostać w ręce Niemców. Tłumy więźniów były więc rozstrzeliwane i obrzucane granatami na dziedzińcach więzień. A potem, gdy już nie było czasu, bolszewicy dokonywali egzekucji, ustawiwszy karabiny maszynowe w drzwiach przepełnionych cel. Odurzeni alkoholem czerwoni oprawcy wpadli w morderczy, sadystyczny amok. Do zabójstw używali prętów, łopat, noży, bagnetów i młotów do uboju bydła.

Gdy tereny te zostały po kilku dniach zajęte przez Wehrmacht, miejscowa ludność wdarła się do więzień i zastała w nich widok mrożący krew w żyłach. „U wszystkich ofiar stwierdzono liczne okaleczenia tępym narzędziem – głosił protokół obdukcji ze Lwowa. – Kobiety były zgwałcone, miały poobcinane piersi. Także męskie organy płciowe stały się celem bolszewickich perwersji. Niektóre z ofiar udusiły się pod ciężarem zwłok".

Liczbę więźniów zamordowanych wówczas przez bolszewików na polskich ziemiach wschodnich historycy szacują na 30 tysięcy. W większości byli to Polacy. Członkowie podziemia niepodległościowego, przedstawiciele elit, żołnierze, przedwojenni urzędnicy. Generał Sikorski był na bieżąco informowany o tych zbrodniach z najmniejszymi szczegółami. Szeroko pisała o nich niemiecka prasa, do Londynu docierały raporty polskiego podziemia.

Ponieważ masakr tych Sowieci dokonywali w dniach, w których Sikorski negocjował z nimi sojusz, premier zdecydował się na kłamstwo. „Wiemy już dzisiaj – stwierdził w jednym z kolejnych przemówień – że masakry więzienne ze strony ustępujących bolszewików dotyczyły wyłącznie Ukraińców, podczas kiedy starano się wszędzie w przededniu inwazji niemieckiej uzyskać względy Polaków".

Jest to jedna z najbardziej pożałowania godnych wypowiedzi polskiego polityka w historii. Negował on zbrodnię popełnioną na kilkudziesięciu tysiącach swoich rodaków w imię obłędnego pomysłu zawarcia sojuszu z jej sprawcami. Był to cały premier Sikorski.

Rozdział 4

Sikorski,
nieszczęście Polski

Premierostwo generała Władysława Sikorskiego było dla Polski prawdziwym nieszczęściem. Wiele jego cech fatalnie zaciążyło na losach Rzeczypospolitej. Pierwszą z nich był całkowity brak samodzielności. W naturze generała leżało oplatanie się niczym bluszcz wokół silniejszego partnera. Tak było podczas pierwszej wojny światowej, gdy do końca trzymał stronę walącej się monarchii austro-węgierskiej. Tak było po zamachu majowym, gdy Sikorski tak bardzo „oparł się" na Francji, że stał się – jak mówił nieżyjący historyk profesor Paweł Wieczorkiewicz – agentem wpływu Paryża.

Właśnie tej uległości wobec Francuzów Sikorski zawdzięczał to, że po upadku Polski we wrześniu 1939 roku został z ich łaski premierem Rzeczypospolitej. W dowód wdzięczności grzecznie wypełniał wszelkie polecenia Paryża, dopóki sam Paryż nie skapitulował przed nadciągającymi kolumnami pancernymi Wehrmachtu. Wówczas, nie tracąc czasu, Sikorski szybko przeskoczył na kolejny kwiatek i tym razem oplótł się wokół Wielkiej Brytanii.

Premier, minister spraw wojskowych, naczelny wódz – dobrze, że nie kazał się jeszcze mianować prymasem – swoim protektorom odwdzięczał się całkowitą uległością i posłuszeństwem. „Każdy z nas –

w wojsku czy w biurze – obserwował takich ludzi, którzy karierę swą fundują wyłącznie na tym, by być gładcy i przyjemni, nie poruszając nigdy tematów drażliwych czy trudnych, choćby ich poruszenia wymagało dobro służby lub urzędu. Przykro to stwierdzić, że błyszcząca kariera międzynarodowa Sikorskiego zbudowana była właśnie na takiej metodzie" – pisał znany endecki publicysta Adam Doboszyński.

Tak oto zaś przedstawiał Sikorskiego pułkownik Leon Mitkiewicz: „Z dwóch rozwiązań najczęściej wybiera to, które będzie najbardziej pojednawcze, które wywołuje najmniej sprzeciwów i nie przeciwstawia się w niczym poglądom innych". Sikorski był człowiekiem kompromisu i niestety kompromisy zawierał kosztem interesów swojego państwa.

Koncepcji ugody ze Związkiem Sowieckim bowiem oczywiście nie wymyślił Sikorski sam. Został do niej zainspirowany przez Brytyjczyków, którzy już od 1939 roku robili wszystko, żeby wciągnąć do koalicji antyniemieckiej Stalina. W przeciwieństwie do Polaków Brytyjczycy – jako rozumny naród – prowadzą bowiem wojny nie własnymi, ale cudzymi żołnierzami. Nie inaczej było podczas ostatniego światowego konfliktu, który od początku zamierzali wygrać za pomocą Armii Czerwonej.

Aby jednak szeroka koalicja antyniemiecka z udziałem bolszewików działała bez zgrzytów, należało usunąć z jej mechanizmu najpoważniejszą przeszkodę. Przeszkodą tą był konflikt między Polakami a Związkiem Sowieckim. Dlatego właśnie premier Winston Churchill i jego szef dyplomacji Anthony Eden wywierali na Sikorskiego niezwykle silną presję, aby nakłonić go do porozumienia się z Sowietami. Generał Sikorski oczywiście do „życzeń" londyńskich gospodarzy się zastosował. Mało tego, już w roku 1940, kiedy upadła Francja – a więc gdy przyjaźń sowiecko-niemiecka kwitła w najlepsze i NKWD rozstrzeliwał polskich oficerów w Katyniu – Sikorski, pod wpływem angielskiego agenta Józefa Retingera, skierował do władz Wielkiej Brytanii memoriał o konieczności wciągnięcia Związku Sowieckiego do koalicji antyniemieckiej.

Ten nieszczęsny człowiek nie potrafił zrozumieć, że tym samym zaczyna prowadzić politykę godzącą w najbardziej żywotne interesy swojego kraju. Triumf koalicji Anglosasów i Związku Sowieckiego nad III Rzeszą przekreślał bowiem jakiekolwiek szanse na odzyskanie niepodległości przez Polskę. I nie trzeba było wcale czekać roku 1945 i konferencji w Jałcie, aby pojąć, jak straszne niebezpieczeństwo dla Polski stanowił sojusz anglo-amerykańsko-sowiecki. Władysław Studnicki już w czerwcu 1939 roku, a więc jeszcze przed wybuchem wojny, ostrzegał:

Opinia angielska była i jest przekonana, że wszystko, co Polska otrzymała poza linią Curzona, jest produktem imperializmu, akcją zaborczą na szkodę Rosji. Jest to bardzo ważny moment dla prognozy stosunku W. Brytanii do wschodnich prowincji Polski w razie udziału w wojnie Rosji Sowieckiej. Największe niebezpieczeństwo ze strony Anglii polega na tym, że pragnie udziału Rosji Sowieckiej w koalicji. Czym jednak za ten udział może Rosji zapłacić? Tylko ziemiami polskimi, tylko naszym wschodem, tj. województwami leżącymi za Bugiem i Sanem.

Józef Mackiewicz, znany wileński dziennikarz, przyszły wybitny prozaik, alarmował zaś w sierpniu 1941 roku w wileńskim „Gońcu Codziennym":

Jakiż ratunek? Jakież wyjście z sytuacji? Jedno tylko: Sowiety należy rozbić, zanim zakończy się wojna. Któż miałby tego dzieła dokonać? W sytuacji roku 1941 mogły tego dokonać tylko i wyłącznie Niemcy. O to się absolutnie chyba nikt spierać nie będzie. Zechciejmy na chwilę wyobrazić sobie niemożliwość: zwycięstwo koalicji anglo-sowieckiej. O losie Polskiego Narodu moglibyśmy w tym miejscu nawet nie wspominać. Jego los byłby przypieczętowany łącznie z losem innych narodów Europy Wschodniej. Nie byłoby w Europie żadnego czynnika, żadnej potęgi, która byłaby w stanie, albo nawet chciała, wyrwać polski naród z kleszczy destrukcyjnego sowieckiego imperializmu. Dlatego jestem bardzo, ale to bardzo głęboko przekonany, że zwycięstwo koalicji anglo-sowieckiej byłoby dla Polaków największą klęską, jaka nie tylko ich w tej wojnie spotkać mogła, ale klęską przewyższającą wszystkie dotychczasowe na przestrzeni dziejów.

Studnicki i Mackiewicz zostali oczywiście przez swoich rodaków – którzy wolą piękne kłamstwa od przykrej prawdy – zignorowani. Generał Sikorski był zaś w okupowanej Polsce uwielbiany, a jego słowa traktowano jak proroctwa. Historia przyznała jednak oczywiście rację tym pierwszym. Zwycięstwo sojuszu brytyjsko-sowieckiego przyniosło Polsce bolszewickie zniewolenie. Wielka Brytania za udział w wojnie zapłaciła Stalinowi Polską.

„Anglia wydawała na nas pieniądze, aby nas w dogodnej koniunkturze sprzedać, tak jak cielaka na to się hoduje, aby go potem sprzedać na mięso – pisał Stanisław Cat-Mackiewicz. – Z tych też względów wynika i stosunek Anglii do gen. Sikorskiego. Wiedziała o nim, że to człowiek, z którym o cesjach terytorialnych... można mówić".

Ci Polacy, którzy próbowali ostrzec rodaków przed zaborczymi planami Związku Sowieckiego i podwójną grą Wielkiej Brytanii, byli jednak przez generała Sikorskiego zażarcie zwalczani. Jako „defetyści" i „faszyści", którzy okazują „czarną niewdzięczność" naszym angielskim przyjaciołom i których cechuje chorobliwa rusofobiczna podejrzliwość wobec Sowietów. Polski premier po prostu nie pozwalał powiedzieć o Wielkiej Brytanii złego słowa.

Kolejną fatalną cechą Sikorskiego – którą zaraził cały naród – była bowiem bezbrzeżna i ślepa wiara w sojuszników. Sikorski zupełnie na poważnie brał obietnice angielskie o „dozgonnej przyjaźni" wobec Polski. Wydawało mu się, że skoro Churchill i minister spraw zagranicznych Wielkiej Brytanii Anthony Eden są dla niego mili, to znaczy, że w swojej polityce będą się kierowali miłością do Polski.

Cały program polityczny generała sprowadzał się do kurczowego trzymania się spódnicy Wielkiej Brytanii. Wszystko, co Polacy mieli – według niego – robić, to starać się „zasłużyć" na jak największą wdzięczność i podziw Anglosasów. Sikorski uważał, że osiągnąć można to tylko przez bezwzględne posłuszeństwo wobec potężnych protektorów i przelanie w ich interesach jak największej ilości polskiej krwi.

Ci potężni protektorzy mieli zaś po wojnie dać w nagrodę poczciwym i wiernym Polakom niepodległe państwo. Tak, niestety na szczycie polskiej machiny władzy stał człowiek naiwny jak dziecko. Generał

Sikorski był czołowym reprezentantem podstawowej doktryny polskiej myśli politycznej, która podczas drugiej wojny światowej całkowicie wyparła myślenie realne. Tą doktryną było *wishfull thinking*, myślenie życzeniowe. Innymi słowy – chciejstwo.

W swoim przemówieniu do narodu z 23 czerwca 1941 roku generał wypowiedział niezwykle charakterystyczne słowa, w których jak w soczewce skupiają się wszystkie iluzje, którymi żył on i inni polscy przywódcy: „Z tej wojny może zrodzić się świat hitlerowski lub całkowicie wolny – stwierdził. – Innego wyjścia tu nie ma". Jak się okazało, inne wyjście oczywiście było.

Aby zrozumieć należycie zachowanie i politykę generała Sikorskiego – pisał Stanisław Cat-Mackiewicz – trzeba brać pod uwagę jego dziecinną próżność i płytkość. Po jednym z jego pobytów w Ameryce na stół w Radzie Narodowej przyniesiono dwie księgi formatu „Timesa". Były to dwa egzemplarze zbiorów wycinków prasowych z gazet amerykańskich, z których każdy był wklejony raz do jednej, raz do drugiej książki. 90 procent tych wycinków składało się z nic nie mówiących wzmianek lub wzmianeczek, często drukowanych petitem w kronice, jak na przykład: „Wczoraj przybył tu gen. Sikorski, premier rządu polskiego. Zamieszkał w hotelu takim, a takim". Z podobną manią zbierania wycinków prasowych o sobie spotkałem się u pewnej primadonny prowincjonalnych teatrzyków operetkowych.

Brytyjczycy doskonale wiedzieli, na jakie sprężyny naciskać w tym człowieku. Polski premier był bowiem rzeczywiście wręcz niebywale próżny i łasy na pochlebstwa. Ponieważ w swoim otoczeniu tolerował tylko intrygantów – w rodzaju Stanisława Kota i Stanisława Strońskiego – oraz lizusów, wytworzyli oni w nim przekonanie, że jest nie tylko mężem stanu, ale wręcz postacią formatu światowego. Tymczasem tak naprawdę był brytyjskim wasalem, bezwolnym narzędziem w rękach Churchilla.

Niestety nie dostrzegał on swojej śmieszności i – jak pisał wybitny piłsudczyk Ignacy Matuszewski – „proporcjonalnie do ilości komple-

mentów kierowanych do generała Sikorskiego rosła ilość zastrzeżeń
kierowanych do Polski. Ci, co najgłośniej chwalili «szerokość horyzon-
tów» premiera Polski – ci właśnie doradzali zwężenie jej granic". Sikorski szybko bowiem znalazł się pod niezwykle silną presją Churchilla
i Edena, aby poszedł na kompromis terytorialny ze Związkiem Sowieckim.

Rozdział 5

Pakt Sikorski–Stalin

W swoim przemówieniu radiowym z 23 czerwca 1941 roku Sikorski wysunął pod adresem bolszewików ofertę sojuszu. Postawił jednak wówczas jeden warunek. Miało nim być zagwarantowanie przez Moskwę, że dokonany przez nią do spółki z Berlinem rozbiór Polski uzna ona za niebyły i zagwarantuje, że po wojnie Ziemie Wschodnie zwrócone zostaną Rzeczypospolitej. W ewentualnym układzie politycznym miało to być ujęte w sposób jasny i nie pozostawiający żadnych wątpliwości.

To chyba jeden z najbardziej żałosnych epizodów w historii dyplomacji drugiej wojny światowej. Zaledwie miesiąc później, podpisując pakt z bolszewikami, sam Sikorski bowiem od tego postawionego przez siebie warunku odstąpił. Stało się to oczywiście pod naciskiem brytyjskim. Już w tekście mowy z 23 czerwca – co sam przyznał z rozbrajającą szczerością członkom swojego gabinetu – dokonał na żądanie Antony'ego Edena „dyplomatycznego ścieniowania" fragmentów dotyczących bolszewików. Tak, to minister spraw zagranicznych Wielkiej Brytanii pisał generałowi Sikorskiemu przemówienia.

Minister Ernest Bevin wspominał zaś po latach, że jeszcze tego samego dnia, w którym wygłosił przemówienie, polski premier spotkał się z nim i powiedział, że „nie wycofując się z żądania przywrócenia granic przedwojennych, zgadza się, że granice wschodnie mogą stanowić temat rozmów" i że „Polska będzie skłonna do kompromisowego załatwienia sprawy powojennej granicy polsko-sowieckiej". Czy to prawda? Oprócz relacji Bevina nie ma na to żadnego dowodu, a my oczywiście nie wierzymy złośliwym plotkom. Szczególnie gdy dotyczą znanego z twardej postawy męża stanu, jakim był Sikorski.

Tymczasem Związek Sowiecki – za pośrednictwem swojego ambasadora w Londynie Iwana Majskiego – bez ogródek poinformował Brytyjczyków, że pakt z Polską podpisze, ale tylko pod warunkiem, że Polska zrzeknie się swoich ziem wschodnich. Brytyjczycy oczywiście postulaty Stalina poparli w całej rozciągłości, informując o tym Sikorskiego.

Zresztą, o czym polski premier nie miał pojęcia, nasz cudowny „sojusznik" sprzedał Sowietom Wilno i Lwów już blisko rok wcześniej. Próbując skłonić Stalina do dołączenia do koalicji antyhitlerowskiej, ambasador brytyjski w Moskwie Stafford Cripps w październiku 1940 roku przekazał bolszewikom specjalne memorandum. Wielka Brytania oferowała w nim uznanie suwerenności Związku Sowieckiego w państwach bałtyckich, Besarabii i Bukowinie oraz „tych częściach byłego państwa polskiego, które znajdują się obecnie pod sowiecką kontrolą". A więc dawała Stalinowi dokładnie to samo, co dał mu wcześniej Hitler. Wówczas jeszcze podobne oferty składano tajnie.

Teraz maska została zdjęta. Polacy, do tej pory hołubieni jako sojusznik, który z takim poświęceniem walczył podczas bitwy o Anglię, nagle stali się piątym kołem u wozu. Nagle cała miłość i całe nadzieje Wielkiej Brytanii zostały przerzucone na Armię Czerwoną. W wielkiej polityce – czego nie potrafili i nie potrafią zrozumieć Polacy – nie liczy się bowiem moralność, wdzięczność czy zobowiązania sojusznicze. W wielkiej polityce liczy się tylko naga siła. Liczba dywizji. A tych Józef Stalin miał znacznie, znacznie więcej niż generał Sikorski.

30 lipca 1941 roku o 16.30 Sikorski podpisał w Londynie układ ze Związkiem Sowieckim, w którym sprawę polskiej granicy wschodniej pozostawiono otwartą. Zrobił to z naruszeniem prawa, nie uzyskał bowiem na to zgody prezydenta Rzeczypospolitej Władysława Racz-

kiewicza, który sprzeciwił się ustępstwom na rzecz Stalina. Zrobił to natomiast z błogosławieństwem Winstona Churchilla, który osobiście doglądał ceremonii podpisania układu. Trudno o bardziej wymowny symbol tego, kto naprawdę wówczas rządził polskimi sprawami. W proteście przeciwko układowi rząd opuścił generał Kazimierz Sosnkowski i minister spraw zagranicznych August Zaleski. Do opozycji przeszło kierowane przez Tadeusza Bieleckiego Stronnictwo Narodowe. Tak swoją rezygnację w liście do Sikorskiego tłumaczył Zaleski:

Nie chcąc dłużej dzielić z Panem odpowiedzialności za zgubną jego dla kraju działalność, podałem się do dymisji. Otworzył Pan sprawę granic wschodnich, puszczając ją na flukta dyskusji konferencji pokojowej. Panie Generale, politykę zagraniczną państwa można opierać bądź na sile, bądź na prawie. Siły Polski obecnie są niestety znikome, a prawa jej stopniowo Pan Generał zaczyna wymieniać za cenę popularności u Anglików. Oto podłoże prawdziwe różnicy, jaka zachodzi pomiędzy pańską a moją polityką.

Pamiętacie państwo, co pisałem o różnym stosunku Polaków do dwóch wrogów – Związku Sowieckiego i Niemiec? Otóż rzadko kiedy był on tak widoczny jak w wypadku podpisania paktu Sikorski–Stalin. Jak wiadomo, Polska pod koniec lat trzydziestych otrzymała od III Rzeszy propozycję sojuszu, której przyjęcie pozwoliłoby jej uniknąć katastrofy września 1939 roku. Ceną za zawarcie tego sojuszu miała być jednak zgoda na przyłączenie Gdańska do III Rzeszy i wytyczenie eksterytorialnej autostrady przez polskie Pomorze. A więc postulaty niewielkie, w niczym nie uszczuplające polskiego stanu posiadania. Gdańsk nie należał bowiem wówczas do Polski, tylko miał status Wolnego Miasta, Pomorze w najwęższym miejscu miało zaś trzydzieści dwa kilometry, a autostrada owa wcale nie odcinałaby nas od morza. Mimo to propozycja ta została z oburzeniem odrzucona przez polski rząd jako naruszająca honor, suwerenność i integralność terytorialną Rzeczypospolitej. Polacy woleli iść na wojnę, niż zadośćuczynić drobnym niemieckim postulatom.

W 1941 roku drugi nasz sąsiad – Związek Sowiecki – zaproponował sojusz, którego ceną miało być oddanie połowy terytorium Rzeczypospolitej Polskiej, a więc niemal 200 tysięcy kilometrów kwadratowych, zamieszkane przez blisko 15 milionów obywateli. Terytorium, na którym znajdowały się dwa ważna centra polskiej kultury, dwa najpiękniejsze polskie miasta – Wilno i Lwów. Jaka była reakcja polskiego premiera? Wypowiedzenie wojny? Wyjście z sali obrad i trzaśnięcie drzwiami? Skądże, generał Władysław Sikorski układ sojuszniczy grzecznie podpisał. Zadowolony Churchill poklepał go po plecach, a nasz generał nadymał się i czerwieniał z dumy, że sojusznicy są z niego tak zadowoleni.

„Jakaż siła polityczna decydowała o kierunku polityki zagranicznej naszego rządu w czasie jego pobytu w Londynie, jakaż siła polityczna zdecydowała o zawarciu przez Polskę paktu lipcowego z Rosją? – pytał Stanisław Cat-Mackiewicz. – Odpowiedź może być tylko jedna: Anglia. Zachowanie się generała Sikorskiego podczas podpisywania paktu było godne nie premiera polskiego, lecz świadomego czy nieświadomego, agenta angielskiego".

Oczywiście nie wolno zapominać, że pakt Sikorski–Stalin doprowadził do zwolnienia z łagrów i miejsc zesłania 120 tysięcy Polaków. Ludzi, którzy w 1942 roku opuścili „nieludzką ziemię" wraz z utworzoną w Związku Sowieckim armią generała Władysława Andersa. Wielu z tych Polaków w ten sposób ocalono przed sowiecką eksterminacją. Uratowanie tych ludzi jest olbrzymią zasługą generała Sikorskiego, której nie odmawiają mu nawet jego najbardziej zagorzali krytycy.

Konsekwencje polityczne paktu ze Stalinem były jednak dla Polski opłakane. Przede wszystkim był on pierwszym formalnym ustępstwem wobec sowieckich żądań terytorialnych, co otworzyło drogę do dalszych ustępstw. Po drugie, pakt Sikorski–Stalin pchnął Polskę na drogę do działań całkowicie sprzecznych z jej racją stanu, czyli do pomagania bolszewikom w ich walce z Niemcami. Po trzecie wreszcie, rozbroił polskie społeczeństwo wobec zagrożenia sowieckiego, wmawiając zdezorientowanym Polakom, że śmiertelny wróg jest sojusznikiem.

Bez tego paktu nie byłoby upokarzającej akcji „Burza", nie byłoby Powstania Warszawskiego, nie byłoby wreszcie ostatecznej kapitulacji Stanisława Mikołajczyka. Sikorski 30 lipca 1941 roku, składając podpis pod układem z bolszewikami, wprowadził Polskę na drogę prowadzącą w otchłań. Wpuścił do narodowego krwiobiegu truciznę, która uśmierciła pacjenta w roku 1944.

Rozdział 6

Polski wywiad w służbie Stalina

Dla Wielkiej Brytanii Polska była krajem odległym i peryferyjnym, w którym nie miała żadnych interesów i którego los nic jej nie obchodził. Polska była naprawdę ważna tylko dla dwóch światowych mocarstw: Niemiec i Związku Sowieckiego. Gdy między tymi państwami wybuchła wojna, znaczenie Polski wzrosło dla nich jeszcze bardziej. Polska z okupowanego terytorium trawionego powoli przez totalitarne kolosy stała się nagle zapleczem frontu wschodniego.

Najkrótsza droga z Niemiec do Związku Sowieckiego prowadziła właśnie przez nasz kraj. Przez Polskę przejeżdżała większość jednostek Wehrmachtu zmierzających na wschód. Przez Polskę wiodły główne szlaki komunikacyjne i zaopatrzeniowe. Sprawiało to, że Polacy mogli odegrać sporą rolę w konflikcie, z czego doskonale zdawali sobie sprawę zarówno Niemcy, jak i Sowieci.

W interesie pierwszych leżało to, żeby Polacy zachowali spokój i nie przeszkadzali Wehrmachtowi w walce z bolszewizmem.

W interesie drugich było wzmożenie polskich działań dywersyjnych i wywiadowczych. Bolszewikom zależało na tym, żeby Polacy wysadzali mosty i tory kolejowe. Niszczyli sprzęt i zaopatrzenie wysyłane na front wschodni. Strzelali do niemieckich żołnierzy i tworzyli leśne oddziały partyzanckie, aby odciągnąć przynajmniej część jednostek Wehrmachtu walczących z Armią Czerwoną. Sowieci liczyli również na wsparcie polskiego wywiadu. Ta różnica interesów między dwoma walczącymi stronami była oczywista. Co jednak było w interesie Polski? Otóż – czy nam się to podoba, czy nie – interes Polski pokrywał się wówczas z interesem Niemiec. W interesie Polski leżało bowiem zwycięstwo III Rzeszy na froncie wschodnim.

Co tymczasem robili Polacy? Oczywiście działali wbrew swojemu interesowi narodowemu i po podpisaniu paktu Sikorski–Stalin rozpoczęli szeroką, gorliwą współpracę z Sowietami. Zaczęło się od usług wywiadowczych, na których Stalinowi zależało szczególnie.

Od razu muszę sprostować. Napisałem, że współdziałanie to rozpoczęło się po podpisaniu paktu polsko-sowieckiego. To nie do końca prawda. Współdziałanie to – choć na początku pośrednio – zaczęło się wcześniej. Otóż Brytyjczycy, za wiedzą Polaków, już od 1940 roku przekazywali informacje otrzymywane od polskiego wywiadu Sowieckiej Misji Wojskowej w Londynie.

Wywiad ZWZ w 1941 roku zdobył między innymi informacje na temat planu „Barbarossa", Polacy ustalili nawet termin planowanego uderzenia Hitlera na Sowiety. Rozpoznali rozmieszczenie niemieckich jednostek i miejsce stacjonowania sztabów.

Zamiast zachować te informacje dla siebie, rząd polski przekazał je Brytyjczykom. Ci zaś, co było do przewidzenia, natychmiast przesłali je Stalinowi, z którym od dłuższego czasu próbowali się porozumieć ponad głowami Polaków. Na szczęście sowiecki dyktator uważał takie doniesienia za dezinformację, nie podjął żadnych działań zaradczych i 22 czerwca 1941 roku jego armia została zaskoczona i rozbita. Aż strach pomyśleć, co by się stało, gdyby Stalin uwierzył informacjom ZWZ i uprzedził uderzenie Hitlera. Wtedy moglibyśmy mieć Sowietów w Warszawie nie w styczniu 1944 roku, ale wiosną 1941 roku.

Po wybuchu wojny między Hitlerem a Stalinem pierwsi formalną współpracę wywiadowczą nawiązali Brytyjczycy. Odpowiednia umowa między Kierownictwem Operacji Specjalnych (SOE) a NKWD pod-

pisana została we wrześniu 1941 roku. Na jej mocy Brytyjczycy zobowiązali się do zrzucenia sowieckich agentów do okupowanych krajów
Europy Zachodniej i Jugosławii. W sumie zrzucono ich 27, w tym cztery
kobiety. Trzykrotnie zadanie takie wykonały... polskie załogi latające
w 138. Dywizjonie RAF.

Jeden z tych lotów, pod kryptonimem „Whiskey", zakończył się tragicznie. Za sprawą sowieckich nacisków, mimo fatalnych warunków
pogodowych, 20 kwietnia 1942 roku halifax V-9976 z siedmioma polskimi członkami załogi został wysłany w okolice Wiednia z zadaniem
zrzucenia sowieckich skoczków. Maszyna rozbiła się u podnóża Alp
Bawarskich. Zginęli wszyscy na pokładzie.

Sprawę tę należy uznać za skandaliczną, Polska nie miała bowiem
żadnego interesu w tym, żeby szpikować Europę agentami NKWD.
Polscy żołnierze zginęli więc – nie po raz ostatni podczas tej wojny –
realizując interesy swojego śmiertelnego wroga.

Choć wśród polskich oficerów wywiadu myśl, że mieliby współpracować z bolszewikami, wywoływała olbrzymie opory, generał Sikorski
nie chciał o takich obiekcjach nawet słyszeć.

Jeszcze przed podpisaniem umowy o współpracy wywiadów – pisze historyk Piotr Kołakowski w książce *Pretorianie Stalina* – Sztab Naczelnego
Wodza w Londynie odwiedzał major Sizow, oficer łącznikowy Sowieckiej
Misji Wojskowej, który na bieżąco otrzymywał od pułkownika Leona
Mitkiewicza dane wywiadowcze. Dotyczyły one głównie sił niemieckich
na ziemiach polskich, nastrojów panujących wśród żołnierzy, wojskowych
transportów kolejowych i samochodowych oraz koncepcji i przypuszczal-
nych kierunków uderzeń Wehrmachtu.

Czy wyobrażacie sobie państwo coś takiego? Sowieci brutalnie naje-
chali Polskę, przelali w niej morze krwi, ich rozbicie przez Niemcy byłoby w interesie naszego kraju, a my jak gdyby nigdy nic przekazujemy
im bezcenne informacje wywiadowcze. Przecież zaledwie kilka tygodni
wcześniej oficjalny organ ZWZ „Biuletyn Informacyjny" ostrzegał, że
każda forma współpracy z bolszewikami jest aktem zdrady...

Na nic się nie zdały protesty generała Kazimierza Sosnkowskiego, na nic zdały się obiekcje generała Stefana Grota-Roweckiego. Wkrótce współpraca wywiadowcza poszła pełną parą i do Moskwy zaczęły napływać liczne raporty polskiego wywiadu. Od października 1941 roku NKWD wydawał precyzyjne zadania i polecenia naszym tajnym służbom, które je gorliwie wykonywały.

Co ciekawe, formalna umowa w tej sprawie podpisana została dopiero 14 grudnia. Na jej mocy pod Moskwą – w miejscowości Srebrny Bór – umieszczona została polska radiostacja „Wisła", która miała łączność z radiostacją Polskiego Państwa Podziemnego. W ten sposób zbierane przez nasz wywiad dane mogły znacznie szybciej trafiać na biurka wysokich oficerów NKWD i GRU. Już bez pośrednictwa Londynu.

W prowadzeniu tej współpracy z wrogiem Sikorskiemu nie przeszkadzało to, że Sowieci, choć byli do tego zobowiązani, nie rewanżowali się Polakom. Jeśli już przekazywali jakieś informacje, to były to rzeczy błahe albo wręcz dezinformujące. Kto jednak by się przejmował takimi szczegółami! Ważne, że my wykonujemy wspaniałą robotę. Kto wie, może bolszewicy tak się tym wzruszą, że potem na koniec wojny z wdzięczności oddadzą nam Wilno i Lwów?

A cenę za te mrzonki płacili żołnierze polskiego wywiadu. Wykonując zadania na zlecenie NKWD, nie tylko bowiem szkodzili sprawie polskiej, ale i narażali się na niemieckie represje. Polskie siatki były bowiem brutalnie zwalczane przez niemiecki kontrwywiad. Szeregi polskiego wywiadu działającego na zapleczu frontu wschodniego zostały zdziesiątkowane.

Jednym z najbardziej szokujących przykładów są dzieje Odcinka III polskiego wywiadu (kryptonim WW-72, późniejsza „Pralnia"). Odcinek ten obejmował obszar Komisariatu Rzeszy Ukraina, centralę miał w Kijowie, a na jego czele stał podpułkownik Aleksander Klotz. Oficer ten zostawił obszerne zapiski, które dokumentują jego działania. I, mimo mitomanii autora, jest to lektura wstrząsająca.

Historia jego organizacji to jedna wielka gehenna. Kolejne wsypy, masowe aresztowania, tortury na Gestapo i potajemne egzekucje. Polscy żołnierze z ustami zalanymi wapnem zakopywani w bezimiennych dołach na ukraińskich stepach. Historycy oceniają, że tylko podczas jednej ze wsyp siatki Klotza Niemcy aresztowali 200 Polaków.

Za co zginęli ci ludzie? Jakie informacje zbierali? Oto przykłady: skład i nazwy niemieckich jednostek idących na front wschodni, liczba niemieckich czołgów i pojazdów opancerzonych, plany sztabowe działań przeciwko Armii Czerwonej, lokalizacja koszar i magazynów broni Wehrmachtu. Czyli rzeczy zupełnie niepotrzebne Polakom. Wszystkie te sprawy nic Polaków nie obchodziły i nie miały dla nich najmniejszego znaczenia. Niewiele mogły również obchodzić Brytyjczyków. Były za to bezcenne dla bolszewików.

Do podobnych dramatów doszło w wielu innych siatkach wywiadu polskiego na zapleczu frontu wschodniego. A należy dodać, że do pracy w nich wciągano ludzi najbardziej zdolnych i patriotycznie nastawionych. Zarówno przyjezdnych, z Generalnego Gubernatorstwa, jak i miejscowych. Byli to na ogół ludzie młodzi, ideowi i odważni. Przedstawiciele miejscowej elity, mówiąc patetycznie – kwiat narodu.

Ich działania miały więc dla Sowietów podwójny zysk. Najpierw Polacy ci zbierali dla bolszewików informacje, a później byli za to mordowani przez Niemców. Tak oto Gestapo oszczędzało przyszłej pracy NKWD, eliminując z Ziem Wschodnich najbardziej wartościowych Polaków, przekonanych, że oddają życie za Polskę.

Tak naprawdę jednak oddali życie za Związek Sowiecki. A ich działania tylko przybliżały zniewolenie ich ojczyzny przez Armię Czerwoną. Był to koszmarny błąd Sikorskiego.

Rozdział 7

Szaleństwo „Wachlarza"

Niestety poświęcanie najbardziej wartościowych Polaków w akcjach szpiegowskich na rzecz bolszewików Sikorskiemu nie wystarczyło. Być może uważał, że to zbyt mało spektakularne, aby wkupić się w łaski Stalina. Dlatego od jesieni 1941 roku zaczął coraz mocniej naciskać na Związek Walki Zbrojnej, aby podjął on wymierzone w Niemców działania dywersyjne na zapleczu frontu wschodniego.

Aby wykonać to zadanie, wykorzystano stworzoną w sierpniu 1941 roku organizację „Wachlarz". Była to siatka dywersyjna, która swoim zasięgiem miała objąć terytoria na zapleczu frontu wschodniego za wschodnią granicą II Rzeczpospolitej. Pierwotnym zadaniem „Wachlarza" miała być osłona przyszłego polskiego powstania powszechnego przed niemieckimi jednostkami odpływającymi z frontu wschodniego lub depczącą im po piętach Armią Czerwoną. W tym drugim wariancie chodziło o danie czasu polskiej armii podziemnej na szybką mobilizację i przygotowanie obrony przed nowym okupantem.

Po podpisaniu układu z bolszewikami Sikorski uznał jednak, że podobne antysowieckie zamierzenia są niedopuszczalne. Co sobie pomyśli o nas marszałek Stalin! I przestawił „Wachlarz" na tryby prosowieckie.

Po spotkaniu z generałem Gieorgijem Żukowem, który zażądał od Polaków ataków na tyły armii niemieckiej, Sikorski 29 września 1941 roku wydał rozkaz „udzielenia Sowietom pomocy wojskowo-dywersyjnej", dodając, że „polska racja stanu wymaga od nas obecnie jak najpoważniejszego w tej dziedzinie wysiłku".

Oczywiście Polska racja stanu wymagała czegoś dokładnie odwrotnego. Sikorski przy tym zupełnie nie liczył się z kosztami. Wydany przez niego rozkaz natychmiastowego podjęcia przez „Wachlarz" działań dywersyjnych był bowiem rozkazem samobójczym. Organizacja była dopiero w powijakach, nie stworzyła struktur, jej żołnierze nie mieli odpowiedniego przeszkolenia. Warto przy tym dodać, że podobnie jak w wypadku rozbitej siatki Klotza, „Wachlarz" tworzyli ludzie z najwyższej półki.

O tym, jak wielką wagę Sikorski przywiązywał do dywersyjnych działań na rzecz Sowietów, niech świadczy to, że z liczącego osiem milionów dolarów budżetu Armii Krajowej na rok 1942 aż cztery miliony przeznaczono na „Wachlarz". Dwie trzecie tej sumy wyłożyli, jak zwykle pierwsi do prowokowania Polaków do straceńczych działań, Brytyjczycy. Do „Wachlarza" skierowano również połowę wszystkich cichociemnych, którzy wówczas skoczyli do kraju. Anglicy dostarczyli sprzęt i materiały wybuchowe.

Dlaczego Brytyjczykom tak bardzo zależało na polskiej dywersji na zapleczu frontu wschodniego? Dlatego, że była to jedyna realna pomoc bojowa, jakiej mogli udzielić Sowietom. O otwarciu drugiego frontu nikt wówczas jeszcze nie mógł marzyć, brytyjskie lotnictwo i marynarka były daleko. Dlatego Churchill zamierzał wypełnić swoje zobowiązania sojusznicze wobec Stalina, przelewając krew Polaków.

Bardzo nieprzyjemna jest również poruszona wyżej sprawa pieniędzy. Nawet przy założeniu, że Brytyjczycy zapłacili za tę prosowiecką dywersję dwie trzecie, polskie koszta i tak były bardzo duże – 1,3 miliona dolarów. W tym samym czasie Adam Ronikier, prezes Rady Głównej Opiekuńczej, organizacji charytatywnej zajmującej się pomocą najbiedniejszym Polakom w Generalnym Gubernatorstwie, nie doczekał się obiecanych przez premiera pieniędzy.

„Zawód najboleśniejszy spotkał mnie ze strony czynników polskich za granicą, od których miałem przyobiecane idące w dziesiątki milionów złotych zasiłki, potwierdzone w listach do mnie przez generała Sikorskiego i prof. Kota pisanych, a które nie nadchodziły zupełnie" – pisał Ronikier. Poczciwy prezes RGO pewnie złapałby się za głowę, gdyby wiedział, że polskiemu rządowi nie starczyło pieniędzy na zupy, koce i lekarstwa dla potrzebujących Polaków, bo wydawał je na pomaganie bolszewikom.

Rozkaz akcji na rzecz Sowietów wywołał zresztą olbrzymi opór ze strony części oficerów i żołnierzy „Wachlarza". Charakterystycznym, ezopowym językiem epoki PRL tak pisał o tym badacz dziejów tej formacji, Cezary Chlebowski:

Zarówno reperkusje historyczne, jak i przykre doświadczenia z lat 1939– –1941 na terenach zabużańskich nie stwarzały wśród tamtejszej ludności polskiej zbyt przyjaznych odczuć na rzecz dywersji prowadzonej w interesie frontu wschodniego. A jednak wachlarzowcy, rekrutujący się w 80 procentach z kresowej ludności polskiej, tak postąpili. Trzeba więc było mieć ogromnie dużo samozaparcia, aby powiedzieć w pewnym momencie: „milcz serce – idziemy wysadzać pociągi, aby pomóc walczącej Armii Czerwonej". A jednak tak postąpili.

Postąpili tak, bo dostali takie rozkazy. Rozkazy – nawet haniebne – uważali zaś za świętość. W sumie „Wachlarz" dokonał około stu mniej lub bardziej dokuczliwych dla Niemców aktów sabotażu. Wobec ogromu niemieckich sił zgromadzonych na froncie wschodnim jego działania można przyrównać do ukłucia pszczoły w niedźwiedzi zad. Pszczole wydawało się, że swym żądłem zabije niedźwiedzia, ale tylko go rozsierdziła. Wściekłe zwierzę rozerwało ją na strzępy. Krótkie dzieje „Wachlarza" – całe szczęście pod koniec 1942 roku organizacja została rozwiązana – to jedno wielkie pasmo szafotów i plutonów egzekucyjnych.

Licząca blisko 500 stron monografia „Wachlarza" pióra Cezarego Chlebowskiego to dla Polaka lektura rozdzierająca. Środek nocy. Akcja. Następuje eksplozja, wykoleja się pociąg z żywnością lub amunicją. Niemcy zarządzają obławę i ścigają sprawców. Kogoś łapią, ktoś na skutek bestialskiego bicia pęka w śledztwie. Następują kolejne aresztowania. Potem znowu to samo. Bestialskie tortury, kolejne nazwiska. Wreszcie czarna opaska na oczy. „Niech żyje Polska!" I zbiorowa mogiła. A przy okazji pacyfikacja dwóch, trzech pobliskich wiosek.

Do największej podobnej tragedii doszło w Mińsku w pierwszych dniach lutego 1943 roku. W tamtejszym więzieniu siedziała spora część żołnierzy tworzących siatkę Odcinka IV „Wachlarza". Koledzy postanowili ich odbić... Na skutek zdrady Niemcy o wszystkim się dowiedzieli i uderzyli pierwsi. Najpierw zaatakowali dom, w którym przebywało dwóch polskich oficerów mających kierować akcją. Obaj zginęli, a wraz z nimi spalono w budynku żywcem kilku cywilów. Ciała zgarnięto do dołu razem ze spalonymi meblami i ugnieciono gąsienicami czołgu. Potem zaczęła się pacyfikacja więzienia. Było to piekło na ziemi.

Na korytarzu rozległy się wrzaski, krzyki, strzały – wspominał żołnierz o pseudonimie „Sosna". – Na rozkaz z zewnątrz: „wychodzić!" dwóch więźniów wyskoczyło na korytarz i z miejsca zostało rozstrzelanych. To wstrzymało resztę chętnych i Niemcy wrzucili do celi parę granatów, w wyniku czego dużo więźniów zostało rannych, między innymi i ja – w nogę. Ustawiono nas twarzą do ściany z rękami na głowie i bito kolbami, pałkami, pejczami i ciągle strzelano. Słychać było wrzaski esesmanów i jęki rannych więźniów. W nocy 6 lutego rozpoczęto ponowne badania w gestapo pozostałych przy życiu Polaków, bardzo szybko nas wykańczając. Na pierwszy ogień poszedł Serafin i został zakatowany na śmierć. Pamiętam również skatowanego „Mirka" – Maciejewskiego. Nieprzytomny znalazłem się w karcerze i zacząłem jak pies lizać swoje rany. Zostałem odwieziony do Oświęcimia, gdzie zostałem zarejestrowany pod nr. 107 698.

W sumie spośród liczącego około 600 żołnierzy elitarnego oddziału zginęło około 130 osób. Straty sięgnęły więc ponad 20 procent. „Wachlarz" został dwukrotnie zdziesiątkowany. Do tego należy dodać trudne do oszacowania straty ludności cywilnej, które były wywołane akcjami odwetowymi podejmowanymi przez Niemców.

Tu należy zatrzymać się na chwilę, aby zwrócić uwagę na pewien ponury szczegół. O ile polskie podziemie na Ziemiach Wschodnich po roku 1941 dzielnie – nie zważając na straty własne i wśród ludności cywilnej – wysadzało mosty i niemieckie pociągi, aby ratować bolszewików, o tyle wcześniej nie było takie skore do ratowania własnych rodaków. Gdy w lutym 1940 roku NKWD przeprowadzał wielką deportację Polaków na Wschód, polskie koła polityczne zwróciły się do ZWZ, aby wysadził w powietrze mosty na głównych szlakach deportacyjnych. Podziemie odmówiło, motywując to tym, że „jest jeszcze za wcześnie na zbrojne wystąpienie przeciwko Sowietom".

Jak wiadomo, czas ten nigdy nie nadszedł i NKWD bezkarnie, bez najmniejszego oporu, wywiózł kilkaset tysięcy Polaków na Sybir. Również po ataku Hitlera na Stalina ZWZ nie zrobił nic, by ratować Polaków wyrzynanych przez bolszewików w więzieniach i aresztach na całych Ziemiach Wschodnich. Nie spróbowano tego zrobić choćby w najmniejszym miasteczku. Nie podjęto ani jednej takiej akcji. Jak wiadomo, na strzelanie do bolszewików „za wcześnie" było do końca wojny.

Pierwszego dnia agresji sowieckiej z 17 września 1939 roku – pisał Józef Mackiewicz – padło hasło: Nie walczyć z bolszewikami, bo idą nam z pomocą.

Po półtora, dwóch dniach, gdy sytuacja się wyjaśniła, zaczęło obowiązywać: Nie walczyć z bolszewikami, aby cały wysiłek skoncentrować przeciw Niemcom.

Od roku 1941: Nie walczyć z bolszewikami, bo to nasi sojusznicy.

Po Katyniu i wyraźnych planach drugiej agresji w r. 1943: Nie walczyć z bolszewikami, bo to sojusznicy naszych sojuszników.

Z chwilą ponownego wkroczenia Armii Czerwonej w roku 1944: Nie walczyć z bolszewikami, bo taka walka leży w interesie dr. Goebbelsa i Gestapo.

W roku 1945: Nie walczyć z bolszewikami, bo wysiłek przeciw Niemcom kosztował za drogo.

Tymczasem walkę z Niemcami – nie oglądając się na ofiary i jej sens – prowadzono bez żadnych kompromisów i żadnych podobnych wątpliwości od pierwszego do ostatniego dnia wojny.

Wróćmy jednak do „Wachlarza". „Była to akcja finansowana bezpośrednio przez władze angielskie, której zadaniem było odciążenie frontu sowieckiego – pisał polski historyk emigracyjny Zbigniew S. Siemaszko. – Pomimo że akcja ta miała niewiele wspólnego z polskimi interesami, władze polskie zaangażowały do niej najlepszych, najdzielniejszych żołnierzy. Akcja ta przyniosła minimalne skutki, natomiast spowodowała poważne straty". Według Siemaszki kulisy sprawy były po wojnie „wstydliwie przemilczane" w oficjalnych publikacjach środowisk AK.

Gdyby Stalin był wtajemniczony w szczegóły tej historii, zapewne zaśmiewałby się i z zadowolenia zacierał ręce. Tak znienawidzeni przez niego Polacy walczyli i umierali w interesie bolszewizmu. Dramat „Wachlarza" i dylematy, jakie stały przed jego żołnierzami, przedstawił Józef Mackiewicz w swojej powieści *Nie trzeba głośno mówić*.

Występuje w niej Romuald Ławrynowicz. To polski szpieg, który przez całe dwudziestolecie międzywojenne działał w Mińsku, walcząc z Sowietami, a w 1942 roku nagle otrzymał rozkaz, aby Sowiety wspierać.

Całe swoje życie, całe istnienie swoje, poświęciłem walce z bolszewizmem – mówił Ławrynowicz głównemu bohaterowi książki, Henrykowi. – Przez dwadzieścia cztery lata, ćwierć wieku, zakopany w tym gnoju sowieckim, pracowałem i czekałem w najskrytszych marzeniach na zniszczenie tego gówna, tej plugawej zarazy świata. Tymczasem... Mam tym bolszewikom pomagać do zwycięstwa?! Właśnie w chwili, gdy to łajno psie zepchnięte zostało na brzeg przepaści, ja mam nadstawiać głowę swoją, swojej żony, syna, aby je od tej przepaści ratować. To mnie mierzi.

Gdy po pewnym czasie do Ławrynowicza przyjechał z Warszawy przedstawiciel ZWZ z konkretnymi rozkazami, wywiązała się taka rozmowa:

– Panowie robią politykę angielską – powiedział Ławrynowicz.

– Robimy taką, jaką nakazuje nam rząd Rzeczypospolitej w Londynie i władze ZWZ w Warszawie.

– Ostatnie instrukcje, jakie otrzymałem: meldunki o ruchu kolei idących na front wschodni; statystyka ruchu wojsk tam i z powrotem; plany lotnisk; sieci garnizonów; tajne instrukcje niemieckie; rozpracowanie nastrojów w armii niemieckiej i tak dalej, i tak dalej. Mówmy językiem brutalnym w tych brutalnych czasach. Jest to normalne szpiegostwo na rzecz i korzyść bolszewików. To miało iść do Londynu, a idzie do Moskwy. Nawet to nieprawda, że pośrednikami są Anglicy i naszymi rękami i głowami chcą wspierać Sowiety. Bo nawiązali panowie łączność bezpośrednią z bolszewikami…

Przybyły zmrużył oczy, nie spuszczając ich z Ławrynowicza.

– Dlaczego używa pan wciąż terminologii hitlerowskiej?

– Jeżeli hitlerowiec na krzesło powie: „krzesło", to nie znaczy, żebym powiedział, że to nie jest krzesło.

– Ocena nie leży w pana kompetencji…

– Ja nie oceniam, tylko stwierdzam. Teraz przyjechał niejaki „Czarny" z kilkoma ludźmi. Ma on bezpośrednie polecenie, aby tu, w ramach „Wachlarza", przygotować wspólne wystąpienia z partyzantką bolszewicką. Zwrócił się do mnie o pomoc organizacyjną. Otóż ja mam dość. Ja osobiście udziału w tej robocie brać nadal nie chcę i nie będę. Ja wysiadam z tej roboty.

– Dlaczego?

– Dlatego, że to jest zdrada.

Rozdział 8

Infiltracja

Relacje ZWZ, a później AK, z bolszewikami wymagają szerszego omówienia. Aby było ono pełne, musimy cofnąć się nieco w czasie, do ponurego okresu okupacji sowieckiej 1939–1941. Wtedy bowiem po raz pierwszy polska organizacja podziemna zetknęła się z Sowietami i spotkanie to można porównać do zderzenia z pędzącym pociągiem.

Są dwie podstawowe metody działań tajnych służb wobec organizacji przeciwnika: eksterminacja i infiltracja. O ile służby III Rzeszy w pierwszej z tych metod doścignęły Sowietów dość szybko, o tyle w drugiej – do końca swojego istnienia – nawet się do nich nie zbliżyły. Jest to spory paradoks, zważywszy na powszechnie rozpowszechnione stereotypy. Zgodnie z nimi Niemcy mają być rzekomo inteligentni, poukładani i systematyczni, a Rosjanie brutalni, prymitywni i bałaganiarscy.

Dzieje Gestapo i NKWD pokazują, jak bardzo takie stereotypy bywają nietrafione. W tym wypadku było bowiem odwrotnie. Generał Klemens Rudnicki, który w 1939 roku znalazł się pod okupacją sowiecką we Lwowie, pisał:

Sowiety oceniliśmy jako mniej groźne. Głupi, naiwni, kulturalnie niżsi, nie zabijają bezmyślnie i nie tępią ludności. Wprowadzają jedynie niesamowity bałagan i nędzę, która sprowadzi z pewnością wiele nieszczęść na ludzi, ale z której będzie można się wydobyć. Kłamstwa ich są tak oczywiste, że nie ma obawy, aby im uwierzono. Gdy spłyną z powrotem na wschód, szybko nie będzie śladu po ich pobycie.

Po latach Rudnicki jednak całkowicie zweryfikował swój pogląd:

Jakże bardzo błądziliśmy w ocenie Sowietów – zmyliło nas to, cośmy z zewnątrz widzieli, i nie odgadywaliśmy jeszcze wówczas systemu kryjącego się w tym potwornym chaosie. Być może, że winą tego była nasza przedwojenna nieświadomość wszystkiego, co działo się za Zbruczem.

Polacy bez wątpienia byli całkowicie nie przygotowani do tego, z czym mieli się zetknąć w latach 1939–1941. Bolszewizm od pierwszego dnia okupacji wciskał się bowiem w polskie ziemie wschodnie wszystkimi porami skóry. Natychmiast zaczął toczyć Polaków czerwiem deprawacji, strachu i upadku moralnego. Było to jaskrawo sprzeczne z tym, co działo się pod okupacją niemiecką, gdzie – mimo straszliwych represji – Polacy aż do upadku Powstania Warszawskiego nie stracili ducha i hardej postawy.

Komunizm był i jest systemem, który przede wszystkim ugina ludzkie karki. Pod okupacją niemiecką żaden ze znaczących polskich pisarzy nie dziękował „zwycięskiemu, bohaterskiemu Wehrmachtowi za wyzwolenie Pomorza, Poznańskiego i Śląska z polskiego jarzma". Żaden z polskich pisarzy nie pisał peanów na cześć „genialnego wodza Adolfa Hitlera" do gadzinowego „Nowego Kuriera Warszawskiego". A pod okupacją sowiecką podobne wystąpienia na łamach „Czerwonego Sztandaru" czy „Nowych Widnokręgów" były normą. Swoimi piórami Sowietom służyli Tadeusz Boy-Żeleński, Mieczysław Jastrun, Jerzy Putrament, Julian Stryjkowski, Aleksander Wat, Adam Ważyk. Wymieniać można by jeszcze długo.

Również żaden z licznych generałów polskich, którzy dostali się do niewoli niemieckiej we wrześniu 1939 roku, nie zgodził się na współpracę z wrogiem. Wśród wysokich rangą oficerów, którzy dostali się w sowieckie łapska, w kandydatach na czerwonego Własowa mogli bolszewicy przebierać. Przykładem może być choćby Marian Żegota--Januszajtis, nazywany z tego powodu „czerwonym generałem", który prowadził na Łubiance daleko posunięte negocjacje i – z czego był zresztą bardzo dumny – dawał wykłady oficerom Armii Czerwonej i NKWD.

„Przez cały czas pobytu mego na Łubiance – pisał generał – niezmiennie trzymałem się swojej linii, atakując ich ostro, ale zawsze w imię wspólnego polsko-rosyjskiego interesu". Prosowieckie deklaracje składało w niewoli również szereg innych najwyższych dowódców Wojska Polskiego. Istnieją poważne przesłanki, że część z nich – znanych historykom z imienia i nazwiska – podjęła współpracę agenturalną.

Podobnie było z przedstawicielami innych zawodów. Naukowcy, urzędnicy, dziennikarze, nauczyciele. Ludzie, którzy jeszcze niedawno stawiani byli za wzór „dobrego Polaka", nagle ogarnięci panicznym strachem, stłamszeni przez sowieckiego polipa, szli w pierwszym szeregu w pierwszomajowym pochodzie. Na domu wywieszali czerwony sztandar, brali udział w „referendach" i posłusznie głosowali za wchłonięciem ich ojczyzny przez Związek Sowiecki.

Rzadko kto o tym pisze, bo rzecz jest bardzo nieprzyjemna. Zadaje kłam mitowi o niezłomnej postawie społeczeństwa polskiego podczas drugiej wojny światowej. Zgoda, była ona niezłomna. Ale tylko wobec jednego z okupantów. Niestety rację miał piłsudczyk podpułkownik Wacław Lipiński, że o ile wobec Niemców Polacy to „bryła szlachetnego złota", o tyle wobec Sowietów ci sami Polacy to zbiorowisko potencjalnych kolaborantów.

„Ta nieubłagana postawa zajęta wobec Niemiec – podkreślał Lipiński – w stosunku do Rosji, której zdradziecka napaść nie ustępowała w swej ohydzie napaści niemieckiej, była znacznie łagodniejsza. Współpracy z Rosjanami nie traktowano jako czystej zdrady, wpływ socjalnej maski przesłaniającej oblicze Rosji działał na opór polski osłabiająco, a niekiedy niszcząco. Nieszczęsny pakt Sikorski–Majski hamulce Polaków osłabił".

Hamulce te jednak były osłabione i wcześniej. Historycy najczęściej tę różnicę wobec obu okupantów tłumaczą "trudnym terenem Kresów", na którym Polaków terroryzowali żydowscy, ukraińscy i białoruscy donosiciele. Jest to wytłumaczenie wygodne, ale niestety bardzo mało przekonujące. Prawdziwych przyczyn należy raczej upatrywać w samej diabelskiej naturze komunizmu, który ma destrukcyjny, deprawujący wpływ na społeczeństwa i jednostki.

"Niemców się nie bałem – mówił pułkownik Kazimierz Iranek-Osmecki z Komendy Głównej AK – lecz w obliczu Rosjan byłem jak sparaliżowany. Niemcy byli sadystycznymi bydlętami, które umiały tylko zabijać. Natomiast Rosjanie to inna sprawa. Przeciwko Niemcom naród był zjednoczony, lecz wobec Rosjan byliśmy bezsilni, rozbici. Przenikali wszędzie i toczyli nas od wewnątrz jak robaki".

Dlatego właśnie Józef Mackiewicz – który okupację sowiecką spędził w Wilnie – pisał gorzko, że "Niemcy reprezentowały wobec nas element, który wydobył z Polski maksymalną chęć niepodległości i chęć przeciwstawienia się im jako zaborcom. Bolszewicy reprezentują zaś wobec nas element, który wydobywa z Polski maksymalną chęć pójścia w niewolę". Niestety miał rację i żadne patriotyczne zaklęcia, oburzenia i listy protestacyjne nie zaprzeczą faktom. Rację miał bowiem marszałek Józef Piłsudski, gdy mówił, że Niemcy mogą nas pobić, ale nie zdołają nas ujarzmić. Bolszewicy mogą zaś odebrać nam duszę.

Profesor Stanisław Swianiewicz, ocalały z Katynia, zwracał uwagę na słabość, jaką polskie elity tamtej epoki miały wobec bolszewizmu. Tak pisał o stosunkach, jakie wytworzyły się w obozie w Kozielsku:

Bałagan, brud, smród i chamstwo, któreśmy obserwowali, wzbudzały pogardę. Lecz jednocześnie wielu oficerów – w szczególności rezerwiści – z pewną dozą zainteresowania i dobrej wiary przysłuchiwało się temu, co mówili politrucy lub pokazywały wyświetlane późnym wieczorem na podwórzu filmy propagandowe. Gdy oficerowie odpowiadali politrukom, że chcieliby widzieć Rosję jako sprzymierzeńca Polski w walce z Niemcami, mówili to niewątpliwie jak najbardziej szczerze. Polska inteligencja, będąc w masie swojej żywiołowo antyniemiecka, jest jednocześnie potencjalnie prorosyjska.

Nie trzeba chyba dodawać, że podobne wypowiedzi i postawy w niemieckich oflagu, w którym siedzieli polscy oficerowie, były niedopuszczalne. Gdyby jakiś major czy kapitan poszedł do komendanta obozu i powiedział mu, że „chciałby widzieć Niemcy jako sprzymierzeńca Polski w walce z bolszewizmem", tej samej nocy koledzy zadusiliby go ręcznikiem na pryczy.

Wróćmy jednak do tragicznych losów polskiego podziemia pod okupacją sowiecką lat 1939–1941. Na tym przykładzie można bowiem zobaczyć, jak w praktyce wyglądała różnica między metodami sowieckimi i niemieckimi. O ile Niemcy – przynajmniej przez pierwsze lata wojny – nie umieli sobie poradzić z rozpracowaniem Polskiego Podziemia, bolszewicy zrobili to niemal z marszu. Różne były metody obu okupantów, ale i różne były reakcje Polaków.

W niemieckiej niewoli, mimo potwornego bicia i tortur, oficerowie i żołnierze ZWZ w większości odmawiali zeznań i współpracy, skutkiem czego ginęli śmiercią męczeńską. W wypadku oficerów podziemia schwytanych przez bolszewików bardzo często było inaczej. Najdzielniejsi oficerowie, kawalerowie najwyższych odznaczeń bojowych, poddani czekistowskim metodom załamywali się w śledztwie. Mówili wszystko, co chcieli usłyszeć śledczy, podejmowali współpracę agenturalną. „Metody zwalczania naszego ruchu podziemnego stosowane przez NKWD były przedmiotem podziwu ze strony gestapo" – pisał generał Tadeusz Bór-Komorowski.

Dzieje okupacji sowieckiej zaprzeczyły jeszcze jednemu stereotypowi: że Polacy są urodzonymi konspiratorami. Dla starych, doświadczonych czekistów nie byli żadnymi przeciwnikami. Najbardziej dramatyczny obrót sprawy przybrały we Lwowie, gdzie członkowie ZWZ nie przestrzegali elementarnych zasad konspiracyjnych. Swoją działalność prowadzili niemal otwarcie. W efekcie NKWD błyskawicznie rozpracował, a następnie spenetrował polskie podziemie.

Warto tu dodać, że ze względu na konflikty personalne i ideologiczne we Lwowie działały dwie polskie grupy podziemne – ZWZ-1 i ZWZ-2. I nad obydwoma sowieckie tajne służby przejęły pełną kontrolę. Nad ich szlakami kurierskimi, lokalami konspiracyjnymi, archiwami i łącznością ze światem zewnętrznym. Agentami NKWD byli szefowie służb wywiadowczych obu grup, kapitan Edward Metzger i Edward Gola. A także komendant ZWZ-1 podpułkownik Emil Macieliński „Kornel", który został później zastrzelony z wyroku sądu podziemnego. Agentem sowieckim był de facto pełniący obowiązki komendanta ZWZ w okręgu wołyńskim Bolesław Zymon „Waldy Wołyński". Człowiek, który wydał NKWD komendanta okręgu, pułkownika Tadeusza Majewskiego.

Do penetracji polskiego podziemia używano również ludzi zwerbowanych jeszcze przed wojną. Dla bolszewików pracował przebywający w Paryżu zastępca komendanta głównego ZWZ generał Gustaw Paszkiewicz „Radwan", swego czasu słusznie nazwany przez Józefa Piłsudskiego ch… solonym. Swoim protektorom przekazywał on potajemnie wszystkie informacje dotyczące struktur organizacji pod okupacją sowiecką. Maskę zdjął dopiero w 1945 roku, gdy stanął na czele dywizji komunistycznego wojska zwalczającej „żołnierzy wyklętych" na Białostocczyźnie.

Każda dobra policja polityczna – tłumaczył profesor Paweł Wieczorkiewicz – uważa, że rozpracowany przeciwnik jest mniej niebezpieczny, bo niczym nie może zaskoczyć. Można go kontrolować, a czasami nawet inspirować jego działania poprzez wkręconą w jego szeregi agenturę. Rozbicie istniejącej struktury podziemnej poprzez masowe aresztowania powoduje zaś, że przeciwnik podejmuje działalność samorzutną, nieprzewidywalną. A więc z punktu widzenia służb specjalnych bardziej niebezpieczną. Z czasem zaś założy nowe struktury, które trzeba będzie na nowo rozpracowywać. Po co zadawać sobie tyle trudu?

Kierownictwo NKWD, „bardzo dobrej policji politycznej", dobrze to wiedziało i właśnie tę taktykę skutecznie realizowało w okupowanej

Polsce. Agenci sowieccy osadzeni w lwowskim podziemiu jeździli jako kurierzy do Warszawy, gdzie mieli za zadanie zinfiltrować i spenetrować centralę ZWZ. Działania te – z których, jak wynika z dokumentów, generał „Grot" świetnie zdawał sobie sprawę – świadczyły, że Sowieci myślą o Polsce jako o terenie swojej przyszłej ekspansji.

Choć podziemny kontrwywiad starał się nieśmiało bronić przed NKWD, wszystko wskazuje na to, że już w owym okresie udało się bolszewikom umieścić wysoko w strukturach Polskiego Państwa Podziemnego swoich ludzi. „Szeroka organizacja AK została rozszyfrowana w dużej mierze przez czynniki pozostające na służbie sowieckiej" – raportował już w 1942 roku do Londynu generał Grot-Rowecki. „Komuniści mieli swoje wtyczki w całej strukturze AK" – dodawał pułkownik Janusz Bokszczanin. Przyniosło to później katastrofalne skutki.

Rozdział 9

Uwaga! Czerwoni!

Wybuch wojny między Stalinem a Hitlerem położył kres oficjalnej działalności NKWD w Polsce, która polegała na niszczeniu Polskiego Państwa Podziemnego. Ale nie dlatego, że bolszewicy brali na poważnie zawarty z powodów taktycznych pakt z generałem Sikorskim. Stało się tak dlatego, że NKWD wraz z Armią Czerwoną został po prostu przepędzony z Polski przez Niemców.

Antypolskie działania bolszewików musiały więc zejść do podziemia. Pierwszym ich wykonawcą była agentura sowiecka złożona z polskich komunistów. Na początku 1942 roku Komunistyczna Partia Polski reaktywowała się jako Polska Partia Robotnicza. Jej zbrojnym ramieniem była Gwardia Ludowa, przemianowana później na Armię Ludową.

Działalność tych struktur na terenie okupowanej Polski przypomina działalność zorganizowanej grupy przestępczej. I, żeby nie było wątpliwości, nie chodzi tu o gang włamywaczy dżentelmenów ze starych angielskich kryminałów, ale o zwyrodniałych kryminalistów w stylu sowieckich urków.

Nie jest to tylko figura retoryczna, ale określenie dość ściśle oddające rzeczywistość. Komuniści do swojej organizacji masowo wciągali pospolitych przestępców. Magnesem była obietnica sowitych łupów oraz gwarancja bezkarności i kariery w przyszłej, czerwonej Polsce.

W efekcie oddziały GL/AL skupiały się na brutalnym terroryzowaniu ludności cywilnej. Na mordach, gwałtach i grabieżach. Ofiarą bojców padały dwory, spółdzielnie rolnicze, mleczarnie, masarnie, gorzelnie, ale przede wszystkim prywatne zagrody wiejskie. Każda partyzantka musi brać jedzenie od chłopów – AK i Narodowe Siły Zbrojne nie były tu wyjątkiem – ale tak zwane akcje ekspropriacyjne w wykonaniu komunistów przypominały najazdy Hunów.

Przykład szedł zresztą z góry. Jak pisał historyk Piotr Gontarczyk, czołowi działacze komunistyczni za dnia uprawiali politykę, a nocą, używając ich języka, „robili sklepy na Pradze". Zrzuceni na spadochronach ze Związku Sowieckiego, gdzie żyli w permanentnej komunistycznej nędzy, komuniści okupowaną Polskę traktowali jak eldorado. Ich kochanki chodziły po Warszawie w zrabowanych – często Żydom – futrach, a oni sami gromadzili zegarki, drogie meble i inne precjoza.

Mimo pozyskania licznych mętów społecznych struktury PPR/GL/AL wciąż były tak wątłe, że o walce z Niemcami komuniści nie mogli nawet marzyć. Opisy walnych bitew, potyczek i brawurowych akcji sabotażowych czerwonego podziemia wymierzonych w okupanta to wymysł PRL-owskiej propagandy. Zresztą kierownictwo PPR zdawało sobie sprawę, że Niemców ma pobić nadciągająca ze wschodu Armia Czerwona. Oni zostali wyznaczeni przez Kreml do innych zadań.

A więc przede wszystkim chodziło o przygotowanie gruntu pod przyszłą sowietyzację Polski. Środkiem do tego celu miało być wyeliminowanie członków polskich organizacji niepodległościowych, którzy mogliby w przyszłości stawiać opór najazdowi Armii Czerwonej. Dochodziło więc do skrytobójczych mordów na działaczach Delegatury Rządu na Kraj oraz żołnierzach AK i Narodowych Sił Zbrojnych. Mordy te były dokonywane przez całą wojnę – im komunistyczne jaczejki stawały się silniejsze, tym było ich więcej. Wszystko to działo się oczywiście pod ścisłym kierownictwem sowieckich tajnych służb.

Na przykład 4 maja 1944 roku na Lubelszczyźnie w pobliżu miejscowości Owczarnia banda AL wymordowała oddział AK. „Pluton walczył do ostatniego naboju – napisano w raporcie polskiego podziemia – przy czym, nie mając amunicji, wywiesił białą chorągiew na znak poddania się, oddział PPR rozbroił ich, ustawił w czwórki i w bestialski sposób z rkm wszystkich wystrzelał. Zginął dowódca oraz około 40 żołnierzy, kilkunastu żołnierzy zbiegło. Z zabitych zdjęto ubranie, bieliznę i obuwie".

Rzeczywistość była nieco mniej romantyczna. Nie było mowy o żadnej „walce do ostatniego naboju". AK-owców nie po raz pierwszy i ostatni zgubiły bliskie kontakty, jakie utrzymywali z AL-owcami. Do masakry doszło, gdy oba oddziały stały naprzeciw siebie przy drodze. Jak pisze jeden z historyków, miano sobie... oddać honory przy drodze, gdy komunistyczny „oficer" Bolesław Kowalski „Cień" strzelił znienacka w głowę polskiemu oficerowi. Potem ogień otworzyła reszta czerwonych zbirów.

Na ogół jednak oddziały GL i AL nie miały żadnych szans w konfrontacji z Polakami. Dlatego uciekały się do denuncjacji. Tysiące przedstawicieli polskich struktur podziemnych zostało uwięzionych i zamordowanych przez Gestapo w wyniku donosów komunistów. Wywiadowi Armii Krajowej udało się na przykład przechwycić treść uchwał przyjętych 3 i 4 sierpnia 1943 roku na zjeździe przedstawicieli podziemia komunistycznego z Siedlec i okolic, w którym znalazła się następująca wytyczna: „Przenikać w większym niż dotąd stopniu do polskich organizacji niepodległościowców w celu wyłowienia ludzi na kierowniczych stanowiskach, których należy natychmiast likwidować przez denuncjacje do Gestapo".

Niekiedy nawet AL i Gestapo przeprowadzały wspólne akcje. Najbardziej znana odbyła się w kamienicy przy ulicy Poznańskiej 37 w Warszawie. W mieszkaniu numer 20 znajdowało się tajne archiwum wywiadu Delegatury Rządu na Kraj, w którym gromadzono wyniki rozpracowania komunistycznych i niemieckich agentów.

17 lutego 1944 roku do lokalu wtargnęła bojówka AL w asyście oficera Gestapo. Napastnicy wydobyli materiały z zakamuflowanych skrytek i podzielili się nimi. Niemcy zabrali część dotyczącą spraw niemieckich, a komuniści – spraw komunistycznych. Właściciela mieszkania Wacła-

wa Kupeckiego „Kruka" i szereg osób, które wpadły w utworzony tam kocioł, Niemcy wywieźli w nieznanym kierunku i zamordowali. Akcja została przeprowadzona na rozkaz jednego z przywódców sowieckiej siatki szpiegowskiej, Mariana Spychalskiego, przyszłego „marszałka" PRL. Mniej szczęścia komuniści mieli, gdy przez pomyłkę wydali Niemcom własną konspiracyjną drukarnię przy Grzybowskiej 23, myśląc, że należy ona do podziemia niepodległościowego...

Wytyczne do tego rodzaju działalności szły od mocodawców, czyli od Sowietów. W czerwcu 1943 roku szef Centralnego Sztabu Partyzanckiego, Pantielejmon Ponomarienko, wydał następujące rozkazy dotyczące polskiej konspiracji: „Wszystkimi sposobami wystawiać ich pod uderzenie niemieckiemu okupantowi. Niemcy bez skrupułów rozstrzelają ich, jeśli dowiedzą się, że są to organizatorzy polskich zgrupowań partyzanckich lub innych organizacji. W tych sprawach niezbędna jest dobra organizacja. Wychodzić należy z tymi sprawami na szeroką skalę".

Gdy PPR-owcy już decydowali się na walkę, to zazwyczaj... mordowali się nawzajem. Nieliczne akcje antyniemieckie sprowadzały się zaś na ogół do wrzucania granatów do kawiarni – jak dwa zamachy na Café Club czy atak na Mitropę. Efektów takie działania nie przynosiły żadnych, a odwet okupanta na ludności miasta był straszliwy. W interesie komunistów było jednak wzmożenie niemieckich represji. Im stawały się cięższe, tym bardziej radykalizowały się nastroje społeczne. A wtedy rosło – znikome przed wojną – poparcie dla bolszewizmu.

Armia Krajowa, choć dobrze wiedziała, że AL i PPR to niezwykle niebezpieczna dla Polski sowiecka agentura, nie podjęła właściwie żadnego przeciwdziałania. Walkę z komunistami ograniczała do propagandy. Było to oczywiście konsekwencją paktu Sikorski–Stalin i fatalnej strategii, jaką po jego zawarciu przyjął rząd na emigracji i Polskie Państwo Podziemne.

Przed kwietniem 1943 roku Sowiety miały być „sojusznikiem", nie wypadało więc zwalczać ich agentury. A po kwietniu 1943 roku, gdy po odkryciu grobów katyńskich Stalin zerwał stosunki dyplomatyczne z Polską, zostały one... „sojusznikiem naszych sojuszników". De facto wychodziło na to samo – polscy przywódcy wciąż uważali, że nie wypada walczyć z czerwonymi.

Dominowała obawa przed drażnieniem Stalina i narażeniem się Wielkiej Brytanii oraz Stanom Zjednoczonym. „W stosunku do polskich organizacji komunistycznych zachowywać się negatywnie, ale nie zaczepnie" – pisał w rozkazie z 14 kwietnia 1944 generał Bór-Komorowski. Lokalnym dowódcom AK zalecał zaś, aby wobec grup AL zachowywali się „taktownie", unikając zadrażnień.

Wiele lat po wojnie szef Wydziału Propagandy AK Tadeusz Żenczykowski „Kania" powiedział: „Mogliśmy inaczej komunistów traktować, jednak każdy Polak ma prawo bić się o Polskę". Problem polegał na tym, że celem walki komunistów wcale nie była Polska.

Rozdział 10

Fatalne skutki
kontaktów z agenturą

Polskie Państwo Podziemne powinno było zlikwidować działające na swoim terytorium organizacje komunistyczne. Elementy przywódcze oraz co bardziej gorliwych donosicieli i morderców – wyeliminować fizycznie. Należało wytępić najważniejsze struktury polityczne i wojskowe „polskiej" komuny. Szeregowych członków band AL, którzy rokowali nadzieję na poprawę, można było albo rozproszyć, albo wcielić do własnych oddziałów.

Postulaty takie mogą wydawać się szokujące. Nie należy jednak zapominać, że trwała wojna, a PPR była agenturą obcego mocarstwa, której działalność była wymierzona w niepodległość i integralność państwa polskiego. Działalność ta polegała na mordowaniu, denuncjowaniu i rozpracowywaniu polskiego podziemia dla NKWD. Rozprawa z komunistami byłaby więc aktem samoobrony. Aktem całkowicie zgodnym z prawem.

Punkt szósty konstytucji Rzeczpospolitej Polskiej z kwietnia 1935 roku, obowiązującej Polaków podczas okupacji, stanowił bowiem, że „obywatele winni są Państwu wierność". Artykuł dziesiąty zastrzegał zaś, że „w razie oporu Państwo stosuje środki przymusu". Zapis ten precyzował Kodeks Karny, który mówił, że „kto usiłuje pozbawić Państwo Polskie niepodległego bytu lub oderwać część jego terytorium, podlega karze więzienia na czas nie krótszy niż 10 lat lub dożywotnio albo karze śmierci".

Wszystkie te zapisy jak ulał pasowały do komunistów, którzy stali na stanowisku, że połowa Polski powinna zostać oddana ościennemu mocarstwu, a druga połowa zamieniona w państwo wobec tego mocarstwa wasalne. Polskie Państwo Podziemne nie tylko powinno więc było rozprawić się z komunistyczną agenturą, ale było to wręcz jego powinnością. Zaniechawszy tego działania, sprzeniewierzyło się swoim konstytucyjnym obowiązkom.

Takie rozwiązanie przyniosłoby sprawie polskiej olbrzymie zyski.

Po pierwsze, ukróciłoby mordy członków PPR, GL i AL na polskich patriotach i denuncjowanie ich na Gestapo.

Po drugie, położyłoby kres komunistycznym grabieżom ludności cywilnej na prowincji.

Po trzecie, pozbawiłoby Sowietów agentury, przy pomocy której mogły w przyszłości rządzić Polską.

Po czwarte, poważnie utrudniłoby rozbicie polskich struktur niepodległościowych i wymordowanie ich członków po zajęciu Polski przez Armię Czerwoną.

„Wywiad komunistyczny zgromadził bogaty materiał wywiadowczy zawierający dane personalne członków ruchu oporu – pisał Piotr Kołakowski w *Pretorianach Stalina*. – Tylko od stycznia do października 1943 roku wywiad GL w Warszawie zebrał dane o 320 «działaczach reakcyjnych» i 10 lokalach konspiracyjnych". Na podstawie tych danych sporządzano czarne listy Polaków nastawionych wrogo do bolszewizmu, które po roku 1944 były przekazywane NKWD. Listy te w wielu wypadkach były listami śmierci.

Niestety Polskie Państwo Podziemne nie tylko nie spacyfikowało komunistów, ale i ułatwiało im penetrowanie własnych struktur. Podziemnych kontaktów z bolszewikami było mnóstwo. Zarówno na poziomie lokalnych dowódców AK, jak i komórek Delegatury Rządu na Kraj, jak i na szczeblach wyższych. Jednym z najbardziej zdumiewających przykładów są negocjacje o... wcieleniu PPR do Polskiego

Państwa Podziemnego prowadzone przez delegata Jana Piekałkiewicza między lutym a kwietniem 1943 roku.

Na całe szczęście zakończyły się one fiaskiem. Ale czy wyobrażacie sobie państwo, żeby delegat rządu na kraj – w ramach poszerzenia zaplecza politycznego Państwa Podziemnego – rozpoczął negocjacje o wcieleniu do niego agentury Gestapo? Zostałby pewnie z miejsca zastrzelony jako zdrajca grożący zdekonspirowaniem całej organizacji, a być może po prostu wzięty pod pachy i wywieziony do domu wariatów. Tymczasem w negocjacjach z agenturą NKWD nie widziano nic złego.

Józef Mackiewicz pisał, że w efekcie nastąpiło rozmycie granic między podziemiem niepodległościowym a podziemiem sowieckim. Był to niewybaczalny błąd.

Nie zgadzam się, żeby Niemcy byli wrogiem największym – mówił jeden z bohaterów *Nie trzeba głośno mówić.* – Większym są bolszewicy, bo są bardziej dla każdego narodu niebezpieczni. Z prostej formuły, że żaden Polak nie może być jednocześnie Niemcem, gdyż pojęcia te wykluczają się nawzajem. Ale każdy Polak może być jednocześnie komunistą. Gdyż pojęcia te, często niestety, dobrze się nawet rymują. Fałszujemy rzeczywistość, stawiając niekiedy znak równania między okupacją niemiecką i sowiecką. Niemiecka robi z nas bohaterów, a sowiecka robi z nas gówno. Niemcy do nas strzelają, a Sowieci biorą gołymi rękami. My do Niemców strzelamy, a Sowietom wpełzamy w dupę.

Za absurdalną strategię Polskiego Państwa Podziemnego wobec komunistów po roku 1944 zapłaciły życiem tysiące żołnierzy Armii Krajowej. Wielu członków AL i PPR zasiliło bowiem szeregi UB, KBW, MO, NKWD i innych formacji komunistycznego aparatu represji. Ludzie ci bezwzględnie wykorzystali swoje kontakty z polskim podziemiem. W efekcie przez kilka miesięcy okupacji sowieckiej aresztowano więcej oficerów AK niż przez całą okupację niemiecką.

Sprawa znalazła nawet odzwierciedlenie w kulturze masowej. Głównym bohaterem znakomitego filmu *Róża* Wojciecha Smarzowskiego jest

AK-owiec, powstaniec warszawski, który z obawy przed komunistycz-
nymi represjami próbuje rozpocząć nowe życie w Prusach Wschodnich.
W knajpie w miasteczku zostaje jednak rozpoznany przez miejscowego
ubeka.

– Ha! Pamiętasz mnie? – mówi komunista. – Jesień 1943. Pod Połań-
cem. No, spotkanie Gwardii Ludowej z wami, AK-owcami.
– Tak, pamiętam, byłeś w obstawie sztabu. Co tu robisz, stąd jesteś?
– Nic, umacniam władzę ludową.

Rozpoznanie to kończy się tragicznie. AK-owiec zostaje aresztowany. Przechodzi straszliwe śledztwo, jest katowany, trzymany w karcerze
i z więzienia wychodzi jako wrak człowieka. *Róża* to oczywiście tylko
film fabularny, wiemy jednak, że takich wypadków rzeczywiście były
tysiące.

Gdyby zaś ten oddział AK „jesienią 1943 roku pod Połańcem" nie
spotkał się z Gwardią Ludową na pogawędki, ale komunistów wystrzelał
i zakopał ich ciała w zagajniku, bohater *Róży* nie zostałby przez ubeka
rozpoznany. Od kilku lat bowiem komunista leżałby w ziemi.

Gdy w 2008 roku publicysta Piotr Skwieciński ośmielił się napisać w „Rzeczpospolitej", że polskie podziemie powinno było wyeliminować komunistów, posypały się na niego gromy. Niektóre głosy
w dyskusji były wręcz niedorzeczne. Na czoło zdecydowanie wysuwa
się jednak opinia profesora Andrzeja Friszkego. Otóż ów utytułowany
historyk zarzucił Skwiecińskiemu, że propaguje scenariusz „mordów
bratobójczych". Tak, naprawdę w 2008 roku polski historyk, członek
Rady IPN nazwał komunistycznych zbirów na usługach wrogiego państwa… braćmi!

Potem stwierdził, że gdyby „gdyby AK sprzymierzona z NSZ podjęła
walkę zbrojną z komunistami i oczywiście oddziałami partyzantki sowieckiej", podważyłoby to… pozycję Polski w koalicji antyniemieckiej
i skłoniło Brytyjczyków oraz Amerykanów do porzucenia Polski i pozostawienia jej na łasce Stalina. To nie żart. Profesor Friszke straszył
więc realizacją scenariusza, który… został zrealizowany.

Bo chociaż Polacy pozostali wierni wytycznym Brytyjczyków i przez całą wojnę dawali się grzecznie wyrzynać komunistom, to pozycja Polski w koalicji i tak była żadna, a Polska została wydana na pastwę Stalinowi. Podjęcie samoobrony wobec komunistów nie mogło więc w żaden sposób wpłynąć ujemnie na sprawę polską. Przeciwnie – mogłoby nieco zmniejszyć rozmiary naszych strat.

Proszę zwrócić uwagę na pewien bardzo charakterystyczny aspekt tej sprawy. Do dzisiaj powtarza się w Polsce tezy komunistycznej propagandy, że Armii Krajowej nie wolno było strzelać do komunistów, bo byli to „Polacy" (dziwnym trafem nie działało to w drugą stronę). Tymczasem spróbujcie sobie państwo wyobrazić, co by się stało, gdyby ktoś napisał, że „bratobójczymi mordami" były wyroki wykonywane na agentach Gestapo i szmalcownikach. Człowiek taki zostałby uznany, i słusznie, za szaleńca.

Jak więc widać, nierówne traktowanie obu zbrodniczych totalitaryzmów przez wielu Polaków trwa do dzisiaj. Fakty są zaś dla wszystkich miłośników bolszewizmu nieubłagane. Podczas drugiej wojny światowej Polska miała dwóch wrogów: Związek Sowiecki i Niemców. Obaj ci wrogowie mieli w naszym kraju swoich agentów. Skoro więc Polskie Państwo Podziemne zdecydowało się – kosztem olbrzymich ofiar – zwalczać agentów niemieckich, to powinno było również zwalczać agentów sowieckich, którzy byli dla Polski znacznie groźniejsi.

Agenci niemieccy mogli bowiem co najwyżej składać donosy na Polaków za słuchanie radia czy wskazać ukrywającą się na strychu żydowską rodzinę. W wyjątkowych wypadkach dostarczyć jakieś informacje na temat Państwa Podziemnego. Było to paskudne, a niekiedy zbrodnicze, ale Niemcy nie mogli nawet marzyć o tym, że ich agenci będą kiedyś rządzić Polską. A agenci sowieccy rządzili Polską blisko pół wieku.

Rozdział 11

Nim Hitler runie – śmierć komunie!

Koncepcja zdecydowanej rozprawy z komunistami nie została wcale wymyślona po wielu latach. Już podczas okupacji za rozwiązaniem takim opowiadały się dwie główne formacje polityczne przedwojennej Polski: piłsudczycy i obóz narodowy. Mało tego, głosy takie pojawiały się również w chadeckim Stronnictwie Pracy. 10 maja 1943 podziemne pismo „Reformy", organ prasowy tego ugrupowania, opublikowało artykuł redakcyjny pod tytułem *Wobec niebezpieczeństwa bolszewickiego*.

„Odpowiednie czynniki, reprezentujące społeczeństwo, winny wywrzeć swój wpływ tam, gdzie należy, aby nasze władze państwowe nie ograniczały się wyłącznie do zwalczania okupanta niemieckiego, lecz przystąpiły również do stopniowego i planowego likwidowania sowieckich ośrodków dyspozycyjnych" – napisał autor tego tekstu, który z archiwów wydobył na światło dzienne historyk Piotr Gontarczyk.

Konieczność podjęcia takich działań rozumiało również wielu żołnierzy AK. Gdy 13 kwietnia 1943 roku niemieckie radio nadało komunikat o znalezieniu w Katyniu ciał pomordowanych przez NKWD polskich oficerów, nastąpiło wyraźne zaostrzenie nastrojów antyko-

munistycznych. Do życia powołany został Społeczny Komitet Anty-
komunistyczny „Antyk". W kontrwywiadzie AK działalność nasiliła
antykomunistyczna agenda „Korweta".

Henryk Glass, szef związanej z Delegaturą Rządu na Kraj Agencji
Antykomunistycznej apelował otwarcie o wypowiedzenie otwartej wojny komunistom. Sowieckich skoczków należało, według niego, zlikwidować, a większe oddziały sowieckiej partyzantki przepędzić za granicę
ryską. Postulował on zlikwidowanie przywódców polskich struktur
komunistycznych, zniszczenie magazynów broni, drukarni oraz terro-
ryzujących ludność band GL. Podobne rozsądne głosy napływały z terenu. Choćby z Lubelszczyzny, gdzie w październiku 1943 roku dwudziestu pięciu dowódców oddziałów partyzanckich AK, NOW i NSZ
zaapelowało o zjednoczenie wszystkich formacji niepodległościowych
do rozprawy z komunistycznym zagrożeniem.

Presja ta spowodowała, że nowy dowódca Armii Krajowej, generał
Tadeusz Bór-Komorowski, wydał we wrześniu 1943 roku „Instrukcję
w sprawie zabezpieczenia terenowego". Choć nie padło w niej słowo „komunizm", nie było żadnych wątpliwości, że generał dał zielone światło
do rozprawy z czerwonymi. Mowa była o „zdecydowanym wystąpieniu
i ukróceniu samowoli" band nękających ludność cywilną. „Bór" zalecał
„likwidację przywódców i agitatorów".

Po wydaniu tej instrukcji oddziały Armii Krajowej na Lubelszczyźnie przystąpiły do działania. Rozbiły kilka band GL, a ich członków,
którzy wyjątkowo dali się we znaki ludności cywilnej, rozstrzelały.
Miejscowi Polacy odetchnęli z ulgą, komuniści wpadli w panikę. Wydawało się, że największa polska organizacja podziemna weszła wreszcie
na właściwą drogę. Niestety cała akcja, o czym za chwilę, nie trwała
długo.

Do oczyszczania terenu z sowieckiej agentury zabrały się bowiem
również Narodowe Siły Zbrojne. Formacja ta nie popierała forsowa-
nej przez Sikorskiego polityki ugody z bolszewikami i do końca wojny
trzymała się słusznego poglądu, że Polska ma dwóch wrogów. NSZ
kierowały się wówczas wielce rozsądnym hasłem: „Nim Hitler runie –
śmierć komunie!".

Już 15 marca 1942 roku autor narodowo-radykalnego „Szańca" pisał: „Powinni emisariusze sowieccy u nas zrozumieć i nie udawać zgorszenia, gdy my dziś, powodując się własnym interesem narodowym, robimy to, co nam ten interes nakazuje. Nakaz jest niesłychanie prosty: czekać z bronią u nogi, aż wróg niemiecki unieszkodliwi wroga sowieckiego, potem sam zdarty i wyczerpany padnie pod ciosami Anglosasów na zachodzie i naszemi na wschodzie".

NSZ jednocześnie z determinacją oczyszczały polskie lasy z agentów Stalina. Do apogeum tych akcji doszło w drugiej połowie 1943 roku. 9 sierpnia 1943 roku pod miejscowością Borów w powiecie kraśnickim oddział NSZ dowodzony przez cichociemnego kapitana Leonarda Zub-Zdanowicza „Zęba" zlikwidował bandę GL im. Jana Kilińskiego. Banda ta składała się ze zdemoralizowanych kryminalistów grabiących pobliskie wsie i dwory oraz mordujących przedstawicieli polskich elit.

W egzekucji zginęło dwudziestu dziewięciu komunistów, jednego członka bandy „Ząb" kazał wypuścić. Jak napisał historyk Wojciech Muszyński, okazało się to błędem. Wiadomość o egzekucji została bowiem przekazana dalej. Wypuszczony komunista powiadomił o niej herszta PPR Pawła Findera. Paweł Finder zaś poinformował Stalina (rzekomo Polacy mieli… wyrąbać komunistów toporami), a Stalin przedstawił ją aliantom zachodnim jako dowód na knowania Polaków z Niemcami. Brytyjczycy z kolei zrobili dziką awanturę Stanisławowi Mikołajczykowi, świeżo upieczonemu polskiemu premierowi, który zastąpił Sikorskiego zabitego w katastrofie na Gibraltarze.

Przerażony Mikołajczyk zażądał wyjaśnień od Komendy Głównej Armii Krajowej. Chwiejny i uległy generał Tadeusz Bór-Komorowski natychmiast zastosował się do poleceń Londynu. 18 listopada 1943 roku „Biuletyn Informacyjny" opublikował następujący komunikat: „Komendant Sił Zbrojnych w Kraju informuje, że zostało z absolutną pewnością ustalone, iż Oddziały Sił Zbrojnych w Kraju nie mają nic wspólnego z ohydnym wymordowaniem oddziału tzw. Armii Ludowej pod Borowem w woj. Lubelskim".

W następnym numerze „Biuletynu" ukazał się zaś artykuł *Narodowe Siły Zbroje potępione*. Oczywiście natychmiast wstrzymana została również antykomunistyczna akcja Armii Krajowej na Lubelszczyźnie. Od rządu w Londynie przyszły zdecydowane instrukcje nakazujące okazanie komunistom „maksimum dobrej woli i współpracy". Wykonując je, Armia Krajowa zaprzepaściła ostatnią szansę na zawrócenie z drogi, która prowadziła ją do przepaści.

Część II

KUSZENIE
SZATANA

Rozdział 1

Klęska
pod Stalingradem

2 lutego 1943 roku pod Stalingradem poddały się ostatnie oddziały walczącej z bolszewikami 6. Armii Wehrmachtu feldmarszałka Friedricha Paulusa. Największa, najbardziej krwawa bitwa drugiej wojny światowej zakończyła się triumfem Związku Sowieckiego. Wydarzenie to do dzisiaj w Polsce opisywane jest entuzjastycznie, jako zwycięstwo dobra nad złem.

Jest to o tyle zdumiewające, że bitwa stalingradzka – choć nie brało w niej udziału polskie wojsko i toczyła się 1,3 tysiąca kilometrów od polskich granic – jest jedną z największych porażek w historii Rzeczypospolitej. Sowiecki triumf nad armią Paulusa odwrócił bowiem losy wojny na froncie wschodnim i otworzył Armii Czerwonej drogę do Europy. Konsekwencją niemieckiej porażki pod Stalingradem był sowiecki podbój naszej ojczyzny. Jego konsekwencją było zaś ponad czterdzieści lat PRL.

Wraz z niemiecką klęską pod Stalingradem i przejściem bolszewików do kontrnatarcia szanse na zrealizowanie najkorzystniejszego dla Polski scenariusza – czyli że Niemcy rozbiją Związek Sowiecki, a potem poddadzą się Anglosasom – stały się znikome. Był to dla Polski punkt zwrotny. Odtąd można już było tylko mieć nadzieję, że Wehrmachtowi jakimś cudem uda się powstrzymać kontrofensywę Armii Czerwonej przed wschodnią granicą Polski do czasu, aż Rzeczpospolitą wyzwolą Anglosasi.

Tak ujmował sprawę Stanisław Cat-Mackiewicz:

Albo wojna skończy się rozbiciem Niemiec przez Anglię i Amerykę przedtem, nim sowieckie wojska zajmą terytorium Rzeczypospolitej Polskiej. W tym wypadku możemy liczyć na odzyskanie niepodległości. Albo wojna się skończy dla nas za późno, to znaczy już po wkroczeniu wojsk sowieckich na nasze terytorium i po okupacji przez Sowiety Polski w całości lub w części. W tym wypadku nie można liczyć na to, aby zwycięskie wojska sowieckie grzecznie ustąpiły nam miejsca. Wtedy będzie... koniec.

Józef Mackiewicz stwierdzał zaś:

Wytworzyła się sytuacja niezwykła: jedyną osłonę Polski przed zalewem bolszewizmu stanowiły de facto armie niemieckie na wschodzie. O żadnym jednak porozumieniu, a nawet stwierdzeniu tego faktu nie mogło być mowy, gdyż na przeszkodzie stała z jednej strony szaleńcza polityka Hitlera, z drugiej ślepa polityka Polski. Naturalnie byli ludzie dostatecznie światli, którzy rozumieli, że jedyną w tej sytuacji nadzieją jest powstrzymanie naporu sowieckiego przez Niemców tak długo, dopóki mocarstwa zachodnie nie uzyskają absolutnej przewagi na zachodzie.

Tak, to wielki paradoks. Podczas drugiej wojny światowej Polski broniła wroga, znienawidzona przez całe społeczeństwo armia. Armia państwa, które systematycznie eksterminowało Polaków. Polski bronił Wehrmacht. Każdy pocisk wystrzelony przez żołnierza Wehrmachtu na froncie wschodnim w stronę Armii Czerwonej był pociskiem wystrzelonym w obronie Polski. Spowalniał bowiem sowiecki marsz w stronę Rzeczypospolitej.

Znakomicie rozumiał to choćby przebywający w Londynie Tadeusz Katelbach. Oto kilka fragmentów z jego dziennika:

1 lutego 1943

Jestem przybity. W dzisiejszym „Daily Mail" czytam wołowymi literami: „Stalingrad army wiped out". 16 generałów dostało się do niewoli sowieckiej. Na razie... tylko 46 tys. jeńców! Przez chwilę radość, że Niemcy ponieśli klęskę, a zaraz potem radość przemienia się w rozpacz. Co to będzie? Co będzie, jak zawiodą wszelkie kontrofensywy niemieckie i armia sowiecka, może jeszcze w tym roku, zacznie zalewać Polskę?

15 lutego 1943

W „Daily Herald" przeczytałem wiadomość, która podziałała jak kojący balsam na wzburzone nerwy. Niemcy odebrali Charków! Może wreszcie zmięknie rura sowieciarzom.

18 lutego 1943

Sympatyczny płk Kijak, niezrażony upadkiem Charkowa, pociesza nas, że Niemcy jeszcze pokażą zęby.

13 maja 1943

Inwazja aliantów zachodnich na Europę – to, póki czas jeszcze, ostatnia nadzieja zajęcia Polski przez wojska alianckie i przez wojska polskie. Druga nadzieja to kontrofensywa niemiecka przeciw Rosji.

1 czerwca 1943

Żebyż wreszcie Niemcy zaczęli prać sowieciarzy na froncie wschodnim!

24 lipca 1943

Czy wrócimy do kraju? Czy warto się łudzić, że ofensywa na froncie wschodnim może odepchnąć Moskali od naszych granic? Czy żołnierz niemiecki, wiedząc o bombardowaniu jego miast i wsi, o klęskach w Afryce, a teraz na Sycylii, nie załamie się?

27 września 1943

Smoleńsk wzięty bez walk. Dziś sami Niemcy przyznają, że wojska sowieckie przekroczyły Dniepr. Jestem tak przybity tymi wiadomościami, że nie chce mi się nawet zastanawiać nad sukcesami wojsk alianckich we Włoszech. Nie mogę oderwać oczu od map frontu wschodniego, reprodukowanych w prasie angielskiej, na których zjawia się już granica polsko-sowiecka i słowo: „Poland". Zimno mi się robi na myśl, że wojska sowieckie mogą niedługo wejść na nasze ziemie.

26 listopada 1943
Najpierw doniosło o tym radio, teraz czytam o tym w prasie. „Gomel falls – Germans retreat 23 miles". A dalej straszne złowróżbne słowa: „Road to Poland open". Droga do Polski otwarta.

Jak widać, Katelbach nie zatracił zdolności logicznego myślenia. Zupełnie inne nastroje panowały niestety w kraju, wśród przywódców Polskiego Państwa Podziemnego.

Zagrożenie sowieckie schodziło na daleki plan – pisał Jan Nowak-Jeziorański. – Osłabiało je zresztą fałszywe przekonanie, że Alianci zachodni obronią przed najgorszym. Stąd klęski niemieckie na froncie wschodnim wciąż jeszcze wywoływały w Polsce wybuchy radości. W Londynie było odwrotnie. Każde przesunięcie frontu w kierunku Polski wywoływało niepokój i przygnębienie, a każdy choćby ograniczony sukces niemiecki na wschodzie budził nadzieję, że upadek Niemiec wyprzedzi okupowanie kraju przez Sowiety.

Gdy słynny kurier Armii Krajowej wydostał się na Zachód, bardzo szybko ochłonął z panującej w okupowanym kraju samobójczej gorączki.

W kinach w Sztokholmie pokazywano rosyjski film dokumentalny z bitwy pod Stalingradem. Jeszcze niedawno cała Polska cieszyła się z tej pierwszej walnej klęski Hitlera, lecz wobec tego, w czym tutaj zostałem zorientowany, wyszedłem z kina w nastroju przygnębienia. Film składał się ze zdjęć nakręconych na żywca w toku walk. Montaż był selekcyjny i zrobiony w taki sposób, by wywołać możliwie największy efekt. Niemniej z ekranu biło wrażenie złowrogiej siły. Dziś są jeszcze daleko nad Wołgą, ale gdzie znajdą się za rok? – pisał z niepokojem.

Proszę zwrócić uwagę na olbrzymią niekonsekwencję naszej historiografii, będącej groteskowym połączeniem komunistycznych kłamstw i patriotycznych mitów. Z jednej strony stwierdzenie, że powinniśmy na froncie wschodnim trzymać kciuki za Wehrmacht, traktowane jest przez nią jako herezja. Z drugiej strony ci sami historycy przyznają, że w momencie lądowania Anglosasów na kontynencie rozpoczął się aliancki wyścig do serca Europy. Państwa, które zostały wyzwolone przez Amerykanów i Anglików po zakończeniu drugiej wojny światowej, odzyskały wolność. Państwa, które zostały „wyzwolone" przez bolszewików, zostały na pół wieku zniewolone, a ich mieszkańcy poddani straszliwemu czerwonemu terrorowi. Tam, gdzie stanęła stopa żołnierza brytyjskiego czy amerykańskiego, był po wojnie wolny świat, tam zaś, gdzie stanęła stopa żołnierza bolszewickiego, było totalitarne zniewolenie.

Tymczasem jedyną siłą na świecie, która opóźniała marsz bolszewizmu w stronę polskich granic i zwiększała możliwość, że pierwsi dotrą do nich Anglosasi, był właśnie Wehrmacht. Tylko on mógł bowiem uchronić Polskę przed najgorszym scenariuszem. Już 8 września 1942 generał Stefan Grot-Rowecki w raporcie przesłanym do Londynu przewidywał trzy możliwości rozwoju sytuacji na froncie wschodnim:

1) Rosjanie będą zupełnie rozbici przez Niemców. Wtedy będziemy mieli do czynienia tylko z Niemcami.

2) Rosjanie będą pobici i odrzuceni za Wołgę lub jeszcze głębiej na Wschód. W tym wypadku będziemy mieli do czynienia początkowo tylko z Niemcami, a próbie wkroczenia Rosjan do Polski, gdy wreszcie do nas przypełzną, będziemy mogli przeciwstawić się siłami już zorganizowanymi.

3) Rosjanie biją Niemców i w styczności z nimi wkraczają do Polski. Wówczas nie ma żadnych szans na stawienie im oporu.

Trzecia możliwość była oczywiście najgorsza, najbardziej dla Polski fatalna. Grot-Rowecki nie miał najmniejszych wątpliwości, że jej realizacja oznaczałaby kolejną okupację i koniec marzeń o niepodległości. Niestety Armia Krajowa, dokonując aktów sabotażu i odciągając oddziały niemieckie z frontu wschodniego, sama otwierała bolszewikom drogę do własnej ojczyzny.

Rozdział 2

Niemcy,
wróg przejściowy

Jakie wnioski z nowej sytuacji, która wytworzyła się po klęsce pod Stalingradem, powinno było wyciągnąć Polskie Państwo Podziemne? Niezwykle proste. Żadnej akcji sabotażowej, żadnej dywersji, żadnych ataków wymierzonych w siły niemieckie w Polsce. Każdy wykolejony pociąg z amunicją, każdy zastrzelony żołnierz, każdy uszkodzony czołg, samolot i samochód Wehrmachtu osłabiały bowiem siły niemieckie na froncie wschodnim.

Poza tym Polacy powinni się byli zacząć... modlić. Modlić o to, żeby Niemcom wystarczyło siły na utrzymanie jak najdłużej bolszewików z dala od ich ojczyzny. Rację miał bowiem generał Kazimierz Sosnkowski, gdy mówił, że „jeśli nie będziemy posiadali szczególnej pomocy z Departamentu Opatrzności Boskiej, to spotka nas straszliwa katastrofa".

Co zrobiło polskie podziemie? Oczywiście – jak miało w zwyczaju – postąpiło na opak.

Od początku istnienia polskiego ruchu oporu Armię Krajową obowiązywał wydany przez generała Sosnkowskiego rozkaz o „staniu z bronią u nogi" i spokojnym oczekiwaniu na rozwój wydarzeń na frontach. Chodziło o to, aby uniknąć działań, które nie przynosząc żadnych efektów sprawie, kosztowałyby naród polski olbrzymie ofiary. Jak po latach słusznie stwierdził były żołnierz armii Andersa i emigracyjny publicysta Zdzisław A. Siemaszko, była to „bodaj jedyna mądra doktryna wymyślona przez naczalstwo AK".

Ta rozumna i wysoce patriotyczna koncepcja władz Rzeczypospolitej wywoływała jednak furię Sowietów i coraz silniejsze naciski Brytyjczyków. Propaganda sowiecka i sterowana przez Moskwę propaganda PPR nie pozostawiała na Polakach suchej nitki. Wszystko to było bardzo jazgotliwe i agresywne, ale oczywiście całkowicie niegroźne. Każdy inny naród, który znalazłby się na miejscu Polaków, puściłby sowiecką propagandę mimo uszu i konsekwentnie realizował własny interes narodowy.

Niestety jednak bolszewicy znacznie lepiej znali się na Polakach niż Polacy na bolszewikach. Wiedzieli, że przez podbijanie patriotycznego bębenka i wygrywanie na trąbce sygnałów do szarży trafią w odpowiednią nutę polskiej duszy. Jak to?! My nie walczymy z Niemcami? My, którzyśmy już pierwszego dnia w obronie honoru rzucili wyzwanie najpotężniejszej armii świata? No to my wam teraz pokażemy, jak pięknie potrafimy bić Szkopów!

Takie są zawsze dzieje obcych agentur, metody prowokacji – stwierdzał Stanisław Cat-Mackiewicz. – Najpierw podnieca się uczucie ambicji i dumy narodowej, potem gra się nimi przeciw interesom tego narodu. W Polsce, gdzie miłość Ojczyzny jest szczera i duża, chełpliwość uczuć również niemała, a zmysł polityczny rzeczą rzadką i lub nieznaną, tego rodzaju metody prowokacyjne udają się świetnie.

Adam Doboszyński pisał zaś:

Wszyscy grają – jak Jankiel na cymbałach – na naszych serdecznych zrywach i odruchach. Gra Londyn, gra Waszyngton, grał Berlin; gra jakże mistrzowsko Moskwa. Ilekroć potrzeba dywersji na skalę światową, iskier na prochy czy wzruszeń dla poetów, wystarczy trącić struny naszych kompleksów. „Pokażcie Polakowi przepaść", napisał Balzak, „a rzuci się w nią natychmiast". Mistrzem w efektownym umieraniu będąc, jesteśmy coraz dalsi od umiejętności życia. Jak u psychopaty, u którego schorzenie psychiczne występuje początkowo na krótkie chwile, następnie na coraz dłuższe okresy, by go w końcu nękać bez wytchnienia, tak i nasza choroba zaczyna przechodzić w stan chroniczny, a lekarze zagraniczni, których zwykliśmy wołać do naszego łoża, wydają się dopatrywać więcej dla siebie korzyści w naszym zgonie niż w uzdrowieniu.

W drugiej połowie 1942 roku pod silnym naciskiem z Londynu generał Grot-Rowecki wydał pierwsze rozkazy, które miały doprowadzić do „zadania kłamu komunistycznym tezom o naszej bierności" poprzez wzmożenie aktywności bojowej wymierzonej w Niemców. Jesienią powstało Kierownictwo Dywersji (Kedyw), a wiosną 1943 roku – a więc zaraz po klęsce pod Stalingradem – Armia Krajowa porzuciła doktrynę o „staniu z bronią u nogi" i przeszła do fazy „walki ograniczonej". Były to zakrojone na szeroką skalę akcje dywersyjno--sabotażowe wymierzone w Niemców. Polacy rzucili się głową naprzód w przepaść.

Cytowany często na kartach tej książki Władysław Studnicki obserwował rozwój wydarzeń z narastającym przerażeniem. Nie miał on żadnych wątpliwości, że za nasilającymi się aktami dywersji – które „wzmagały prawdopodobieństwo naszego ujarzmienia przez Sowiety" – stała z jednej strony agentura sowiecka, a z drugiej „agentura angielska". Czyli rząd Władysława Sikorskiego, którego Studnicki nazywał generałem blagierem.

„Rządowi Sikorskiego nie ufałem – pisał konserwatywny publicysta. – Charakterystyczną cechą Sikorskiego było jego dążenie do zdobycia popularności; był przekonany, że pobudzając w Polsce aktywne ruchy oporu, przypochlebi się Anglikom i Amerykanom".

Znakomity historyk emigracyjny Zbigniew S. Siemaszko pisał: „W początkowym okresie kierownictwo ZWZ hamowało zaczepne działania w kraju. Między innymi interweniowało w pierwszych miesiącach 1940 roku w sprawie zdemobilizowania oddziału mjr. Henryka Dobrzańskiego «Hubala». Jednak rozsądek i umiar nie trwały długo.

Z biegiem czasu ZWZ stawał się coraz bardziej masowy i coraz bardziej aktywny".

Walka ma tylko wtedy sens, kiedy prowadzi do zwycięstwa. Walka dla samej walki nie tylko nie ma zaś sensu – ale jest też skrajnym brakiem odpowiedzialności. Naraża bowiem własnych żołnierzy i własnych cywilów na niepotrzebne ofiary. Gdy Niemcy zaczęli brać w skórę na froncie wschodnim i wycofywać się pod naporem nacierających bolszewików, stało się jasne, że to już koniec Tysiącletniej Rzeszy. Że potężna machina wojenna Wehrmachtu została złamana i upadek Niemiec jest przesądzony. Że Niemcy wojnę przegrały.

Wiosną 1943 roku nie mogło więc już być żadnych wątpliwości, że Niemcy są na terenie Polski czynnikiem przejściowym. Że nie stanowią już długofalowego zagrożenia dla niepodległości Polski, bo prędzej czy później będą musieli się z Polski wycofać. Ich okupacja była wyjątkowo dotkliwa, ale było jasne, że rychło się skończy. Walka z Niemcami oznaczała więc już tylko bezsensowne marnowanie energii i sił. Dobijaniem Niemców zajmowali się bolszewicy i alianci zachodni i pomoc polskiego podziemia nie była im w tym do niczego potrzebna.

Polacy powinni tymczasem zacząć się przygotowywać do stawienia czoła nowemu wyzwaniu.

W walce z Niemcami spełniliśmy swój obowiązek rzetelniej niż jakikolwiek inny naród – pisał podpułkownik Wacław Lipiński. – Przeleliśmy zbyt dużo krwi w tej walce i stosy naszych ofiar wzrosły ponad miarę. Dość! Niech Niemców „dorzynają" inni. Pod koniec wojny nie Niemcy opuszczający Polskę stanowić będą główne zagadnienie polityczno-wojskowe, lecz przychodzący Rosjanie. Skierowanie energii narodowej i jej siły materialnej przeciw Niemcom, celem ich dobijania wobec zbliżania się nowego, potężnego przeciwnika, byłoby akcją nieodpowiedzialnych głupców albo rosyjskich agentów, szaleństwem politycznym i samobójstwem wojskowym.

Niestety Polacy coraz głębiej zanurzali się w zbiorowej histerii, która stłumiła ich zdolność do logicznego myślenia. W efekcie z czasem zatracił się gdzieś cel, w jakim właściwie prowadzili wojnę. „Dobry

Polak – mówi jeden z bohaterów *Nie trzeba głośno mówić* – to taki, któremu mniej chodzi o Polskę, a więcej o pobicie Niemiec". Była to diagnoza wyjątkowo trafna.

Ulegliśmy zaciemnianiu celów wojennych – pisał Józef Mackiewicz. – Co jest naszym celem wojny? Odrodzenie niepodległej Polski jako państwa suwerennego czy też samo tylko pobicie Niemiec? Oczywiście to pierwsze, a nie to drugie. Pobicie Niemiec jest tylko środkiem do celu, a raczej, dziś można powiedzieć, było jednym ze środków do celu. Było tak długo, jak długo potęga niemiecka stała nam na przeszkodzie. Z chwilą jednak, gdy potęga niemiecka została złamana, a jej ostateczna likwidacja jest tylko kwestią czasu, na skrócenie którego nasze słabe siły militarne nie mogą wywrzeć wpływu, należy uznać, że środek ten został osiągnięty.

Podobne argumenty nie znajdowały jednak posłuchu u czynników kierowniczych polskiego podziemia. Gdy 30 czerwca 1943 roku aresztowany został Grot-Rowecki, puściły już wszystkie hamulce i Armia Krajowa przystąpiła do totalnej wojny z Niemcami. Koszty tego kroku były ogromne.

W grudniu owego roku w Warszawie spotkali się hrabia Adam Ronikier i specjalny brytyjski wysłannik do Polski Horacy Coock. Na początku rozmowy Anglik nie szczędził słów podziwu dla „bohaterskiej i niezłomnej" postawy narodu polskiego, a potem kłamał w żywe oczy, zapewniając, że Wielka Brytania dochowa wierności swojej wiernej sojuszniczce. Musiał to być jednak w gruncie rzeczy przyzwoity człowiek, bo na koniec spotkania powiedział Ronikierowi, że zupełnie nie rozumie metod stosowanych przez polskie podziemie. A w szczególności „owego strzelania do trupa, jakim są przecież Niemcy obecnie".

„Czyż – pytał hrabiego Brytyjczyk – macie tak dużo inteligencji, że nią szafować możecie i chcecie? Czyż myślicie, że Anglicy nie wiedzą, jakie ofiary zostały już przez Polskę poniesione, a na przyszłość przecież gromadzenie sił jest koniecznością, bo odbudowa kraju i rola, którą ma odegrać, będą tak wielkie, że każdy zaoszczędzony człowiek, a tym bardziej z inteligencji, będzie miał wartość nie do ocenienia".

Coock miał oczywiście rację. Polacy, zamiast szafować krwią, której już tyle zostało im upuszczonej, powinni w ostatniej fazie wojny przyjąć doktrynę „ekonomii krwi". To tytuł artykułu Adama Doboszyńskiego, który został opublikowany w listopadzie 1943 roku na łamach wydawanego na obczyźnie opozycyjnego wobec rządu pisma „Walka".

„Naczelnym naszym zawołaniem powinna dziś być ekonomia krwi, której tak mądry przykład dają nam w obecnej wojnie Brytyjczycy – pisał Doboszyński. – Jeśli Naród nasz wyłoni się w dobrej kondycji z tej strasznej konwulsji dziejowej, czeka go wielka przyszłość. Jeśli się skrwawi powyżej dopuszczalnej granicy, braknie mu sił do odbudowy niepodległego bytu".

Pogląd ten forsowali również piłsudczycy. „Postulowali oni celowe wykorzystanie w wojnie Wojska Polskiego – pisze historyk tej formacji Marek Gałęzowski. – Opowiadali się za stosowaniem zasady ekonomii sił i krwi, to jest wyczekiwania z wystąpieniem zbrojnym o charakterze powstańczym na decydujący moment wojny, gdy rozstrzygać się będzie sprawa niepodległości i granic Rzeczypospolitej". Badacz ów cytuje jeden z artykułów z piłsudczykowskiego pisma „Polska Walczy", w którym postulowano „chronienie siły uderzeniowej przez czas dłuższy, ustalenie najbardziej odpowiednich form maskowania i konspiracji, umiejętności powstrzymywania tej żywej energii bojowej od wystąpień dekonspirujących ją i pociągających za sobą tragiczne i niepotrzebne ofiary. Musimy się zdobyć na męstwo opanowania i największy wysiłek dyscypliny wewnętrznej – stać z bronią u nogi i nie dać się sprowokować".

Niestety tacy ludzie jak Doboszyński, Lipiński, Mackiewicz czy Ronikier nie mieli żadnego wpływu na bieg polskich spraw. Sprawy te znalazły się bowiem w zupełnie innych rękach. Rękach ludzi nieodpowiedzialnych. Jako dowód – artykuł *Czy warto i czy się opłaci* opublikowany 20 kwietnia 1944 roku w „Biuletynie Informacyjnym":

Wielkie wysiłki dokonywane wśród dzisiejszych trudnych warunków jakże często idą na marne – pisał autor. – I stąd budzi się czasem pytanie: czy warto? Czy wobec olbrzymich potęg w grę wchodzących nasz skromny, mizerny wysiłek ma jakiekolwiek znaczenie? Czy nie lepiej oszczędzać się? Pytanie takie może stawiać tylko ktoś, kto nie zna historii. W okresach zwrotnych historii oszczędzanie się jest niebezpieczeństwem śmiertelnym. Nieobecni – nie liczą się wówczas zupełnie. Dlatego też Polska nie tylko od pięciu lat walczy, ale dąży do tego, aby powiększyć swój udział rzeczywisty w wojnie, i dążyć w tym kierunku nie przestanie. Stawka w tej wojnie idzie o samo życie Narodu. Idzie także o najwyższe ideały ludzkości: o wolność człowieka i o wolność narodów. O przywrócenie wartości duchowych. Dla takich celów, dla takiej stawki warto dać z siebie wszystko. Szczególnie gdy są poważne szanse na to, że ten wkład krwi, cierpień i trudów opłaci się sowicie.

Trudno powiedzieć, czy autor tego steku frazesów rzeczywiście w nie wierzył, czy też był sowieckim prowokatorem. Sądząc po stosunkach, które panowały w wydającym „Biuletyn" Biurze Informacji i Propagandy AK, obie możliwości są równie prawdopodobne. Podobne teksty wytwarzały bowiem właśnie atmosferę histerii, która prowokowała młodzież Polską do szalonych, samobójczych czynów. Oczywiście – wbrew temu, co pisał autor „Biuletynu" – nie było najmniejszych szans na to, żeby ten „wkład krwi, cierpień i trudów opłacił się sowicie". Wystarczyło spojrzeć na to, co się działo na froncie wschodnim, żeby zrozumieć, że „wkład krwi, cierpień i trudów" pójdzie na marne.

Rację miał wybitny polski pisarz Ferdynand Goetel, gdy pisał: „Nie było większego upadku polskiej myśli politycznej, jak właśnie podczas lat okupacji i wojny, które były jednocześnie największym wzlotem patriotycznego uniesienia mas".

Rozdział 3

Terror i kontrterror

Działalność bojowa polskiego podziemia to niezwykle draźliwy temat, który zasługuje na osobną książkę. Ograniczę się więc tylko do zasygnalizowania problemu. Otóż według piszącego te słowa ataki na Niemców powinny były zostać wstrzymane nie w roku 1943, lecz już na początku okupacji. A konkretnie w dniu, w którym generalny gubernator Hans Frank ogłosił, że za każdego zabitego Niemca rozstrzeliwanych będzie pięćdziesięciu Polaków.

Niestety nie były to tylko przechwałki. Zbrodnicze zarządzenie było realizowane. Tymczasem na całym świecie żyło tylko czterech Niemców, za których śmierć warto było zapłacić taką olbrzymią cenę – Adolf Hitler, Heinrich Himmler, Joseph Goebbels i Reinhard Heydrich. Tego ostatniego zabili Czesi, a trzech pozostałych polskie podziemie jak na złość zabić nie próbowało.

Tu drobna poprawka: była podobno jedna próba zabicia Adolfa Hitlera: w październiku 1939 roku podczas niemieckiej defilady zwycięstwa w Warszawie. Cała sprawa wygląda jednak bardzo niepoważnie – człowiek, który miał odpalić materiały wybuchowe, rzekomo nie był pewien, w której limuzynie znajduje się Führer, i nie odpalił bomby. Tak czy owak, ten fantastyczny plan nie wypalił.

W efekcie na terenie Generalnego Gubernatorstwa zamiast do niemieckich przywódców strzelano do szeregowców, żandarmów, urzędników czy gestapowców niskiego szczebla. Ludzie ci stanowili bowiem najłatwiejszy cel. Można ich było spotkać w knajpach, na ulicach czy dworcach. Od wielkiego dzwonu udawało się zabić jakąś większą figurę, jak choćby SS-Brigadeführera Franza Kutscherę, którego AK zastrzeliła w niezwykle kosztownej akcji 1 lutego 1944 roku.

Zysk z takich zamachów dla sprawy polskiej był żaden, a koszta ogromne. Niemcy bowiem niemal za każdym razem w odwecie metodycznie mordowali po kilkudziesięciu Polaków. Za Kutscherę zabito 300 zakładników, a za słynnego konfidenta Gestapo z Kielc Franza Wittka – 180. Nawet za wyeliminowanie kolaborującego z okupantem aktora Igo Syma Gestapo zamordowało 21 zakładników, a kilkudziesięciu innych wysłało do Auschwitz.

Dlatego rację miał kapelan Armii Krajowej ksiądz Jerzy Mirewicz, gdy mówił Jean-François Steinerowi, że „naród polski szałowi sadystycznemu niemieckiego narodu przeciwstawił równie nieopanowany szał masochistyczny".

Ta druga, tragiczna strona akcji naszych „dziarskich chłopców z AK", którzy biegali po Warszawie z visami i „zadawali Szkopom bobu", jest na ogół skrzętnie pomijana. A gdy już wspomina się o zamordowanych w odwecie zakładnikach, to w tonie oburzenia na „bestialstwo nazistowskich zwierząt" i ich „barbarzyńskich metod". .

Oczywiście zabijanie cywilnych zakładników było bestialstwem i barbarzyństwem zasługującym na najwyższe potępienie. Ale czy dowódcy naszego podziemia byli dziećmi, że nie zdawali sobie sprawy z konsekwencji swoich rozkazów? Czy nie wiedzieli, że Niemcy są pozbawionymi skrupułów barbarzyńcami? Za ich brak wyobraźni straszliwą cenę płacili cywile. Z absurdu podobnej metody walki zdawało sobie zresztą sprawę wielu Polaków, także w szeregach AK.

„Jaki jest sens błyskotliwych może akcji, które w istocie poza zabójstwem jednego czy drugiego szpicla lub kata nic nie dają, albowiem poza

masowym odwetem ze strony Niemców na miejsce jednego gestapow-
ca przychodziło dwóch następnych" – pytał żołnierz „Dzid" swojego
dowódcę kapitana Adama Borysa „Pługa". W odpowiedzi usłyszał stek
frazesów o konieczności utrzymania „za wszelką cenę ognia społecznej
nienawiści do okupanta, tak by Polacy byli przygotowani do ostatecznej
rozprawy z Niemcami".

Czyż naprawdę sami Niemcy nie dawali dość powodów, aby Polacy ich nienawidzili? Czy naprawdę trzeba było prowokować odwetowe
masakry? Niestety „Dzid" miał rację. Niemieckie zasoby ludzkie były
olbrzymie, a sadystów w szeregach Gestapo nie brakowało. Zabicie jednego z nich – choćby i wyjątkowej świni – nawet na chwilę nie zatrzy-
mywało niemieckiej machiny terroru. Przeciwnie, na ogół na miejsce
zabitego przychodziło jeszcze większe, pałające żądzą odwetu, bydlę.

A stwierdzenie, że opłacało się zapłacić tak wysoką cenę, aby „przygotować Polaków do ostatecznej rozprawy z Niemcami", to już doprawdy nonsens. To chyba jedyny wypadek w historii, że naród, szykując
się do „ostatecznej rozprawy", zamiast oszczędzać siły, lekkomyślnie je
marnotrawił.

Kolejnym argumentem często używanym w obronie tej taktyki było
sakramentalne „co sobie o nas pomyślą Anglicy?!". Zgodnie z tą argumentacją, gdybyśmy nie dokonywali masowych ataków samobójczych
na Niemców, „nie bylibyśmy godni" takiego wspaniałego sojusznika
jak Wielka Brytania. Jeszcze by się na nas nasz wielki brat pogniewał,
zbeształ i wyrzucił nas za karę z koalicji antyniemieckiej.

Pół biedy, jeżeli podobnych argumentów używały warszawskie pracz-
ki dyskutujące o polityce nad baliami z brudnymi kalesonami, ale niestety takie było rozumowanie naszych przywódców. Ludzi, dla których
od życia własnych żołnierzy ważniejsze były pochwały Brytyjczyków.

Już latem 1940 roku brytyjskie Kierownictwo Operacji Specjalnych
(SOE) opracowało plan „podpalenia Europy". Miał on polegać na pod-
jęciu masowych działań wymierzonych w Niemców przez lokalne ru-
chy oporu. Od tego czasu Brytyjczycy przekazywali ZWZ, a potem
AK spore sumy i sugestie, żeby „jak najbardziej dawały się we znaki
Niemcom". Polacy oczywiście londyńskim „przyjaciołom" nie potrafili

odmówić. Lekcja września 1939 roku – gdy już raz Polska została wykorzystana jako dywersant mający ściągnąć na siebie niemiecką furię, a potem porzucona – została oczywiście zapomniana.

Co ciekawe, jak wynika ze wspomnień Jana Nowaka-Jeziorańskiego, wielu oficerów w Londynie było do działań SOE nastawionych niezwykle niechętnie. „Dopatrywano się w tej organizacji jakby przedsiębiorstwa, które usiłuje wyciągnąć z ruchów podziemnych jak najwięcej korzyści militarnych, pcha je do sabotaży, wystąpień zbrojnych, dywersji – bez oglądania się na straty, kierując się zimno i po kupiecku wyłącznie interesem angielskim" – pisał Nowak-Jeziorański.

Nie oburzajmy się jednak na Brytyjczyków. To, że nie brali pod uwagę olbrzymich kosztów, z jakimi wiązała się działalność bojowa polskiego podziemia, jest w pełni zrozumiałe. W końcu zadaniem rządu Wielkiej Brytanii było walczyć o interesy własnych, a nie cudzych obywateli. Oburzajmy się na władze Polski Podziemnej, które brytyjskie dyrektywy wypełniały. To ich obowiązkiem – a nie Churchilla – było czuwać nad zachowaniem substancji biologicznej narodu polskiego.

Niestety na skutek coraz głębszego uzależniania polskiego rządu na emigracji od Brytyjczyków Polacy coraz mniej realizowali politykę własną, a coraz bardziej stawali się wykonawcami polityki brytyjskiej. Na ogół sprzecznej z naszymi własnymi interesami. Dlatego właśnie Józef Mackiewicz nazywał przedstawicieli Polskiego Państwa Podziemnego Volksanglikami.

Anglicy dawali nam broń i pieniądze, ułatwiali przesyłanie broni do kraju dla walki z Niemcami – pisał jego brat Stanisław Cat-Mackiewicz. – Ale nie tylko Polska była okupowana przez Niemców. Nieprzyjaciel zajął także brytyjskie wysepki na kanale La Manche. Ale na te wysepki nie wysłano ani jednego naboju, ani jednego wezwania do oporu czynnego. Biedne wysepki angielskie! Czemuż to o nie mniej dbano niż o Polskę, czemuż zapomniano o nich przy podziale broni? Burmistrz jednego z miasteczek na tych wysepkach, który podpisał list gończy wyznaczający nagrodę za pojmanie człowieka umieszczającego antyniemieckie napisy na płotach (był to jedyny odruch walki z okupantem na tych wysepkach), został później przez króla uszlachcony. U nas taki burmistrz dostałby kulę w łeb od Armii Krajowej zaopatrywanej w broń przez Anglię. Mądra polityka angielska sprawiła, że narody europejskie biły się za interesy angielskie. Wśród tych narodów najofiarniej, najmniej szczędząc siebie, samobójczo, bił się naród polski.

Nie pozostaje napisać nic innego jak: bierzmy przykład z Brytyjczyków! Brytyjczycy, naród kierujący się zdrowym rozsądkiem, a nie patriotyczną egzaltacją, doskonale bowiem rozumieli, że walka pod niemiecką okupacją nie miała najmniejszego sensu.

Władysław Studnicki przestrzegał współwięźniów na Pawiaku – do którego wtrącili go Niemcy – że polskie podziemie działa w sposób „całkowicie nieekonomiczny". Wydawało się, że kieruje się ono zasadą „maksimum ofiar dla minimum rezultatu lub rezultatu wręcz ujemnego dla naszej sprawy". Studnicki na Pawiaku dwukrotnie był świadkiem rozstrzelania stu osób za spalenie składów wojennych. „Ach, jacyż tam byli wśród nich cenni ludzie!" – wspominał, łapiąc się za głowę.

I tu dochodzimy do najważniejszego. Z góry przepraszam, jeżeli to, co napiszę, zabrzmi rasistowsko i politycznie niepoprawnie. Funkcjonariusze niższego szczebla zatrudnieni w Gestapo i innych instytucjach niemieckich w Polsce należeli do najniższego typu ludzkiego. Na ogół były to jednostki nieprawdopodobnie wręcz prymitywne: zdegenerowani alkoholicy, łapówkarze, sadyści, często pospolici przestępcy.

Za zabicie przez polskie podziemie takiego indywiduum Niemcy rozstrzeliwali zaś zakładników wziętych spośród polskich elit. Profesorów uniwersyteckich, lekarzy, wybitnych działaczy politycznych i społecznych, księży, ziemian, pisarzy. A więc ludzi stojących na znacznie wyższym poziomie i mających dla społeczeństwa znacznie większą wartość. Parafrazując więc znane przysłowie, strzelaliśmy perłami do wieprzy.

Polskie podziemie w 1939 roku powstało z myślą o ochronie polskich obywateli przed represjami okupanta. Szczególną ochronę powinno było roztoczyć nad elitami, które znalazły się na celowniku obu totalitarnych okupantów. Na tych ludzi należało chuchać i dmuchać, chronić ich za wszelką cenę. Było to obowiązkiem polskiego ruchu oporu. Tymczasem ów ruch oporu swoimi nieodpowiedzialnymi akcjami sprowadzał tylko na elity dodatkowe represje. „Akcja, której celem była walka z biologicznym wyniszczeniem narodu – oceniał sytuację pisarz Jan Emil Skiwski – stała się sama źródłem tego wyniszczenia".

Nie inaczej było z wysadzaniem niemieckich pociągów, co pod koniec wojny zaczęto robić na masową skalę. Niemal po każdym ostrzelaniu, wykolejeniu czy wysadzeniu w powietrze składu Niemcy brutalnie pacyfikowali pobliskie polskie wioski. Dzielni partyzanci chowali się w lasach, a rachunek – jak zwykle – musieli zapłacić cywile. Często kobiety i dzieci. Wówczas ofiary szły już w setki.

Sytuacja w Generalnym Gubernatorstwie przypominała efekt kuli śniegowej. Terror nakręcał kontrterror. Za każdego zabitego Niemca czy wykolejony pociąg Niemcy odpłacali się masowymi mordami Polaków. Wówczas oburzona na okupanta tajna organizacja dokonywała dwóch kolejnych zamachów, a Niemcy w odwecie przeprowadzali kolejne dwie masakry. I tak w kółko, niczym w amoku. Jak jednak ze smutkiem pisał Ferdynand Goetel, „ofiar własnych nie liczono".

Powstało zaślepienie walką z Niemcami za wszelką cenę, które zaćmiło horyzonty i zniwelowało nawet tak podstawową zasadę każdej walki jak oszczędzanie biologiczne narodu – oceniał Zbigniew S. Siemaszko. – Poszła w zapomnienie zasada, że wojna to zwykła kalkulacja strat i zysków. O zyskach zapomniano, a straty zaczęto liczyć dopiero po zakończeniu działań. W czasie II wojny światowej uszło uwagi wielu Polaków, że nie ten wygrywa wojnę, kto najwięcej w nią włożył, ale ten, kto jest najsilniejszy w momencie jej zakończenia.

Możemy tylko dziękować Bogu, że ta wojna trwała zaledwie pięć i pół roku. Gdyby konflikt potrwał jeszcze kilka lat, przy przeliczniku pięćdziesięciu zabitych Polaków na jednego Niemca i całkowicie niewspółmiernych potencjałach w Generalnym Gubernatorstwie nie pozostałby żaden Polak. I tym samym marzenie Hitlera o Lebensraumie na wschodzie rzeczywiście by się spełniło. Polacy nie przeszkadzali bowiem Hitlerowi martwi, lecz żywi. Polskie czynniki kierownicze powinny więc były robić wszystko, aby jak najwięcej Polaków przeżyło wojnę. To byłoby prawdziwym zwycięstwem nad Hitlerem.

Tymczasem w wyniku nakręcanej przez te czynniki zażartej walki między niemieckimi siłami okupacyjnymi a żołnierzami polskiego podziemia tym pierwszym utoczono kilka kropel krwi, a krew drugich lała się wiadrami. Niestety polska krew wsiąkała w piasek. Jak pisał Stanisław Cat-Mackiewicz, przywódcy podziemia niegodni byli całować po rękach tej wspaniałej młodzieży, którą posyłali na pewną śmierć.

„Rzecz u nas bardzo niepopularna, bo wymaga rezygnacji z narodowej megalomanii. Trzeba zrozumieć fakt własnej słabości i posłużyć się nim jako logiczną przesłanką. Karzełek nie może walczyć z olbrzymem taką samą maczugą. Jeżeli jest w stanie udźwignąć tylko szpilkę, musi nauczyć się podejść do olbrzyma tak, żeby nie zostać zmiażdżonym. Musi być znacznie mądrzejszy" – tak Jan Józef Szczepański tłumaczył koncepcję polityczną Jana Emila Skiwskiego. Człowieka, który zdecydował się wydawać w porozumieniu z Niemcami pismo „Przełom", w którym przestrzegał rodaków, że taktyka Państwa Podziemnego prowadzi Polskę do katastrofy. Sam Skiwski pisał zaś: „Nie można, by naród polski miał przyjąć rolę kurnika, który wyrzyna każdy przechodzień, a my szczycimy się z tego, że ginęliśmy, gwiżdżąc na rzezaków".

Wydaje się, że znacznie rozsądniejsza była taktyka, jaką podczas drugiej wojny światowej przyjęli Czesi. Tak, ci Czesi, na których patrzymy z góry za ich rzekome tchórzostwo i to, że przez całą okupację siedzieli jak mysz pod miotłą. Zdaniem piszącego te słowa nie było to żadne tchórzostwo, ale zdrowy rozsądek.

Mało kto wie, że Polacy podczas wojny próbowali wciągnąć Czechów w tę obłędną spiralę terroru i kontrterroru, lecz nasi południowi sąsiedzi – całe szczęście dla nich – nie dali się sprowokować.

Wynik misji „Górala" był na całej linii negatywny – pisał Nowak-Jeziorański. – Gdziekolwiek zapuszczał sondaże na temat ewentualnej współpracy podziemnej między Polską a Czechosłowacją, spotykał się z odmową.

– My jesteśmy za małym narodem – mówiono mu – abyśmy mogli sobie pozwolić na to, co wy robicie. Nasze losy i tak rozstrzygną się nie w kraju, tylko na frontach. Walkę o niepodległość zostawiamy rządowi Benesza. Mamy w Anglii naszych lotników, oni są naszym pocztem sztandarowym po stronie Sprzymierzonych. Po co nam więcej?

Polakom również powinno było w zupełności wystarczyć to, że nasze jednostki walczyły u boku Anglosasów na Zachodzie. Efektem czeskiej strategii były straty osobowe nie przekraczające jednego procenta, zachowanie kraju niemal w nienaruszonym stanie i ocalenie Pragi, która dzisiaj jest jednym z najpiękniejszych miast Europy. Efektem strategii Polski było zaś kilka milionów wyrżniętych Polaków, zniszczenie kraju i zburzenie stolicy.

Polityczne skutki obu strategii? Dokładnie takie same. Oba nasze państwa zostały wydane przez zachodnich aliantów na pastwę Związku Sowieckiego. Oba zostały zamienione w „kraje demokracji ludowej", oba odzyskały niepodległość dopiero na przełomie lat osiemdziesiątych i dziewięćdziesiątych. Losy państw Europy Środkowo-Wschodniej rozstrzygnęły się bowiem na frontach, podczas zmagań wielkich mocarstw. Zmagań toczonych za pomocą czołgów, bombowców strategicznych, moździerzy samobieżnych i dział. I żadne, nawet najkrwawsze ofiary ponoszone w walce z Niemcami przez polską młodzież uzbrojoną w butelki z benzyną nie mogły ani na jotę polepszyć, ani na jotę pogorszyć ostatecznego losu Rzeczypospolitej.

Naród nasz miał spaczone pojęcie o wojnie – pisał Stanisław Cat-Mackiewicz. – Naród nasz nie rozumiał, że wojna jest po prostu instrumentem polityki narodowej, że wojnę należy prowadzić, gdy jest celowa i gdy można ją wygrać, że należy jak najprędzej się z niej wycofać, gdy prowadzi do śmierci narodu. Rozumny rząd używa wojny tylko wtedy, gdy ma warunki odpowiednie. Prowadzenie działań wojennych, w czasie których za jednego zabitego nieprzyjaciela płacimy życiem stu własnych ludzi, jest nie wojną, lecz samobójstwem.

Niestety takie samobójstwo właśnie popełniliśmy. I co gorsza, do dziś nakazuje się nam, abyśmy byli z tego samobójstwa dumni.

Rozdział 4

Spokój za spokój

Analizując przyczyny, które sprawiły, że Polacy zatracili instynkt samozachowawczy i wykrwawiali swoją młodzież w bezsensownych akcjach dywersyjnych, nie wolno zapominać o najważniejszej z nich. Niemieckiej polityce okupacyjnej.

Od pierwszego dnia wojny Niemcy stosowali wobec Polaków koszmarne metody. Masowe egzekucje, tortury w kazamatach Gestapo, uliczne łapanki, Auschwitz. W zamyśle niemieckiego kierownictwa Polacy mieli być sprowadzeni do roli białych Murzynów, a Polska do roli niemieckiej kolonii w centrum Europy.

Jeden z najbardziej impulsywnych narodów świata stanął w obliczu najbardziej brutalnych i wyzywających zbrodni popełnianych na jego ojczyźnie i jego braciach – pisał Ferdynand Goetel. – Fantastyczność okrucieństw niemieckich, niezgodna z niczym, co trzeźwo myślący człowiek uważał za możliwe, wywołała odruch równie fantastycznego oporu i oddała bieg zdarzeń pod prymat uczuć, niekiedy szlachetnych, czasem pospolitych, zawsze nieobliczalnych.

I dalej:

Najsilniejszym i najpowszechniejszym czynnikiem w życiu Warszawy była nienawiść do Niemców i żądza doraźnej z nimi rozprawy. Wiadomości o okrucieństwach niemieckich w więzieniach i obozach koncentracyjnych, coraz dokładniejsze i bardziej bezsporne, podsycały ekscytację powszechną. Akty gwałtu, łapanki, blokady spotykał odpór coraz bardziej stanowczy, a samochody pogotowia policyjnego przebiegające miasto z wyciem syreny i karabinem maszynowym wmontowanym w przód wozu nie budziły grozy, ale chęć odwetu.

– Patrz, co za głupi naród! – rzekł mi raz Adolf Nowaczyński, gdy nas mijało policyjne auto. – Przecież oni robią wszystko, aby człowiekowi oczy zachodziły bielmem złości.

– Ręce swędzą, ręce swędzą – przytakiwał jakiś przechodzień.

Stanisław Cat-Mackiewicz dodawał: „Jeśli politykę narodu polskiego podczas tej wojny można uznać za politykę Donkiszota, lub nawet smarkacza, na którego działa każda prowokacja, to polityka Hitlera była polityką wściekłego psa – rzucał się i kąsał wszystkich naokoło i zarażał świat swoją wścieklizną".

Spirali terroru i kontrterroru najbardziej nie nakręcał zresztą ludobójczy wymiar niemieckich „porządków" w okupowanej Polsce. Najgorsza dla Polaków była niebywała wręcz pogarda, rasizm i upokorzenia, jakim byli poddawani na każdym kroku we własnym kraju. Te wszystkie tramwaje, restauracje czy nawet ławki parkowe „Nur für Deutsche", schodzenie Niemcom z chodnika, zakaz posiadania radia, wrzaski żandarmów i bicie po twarzy.

Nie kaźnie, nie obozy koncentracyjne i straszne metody gestapo budzą tę nieprzejednaną zaporę nienawiści, ale deptanie godności ludzkiej – pisał Józef Mackiewicz. – W stolicy Polski, w Warszawie, na parkach miejskich wisiały szyldy zabraniające Polakom wstępu. Więc nawet nie psom. Pies może wejść, Polak nie może. Wagony były „dla Polaków", jak dla Murzynów w Afryce. Tylko że Murzyn nie był podeptany w swej godności, bo nigdy nie stał na równi cywilizacyjnej z białym. A Polak był, jako równy obywatel Europy.

Niemiecka polityka była przede wszystkim bezgranicznie tępa. Sami Niemcy zaganiali młodych ludzi do szeregów podziemnych organizacji, sami nakłaniali ich do aktów sabotażu.

Krwi przelano tak dużo, błędów popełniono tak wiele, że trudno się dziwić, iż gdy Niemcy pod koniec wojny, w roku 1944 – gdy w oczy zajrzało im widmo klęski – zaczęli rewidować swoją politykę polską i wyciągać rękę do zgody, ręka ta została odtrącona.

„Tragedią sytuacji – mówił Niemcom Adam Ronikier – jest to, że żeby nawet ze strony niemieckiej zaczęto budować złoty most, by przejść ponad tą przepaścią, to społeczeństwo polskie, po przebyciu tylu okropnych dla siebie doświadczeń w ciągu lat pięciu panowania niemieckiego, by nie chciało na ten most wejść, gdyby nawet był już zbudowany, byłoby bowiem przekonanym, że most ten musi być podminowanym".

Jeden z działaczy podziemnego Stronnictwa Narodowego mówił zaś: „Współpraca zorganizowana z Niemcami jest niemożliwa, ponieważ władze niemieckie popełniły w Polsce o kilka milionów błędów za dużo. Żałujemy, że władze niemieckie uniemożliwiły nam współdziałanie przeciw bolszewizmowi. Dziś jest za późno – trzeba było pomyśleć o tym cztery lata temu, przed popełnieniem milionów błędów w traktowaniu nas".

O żadnym odwróceniu sojuszów, o żadnym polsko-niemieckim przymierzu politycznym nie mogło być mowy. Nie zmienia to jednak faktu, że władze Polskiego Państwa Podziemnego powinny były dołożyć wszelkich starań, aby zminimalizować rozmiar strat ponoszonych przez polski naród. Szansę na to dawały propozycje składane im przez Niemców na niższych szczeblach.

W niemieckich służbach bezpieczeństwa – i to nie tylko w Abwehrze – oprócz zwolenników polityki silnej ręki byli i ludzie rozsądni. Widzieli oni, że taktyka permanentnego terroru i upokarzania Polaków daje rezultaty odwrotne do zamierzonych. Zamiast Polaków pacyfikować, prowokuje ich do jeszcze bardziej straceńczej walki z Niemcami.

Jednym z takich pragmatycznych Niemców był komisarz Alfred Spilker, który stanął na czele podległej RSHA sekcji specjalnej IV AS Wydziału IV warszawskiego Gestapo. Innym – pracownik radomskiego Gestapo Haupsturmführer SS Paul Fuchs.

Starali się oni wpływać na swych przełożonych, aby dokonali korekty obowiązującej polityki okupacyjnej, usiłowali też nawiązać kontakt z kierownictwem ZWZ, a później AK. Celem miało być skłonienie polskiego ruchu oporu do wstrzymania działalności antyniemieckiej. W zamian Niemcy proponowali Polakom wolną rękę w zwalczaniu sowieckiej i komunistycznej partyzantki oraz – co równie ważne – wstrzymanie represji.

Propozycja ta, jak pisał generał Grot-Rowecki w depeszy do Londynu – sprowadzała się do hasła „spokój za spokój". Bestialski system okupacyjny stosowany w Polsce miał zostać zmieniony na liberalny, panujący choćby we Francji. Warto bowiem pamiętać, że różnica w traktowaniu obu podbitych krajów wynikała nie tylko z przekonania wielu Niemców, że na „dzikim Wschodzie" wolno im więcej niż na „cywilizowanym Zachodzie". Wynikała także z różnicy w skali oporu. W Polsce opór był znacznie silniejszy, więc i znacznie brutalniejsze były niemieckie represje.

Pierwsza oferta tajnego układu o nieagresji została wysunięta wobec Polaków po rozpoczęciu operacji „Barbarossa", kiedy to Niemcom zależało na zachowaniu spokoju na zapleczu frontu wschodniego. 18 lipca 1941 roku na warszawskiej ulicy na rozkaz Fuchsa aresztowany został pułkownik Janusz Albrecht, szef sztabu Komendy Głównej ZWZ. W trakcie długich, dwutygodniowych rozmów Fuchsowi udało się przekonać Albrechta, że w obliczu wspólnego sowieckiego wroga Polacy i Niemcy powinni zakopać topór wojenny.

Pułkownik zobowiązał się wobec Niemców, że dotrze do generała Grota-Roweckiego i przedstawi mu niemiecką propozycję. Gestapo na oficerskie słowo honoru zwolniło go z więzienia 27 sierpnia, ale dowódca ZWZ nie chciał słyszeć o żadnym spotkaniu. Skazał Albrechta na śmierć i 6 września 1941 roku oficer został zmuszony do wypicia trucizny. Przed jej zażyciem dostarczono mu list od „Grota": „Kochany

Januszu! Poszedłeś za daleko. Myślę, że znajdziesz właściwe rozwiązanie. Ściskam cię, Stefan".

Im bardziej pogarszała się niemiecka sytuacja na froncie wschodnim, tym podobnych prób było coraz więcej. Niemcy zintensyfikowali te zabiegi na początku 1943 roku po klęsce stalingradzkiej. Za koniecznością zmiany kursu w Generalnym Gubernatorstwie zaczęli opowiadać się Hans Frank i Joseph Goebbels, Ernst Kaltenbrunner, Erich von dem Bach-Zelewski, a nawet... Heinrich Himmler.

Impulsem do działania było odnalezienie w Katyniu ciał zamordowanych przez NKWD polskich oficerów. Niemcy rozpoczęli wówczas zmasowaną akcję propagandową skierowaną do polskiego społeczeństwa. Ukazywali w niej, co grozi Polsce, jeżeli wkroczy do niej Armia Czerwona, i wzywali Polaków do nieprzeszkadzania Wehrmachtowi w walce z bolszewizmem. Himmler wystąpił nawet wówczas z niedorzecznym pomysłem... sprowadzenia do Katynia generała Władysława Sikorskiego. Bezpieczeństwo polskiemu premierowi miałby gwarantować wydany przez Hitlera list żelazny.

Nastroje panujące wówczas w części niemieckiego aparatu bezpieczeństwa na terenie okupowanej Polski wyraził podczas narady 20 kwietnia 1943 roku dowódca SD w Generalnym Gubernatorstwie Eberhard Schöngarth: „Chyba wszyscy obecni są pod wrażeniem mnożących się zamachów na Niemców. Niewątpliwie dojdzie do zaostrzenia sytuacji, gdyż niektóre niemieckie czynniki wciąż nie chcą zrozumieć, że dotychczasowy stosunek do narodu polskiego był pod wieloma względami niewłaściwy. Trzeba wreszcie zdobyć się na odwagę i zmienić kurs. Wszyscy zdajemy sobie sprawę, że kontynuacja naszej dotychczasowej polityki wobec Polaków doprowadzi nas nieuchronnie do klęski".

Wydaje się, że pod wpływem szoku, jakim była dla Niemców klęska pod Stalingradem, wiosną 1943 roku rzeczywiście pojawiła się szansa na rewizję dotychczasowej polityki represji wobec Polaków. Konkretne propozycje ugody złożono wkrótce samemu Grotowi-Roweckiemu, który w czerwcu 1943 roku został aresztowany przez Gestapo w warszawskim mieszkaniu przy ulicy Spiskiej 14. Wszystko wskazuje na to, że aresztowanie miało właśnie charakter polityczny.

Po krótkim przesłuchaniu dokonanym przez Spilkera dowódca AK został natychmiast wsadzony do samolotu i wywieziony do Berlina, gdzie rozmawiali z nim czołowi przedstawiciele służb bezpieczeństwa Rzeszy. W części obozu Sachsenhausen przeznaczonego dla więźniów VIP-ów, do którego trafił „Grot", często odwiedzał go szef Gestapo SS-Gruppenführer Heinrich Müller. Miał on składać Polakowi daleko idące propozycje współpracy wojskowej wymierzonej w Sowiety.

Propozycje te zostały jednak przez „Grota" stanowczo odrzucone, podobnie jak i wszelkie inne podobne oferty kierowane do Polaków. Odrzucone zostały w imię honoru i wierności wobec sojuszniczej Wielkiej Brytanii. Dzisiaj, patrząc na sprawy z perspektywy lat, nie ma wątpliwości, że był to błąd. Propozycje takiego nieformalnego zawieszenia broni – oczywiście przy zachowaniu ścisłej tajemnicy – należało bowiem przyjąć.

Tak, wiem. Brzmi to szokująco. Powtórzmy jednak: nie było mowy o żadnym politycznym porozumieniu. Żadnym sojuszu w stylu paktu Sikorski–Stalin à rebours. Chodziło o tajne taktyczne porozumienie Polskiego Państwa Podziemnego z władzami niemieckimi w Generalnym Gubernatorstwie mające doprowadzić do ograniczenia strasznych strat, jakie ponosił naród polski podczas drugiej wojny światowej. Obowiązkiem władz państwowych było bowiem chronienie za wszelką cenę swoich obywateli. Ratowanie ich przed zagładą. Obozami koncentracyjnymi, łapankami i katowniami Gestapo. Taki cel uświęciłby prowadzący do niego środek – ów tajny układ o nieagresji.

Oczywiście niemiecka zbrodnicza polityka okupacyjna powodowała wśród Polaków niebywałe natężenie nienawiści i chęci odwetu. Ale obowiązkiem władz państwowych jest kierować się chłodną kalkulacją, a nie emocjami. Obowiązkiem władz państwowych jest tonowanie nastrojów i podejmowanie nawet niepopularnych decyzji, jeżeli leżą one w interesie narodu. Niestety władze Polski Podziemnej, zamiast nakłaniać do umiaru i starać się ochłodzić rozpalone głowy polskiej młodzieży, popłynęły z prądem. Wydawane przez nie rozkazy o wzmożeniu dywersji i ataków na Niemców kosztowały Polaków olbrzymią liczbę ofiar, nie przynosząc żadnych korzyści sprawie polskiej.

„Nic dziwnego, że każdy Polak gotów był rzucić się na Niemców, chociażby z nożem kuchennym w ręku. Ale rzeczą rządu jest tak kierować emocjami narodu i przez te emocje wytwarzaną energią, aby broniła ona życia narodu, a nie szybciej, dokładniej, straszliwiej popychała go ku śmierci" – pisał Cat-Mackiewicz.

Józef Mackiewicz ujmował zaś sprawę następująco:

Obciąża to nasze sfery o pretensjach wyrobienia politycznego. Trudno bowiem wymagać, powiedzmy, od jakiegoś dwudziestoletniego młodzieńca, który widzi, jak konduktor niemiecki kopie w brzuch jego matkę przy wchodzeniu do niewłaściwego przedziału pociągu, w jakichś Skierniewicach, Radomiu czy Małkini, trudno wymagać odeń, żeby krew, która mu uderza do twarzy w takiej chwili, żeby zaciśnięte pięści i paznokcie wbite w dłonie w rozpaczliwej przysiędze na zemstę mogły mu pomóc w ogarnięciu całokształtu polskich interesów politycznych, do wyrobienia polskiej myśli politycznej, sięgającej het daleko, poza peron kolejowy w Skierniewicach, Radomiu czy Małkini. Taki chłopiec nie chce nic słyszeć o bolszewikach. On wstąpi do AK i będzie strzelał do Niemców. I w gruncie rzeczy dobrze zrobi, bo co wart jest naród, którego jednostki pozbawione są godności osobistej!

Przerwanie spirali przemocy w Generalnym Gubernatorstwie nie tylko uratowałoby dziesiątki tysięcy Polaków przed straszliwymi represjami Gestapo i akcjami odwetowymi SS, ale rozwiązałoby również ręce Armii Krajowej, która zamiast trwonić siły na walkę, w której nie miała najmniejszych szans, mogłaby się zająć działaniami znacznie bardziej pożądanymi. A więc przede wszystkim zwalczaniem komunistycznych band i sowieckiej partyzantki grasujących na terenie okupowanego kraju.

Niemcy zaś siły służące do tej pory do utrzymywania spokoju w Generalnym Gubernatorstwie mogliby skierować na front wschodni do walki z Armią Czerwoną. Przestałyby również wylatywać w powietrze niemieckie pociągi z amunicją, przestałyby płonąć magazyny. Niemiecki opór wobec bolszewików zostałby wzmocniony. A to, jak wiemy, było w interesie Polski.

Rozdział 5

Wołyń zdradzony

Zawieszenie broni z niemieckim okupantem niosłoby jeszcze jedną, niezwykle ważną, korzyść dla Polski. Otóż dzięki temu być może nie zginęłyby tysiące Polaków bestialsko wymordowanych przez ukraińskich nacjonalistów na Wołyniu i w Galicji Wschodniej w latach 1943–1945. Polskie Państwo Podziemne nie byłoby bowiem zaabsorbowane walką z Niemcami i mogłoby skierować swoje siły na południowo-wschodnie tereny kraju. Dotykamy tu kolejnej ze spraw, o których nie wolno głośno mówić, aby nie rzucić cienia na nasz nieskazitelny, nieomylny i bohaterski ruch oporu.

Jest to jednak pytanie, które samo ciśnie się na usta. Dlaczego Polskie Państwo Podziemne – którym chwalimy się jako największą, najpotężniejszą i najsprawniejszą tego rodzaju strukturą na całym bożym świecie – nie potrafiło uchronić przed rzezią własnej ludności cywilnej w kilku województwach? I to rzezią, której sprawcami nie był przeciwnik dysponujący samolotami, czołgami i komorami gazowymi, ale kiepsko uzbrojone i wyszkolone bandy wyposażone często w kije, cepy i siekiery.

Jak to się stało, że dzielni chłopcy z AK o takich dziarskich pseudonimach jak „Wilk", „Błyskawica" czy „Jastrząb" nie rozpędzili na cztery wiatry hajdamackiej tłuszczy z kosami w rękach? Dlaczego wielka wojskowa organizacja dowodzona przez zawodowych wyższych oficerów, generałów, pułkowników i majorów, organizacja pompowana przez kilka lat przez brytyjskiego sojusznika dolarami, sprzętem, bronią i materiałami wybuchowymi, nie podjęła żadnych poważniejszych działań wymierzonych w morderców z UPA?

Odpowiedź jest ponura. Otóż czynniki kierownicze polskiego podziemia uznały, że działania w obronie zarzynanych Polaków mogłyby niepotrzebnie „podzielić siły" Armii Krajowej. Siły, które były rzekomo niezbędne do walki z Niemcami.

Ukraińscy nacjonaliści na Wołyniu i w Galicji Wschodniej zamordowali blisko 130 tysięcy Polaków. Mężczyzn, starców, kobiet i dzieci. Polaków ćwiartowano, przerzynano piłami, rozrywano końmi, topiono w studniach, palono żywcem. Kobiety gwałcono i wyrywano im z brzuchów płody, dzieci nabijano na sztachety. Wydłubywano oczy, ucinano języki, genitalia. Ludobójstwo na Wołyniu i w Galicji Wschodniej jest jedną z najbardziej mrożących krew w żyłach zbrodni zbrodniczego dwudziestego wieku.

Pierwszego antypolskiego pogromu nacjonaliści dokonali 9 lutego 1943 roku w kolonii Parośla. Apogeum rzeź na Wołyniu osiągnęła w lipcu 1943 roku. W 1944 roku fala przemocy rozlała się na Galicję Wschodnią. Polskie Państwo Podziemne miało więc mnóstwo czasu, aby podjąć działania obronne. Tymczasem niemal nie kiwnęło palcem.

Na Wołyniu przedstawicielem Delegatury Rządu na Kraj był Kazimierz Banach, a strukturami Armii Krajowej dowodził pułkownik Kazimierz Bąbiński „Luboń". Obaj panowie i obie struktury były ze sobą skłócone, łączyło je jednak jedno – obie nie udzieliły poważniejszej pomocy powierzonym ich opiece cywilom.

Gdy wreszcie zdesperowani, opuszczeni przez swoje władze polscy chłopi zaczęli brać broń od Niemców i za jej pomocą bronić swoich zagród, delegat Banach wydał następującą odezwę: „Pod żadnym pozorem nie wolno współpracować z Niemcem. Wstępowanie do milicji i żandarmerii niemieckiej jest najcięższym przestępstwem wobec Narodu Polskiego".

Jak więc widać, dobry Polak powinien raczej dać się z całą rodziną porąbać siekierami, niż skorzystać z niemieckiej pomocy. Obawiam się, że jeżeli ktoś tu popełniał „najcięższe przestępstwo wobec Narodu Polskiego", to właśnie delegat Banach. „Sytuacja była tak dramatyczna – komentował jego odezwę historyk Grzegorz Motyka – że ludność polska nie mogła traktować tego typu apeli poważnie. Jedynym racjonalnym wyjściem wydawała się albo ucieczka, albo organizowanie samoobrony w porozumieniu z każdym, kto tylko mógł dać broń".

Na korzyść Banacha może przemawiać tylko to, że rzeczywiście zażądał w końcu pomocy od Warszawy. Postulował przysłanie z centralnej Polski amunicji oraz kilkunastu kompanii Armii Krajowej uzbrojonych w broń maszynową. Takie siły szybko okiełznałyby ukraińskich nacjonalistów na tym terenie. Władze Polski Podziemnej jednak odmówiły. Na Wołyń przysłano jedynie grupę oficerów oraz jedną kompanię liczącą kilkudziesięciu ludzi. Nastąpiło to... w marcu 1944 roku. A więc blisko rok po apogeum mordów.

Postawa AK w 1943 roku ostro kontrastuje z postawą tej samej organizacji na początku 1944 roku, gdy do Polski wkroczyła Armia Czerwona i z Warszawy przyszedł rozkaz o przystąpieniu do akcji „Burza". Ci sami oficerowie, którzy nie kwapili się do pomocy mordowanym cywilom, teraz z energią i ochotą rzucili się do kolaboracji z bolszewikami. Są to rzeczy tak przykre, że trudno się o nich pisze nawet teraz, po siedemdziesięciu latach.

W styczniu 1944 roku pułkownik Bąbiński wydał rozkazy o mobilizacji i koncentracji oddziałów AK na Wołyniu. Utworzona w ten sposób 27. Wołyńska Dywizja Piechoty liczyła 6,5 tysiąca przyzwoicie uzbrojonych żołnierzy – była to największa jednostka AK biorąca udział w „Burzy" – którzy zostali skierowani do udzielania pomocy sowieckim najeźdźcom. Gdyby Bąbiński zmobilizował tych wszystkich ludzi w roku 1943, ludobójstwo na Wołyniu na pewno nie przybrałoby takich apokaliptycznych rozmiarów. UPA napotkałaby bowiem twardy opór zorganizowanych, silnych oddziałów Armii Krajowej.

Choć akcją „Burza" jeszcze się obszernie zajmiemy, trudno pominąć w tym miejscu okoliczności, w jakich formowano 27. Dywizję. Otóż oficerowie AK wcielali do niej członków lokalnej samoobrony, która powstała w polskich osadach i broniła ludności przed UPA. Tym samym Armia Krajowa pozbawiała tysiące cywilów ochrony i narażała ich na śmiertelne niebezpieczeństwo.

Trudno więc się dziwić, że mobilizacja została przyjęta przez ludność Wołynia z olbrzymią niechęcią. „Za najważniejsze zadanie polskiej partyzantki uznawano ochronę ludności – pisał Grzegorz Motyka. – Nic więc dziwnego, że w niektórych miejscach, na przykład w Przebrażu, właściwie mobilizację zbojkotowano. W tej ostatniej miejscowości cieszącego się powszechnym szacunkiem dowódcę samoobrony Henryka Cybulskiego «Harry'ego» wręcz osadzono w areszcie domowym, by nie mógł wykonać rozkazu, ale w razie uderzenia UPA natychmiast miał ponownie przejąć dowodzenie".

Szef sztabu dywizji Tadeusz Sztumberk-Rychter wspominał: „Żołnierz był młody i niedoświadczony. Za istotnego i głównego wroga, którego działania namacalnie odczuł, uważał Ukraińców. Wyrobił sobie mniemanie, że bicie Niemców jest zadaniem innych, celem zaś oddziałów polskich powinno być wyłącznie zwalczanie UPA. Ten stan rzeczy zmusił kadrę dowódców do przeprowadzenia olbrzymiej pracy uświadamiającej".

Najbardziej racjonalną decyzją w tej sytuacji byłoby natychmiast aresztować Sztumberk-Rychtera oraz resztę „uświadomionej kadry dowódczej" i postawić przed sądem polowym. A dowództwo dywizji powierzyć właśnie tym „młodym i niedoświadczonym" żołnierzom z Wołynia. Na pewno lepiej wiedzieli oni, gdzie leży interes Polski i Polaków.

Sztumberk-Rychter i jego kompani bowiem 27. Dywizję zmarnowali. Na rozkaz Warszawy podjęli kolaborację z najeżdżającą ich ojczyznę Armią Czerwoną i wykrwawili powierzone sobie oddziały w bezsensownych a niezwykle krwawych walkach z wycofującymi się Niemcami. Resztki dywizji zostały oczywiście rozbrojone i spacyfikowane przez NKWD. Część żołnierzy rozstrzelano (między innymi w Kąkolewnicy na Uroczysku Baran i na Zamku w Lublinie), część trafiła do łagrów, część do armii Berlinga. Sam Sztumberk-Rychter w PRL został zaś członkiem Zarządu Głównego komunistycznego ZBoWiD-u. Trzeba przyznać, że zasłużył sobie na ten „zaszczyt".

Podobny przebieg miały wydarzenia w Galicji Wschodniej, gdzie ukraińskie mordy na Polakach rozpoczęły się w roku 1944. Tam również rozsądni Polacy wzywali Polskie Państwo Podziemne do opamiętania i udzielenia pomocy bestialsko zarzynanym cywilom. I tam również apele te spotkały się z odmową. Tak jak dla oficerów AK na Wołyniu, tak dla oficerów AK w Galicji ważniejsze było pomaganie bolszewikom w podbijaniu własnej ojczyzny niż pomaganie rodakom w przeżyciu.

Rozkazy szły oczywiście z Warszawy, gdzie energicznie wstrzymywał pomoc dla mordowanych Polaków szef Biura Informacji i Propagandy AK pułkownik Jan Rzepecki, jeden z przedstawicieli prosowieckiego lobby w Komendzie Głównej AK, późniejszy komunistyczny kolaborant. „Udostępnienie potrzebnej Kresom broni roznieciłoby ogień walki do niewyobrażalnych rozmiarów, a opinia publiczna świata uzyskałaby argument, że walka Polaków o granice z września 1939 roku była błędem politycznym" – bredził Rzepecki.

Macie już państwo odpowiedź na pytanie, dlaczego 130 tysięcy Polaków musiało zginąć pod ciosami siekier. Żeby przypadkiem „opinia publiczna świata" sobie źle o nas nie pomyślała...

Oddajmy jeszcze głos profesorowi Grzegorzowi Motyce: „Większość sił AK starano się zachować na walkę z Hitlerem, która miała się rozpocząć w momencie nadejścia Armii Czerwonej. Narażano życie Polaków, przyjmując, że z punktu widzenia interesu państwa polskiego może to być korzystne. Zdawano sobie przy tym sprawę, że realizacja akcji «Burza» spotęguje represje niemieckie. Niemcy bowiem zaraz po utworzeniu 27. Wołyńskiej Dywizji AK przystąpili do rozbrajania polskich baz samoobrony w Galicji, widząc w nich potencjalne zagrożenie".

W efekcie UPA mogła bezkarnie wyrzynać polską ludność Galicji. Wywoływało to niezwykle ostre protesty galicyjskiego Stronnictwa Narodowego, które domagało się natychmiastowego wstrzymania samobójczej „Burzy" i skierowania wszystkich sił na pomoc mordowanym Polakom. „AK nie spełniła pokładanych w niej nadziei – napisano w jednym z dokumentów narodowców. – Nie ujęła w skuteczniejsze ramy samoobrony ludności polskiej. Nie pozwalała na stosowanie odwetu. Nie przeprowadzono stosownego dozbrojenia ludności polskiej". Według dokumentów epoki rozgoryczenie na władze Polski Podziemnej było wówczas na Wołyniu i w Galicji Wschodniej gigantyczne.

Skoro władze Polski Podziemnej nie wywiązywały się ze swoich podstawowych obowiązków, pomóc mordowanym Polakom usiłował hrabia Adam Ronikier, prezes Rady Głównej Opiekuńczej. W 1943 roku zwrócił się on do Niemców o zgodę na utworzenie na Ziemiach Wschodnich powszechnej polskiej straży obywatelskiej.

W połowie maja prowadzący negocjacje z Ronikierem wicegubernator dystryktu krakowskiego SS-Sturmbannführer Ludwig Losacker przekazał szefowi RGO, że Berlin zgadza się na realizację projektu. W jego ramach w każdej gminie miały być stworzone polskie oddziały paramilitarne dowodzone przez podoficerów przedwojennego Wojska Polskiego i uzbrojone w stare niemieckie karabiny. W razie pojawienia się w okolicy oddziału UPA straż miała natychmiast obsadzać zagrożone wioski.

Na nieszczęście dla mieszkańców Wołynia Ronikier czuł się w obowiązku skonsultować projekt z Delegaturą Rządu na Kraj.

Ponieważ z Wołynia nadchodziły tragiczne wieści o rozpoczynających się tam rzeziach, postanowiliśmy pracę organizacyjną straży rozpocząć – wspominał. – Przybyli stamtąd w popłochu i rozpaczy uciekinierzy zapewniali nas, że wszystko, co zdrowe i uczciwe, będzie można dla obrony użyć i w ten sposób konieczną pomoc nieszczęsnej ludności przynieść. Toteż jak piorun z jasnego nieba spadła na nas wiadomość przywieziona przez moich wysłanników z Warszawy, że Delegatura Rządu jest zasadniczo przeciwna tworzeniu straży i że swego przyzwolenia stanowczo odmawia. Bezskutecznie starano się uzyskać motywy podjętej w tym kierunku decyzji. Zmuszeni byliśmy całej sprawy zaniechać.

Nieoficjalnie przekazano informację, że sformowanie za zgodą Niemców podobnej formacji skompromitowałoby Polaków w oczach Wielkiej Brytanii.

Wszystko to działo się w czerwcu 1943 roku. Miesiąc później rzeź Polaków przybrała gigantyczne rozmiary.

Gwałty i morderstwa dokonywane na Polakach z dniem każdym przybierały na sile i barbarzyńskich formach – pisał szef RGO. – Topniał stan posiadania polskiego w tej odwiecznie do Polski należącej ziemi, a panowie z Delegatury, nie pozwoliwszy nam na organizowanie obrony, nie raczyli myśleć o tym, że złemu trzeba było przynajmniej próbować zaradzić, a nie zostawiać te rzesze polskie na Kresach bez żadnej pomocy. Przecież przykład, który miał miejsce w Równem, gdzie dwaj nasi delegaci, uzyskawszy od Kreishauptmanna broń, rozdali ją Wołyniakom, którzy dzięki temu nie tylko potrafili Ukraińców wziąć w ryzy, ale naokoło Równego kraj cały doprowadzić do ładu i porządku, przeczy kategorycznie tym naszym mędrkom, którzy teraz powiadają, że i tak nic by się nie dało zrobić, bo władze niemieckie by nie pomogły. Trzeba było działać, a nie przyglądać się suchym okiem dziełu zniszczenia odpychającemu granice Polski na zachód.

Z reguły każdy rozdział staram się kończyć puentą. Tym razem jednak odstąpię od tej formuły. Nie chcę bowiem czytać później o sobie, że jestem „zaprzańcem" i „nihilistą", który wulgarnymi słowami plugawi pamięć o najwspanialszej i najmądrzejszej organizacji konspiracyjnej w dziejach świata, jaką było Polskie Państwo Podziemne. Niech każdy czytelnik wpisze więc w tym miejscu własną puentę.

....
....
....
....
....
....
....

Rozdział 6

Żołnierze
Wielkiego Księstwa

Z dwóch części Rzeczypospolitej Obojga Narodów, Korony i Wielkiego Księstwa Litewskiego, piszącemu te słowa znacznie bliżej jest do tego drugiego. I nie chodzi tu tylko o rodzinne korzenie, ale o prostą analizę faktów. Wszystko, co najlepsze w Rzeczypospolitej, pochodziło bowiem z Księstwa. Litwa dała jej najlepszą dynastię – Jagiellonów, najpiękniejsze miasto – Wilno, najwybitniejszego poetę – Adama Mickiewicza, najwybitniejszego prozaika – Józefa Mackiewicza, największego męża stanu – Józefa Piłsudskiego, a przede wszystkim – polityczną potęgę.

Litwini, w historycznym, a nie współczesnym znaczeniu tego słowa, zawsze wykazywali się większym rozsądkiem politycznym niż Koroniarze. Opinia ta w całej rozciągłości została potwierdzona podczas drugiej wojny światowej. Spora część żołnierzy Armii Krajowej z Okręgów Wileńskiego i Nowogródzkiego miała znacznie lepsze rozeznanie sytuacji i wyczucie polskiej racji stanu niż wyżsi oficerowie z Komendy Głównej w Warszawie.

Zacznijmy jednak od przedstawienia zjawiska, o którym jeszcze nie było mowy, a które stanowiło olbrzymi problem dla Polaków podczas okupacji. Chodzi o plagę, której na imię było sowiecka partyzantka.

Wszystko zaczęło się w czerwcu 1941 roku, gdy wybuchła wojna niemiecko-sowiecka. Bolszewicy natychmiast po ochłonięciu z szoku, jaki wywołało u nich niespodziewane uderzenie dotychczasowego najlepszego przyjaciela, zaczęli organizować swoje podziemne struktury na terenie Polski.

Chociaż 30 lipca 1941 roku Sikorski podpisał pakt ze Związkiem Sowieckim, działania te nie ustały. Przeciwnie – przybrały na sile. „Z wielu punktów terenu meldują o lądowaniu spadochroniarzy sowieckich po cywilnemu. Agitują za natychmiastowym rozpoczęciem dywersji. Dysponują olbrzymią gotówką, którą szafują. Olbrzymie pieniądze w połączeniu z podszywaniem się pod naszą firmę, względnie Andersa, mogą powodować zamęt" – depeszował 6 września 1941 roku do Londynu generał Grot-Rowecki.

Skoczkowie ci nawiązywali kontakty z polskimi komunistami i organizowali luźne grupy okrążeńców, czyli żołnierzy sowieckich z rozbitych jednostek, którzy włóczyli się po polskich lasach. Szybko dołączyli do nich zbiegli z obozów jeńcy, Żydzi z gett oraz przedstawiciele miejscowego elementu. Tak powstały bandy rabunkowe, szumnie nazywane sowieckimi oddziałami partyzanckimi.

Bandy te właściwie nie podejmowały działań zaczepnych wobec Niemców. Podobnie jak „oddziały" GL i AL skupiały się na rabowaniu wsi i dworów, piciu samogonu i mordach na przedstawicielach polskich elit. Jeśli już podejmowały akcje bojowe, to nie po to, by wyrządzić szkody Niemcom, ale sprowokować brutalny odwet na ludności cywilnej, co miało służyć dalszemu uszczuplaniu sił polskich i radykalizacji nastrojów.

Zjawisko historyczne nazywane w literaturze PRL „radzieckim partyzantem" – pisał historyk Piotr Gontarczyk – było czymś bardzo szczególnym. Byli jeńcy sowieccy (szczególnie ci pochodzący z azjatyckich części ZSRS, niejednokrotnie trafiający do lasu ze służby u Niemców) byli na ogół kompletnie zdemoralizowani, bezwzględni i okrutni. Mając karabin w ręku, widząc kobietę lub nie spotykane w Rosji dobra materialne, częstokroć zachowywali się w sposób daleki od jakichkolwiek norm społecznych. W relacjach dotyczących kontaktów z sowiecką partyzantką można spotkać opisy nie tylko bezmyślnego niszczenia i mordowania, lecz także kompletnego braku hamulców zachowań seksualnych.

Choć Sikorski nieśmiało protestował w sowieckiej ambasadzie w Londynie, działalność sowieckich band z upływem czasu tylko przybierała na sile.

Teren nasz jest coraz intensywniej zarzucany partyzantami sowieckimi – alarmował 1 kwietnia 1942 roku Grot-Rowecki. – W poszukiwaniu żywności dokonują oni napadów na wsie i drobne posterunki niemieckie. W odpowiedzi Niemcy wysyłają ekspedycje karne, paląc wsie podejrzane o pomoc Rosjanom i wycinając w pień ludność. Wartość ich akcji przeciwniemieckiej: żadna. Powodują jedynie krwawe represje, wytwarzają zamęt, który utrudnia nam pracę, i usiłują już obecnie wywołać powstanie, które nie wyrze wpływu na działania wojenne, a doprowadzi do masowej rzezi ludności.

Największe sowieckie bandy grasowały na ziemiach wschodnich Rzeczypospolitej, które w latach 1939–1941 znajdowały się pod sowiecką okupacją. Szczególnie aktywne były na północy, w województwach wileńskim i nowogródzkim, gdzie nie było zwalczających je formacji UPA. Swoją wymierzoną w Polaków działalnością czerwoni partyzanci mieli dowodzić, że ziemie te są terytorium Związku Sowieckiego.

Między sowieckimi bandami a polskim podziemiem dochodziło do zadrażnień i coraz poważniejszych utarczek, sytuacja z każdym dniem stawała się coraz bardziej napięta. Partyzanci bowiem coraz częściej masakrowali ludność cywilną. Do jednego z takich mordów doszło 8 maja 1943 roku w Nalibokach. Pół roku później z dymem puszczone zostały Koniuchy. Jakąkolwiek akcję odwetową blokowały jednak stanowcze rozkazy rządu w Londynie i warszawskiej centrali ruchu oporu zabraniające jakichkolwiek wystąpień przeciw sowieckim „sojusznikom".

Gdy jednak 25 kwietnia 1943 roku, po odkryciu grobów katyńskich, Moskwa zerwała sojusz z Polską – doszło do eksplozji. Dowódca sowieckiej partyzantki Fiodor Markow zaprosił na rozmowy dowódcę oddziału partyzanckiego AK, podporucznika Antoniego Burzyńskiego „Kmicica". Nieszczęsny oficer, kierując się absurdalnymi rozkazami swoich przełożonych, na rozmowy się udał.

Polski oddział został otoczony i rozbrojony. „Kmicic" i kilkudziesięciu jego ludzi zostało bestialsko zamordowanych. Bolszewicy ograbili zwłoki. Do bardzo podobnego wydarzenia doszło w Okręgu Nowogródzkim Armii Krajowej. Tam 1 grudnia sowieccy partyzanci rozbroili i wymordowali Zgrupowanie Stołpeckie AK. Działania te nie były przypadkowe. Było to wypełnianie rozkazów z Moskwy o zniszczeniu za pomocą wszelkich środków „białopolskich band" działających na terenie „Zachodniej Białorusi" i „Zachodniej Ukrainy".

Mimo oderwanych od rzeczywistości rozkazów z Warszawy Armia Krajowa na Wileńszczyźnie i Nowogródczyźnie nie zamierzała dać się bezkarnie wyrzynać. Wkrótce województwa te stały się areną niezwykle krwawego partyzanckiego konfliktu polsko-sowieckiego. Bolszewicy stosowali przy tym zbrodnicze, wręcz ludobójcze metody, atakując również ludność cywilną. Wielu dowódców zdawało sobie jednak sprawę, że walka na dwa fronty nie ma najmniejszego sensu, i zaczęło szukać przeciwko sowieckim bandom sojusznika...

Należy pamiętać, że sytuacja na tych ziemiach diametralnie różniła się od sytuacji w Generalnym Gubernatorstwie. Wciąż świeża była pamięć bestialskiej okupacji sowieckiej z lat 1939–1941. Masowych mordów, deportacji i wszechobecnego strachu wywołanego terrorem NKWD. Nienawiść do Sowietów jako wroga numer jeden ugruntowały bestialskie mordy więzienne dokonane przez uciekających bolszewików w czerwcu 1941 roku.

Wychowani pod komunizmem i stronnicy oficjalnej polityki Armii Krajowej nie lubią, żeby o tym przypominać – pisał Zdzisław A. Siemaszko – ale to fakt, że wojska niemieckie były tam witane przez ludność, także i polską, z entuzjazmem jako oswobodziciele od znienawidzonego sowieckiego jarzma, a ich olbrzymie sukcesy wydawały się zapowiadać niechybny koniec ojczyzny komunizmu. W odczuwaniu wielkiej radości z takiego obrotu sprawy uczestniczyła ogromna większość ludności Związku Sowieckiego.

Choć przyjmowani jak wyzwoliciele Niemcy swoją brutalną, butną postawą szybko rozczarowali do siebie narody uciemiężone przez bolszewizm, o koszmarze okupacji sowieckiej nie zapomniano. Wszystko to stworzyło grunt do nawiązania lokalnych porozumień z Niemcami, przypominających mniej więcej to, co w skali całego kraju Niemcy proponowali najpierw pułkownikowi Albrechtowi, a później Grotowi--Roweckiemu. Analiza efektów, jakie przyniosły te lokalne porozumienia, potwierdza, że odrzucenie ich w skali kraju było błędem. Efekty te były bowiem znakomite.

Na Nowogródczyźnie za zgodą dowództwa okręgu ciche układy z Niemcami zawarli partyzanccy dowódcy: Adolf Pilch „Góra", Józef Świda „Lech" i Czesław Zajączkowski „Ragnar". Wszystkie one sprowadzały się do tego samego. Obie strony przestają się zauważać i wstrzymują wrogą wobec siebie działalność. Polacy nie wysadzają w powietrze torów i nie napadają na posterunki, a Niemcy nie tępią polskich struktur niepodległościowych i nie represjonują polskiej ludności. Co jednak najważniejsze, Niemcy zobowiązali się dostarczać AK broni do walki z bolszewickimi bandami.

Był to dla Armii Krajowej na tych terenach moment zwrotny. Dzięki tym porozumieniom złapała oddech, dozbroiła się i przeszła do kontrofensywy. O ile wcześniej przewaga była wyraźnie po stronie sowieckiej, o tyle teraz to Polacy byli górą. Miało to kolosalne znaczenie dla nękanej przez bandy polskiej ludności cywilnej, która wreszcie mogła się poczuć bezpiecznie.

W praktyce odbywało się to w ten sposób, że Niemcy albo pozostawiali w terenie „słabo strzeżone" magazyny, na które w umówionym terminie Polacy dokonywali „napaści", albo po prostu przywozili Armii Krajowej zaopatrzenie prosto do lasu. Karabiny, pistolety, karabiny maszynowe, dziesiątki tysięcy sztuk amunicji, granatniki, a nawet moździerze. A więc rzeczy dla wojska bezcenne.

Dzięki temu oddziały z ziem północno-wschodnich były najlepiej uzbrojonymi siłami polskiego podziemia. Gdy później, w obliczu nacierającej Armii Czerwonej, Adolf Pilch wycofał się do Generalnego Gubernatorstwa, jego żołnierze budzili powszechne zdumienie. „Zobaczywszy wyposażenie naszych oddziałów, ludność uznała, że jest to prowokacja niemiecka. Skąd polskie oddziały mogły mieć tyle broni i sprzętu?" – pisał jeden z weteranów AK.

Tymczasem w wielu miejscach Niemcy całkowicie ustąpili pola Polakom, oddając im pod kontrolę całe połacie terenu. W efekcie potworzyły się niewielkie polskie „republiki", na terenie których działało polskie sądownictwo, na budynkach wisiały polskie flagi, a żołnierze w pełnym umundurowaniu chodzili po ulicach. Niemcy zezwolili również na pobór kilku roczników do oddziałów partyzanckich. Euforia ludności z powodu odtworzenia tych skrawków niepodległej Rzeczypospolitej była olbrzymia.

Oto sprawozdanie sytuacyjne AK za luty–marzec 1944:

Na przełomie 1943/44 r. wytworzyła się sytuacja, w której szereg powiatów ziemi nowogródzkiej jest właściwie całkowicie w ręku polskim. Niemcy, widząc aktywność przeciwbolszewicką wojska polskiego, wykorzystali to dla celów swego bezpieczeństwa. Nie zaczepiają oddziałów polskich, ofiarowują im nawet w wielu wypadkach pomoc. Powiat szczuczyński, który wchodzi w skład Gebietskommissariatu lidzkiego, jest skrawkiem RP, na którym miejscowe władze niemieckie okazują maksimum zrozumienia i tolerancji w stosunku do zorganizowanego i uzbrojonego społeczeństwa polskiego. Oddziały polskie przeprowadzają regularny pobór kilku roczników – sołtysi doręczają formalne imienne karty powołania... Co niedziela, co święto jest msza polowa w środku wsi z kazaniem.

Niestety informacje o współdziałaniu polsko-niemieckim w terenie szybko dotarły do Komendy Głównej AK i do Londynu. Wywołały tam wręcz przerażenie przed możliwym gniewem Brytyjczyków i Sowietów. Generał Bór-Komorowski na początku 1944 roku nakazał zerwać wszystkie „kompromitujące" kontakty z Niemcami. Nakazywał jednocześnie zaprzestania walki z partyzantką sowiecką i... podjęcie kolejnej próby porozumienia się z nią w celu „wspólnej walki z okupantem". Rozkaz ten wywołał po prostu zdumienie. Jeden z żołnierzy, Czesław Zgorzelski, tak opisywał odprawę na Nowogródczyźnie, podczas której go odczytano: „Zapanowało parę sekund milczenia. Pierwszy poruszył się «Ponury». Doskonale zrozumiał całą wewnętrzną groteskową sprzeczność tych zaleceń na naszych terenach. Odezwał się przytłumionym głosem, jakby zapytywał sam siebie i chyba nas wszystkich, zatopionych w milczeniu: «To – jakże, mamy się dawać zarzynać jak barany?»".

Rozkaz ten, wydany bez znajomości miejscowych warunków, na podstawie obłędnego programu politycznego, nie przyniósł żadnych rezultatów. Próby porozumienia z Sowietami zakończyły się fiaskiem, a podporucznik „Góra" dalej po cichu brał broń od Niemców. Najbardziej dramatycznie potoczyła się sprawa porucznika Józefa Świdy „Lecha", który za pomocą niemieckiej broni wyjątkowo dzielnie bronił polskiej ludności przed czerwonymi bandami i po kilku miesiącach wyrzucił je ze swojego terenu. Otóż w jego sprawie Komenda Główna nie dała łatwo za wygraną.

Dostałem rozkaz zawierający dwa punkty – wspominał „Lech". – Pierwszy polecał natychmiast przerwać zwalczanie bolszewików i nawiązać współpracę z partyzantką sowiecką. Drugi nakazywał zerwanie wszelkich porozumień z Niemcami. Ten drugi punkt, jeśli tego wymagała wyższa polityka, gotowy byłem zaakceptować. Pod żadnym jednak pozorem nie mogłem pogodzić się ze współpracą z oddziałami sowieckimi. Dla mnie było jasne, że to samobójstwo. Czerwone oddziały powrócą, zaleją ten teren, nasi oficerowie przy okazji „przyjacielskich rozmów" zostaną uwięzieni, a żołnierze wcieleni do czerwonej partyzantki. A najgorszy los czeka ludność pozbawioną naszej opieki. Dlatego nie wahałem się ani chwili: odmówiłem na piśmie wykonania tego rozkazu.

Zdaniem piszącego te słowa porucznik Jerzy Świda „Lech" powinien za swoje akcje otrzymać order Virtuti Militari i natychmiastowy awans na kapitana. Zamiast tego z rozkazu warszawskiej centrali AK został... postawiony przed sądem wojskowym i skazany na śmierć. Całe szczęście, dzięki jednemu z oficerów, wyrok został opatrzony klauzulą wykonania dopiero po wojnie z możliwością rehabilitacji na polu bitwy w innym terenie. Choć Świda dzięki temu przeżył, sprawa tego wyroku do dzisiaj musi budzić najwyższe oburzenie. Dobry żołnierz i dobry Polak – który konsekwentnie realizował interes swojej ojczyzny – został upokorzony przez ludzi, którzy nie tylko nie dorastali mu do pięt, ale jeszcze działali na szkodę własnego narodu.

Rozdział 7

„Łupaszka"

Na Wileńszczyźnie wypadki potoczyły się bardzo podobnie jak na ziemi nowogródzkiej. Tam jednak bolszewicy mieli jeszcze mniej szczęścia. Szczątki wymordowanego przez bolszewików oddziału „Kmicica" przejął bowiem porucznik Zygmunt Szendzielarz „Łupaszka". Jeden z najbardziej bitnych polskich oficerów podczas drugiej wojny światowej, a zarazem człowiek o wielkim wyrobieniu politycznym – nienawidzący Sowietów z całej duszy.

Oto jak jeden z żołnierzy wileńskiej AK zapamiętał objęcie oddziału przez „Łupaszkę": „Długo stał przed nami, patrzył przenikliwie nam w oczy. Po pewnym czasie oświadczył: jestem oficerem, dowódcą tego oddziału, przyjmuję was i wspólnymi siłami będziemy walczyć o Polskę z naszymi wrogami, a wy nie zapominajcie, że macie dodatkowy obowiązek – pomścić śmierć waszych kolegów".

Do dzieła tego Szendzielarz zabrał się bardzo sumiennie. Stworzona przez niego 5. Wileńska Brygada AK stała się postrachem czerwonych. „W pierwszych miesiącach istnienia brygady wrogiem numer jeden stali się partyzanci sowieccy. Sowieci bezlitośnie rabowali miejscową ludność, grabili wszystko, co nadawało się do użytku. Niezwykle uciążliwe były nocne napaści połączone z gwałtami i zabójstwami polskiej ludności. 5. Brygada stała się tarczą broniącą polskie wsie i zaścianki" – pisał biograf „Łupaszki" Patryk Kozłowski. Działo się to oczywiście wbrew nonsensownym prosowieckim rozkazom Komendy Głównej AK.

5. Brygada Wileńska po kolei tropiła więc i niszczyła bolszewickie bandy grasujące w terenie. Spowodowało to, że zainteresowały się nią miejscowe władze niemieckie. Zachęcone dobrymi efektami antybolszewickiej współpracy z oddziałami AK na ziemi nowogródzkiej zaproponowały „Łupaszce" podobny układ. Do spotkania doszło pod koniec stycznia 1944 roku we wsi Swejginie.

Co ciekawe, oprócz Szendzielarza, incognito wziął w nich udział dowódca okręgu podpułkownik Aleksander Krzyżanowski „Wilk". Funkcjonariusz SD Seidler von Rosenfeld zaproponował Polakom zawieszenie broni i poważne dozbrojenie. Polacy nie powiedzieli „nie" i rozmowy kontynuowano w wileńskiej restauracji Valgis. Wraz z „Wilkiem" na miejscu zjawił się dowódca 3. Wileńskiej Brygady AK porucznik Gracjan Fróg „Szczerbiec", który już od pewnego czasu brał broń od Niemców.

Drugą stronę reprezentował major Abwehry Julius Christiansen i Horst Wulff, niemiecki komisarz Wilna i okolic. Jak relacjonował po latach biorący udział w spotkaniu Jerzy Dobrzański, Niemcy zaoferowali pełne wyekwipowanie bojowe dla polskich oddziałów. „Broń zwykłą i maszynową, amunicję uzupełnianą co miesiąc, mapy, busole, lornetki, całkowite utrzymanie według norm armii niemieckiej, a także wyposażenie w leki i opatrunki oraz wyposażenie dla szpitali polowych". Mało tego, proponowali bojowe współdziałanie przy większych operacjach wymierzonych w czerwoną partyzantkę, w tym wsparcie Polaków ciężką artylerią i bronią pancerną.

Warto też zaznaczyć, że rozmowy toczyły się w niezwykle kurtuazyjnej atmosferze. Niemcy byli uprzedzająco grzeczni, poczęstowali Polaków wyborną kolacją. Panowie zjedli pieczeń i pili czarną kawę z oryginalnym francuskim armaniakiem. „Wilk" obiecał, że rozważy sprawę. Niestety zabrakło mu zdecydowania i postanowił udać się na konsultacje do Warszawy, do Bora-Komorowskiego. Efekt był nietrudny do przewidzenia. Gdy dowódca AK usłyszał, o co chodzi, przerażony złapał się za głowę. Rozmowy naturalnie kazał zerwać.

Natychmiast też wysłał depeszę do Londynu, aby się pochwalić: „Nacisk Anglików na nasz rząd w zatargu polsko-rosyjskim jest skwapliwie wykorzystywany przez Niemców. Starają się oni wszelkimi drogami dotrzeć do d-ców terenowych, a nawet do mnie z konkretnymi propozycjami. Proponują oni współpracę przeciwko Sowietom względnie partyzantom sowieckim, obiecując w zamian amnestię dla naszych członków, uzbrojenie i wyekwipowanie. Bezapelacyjnie odrzucam i nie dopuszczam do żadnych rozmów".

„Wilk" skwapliwie zastosował się do rozkazu „Bora" i po powrocie do Wilna rozmowy zerwał. Dla wszystkich zorientowanych w sprawach wileńskich z tego okresu jest jednak tajemnicą poliszynela, że zarówno „Łupaszka", jak i „Szczerbiec" kontakty z Niemcami podtrzymali. I podobnie jak na Nowogródczyźnie, z magazynów Wehrmachtu do lasu płynął strumień broni, amunicji i wyposażenia.

Od tego czasu sowiecka partyzantka na Wileńszczyźnie przeszła do zdecydowanej defensywy. Polacy bili ją niemiłosiernie. Imię „Łupaszki" wywoływało wśród bolszewików strach i przerażenie. Sekretarz miejscowego podziemnego komitetu partii komunistycznej Iwan Frołowicz Klimow po wojnie przyznawał, że „Łupaszka" był „zmorą jego życia" i zadał komunistom najcięższe straty.

Co ciekawe, gdy Niemcy weszli mu w drogę – bił również Niemców. Mimo to, gdy w kwietniu 1944 roku został przypadkowo aresztowany, szybko wypuszczono go na wolność. W niewoli był traktowany bardzo dobrze, na posiłki wyprowadzano go z celi, omawiano z nim sprawy natury politycznej. Podobno po zwolnieniu otrzymał przepustkę i sto marek na pokrycie kosztów podróży do zgrupowania.

Współpraca między wileńską Armią Krajową a Niemcami weszła do literatury polskiej za sprawą Józefa Mackiewicza i jego epopei *Nie trzeba głośno mówić*. Opisał on w niej, jak Niemcy przywozili broń polskim partyzantom na ciężarówkach z wojskowych warsztatów samochodowych w Wilnie. Oficer 3. Brygady Wileńskiej AK, który zajmował się odbiorem broni, tak o tym rozmawiał z głównym bohaterem książki:

– Co wieziecie?

– Broń. Broń i amunicję. Dla naszych. Rozumiesz?

– Od kogo?

– „Zdobyczna". – Przymknął jedno oko.

– Słyszałem coś niecoś – powiedział Henryk, przeciągając. – Ale jak jest dokładnie, to nie wiem.

– Na razie jest układ. Niemcy dają nam broń po cichu, nazywa się, że my ją zdobywamy, i nie ruszają. W zamian chcą, żebyśmy przepędzili partyzantkę sowiecką. Jak spotka się nasz oddział z żandarmerią na drodze, to jedni patrzą w jedną stronę, drudzy w drugą i mijają się jak te lale. Doszło już do tego, że nasz komendant, w pełnym mundurze, trzy gwiazdki na rogatywce, mauser u pasa, zajeżdża w biały dzień przed komendanturę niemiecką w mieście. Wychodzi komendant niemiecki, salutują, nasz siada, odjeżdża do lasu. Ot, jak się robi. Szpitale nasze w lesie pobudowane i czerwony krzyż nad barakiem.

– Na jakim szczeblu to się robi?

– Na wyższym niż ja.

– No?

– Broń jest najważniejsza. Broń jest wszystko. Broń jest ponad wszystko. W wojnie nie ma rzeczy ważniejszej od broni. Tego w Warszawie, zdaje się, nie rozumieją. Stoją z zadartą głową, czekając na zrzuty angielskie. A gdy RGO proponowała utworzenie jawnej milicji uzbrojonej przez Niemców, to wierchuszka podziemia omal z krzesła nie spadła, zemdlona z oburzenia.

– Co dalej?

– My się komunistów nie boimy. Ale do tego potrzeba nie patyczkować się, nie bawić w zasady. Tylko stosować te same bezwzględne metody, co oni i inni, dla jednego celu: dla dobra Rzeczypospolitej. Niemcy dają broń, brać. Dają rozkazy policji i SS nie strzelać pierwsi do partyzantów polskich, to korzystać z tego.

Choć dialog ten Mackiewicz zbeletryzował na potrzeby swej książki, według znawców spraw wileńskich podczas drugiej wojny światowej wiernie oddał to, co się działo w pierwszej połowie 1944 roku na Wileńszczyźnie. Potwierdzają to dokumenty i relacje świadków.

Na przykład kapitan AK Stanisław Szabunia opowiadał po wojnie Zbigniewowi S. Siemaszce następującą historię: „Wiosną 1944 Truszkowski kazał mi zabrać jeden pluton i iść z nim na «trakt». Po zatrzymaniu niemieckiej ciężarówki Truszkowski przeprowadził rozmowy z Niemcami, a ściślej z Hauptmanem z Ejszyszek, który przyjechał tą ciężarówką. Odniosłem wrażenie, że to spotkanie zostało uprzednio zaaranżowane. Nastąpiła wymiana, za dwie skrzynki amunicji Niemcy dostali masło i kiełbasy".

Niestety na skutek przeszkód stawianych przez Komendę Główną AK akcja wymierzona w sowiecką partyzantkę nie była wystarczająco zdecydowana i nie przeprowadzono jej całością sił. A co za tym idzie, czerwonych band nie udało się całkowicie wytępić. Podobnie jak w wypadku band GL i AL w Polsce centralnej, miało to opłakane skutki dla polskiego podziemia niepodległościowego, gdy w 1944 roku wkroczyła na te tereny Armia Czerwona.

Oto kolejny fragment rozmowy Siemaszki z Szabunią:

– Jedna z łączniczek 5. batalionu mówiła mi, że na Kresach okupacja niemiecka była sielanką w porównaniu z tym, co działo się tam po przyjściu armii sowieckiej. Mówiła, że sowieciarze byli doskonale zorientowani w tym, kto należał do AK, albo przez agentów, albo też dostali w swe ręce jakieś spisy, bo mieli nawet zdjęcia.

– Nie ulega wątpliwości, że okupacja niemiecka w porównaniu z tym, co się działo potem, była sielanką. O ile chodzi o wyłapywanie AK-owców, to na pewno dopomagali w tym dawni partyzanci sowieccy z lasów.

Na szczęście dzięki rozumnej postawie części wileńskich i nowogródzkich struktur AK, które zdecydowały się zawrzeć taktyczną ugodę z Niemcami, przynajmniej część sowieckich partyzantów udało się wyeliminować, zanim do Polski wkroczyła Armia Czerwona i postępujący za nią krok w krok NKWD. Cała sprawa do dzisiaj owiana jest jednak tajemnicą. Już podczas wojny nikt nie kwapił się o tym głośno mówić, a po jej zakończeniu zaangażowani w te operacje żołnierze AK na ogół milczeli z obawy przed zemstą komunistów. Dość powiedzieć,

że obaj dowódcy z Wileńszczyzny, którzy porozumieli się z Abwehrą –
„Łupaszka" i „Szczerbiec" – zostali po wojnie zamordowani przez UB.
Obu stracono w więzieniu mokotowskim metodą katyńską, strzałem
w tył głowy.

Gdy zaś dowódca Okręgu Nowogródzkiego AK pułkownik Prawdzic-Szlaski ośmielił się w swojej wydanej na emigracji książce napisać
o współpracy „Łupaszki" z Niemcami – wywołało to burzę. Weterani
pisali listy protestacyjne, patriotycznie poprawni historycy protestowali
przeciwko „oczernianiu" dowódcy 5. Wileńskiej Brygady AK „niepraw-
dziwymi zarzutami". Prawdzic był tymi głosami zdumiony, wcale bowiem nie uważał tej współpracy Szendzielarza za coś hańbiącego. „Nie
oskarżam «Łupaszki» o zdradę Ojczyzny, jedynie stwierdzam fakty –
stwierdzał w liście do paryskich „Zeszytów Historycznych". – Musieliśmy bronić ludność przed rabunkami band partyzantki sowieckiej. Poza
tym chodziło przecież o własne istnienie. Mjr «Łupaszko» zmuszony
był postępować w ten sposób, Ojczyzny nie zdradził, a tylko zasłużył
się Sprawie Polskiej".

Zdzisław A. Siemaszko na łamach tych samych „Zeszytów Historycznych" pisał: „Antyniemiecka propaganda wpajana w Polaków
w ciągu kilkudziesięciu lat przez Sowiety, PRL oraz, trzeba to przyznać, przez Armię Krajową i jej duchowych sukcesorów, usadowiła się
w polskiej mentalności na dobre i po dziś dzień jakiekolwiek kontakty
z Niemcami podczas wojny są traktowane jako karygodne. A jednocześnie takich samych kontaktów z Sowietami nie tylko się nie potępia,
lecz są one nawet przedstawiane jako zasługi".

Według Siemaszki „zwycięstwo Niemiec na wschodnim froncie
leżało w interesie Polski i już najwyższy czas, żeby przestać uważać za
czarne owce tych, którzy starali się do tego zwycięstwa przyłożyć rękę".
Przypomniał on, że wszystkie działania wileńskiego podziemia, które
były zgodne z wytycznymi Warszawy, zakończyły się fiaskiem. A więc
„Wachlarz", próba nawiązania współpracy z Sowietami przez „Kmicica", a wreszcie akcja „Burza". „Wobec tych klęsk walka z sowiecką
partyzantką we współpracy z Niemcami była właściwie jedyną udaną
operacją wileńskiej Armii Krajowej" – podkreślił Siemaszko.

Stwierdzenia te są bardzo nieprzyjemne i wywołują furię dzisiejszych apologetów prosowieckiej koncepcji politycznej Komendy AK. Od wydarzeń tych minęło już jednak siedemdziesiąt lat i należy wreszcie skończyć z infantylną gloryfikacją błędów przeszłości. Spokojna, rzeczowa analiza nie pozostawia żadnych wątpliwości, że to major Zygmunt Szendzielarz, a nie generał Bór-Komorowski, miał rację.

Rozdział 8

Strusia polityka

Pozostawmy na chwilę kraj, który szykował się do spotkania ze swoim przeznaczeniem – którym była Armia Czerwona – i zajrzyjmy ponownie do polskiego Londynu. Porzuciliśmy go latem 1941 roku, gdy generał Sikorski złożył podpis pod paktem ze Związkiem Sowieckim i zerwał tym samym z doktryną dwóch wrogów.

Polityka rządu Władysława Sikorskiego w latach 1941–1943, a więc w okresie obowiązywania układu polsko-sowieckiego, była polityką strusią. Tego niezwykle trafnego określenia użył w stosunku do niej Ignacy Matuszewski. „Pozycja premiera Sikorskiego przypomina pozycję strusia, który wetknął głowę w piasek – pisał wybitny piłsudczyk w czerwcu 1942 roku w wydawanym za oceanem „Nowym Świecie". – Powtarzanie w kółko, że rozmowy na taki przykry temat jak przyszłe granice są nie na czasie, a nawet są zgoła niemiłe i nieprzyzwoite, tyle pomóc może sprawie, co pomóc może strusiowi kręcenie głową w piasku, kiedy czuje, że samo ukrycie głowy w piasek już nie pomaga".

Choć bowiem generał Sikorski starał się przekonać Polaków, że dzięki swojemu geniuszowi politycznemu doprowadził do wielkiego, epokowego dzieła pojednania ze Związkiem Sowieckim, jego „przyjaciel" Stalin jak na złość wysuwał roszczenia wobec połowy terytorium Rzeczypospolitej. Ponieważ było to ewidentnie sprzeczne z głoszoną przez Sikorskiego i jego otoczenie hurraoptymistyczną propagandą sukcesu, rząd okłamywał naród.

Opinia publiczna nie dowiedziała się więc o nocie sowieckiej z 1 grudnia 1941 roku, w której Kreml pisał o tym, że wszyscy mieszkańcy „Zachodniej Białorusi" i „Zachodniej Ukrainy" – czyli wschodniej połowy Polski – uważani są przez Moskwę za obywateli Związku Sowieckiego. I o kolejnych podobnych notach, każdej jeszcze bardziej agresywnej i jeszcze bardziej bezczelnej. Doszło nawet do tego, że gdy rząd polski wydał kalendarz na rok 1942 zatytułowany *The Beautiful Poland*, rząd sowiecki zgłosił zdecydowany protest. Znalazły się w nim bowiem... zdjęcia ze Lwowa i Wilna. A więc, jak stwierdził interweniujący dyplomata, miast leżących na zachodnich rubieżach Związku Sowieckiego.

„Wszedłszy już raz na drogę kapitulacji wobec Rosji – pisał Adam Doboszyński – Sikorski brnie po niej dalej i dopuszcza się czynu w dziejach wszystkich chyba narodów bezprzykładnego, a mianowicie tai przed Polakami fakt, że sąsiad wysuwa roszczenia do połowy ich państwa. Sikorski lubił przez całe życie podkreślać, że jest demokratą; nie może ulegać chyba wątpliwości, że właśnie z punktu widzenia demokracji trudno o cięższy grzech niż takie postępowanie".

Każdy, kto ośmielił się wątpić w geniusz Sikorskiego i dobrą wolę Sowietów, był bezwzględnie zwalczany przez generała i jego ludzi. „Poza triumfu i zadowolenia – pisał Matuszewski – jaką przybrał rząd polski po układzie lipcowym, oficjalne obwieszczenie światu, że Stalin pragnie Polski «potężnej i wielkiej», nagonka na każdego, kto ostrzegał przed niebezpieczeństwem, i denuncjowanie go sojusznikom – to właśnie stworzyło sytuację, w której szeroka opinia na świecie może już nie rozróżniać, kiedy objęcie, jakim Sowiety Polskę otaczają, jest uściskiem przyjaźni, a kiedy uściskiem śmierci".

Jednym z najbardziej kuriozalnych, a zarazem podłych wystąpień ludzi premiera było przemówienie do Polaków całego świata wygłoszone przez ministra Stanisława Strońskiego, w którym informacje o dążeniu Sowietów do dominacji w Europie Wschodniej nazwał on „wymysłem Goebbelsa". W podobnym tonie wypowiadał się wicepremier Mikołajczyk, mówiąc, że „tylko wrogowie Polski mogą twierdzić, że pakt Sikorski–Majski nie gwarantuje Polsce powrotu do przedwojennej granicy wschodniej".

Gdy sowieckie noty wreszcie wyciekły i zostały opublikowane w Londynie przez Stanisława Cata-Mackiewicza, wydawało się, że kłamstwo zostało obnażone i będzie to koniec generała blagiera. Stroński przystąpił jednak do kontrofensywy i w brutalnym ataku wyszydził Mackiewicza jako rzekomego defetystę i człowieka wyzutego z patriotyzmu. Mało tego, ze specjalnym okólnikiem wystąpił sam Sikorski. Dokument ten, opublikowany 30 stycznia 1942 roku, do dzisiaj budzić musi zażenowanie.

Nieodpowiedzialne jednostki wśród społeczeństwa polskiego atakowały i atakują wciąż zajadle układ polsko-sowiecki oraz politykę rządu idącą po linii współpracy z Sowietami – pisał Sikorski. – Starają się przejaskrawić i wyolbrzymić każdy fakt, który mógłby świadczyć o wrogim stosunku Rosji do spraw polskich. Wszyscy obywatele polscy bez względu na swe osobiste poglądy na Rosję Sowiecką, jej ustrój, politykę i gospodarkę, które wykazują nota bene, niejeden rys dodatni [! – P.Z.], muszą być podporządkowani, i to bezwzględnie, polskim interesom narodowym. A te nakazują im co najmniej wstrzymać się od wypowiadania wszelkich słów nieprzychylnych o ZSRS i od rozpowszechniania wiadomości, które by mogły szkodzić naszym stosunkom z tym państwem.

Abstrahując już od paskudnych prokomunistycznych akcentów zawartych w tym okólniku, zdumiewające jest to, jak premier Rzeczypospolitej Polskiej i naczelny wódz Wojska Polskiego rozumiał „interes narodowy" swojego kraju. Zatajanie przez Polaków roszczeń sowieckich na pewno leżało w interesie... ale Wielkiej Brytanii, która nie życzyła sobie żadnych tarć i zadrażnień w koalicji antyniemieckiej.

W interesie Polski leżało zaś coś przeciwnego – zdemaskowanie wobec całego świata podwójnej gry Stalina, który wkładał teraz maskę demokraty, a tak naprawdę pozostał krwawym satrapą. Ówczesne zachowanie to kolejny z licznych dowodów na to, że nie był to polityk suwerenny, nie był to polityk prowadzący politykę polską. Był to polityk prowadzący politykę angielską.

To jest okólnik wydany dwa tygodnie po tym, gdy Rosjanie zażądali pół państwa dla siebie – pisał Stanisław Cat-Mackiewicz. – Niewątpliwie tu musiały działać w pierwszej linii sugestie angielskie. Rozgłoszenie ich odsłoniłoby przedwcześnie światu, że opieka angielska nie chroni nikogo przed zaborczością sowiecką. Rzecz inna, że zatajenie tych faktów odpowiadało naturze generała Sikorskiego. Był to człowiek próżny i małoduszny. Zaangażował się w samochwalstwo z powodu paktu lipcowego. Jego małość nie miała odwagi przyznania się do katastrofy. Wybrał niepoważną rolę zakłamywania się i zatajania.

Rzeczywiście opinia publiczna nie została poinformowana o kolejnych wrogich gestach Sowietów. Problemach z zaopatrzeniem armii generała Andersa, o aresztowaniach wśród polskiego personelu opiekującego się polskimi cywilami w Sowietach, a wreszcie mataczeniu Kremla w sprawie kilkunastu tysięcy oficerów, którzy zostali wzięci do niewoli przez Armię Czerwoną we wrześniu 1939 roku i których nie można było nigdzie odnaleźć.

Pod dywan zostały zamiecione agresywne antypolskie działania sowieckiej partyzantki oraz to, że nasz „sojusznik" co pewien czas bombardował naszą stolicę. Sowieckie naloty na Warszawę odbyły się między innymi w sierpniu i wrześniu 1942 roku. Tylko te dwa ataki pochłonęły 800 zabitych i 1000 rannych oraz wywołały olbrzymie zniszczenia, bynajmniej jednak nie niemieckich obiektów wojskowych. Bomby spadły bowiem tylko na budynki mieszkalne.

Na nieśmiały protest naszego ministra spraw zagranicznych Edwarda Raczyńskiego Moskwa odpowiedziała ostro, że bombardowania odnoszą znakomity skutek, bo… „wzmacniają w społeczeństwie polskim przekonanie o zbliżającej się klęsce hitlerowców"…

W ówczesnych działaniach Sikorskiego najbardziej odpychające było jednak jego niebywałe wręcz płaszczenie się przed Stalinem i wychwalanie Związku Sowieckiego, a więc nie tylko śmiertelnego wroga Polski, który miał na koncie setki tysięcy wymordowanych Polaków, ale najbardziej represyjnej na świecie ludobójczej dyktatury, która trzymała wówczas w obozach koncentracyjnych kilkadziesiąt milionów ludzi.

„Sikorski 2 grudnia 1941 roku udał się do Moskwy i nazajutrz spotkał się ze Stalinem na Kremlu – pisał Władysław Pobóg-Malinowski. – W rozmowie tej premier Polski posuwał się za daleko w jednostronnych uprzejmościach dla Stalina. Nazwał Stalina «jednym z rzeczywistych twórców współczesnej historii», w pewnej chwili dokonał zestawienia wręcz nieprawdopodobnego: «Dzięki Opatrzności, no i dzięki panu prezydentowi Stalinowi»".

Doszło do tego, że podnieconego premiera musiał uspokajać obecny podczas spotkania na Kremlu generał Władysław Anders. „Należy być niezwykle ostrożnym i nieufnym, bo to są przecież ci sami ludzie, którzy zawarli traktat z Niemcami i wbili nam nóż w plecy" – mówił premierowi. Ten jednak uznał to za czarnowidztwo i... objaw zazdrości Andersa. Jest bowiem tajemnicą poliszynela, że Sikorski Andersa nienawidził, bał się go bowiem jako potencjalnego konkurenta do stołków.

Kolejne wypowiedzi Sikorskiego na temat bolszewików i bolszewizmu spowodowały, że Pobóg-Malinowski nazwał go wprost „narzędziem propagandy sowieckiej". Na przykład w rozmowie z dziennikarzami „Krasnej Zwiezdy" polski premier mówił: „Jestem pod wrażeniem potężnej osobowości Stalina" oraz „wdzięczny jestem panu Stalinowi za otwartość i szczerość, z jaką odnosi się do Polski".

Pal sześć, że Sikorski udzielał podobnych wywiadów prasie sowieckiej. Jej czytelnicy od ćwierć wieku byli przyzwyczajeni do czytania takich bzdur i zawsze interpretowali je na opak. Niestety premier Polski reklamował również bolszewików na Zachodzie. „Nie ma najmniejszych powodów, by wątpić w szczerość zapewnień Stalina" – mówił w wywiadzie dla prasy anglosaskiej.

W tym samym wywiadzie generał Sikorski rozwodził się nad dobrodziejstwami ludobójczego sowieckiego systemu. A co gorsza, powoływał się przy tym na rzekomą opinię setek tysięcy Polaków deportowanych na Syberię w latach 1939–1941. Otóż, według premiera, ci nieszczęśni ludzie mieli dostrzec w Związku Sowieckim... dobre strony. „Inteligencja polska rozumie, że dla wychowania młodego pokolenia trzeba wprowadzić pracę fizyczną, bo ma ona istotny wpływ na formowanie charakteru człowieka" – mówił. Słowa te miały wyjątkowo ponury wydźwięk w zestawieniu z liczbą Polaków eksterminowanych w Sowietach poprzez katorżniczą pracę przy wyrębie tajgi za kołem podbiegunowym.

Rozdział 9

Raj wariata

Na wyżyny swoich możliwości Sikorski wspiął się podczas trzech wizyt w Stanach Zjednoczonych: w grudniu 1941 roku, wiosną 1942 i na przełomie lat 1942 i 1943. Podróże te wywołały spore zainteresowanie amerykańskiej prasy i były znakomitą okazją, aby zrobić to, co nam jedynie w takiej sytuacji pozostało. Czyli raban na cały świat w sprawie bolszewickich zakusów na połowę Polski.

Amerykańscy konserwatyści i chrześcijanie, którzy sprzeciwiali się prowadzonej przez prezydenta Franklina Delano Roosevelta polityce ustępstw wobec Związku Sowieckiego, z nadzieją oczekiwali na przyjazd polskiego premiera. Polskę bowiem uważano w Stanach Zjednoczonych za główną ofiarę zmowy Hitlera ze Stalinem i amerykańska prawica była pewna, że polski premier obnaży w Waszyngtonie prawdziwe oblicze bolszewizmu.

Nie wiedzieli jednak, że Sikorski został przed wylotem poinstruowany przez Churchilla, co ma mówić, żeby Roosevelt był z niego zadowolony. Gdy więc generał po przylocie otworzył usta, słuchaczy ogarnęło bezbrzeżne zdumienie. Oto kilka próbek z jego amerykańskich wystąpień: „Rosja Sowiecka zarzuciła plany światowej rewolucji",

„Rosja walczy bohatersko", „w Rosji zachodzą zmiany", „w Rosji panuje pełna tolerancja religijna".

Nieuczciwe byłoby jednak stwierdzenie, że podczas pobytu w Ameryce Sikorski nie zdobył się na żadne zdecydowane działania. W jednej sprawie rzeczywiście wykazał twarde stanowisko. Na każdym kroku żądał bowiem... udzielenia jak największej pomocy Armii Czerwonej. „Należy pomóc Rosji uczciwie" – mówił – „pomóc dokładnie, szybko, skutecznie", „konieczna jest ofensywa sojusznicza na kontynencie". Tak, to nie żart. Wszystko są to słowa premiera Polski. Sikorski naprawdę usilnie namawiał Amerykanów do uzbrajania i wspierania Sowietów, a więc zwiększania potęgi naszego śmiertelnego wroga. Domagał się podjęcia działań, których konsekwencją był później sowiecki zabór Rzeczypospolitej. W zgodnej opinii ekspertów bez alianckiej pomocy udzielanej w ramach programu Lend-Lease Józef Stalin nie zdołałby bowiem pokonać Adolfa Hitlera i najechać Europy.

Postawa generała Sikorskiego wywołała niesmak i kąśliwe uwagi nawet w amerykańskiej prasie. „New York Times" pisał, że „apel generała Sikorskiego o pomoc dla Rosji i o rozpoczęcie ofensywy dla odciążenia Rosji był równie gorący jak apel Litwinowa". A Peter Yolles z polskiego „Nowego Świata" pytał: „Czy Rosja nie ma tu ambasadora, czy nie ma aparatu propagandowego, że ją musi wyręczać polski premier?".

Sam Sikorski podczas jednej z rozmów ze Stalinem oświadczył mu: „jestem adwokatem waszej sprawy w Londynie i Stanach Zjednoczonych". Podobno depesza, którą posłał sowieckiemu dyktatorowi z okazji rocznicy rewolucji październikowej, była tak przypochlebna, że wzbudziła zażenowanie nawet wśród wiernych współpracowników generała. Kolejną depeszę gratulacyjną posłał z okazji... święta Armii Czerwonej.

Uległy w kontaktach z komunistycznym tyranem, Sikorski był bezwzględny wobec własnych rodaków. Gdy przebywający w Ameryce Ignacy Matuszewski ośmielił się skrytykować na łamach prasy politykę Związku Sowieckiego wobec Polski, generał Sikorski podczas wiecu w Chicago zaatakował go niezwykle ostro: „Kto krytykuje moje porozumienie z Rosją, jest agentem Goebbelsa i powinien być odznaczony Żelaznym Krzyżem!".

Na skutek donosu Sikorskiego Matuszewski został uznany przez FBI za „wrogiego agenta" i poddany inwigilacji. Szokujące kulisy tej sprawy ujawnił niedawno historyk Sławomir Cenckiewicz. Okazuje się, że artykuły Matuszewskiego były cenzurowane, Amerykanie usuwali z nich wszystkie antysowieckie treści. Polonijne pisma, w których publikował, zostały uznane za reprezentujące obce interesy. Sprawą osobiście zajmował się dyrektor FBI John Edgar Hoover.

Wszystkie trzy wizyty za oceanem naturalnie zakończyły się fiaskiem. Roosevelt wziął udział w paru rautach i odbył kilka pogawędek z pociesznym wąsatym generałem z dalekiej Polski, ale oczywiście nie zmienił zamiaru wydania jego ojczyzny w łapska Sowietów.

Mimo to przez polski aparat propagandowy każda z wizyt została przedstawiona jako wielki triumf Sikorskiego. Zaraz po powrocie do Wielkiej Brytanii Sikorski kazał spędzić na plac kilka tysięcy polskich żołnierzy, którym oświadczył: „Wszystkie nasze sprawy pomyślnie załatwiłem". „Nie wiem, jak określiłby psychiatra ówczesny stan umysłu tego człowieka – komentował Adam Doboszyński. – Anglosasi mówią o takich, że żyją w *fool's paradise*, raju wariata".

„Okazuje się – pisał z kolei Tadeusz Katelbach – że w czasie masówki żołnierskiej Sikorski wykrzykiwał, że nie odda Wilna i Lwowa. Śmiano się w szeregach, gdy charakteryzując swe wysiłki w Stanach Zjednoczonych, wołał: «40 dni i nocy pracowałem bez przerwy» lub «wyniki mej podróży przeszły wszelkie oczekiwania!». Dobrze, że nie słuchałem tych bombastycznych frazesów".

Niebywałe wręcz były również enuncjacje rządowych gazet i radia. Utrzymane były w tak niedorzecznym tonie, że aż ośmieszały Sikorskiego. I tak na przykład z lubością opisywano, jak „przy akompaniamencie siedemnastu trębaczy wręczono Sikorskiemu złote klucze do miasta Chicago". Jego przemówienia na wiecu miało zaś rzekomo wysłuchać „nie mniej jak czterdzieści tysięcy ludzi" (należy tu dodać, że Sikorski był fatalnym mówcą, strasznym nudziarzem). Generała miano witać za oceanem jako „największego Polaka w dziejach". Rozentuzjazmowany tłum Amerykanów miał zaś rozerwać jego płaszcz, aby zachować strzępki jako relikwie.

Twierdzenia te nie były zresztą wcale szczytem możliwości polskiego aparatu propagandowego. Wszelkie rekordy pobił niezastąpiony Stroński, który opisując lot generała do Moskwy, poinformował czytelników... że już „sam cień" Sikorskiego nad Kaukazem tak przeraził niemiecką armię, że zaczęła się wycofywać spod Rostowa.

Zawsze można powiedzieć, że podobne idiotyzmy były wytworem nadgorliwych współpracowników chcących podlizać się szefowi. Niestety najsmutniejsze w całej historii jest to, że Sikorski, czytając takie rzeczy, był zachwycony. I skrupulatnie, z wysuniętym językiem, wycinał je nożyczkami i wklejał do specjalnych albumów. Takiego niestety mieliśmy premiera i naczelnego wodza.

Jego wiara w to, że rząd brytyjski kieruje się altruizmem, moralnością i sympatią do Polski, że propagandowe frazesy w stylu Karty Atlantyckiej są ważniejsze niż realna gra interesów, była niewzruszona. Licznych dowodów na to, że Brytyjczycy przehandlowali nas Stalinowi, po prostu nie przyjmował do wiadomości. „Ależ co pan za bzdury opowiada? – reagował na podobne ostrzeżenia. – Churchill? Jestem z nim we wspaniałej komitywie. Wczoraj jedliśmy śniadanie i zapewnił mnie, że możemy na niego liczyć".

Gdy 16 stycznia 1943 roku Sowiety wystosowały kolejną notę zapowiadającą zabór połowy Polski, miarka się przebrała i doszło do poważnego kryzysu. Choć Sikorski swoim zwyczajem kazał notę utajnić, jej treść była zbyt poważna, żeby nie wypłynąć. Natychmiastowej dymisji Sikorskiego domagał się generał Władysław Anders. Z takim samym postulatem wystąpił Adam Doboszyński. Na łamach opozycyjnej „Walki" opublikował on list otwarty do prezydenta Raczkiewicza i generała Sosnkowskiego.

Tając przed społeczeństwem polskim akt rozbioru, jakim jest nota bolszewicka z dnia 16 stycznia – pisał – rząd gen. Sikorskiego zadokumentował, że nawet w tak tragicznych okolicznościach jest zdecydowany iść dalej po linii zbieżnej z wytycznymi polityki sowieckiej, po której idzie od dwu lat. Panie Prezydencie! Panie Generale! Czas z tym skończyć. Położenie Polski stało się tak tragiczne, że nie wolno nam tracić ani minuty.

Musimy przestawić naszą politykę całkowicie. Musimy zacząć mobilizować opinię całego świata w obronie Polski przeciw Sowietom. Musimy stworzyć Rząd złożony z najtęższych ludzi, którymi rozporządza naród. Niech Pan stanie, Panie Prezydencie, na wysokości historycznego zadania i usunie Rząd prowadzący Polskę do zguby. Człowiekiem, który cieszy się zaufaniem ogółu Polaków, jest gen. Sosnkowski. Niech go Pan powoła do władzy. Niech Pan tworzy Rząd, Panie Generale. Nie wolno się Panu wahać ani usuwać. Ratujcie Polskę, pogrążoną coraz głębiej przez ludzi nieodpowiedzialnych. Poprą Was polscy żołnierze i wszystko, co w narodzie uczciwe i ofiarne.

Sikorski nie miał jednak zamiaru ustępować. Doboszyński został aresztowany, postawiony przed sądem i wydalony z wojska. Aresztowano również kilkudziesięciu młodych żołnierzy, członków prężnie działających w armii tajnych antysowieckich i antyrządowych organizacji.

Władysław Sikorski znajduje się w panteonie bohaterów narodowych. Jego zwłoki spoczywają na Wawelu. Trudno jednak oprzeć się wrażeniu, że złożono je tam nie dlatego, żeby człowiek ten miał jakiekolwiek poważniejsze zasługi, tylko dlatego, że zginął śmiercią tragiczną. Katastrofa gibraltarska oczywiście była olbrzymią tragedią. Należy o niej pamiętać i dokładać wszelkich starań, żeby została wreszcie wyjaśniona.

Nikt też nie może odmówić Sikorskiemu patriotyzmu. Problem polega na tym, że sam patriotyzm nie wystarcza do sprawowania urzędów premiera i naczelnego wodza. Szczególnie w tak przełomowych, trudnych dla Polski czasach, w jakich przyszło sprawować je Sikorskiemu. Generał był dobrym żołnierzem, ale fatalnym politykiem. Największą krzywdę wyrządzili mu ludzie, którzy wynieśli go tak wysoko. Mógł bowiem zapisać się w historii polskiego narodu jako dzielny dowódca 5. Armii Wojska Polskiego bijącej bolszewików w roku 1920. Niestety zapisał się w historii jako polityczny szkodnik.

Na koniec anegdota, którą zapisał w swoim dzienniku Tadeusz Katelbach. Rzecz dzieje się pod koniec 1943 roku, na spotkaniu sztabowym dotyczącym ewentualnej pomocy lotniczej dla AK na wypadek powstania. Referat wygłaszał jeden z oficerów.

Stwierdził on, że kraj jest podwójnie zagrożony – pisał Katelbach – przez walczące jeszcze dobrze wojska niemieckie i rzekomo przyjazną, w gruncie rzeczy wrogą Rosję. Chciał kontynuować swój referat, lecz generał Stanisław Ujejski przerwał mu nagle upomnieniem, by nie używał o Rosji takich określeń, ponieważ jest ona naszym aliantem. Gdy oficer zauważył, że przecież zebrane grono jest tajnym sztabem, a nie zespołem uczestniczącym w konferencji prasowej, gen. Ujejski odebrał mu głos, dodając, że generał Sikorski na pewno nie pochwaliłby takich określeń pod adresem Rosji…

Ujejski miał rację – rzeczywiście generał Sikorski nie pochwaliłby takich określeń.

Rozdział 10

Mikołaj Mikołajewicz Mikołajczyk

Po fatalnym premierostwie Władysława Sikorskiego wydawało się, że teraz może być już tylko lepiej. Że na całym bożym świecie nie znajdzie się gorszy kandydat na premiera niż świętej pamięci generał. Od czegóż są jednak Polacy! Gorszy kandydat nie tylko się znalazł, ale i otrzymał szefostwo rządu. Nazywał się Stanisław Mikołajczyk. O ile premierostwo Sikorskiego było dla Polski nieszczęściem, o tyle premierostwo Mikołajczyka było dramatem, gorszym niż siedem plag egipskich.

Kim był Mikołajczyk? Nikomu nieznanym, patrzącym spode łba, gruboskórnym i zadufanym w sobie trzeciorzędnym działaczem ludowym. Na zewnątrz gbur, a w środku tygiel uraz, kompleksów i wygórowanych ambicji. Człowiek o słabym charakterze, okazał się jeszcze bardziej podatny na manipulacje i presję Brytyjczyków niż jego poprzednik. Premier idealny dla Churchilla i Stalina, a fatalny dla Polaków.

Głównym wrogiem Mikołajczyka nie był Związek Sowiecki, nie były nim nawet Niemcy. Była nim sanacja, z którą zajadle walczył jeszcze przed wojną w Polsce, a później jeszcze zajadlej na emigracji. Jak pisał dość dobrze znający Mikołajczyka Jan Nowak-Jeziorański, nienawiść premiera do ostatniej ekipy rządzącej II Rzeczypospolitej „graniczyła z obsesją".

Już po wojnie opowiadał mi płk Janusz Bokszczanin – pisał Nowak – jak to kiedyś w czasie manewrów w Wielkopolsce zatrzymał furmankę, na której dwaj policjanci siedzieli okrakiem na leżącym na wozie mężczyźnie. Jeden z policjantów usadowił się na głowie leżącego, a drugi na nogach.

– Kogo wy tak wieziecie? – zapytał pułkownik, przekonany, że obezwładniono w ten radykalny sposób jakiegoś niebezpiecznego przestępcę.

– A to taki chłopski warchoł – odpowiedział policjant – Mikołajczyk się nazywa. Chciał zorganizować wiec bez pozwolenia starosty i stawia nam opór.

Ot, i cały Mikołajczyk. Można tylko wyrazić żal, że ci sami policjanci nie znaleźli się latem 1943 roku w Wielkiej Brytanii i gdy zaczął się pchać na stołek prezesa Rady Ministrów, nie wywieźli go gdzieś w podobny sposób czarną londyńską taksówką. Co ciekawe, jak wynika z sowieckich dokumentów, nominacja Mikołajczyka wywołała wręcz entuzjazm na Kremlu. Wydarzenia kolejnych miesięcy potwierdziły, że entuzjazm ten był w pełni uzasadniony.

Najlepszą charakterystykę Mikołajczyka w polskim piśmiennictwie pozostawił Stanisław Cat-Mackiewicz. Mam więc nadzieję, że wybaczą mi państwo, iż będę go obficie w tym rozdziale cytował.

Mikołajczyk, oto jest człowiek, do którego nigdy nie potrafiłem znaleźć klucza, nigdy nie potrafiłem trafnie go ocenić – pisał Cat. – Być może właśnie dlatego, że był tak obcy, tak niepolski. Nie miał polskich zalet, nie miał polskich wad, jego reakcje uczuciowe nie były polskie. Nigdy się nie mogłem dowiedzieć, co mianowicie Mikołajczyk kochał w Polsce. Natomiast ciągle słyszałem, że nienawidzi wszystkiego, co naprawdę jest polskie i ciągle akcentuje wyraz: „nowa" Polska, widać, że bez tego dodatku Polska sama nie wydawała się mu być godna odzyskania.

W momencie śmierci Sikorskiego Mikołajczyk za największe zagrożenie uznał generała Kazimierza Sosnkowskiego. Myśl, że Sosnkowski, niegdyś najbliższy współpracownik Józefa Piłsudskiego, ten „faszysta" i „sanator", mógłby zostać naczelnym wodzem, Mikołajczyka po prostu przerażała.

Mikołajczyk natychmiast przystąpił więc do snucia dzikich intryg wymierzonych w generała. „Mikołajczyk, dowiedziawszy się o zamierzonej nominacji Sosnkowskiego, pospieszył do Churchilla na skargę – relacjonował Cat-Mackiewicz. – Premier brytyjski przyjął go, ale nie bardzo wiedział, o co chodzi. Miała to być scena kapitalna, podobna do tej anegdoty, w której proboszcz wiejski budzony jest przez parafianina: «Jegomość, Wojtek włazi do łóżka Kaśki». «Jakiej Kaśki, o co chodzi?» – pyta się proboszcz".

Ostatecznie jednak kandydatury Sosnkowskiego nie udało się Mikołajczykowi utrącić. Od lata 1943 roku w polskim Londynie zapanowała jednak katastrofalna sytuacja. Naczelny wódz z olbrzymią godnością, niezwykle pryncypialnie występował w obronie polskich interesów narodowych. A premier i jego ekipa zajmowali się głównie podminowywaniem jego pozycji. Zajmowało ich to znacznie bardziej niż sprawa ginącej Polski.

Stanisław Mikołajczyk całą swoją politykę oparł na dwóch założeniach. Pierwszym, że uda mu się osiągnąć kompromis ze Związkiem Sowieckim. Drugim, że w zawarciu tego kompromisu pomoże mu Wielka Brytania, która dochowa Polsce wierności sojuszniczej. Oba te założenia były mirażami. Niebywałym wręcz przykładem myślenia życzeniowego i całkowitego zamykania oczu na rzeczywistość. Nie trzeba było bowiem geniusza, żeby wiedzieć, iż kompromis z Sowietami jest niemożliwy, a Wielka Brytania wierności nam nie dotrzyma.

Zacznijmy od Związku Sowieckiego. Bolszewicy od pierwszego do ostatniego dnia wojny dążyli do podboju i zniewolenia Polski. Stąd agresja 17 września, stąd masowe deportacje Polaków na Syberię i stąd Katyń. Niemiecki atak na państwo Stalina nie zmienił tej polityki ani na jotę. Pakt podpisany z Sikorskim był dla Stalina tylko i wyłącznie taktyczną zagrywką, która pozwoliła mu usunąć przeszkodę na drodze do pozyskania brytyjskiej i amerykańskiej pomocy wojskowej. Dowodów na prawdziwe intencje sowieckie było aż nadto.

W styczniu 1942 roku powstała Polska Partia Robotnicza, agentura przygotowująca grunt do sowietyzacji Polski.

W marcu 1943 roku powstał Związek Patriotów Polskich, organizacja będąca zalążkiem przyszłych władz komunistycznej Polski.

W kwietniu 1943 roku rozpoczęto w Sowietach formować oddziały polskiego komunistycznego wojska pod dowództwem renegata generała Zygmunta Berlinga.

W styczniu 1944 roku powstała Krajowa Rada Narodowa – pierwociny przyszłego komunistycznego parlamentu.

Doprawdy, aby uznać, że Stalin nakazał swoim polskim agentom stworzyć wszystkie te instytucje i struktury tylko po to, by na koniec wojny je rozwiązać i podarować władzę w podbitej przez siebie Polsce Stanisławowi Mikołajczykowi, należało być... Stanisławem Mikołajczykiem. Dla wszystkich trzeźwo myślących ludzi oczywiste zaś było, że jeżeli Armia Czerwona zajmie Polskę, to żadna siła jej stamtąd nie usunie.

„Prawda to brutalna i straszna, ale prawda – pisał Stanisław Cat--Mackiewicz. – A tylko głupie dzieci odpędzają prawdę machaniem rączek i krzykiem. Na prawdzie tej należy oprzeć plan polityki polskiej. Samobujaniem się nie uratujemy". Niestety Mikołajczyk był właśnie takim niefrasobliwym dzieckiem. Wydawało mu się, że jest politykiem realnym, a swoją politykę opierał na mrzonkach.

Nie można zawrzeć kompromisu ze śmiercią – ostrzegał w 1943 roku Ignacy Matuszewski. – Sowiety oświadczają ustami swoich wysokich dostojników, że mają zamiar Polskę uśmiercić. Obowiązek nakazuje premierowi rządu polskiego odpowiedzieć, że Polska wyrokowi temu się nie podda i śmierci z niczyich rąk ulegle nie przyjmie. Tak myśli cała Polska. Dlaczego więc premier Mikołajczyk znów mówi, że gotów jest, oczywiście znów imieniem Polski, „zapomnieć Sowietom przeszłości", kiedy tu o przyszłość chodzi, nie o przeszłość?

Również w sprawie braku wiarygodności intencji Wielkiej Brytanii dowodów było aż nadto:

W październiku 1943 roku odbyła się konferencja moskiewska, na której szefowie dyplomacji Wielkiej Brytanii i Stanów Zjednoczonych wyrazili zgodę na sowiecką okupację Polski.

W listopadzie 1943 roku na konferencji teherańskiej Roosevelt i Churchill formalnie przystali na sowiecki zabór ziem wschodnich Rzeczypospolitej i włączenie reszty terytorium polskiego do sowieckiej strefy wpływów.

W lutym 1944 roku Churchill w swoim słynnym przemówieniu w Izbie Gmin publicznie ogłosił, że Wielka Brytania opowiada się za linią Curzona jako nową granicą polsko-sowiecką.

Żadnych złudzeń nie powinno również pozostawić to, jak Brytyjczycy rozmawiali ze Stanisławem Mikołajczykiem. Otóż Winston Churchill nim po prostu pomiatał. Znane są grubiańskie, wręcz chamskie napaści Churchilla na polskiego premiera. Wiadomo, że bił pięścią w stół, krzyczał na niego i go szantażował. „Churchill traktował Mikołajczyka, jak nie śmiałby traktować swego butlera [kamerdynera], bo bałby się, że sobie pójdzie" – pisał emigracyjny działacz polityczny Adam Pragier.

Podobnymi metodami już na początku 1944 roku Churchill zmusił polskiego premiera do kapitulacji. A więc zgody na sowiecki zabór wschodniej połowy Polski w zamian za mglistą obietnicę brytyjskiej pomocy w skłonieniu Stalina, aby oddał władzę nad resztą kraju Mikołajczykowi. Obietnicy tej oczywiście Brytyjczycy dotrzymać nie chcieli ani nie mogli. Mimo to premier, podobnie jak jego poprzednik na tym stanowisku, wierzył w nich ślepo.

Tą swoją absurdalną, pozbawioną jakichkolwiek realnych przesłanek wiarą zarażał Polskie Państwo Podziemne. Wszystko będzie dobrze – zapewniał Warszawę – mamy Anglię po swojej stronie. W efekcie w Polsce nie było polityka bardziej popularnego niż Winston Churchill. I nie było kraju bardziej popularnego niż Wielka Brytania. „Czasem się zdaje, że tam syn bez mrugnięcia zamorduje ojca, a matka córkę, gdyby się ośmieliła podważyć zaufanie do aliantów – mówił jeden z bohaterów *Nie trzeba głośno mówić*. – Jest to wiara dziś większa niż w Matkę Boską Częstochowską".

Była to jakaś psychoza, jakieś nieprawdopodobne samooszukiwanie się, zamykanie oczu na oczywiste fakty. Józef Mackiewicz w swojej wydanej w 1944 roku broszurze *Optymizm nie zastąpi nam Polski* najpierw wyliczył wszystkie przykłady perfidii Brytyjczyków wobec Polski, aby napisać:

Wszystko to do znudzenia, do mdłości przepełnia naszą świadomość i... jednocześnie do niej nie dociera. Zachowujemy się jak ten Żyd ze szmoncesowej anegdotki, którego żona zdradzała, a który, mając już tyle danych w ręku, dowiedziawszy się wreszcie, że poszła z kochankiem do hotelu, że zamknęli drzwi i zgasili światło, pytał zrozpaczony świadka:

– A czyś ustalił co przez dziurkę od klucza?

– Przecież było ciemno – odpowiada świadek.

– Uj, ta niepewność!!! – woła mąż, nie chcąc uwierzyć w zdradę żony.

W podobnej sytuacji stawiamy siebie. Mamy wszystkie dane, zarówno ukryte, jak jawne, w ręku, ale uważamy, że sprawa nie jest jeszcze dostatecznie jasna, dlatego po prostu, że nie chcemy jej dostatecznie jasno widzieć.

I dalej:

Zagraniczny mąż stanu, który by przed rokiem 1939 wystąpił publicznie z żądaniem odebrania od Polski połowy jej terytoriów, rozszarpany byłby przez Polaków na kawałki, jeżeli nie dosłownie, to w przenośni. W roku 1944 ci sami Polacy nazywają takiego męża stanu ich... przyjacielem! Co się stało? Jak mogło do czegoś podobnego dojść? A doszło do tego, że nie mając usprawiedliwienia dla postępowania Churchilla, pocieszamy się jego antybolszewickim przekonaniem sprzed tej wojny i czasu pierwszej wojny fińskiej w sposób, doprawdy, budzący litość dla nas samych.

Przez pięć lat znaliśmy tylko jedną formułę: Walczymy wiernie u boku Anglii i nie troszczymy się o los Polski, nawet gdyby Anglia pozornie nie szła po linii interesów polskich, to w końcu nie minie nas nagroda i Polskę otrzymamy z rąk Anglików.

Było to jedną wielką iluzją. Na koniec oddajmy głos samemu Mikołajczykowi, który tak w prywatnej, szczerej rozmowie tłumaczył swoją strategię:

Rosjanie zajmą Polskę, to jest pewne, i zaanektują za zgodą Anglosasów ziemie wschodnie po Bug. Możemy przeciwko temu co najwyżej protestować, ale co tam protesty! Jeżeli Rosja będzie chciała sowietyzować resztę kraju siłą i terrorem, nie mamy żadnej szansy. Ale to jest mało prawdopodobne. Trzeba więc dążyć do kompromisu. Anglosasi zakładają, że Rosjanie prowadzą jedynie politykę własnego bezpieczeństwa. Jeżeli tak jest, to Stalin, mając do wyboru między komunistyczną mniejszością, wobec której ludność nastawiona jest wrogo, albo rządami ludzi, którzy mają za sobą większość, a równocześnie są gotowi do prowadzenia polityki sojuszu, może uznać, że w jego interesie leży to drugie. W pierwszym wypadku musiałby wobec Polaków prowadzić politykę pałki i knuta ze wszystkimi ujemnymi tego skutkami dla międzynarodowego komunizmu. W drugim – mógłby tego uniknąć. Widzę więc pewną możliwość, że za cenę zrezygnowania z naszej suwerenności i podporządkowania się Rosji w polityce zagranicznej możemy uratować wolność wewnętrznego życia politycznego.

Zastanawiam się teraz, czy dobrze zrobiłem, że napisałem cały ten rozdział, że tak długo państwa nużyłem opowieścią o tym małym człowieku, którego historia wyniosła na tak wielkie stanowisko. Ten stek nonsensów najlepiej chyba oddaje, kim był Stanisław Mikołajczyk. Jego koncepcje polityczne kosztowały Polskę setki tysięcy zamordowanych.

Zaszczepiając podziemnym władzom w okupowanej Polsce swoją wiarę w kompromis z Sowietami i wstawiennictwo aliantów zachodnich, dawał krajowi nadzieję. Nadzieja ta w 1944 roku pchnęła kraj do bezsensownego szafowania krwią na gigantyczną skalę. „Musimy walką udowodnić naszą szczerą wolę do lojalnego współdziałania ze Związkiem Sowieckim" – podjudzał Mikołajczyk generała Bora-Komorowskiego.

Sprawiło to, że był usłużnym narzędziem nie tylko w rękach Bry-
tyjczyków, ale również dążących do wyniszczenia narodu polskiego
Sowietów. Rację miał Stanisław Cat-Mackiewicz, gdy nazwał premiera
Mikołajem Mikołajewiczem Mikołajczykiem.

Rozdział 11

Masakra
pod Monte Cassino

„Bo wolność krzyżami się mierzy – historia ten jeden ma błąd". Te słowa z piosenki *Czerwone maki na Monte Cassino* są kwintesencją wypaczonego rozumienia wojny przez Polaków. Rzeczywiście bowiem wolność mierzy się krzyżami. Ale krzyżami stojącymi na grobach żołnierzy nieprzyjacielskich armii. Polakom natomiast wydaje się, że jest na odwrót. Że wolność mierzy się krzyżami własnych żołnierzy. Tymi zaś mierzy się tylko niewolę.

Pisałem już o lekkomyślnym szafowaniu krwią żołnierzy Polskiego Państwa Podziemnego, teraz – skoro jesteśmy przy sprawach emigracyjnych – kilka słów o Polskich Siłach Zbrojnych na Zachodzie. Nimi również rozporządzano nader lekkomyślnie.

Podczas drugiej wojny światowej wystąpiła olbrzymia dysproporcja pomiędzy stratami, jakie poniosły polskie siły zbrojne, a ostatecznym wynikiem zmagań wojennych. W zależności od źródeł, podczas całego konfliktu zginąć mogło nawet do 300 tysięcy polskich żołnierzy, tymczasem Polska wojnę z kretesem przegrała. Niezwykle wysokie straty naszej armii były efektem zażartości walk na frontach, ale również nieodpowiedzialnej polityki polskich przywódców.

Autor tej książki jest zwolennikiem bardzo niepopularnego poglądu. Otóż wysiłek zbrojny państwa polskiego powinien był się ograniczyć do walki jego regularnych sił zbrojnych z Niemcami i Sowietami podczas kampanii 1939 roku. W kampanii tej straciliśmy bowiem około 70 tysięcy żołnierzy, w tym blisko 4 tysiące oficerów. Tę olbrzymią cenę państwo polskie zapłaciło za to, by Francja i Wielka Brytania mogły zyskać bezcenne osiem miesięcy na dozbrojenie własnych sił zbrojnych. Wojsko Polskie wypełniło więc swoje zobowiązania bez zarzutu i teraz to sojusznicy powinni byli się martwić, jak nam spłacić ten krwawy dług.

Tymczasem Polacy z niezrozumiałych przyczyn uznali, że jest odwrotnie. Że to oni muszą na każdym kroku udowadniać światu, jak bardzo pragną bić się z Niemcami. Jakby nie udowodnili tego dość we wrześniu 1939 roku. Polskim przywódcom politycznym wydawało się jednak, że tylko poprzez jak największe zaangażowanie, przelanie jak największej ilości krwi własnych żołnierzy zaskarbią sobie sympatię i wdzięczność aliantów zachodnich. Było to oczywiście rozumowanie naiwne. O ciężarze gatunkowym państwa decyduje bowiem jego siła. A tę bezmyślnie trwoniliśmy.

Tę fatalną tradycję zapoczątkował generał Władysław Sikorski, który w 1940 roku we Francji lekkomyślnie zmarnował z trudem odbudowaną po klęsce wrześniowej armię polską. Doszło do tego, że polskim jednostkom kazano walczyć w obronie Francji, nawet gdy... skapitulowały sąsiadujące z nimi jednostki francuskie. Gdy Brytyjczycy – widząc, że Francja się wali – rozpoczęli pospieszną ewakuację swojego korpusu ekspedycyjnego na Wyspy, generał Sikorski słał na front kolejne jednostki. Skończyło się to całkowitym rozbiciem, niemalże unicestwieniem Wojska Polskiego. Po co? Na co? Bóg jeden raczy wiedzieć. Sam Sikorski pytany o to później mówił, że chodziło o obronę honoru i ukazanie światu polskiej woli walki...

Tę groteskową sytuację można skomentować tylko w jeden sposób. Na przykładzie kampanii francuskiej roku 1940 możemy się przekonać, dlaczego Wielka Brytania wygrywa wojny, a Polska wojny przegrywa. Jak widać, recepta na zwycięstwa jest prosta i znana od tysiącleci – nie potrzeba tu wielkiego strategicznego geniuszu. Brytyjczycy podczas wojny zabijają żołnierzy wroga, a sami starają się przeżyć. Polacy odwrotnie: uważają, że najlepszym przepisem na udaną kampanię jest dać się pozabijać i – to element absolutnie konieczny – „pięknie umrzeć". Jakże obco dla nas brzmią mądre słowa amerykańskiego generała George'a Pattona, który mówił swoim żołnierzom, że „na wojnę idziesz nie po to, by zginąć za ojczyznę, ale po to, aby inny sukinsyn zginął za swoją".

Niestety generał Sikorski podległych mu żołnierzy rzucał zawsze do najtrudniejszych zadań. A potem jak dziecko pokazujące ojcu rysunek podsuwał Churchillowi długie tabele zabitych i rannych, oczekując na pochwały i wyrazy wdzięczności. Brytyjski premier oczywiście uprzejmie dziękował, ale w duchu musiał się dziwić naiwności i lekkomyślności polskiego generała.

Cała ta koncepcja całkowicie straciła zresztą sens po konferencji w Teheranie w listopadzie 1943 roku, gdy Polska już oficjalnie została zdradzona i oddana Sowietom przez Stany Zjednoczone i Wielką Brytanię. Wówczas wszelka dalsza walka u boku Anglosasów stała się tylko pozbawionym wszelkiego sensu przelewaniem krwi. Krew ta lała się już bowiem nie w interesie własnego narodu, ale w interesie Wielkiej Brytanii.

Walki we Włoszech, desant pod Arnhem, wyzwalanie Francji, Holandii, Belgii i zdobywanie Niemiec. Boje powietrzne nad Niemcami i zmagania z Kriegsmarine na morzach i oceanach. Wszystkie te działania z perspektywy polskiej racji stanu nie miały żadnego sensu. Polacy walczyli i ginęli, wyzwalając inne państwa i inne narody, pod komendą państwa, które zgodziło się na pozbawienie wolności ich własnej ojczyzny.

Najbardziej drastycznym przykładem bezsensownego szafowania polską krwią na Zachodzie była bitwa pod Monte Cassino. Z dziecięcej fascynacji tym „wielkim zwycięstwem oręża polskiego" wyleczył mnie… jego wielki piewca Melchior Wańkowicz. Wystarczyło przeczytać jego słynną epopeję poświęconą tej bitwie. Oto kilka próbek:

Kość, naga kość sterczy mu z policzka.
– Janek… to ty? – chrypi.

– Franek!... – poznał zastępcę ppor. Skwary, plut. Kwaśnika. Tam, gdzie była ręka prawa, sterczą kości jak w ułamanej drzewinie konary. Nagi brzuch pocięty w krwawe festony.

Podczołgał się ranny w nogę sanitariusz Wroński, cały usmolony.

– Ma z tyłu dziurę w okolicy nerek – mówi – żyć nie będzie.

Strz. Bułak, prosty prawosławny chłopak z Wileńszczyzny, idzie pierwszy. Mina naciskowa odrywa mu stopę. Podnosi się na jednej nodze, staje... Patrzą na niego ze zdumieniem, bo odwraca się w kierunku nieprzyjaciela, podnosi ręce, jakby chciał uciszyć ten huk. Chwieje się, wygląda jakiś ogromny i krwawy.

– Koledzy, robię wam drogę...

Nim się spostrzegli, runął całą długością na ścieżkę w przód. Mina eksplodowała. Przeszli przez niego.

Płomień nagły wybucha pod czołgiem. Huk. Z wieży tryska płonąca ludzka rakieta; gorejący człowiek biegnie w noc. Za nim z wieży czołgu powoli wygramala się drugi człowiek-pochodnia; skula się o kilka kroków pod skarpą, tarza się, gaśnie na nim, ciemnieje wszystko. Z czołgu nie wychodzi nikt więcej... Idzie człowiek nagi do pasa, spodnie się palą. To Nickowski, ten, który pierwszy z czołgu wyskoczył, kpr. rezerwy, ślusarz, lat 25. Kampania wrześniowa, niewola bolszewicka. Przygasił major rękami na półżywym spodnie. Poszedł Nickowski, by umrzeć: siedem dni się męczył, trzymano go transfuzjami, spalona skóra wzdęła się na całym ciele jak pancerz, w jednym tylko miejscu pod kolanem było nie spalone ciało – tam tylko można było robić zastrzyki. Karmiono go przez rurkę wstawioną w zwęgloną twarz; czy skarżył się? Raz tylko przez siedem dni walki o życie powiedział: „Piecze jak cholera". Umarł w dniu, kiedy jego szwadron wszedł wreszcie na Albanetę.

Młodziutki chłopak patrzy jak zahipnotyzowany na tego konającego w drgawkach: trzęsie się jak liść osiki.

– Mnie tu zabiją, panie poruczniku – mówi bezradnie, raczej jak dziecko do matki niż jak żołnierz do dowódcy.

– Trudno... wojna... – mówi jakoś miękko ppor. Chyliński – chodź, pójdziemy razem.

Trzy wybuchy jeden po drugim... Za drugim ciało chłopca leci w strzępki.

Pada ciężko ranny dowódca 4. kompanii, kpt. Michalewski.

– Idźcie naprzód... Naprzód! – woła niecierpliwie do chcących go ratować.

Przeszli, a on został. Co myślał w chwili konania? Zostawił 1 września żonę w Warszawie z sześciomiesięcznym Krzysiem. Tak mu ten synek przyszedł. W zapłacie za długie lata biedy, harowania nad książką w starych koszarach Blocha. Żona pisała co dzień do obozu na Litwie. Zżerała ich tęsknota. Po bitwie znaleziono jego trupa z pogryzionymi rękami. Czy tak cierpiał? Nikt nie wie.

Kpt. Królak zostaje ranny po raz czwarty. Raził go pocisk moździerzowy – padł z pękniętymi dwiema kiszkami, przestrzeloną przeponą brzuszną i płucami. Widzi, a tu mu kiszki pełzną spod pasa głównego. Dobiegł sanitariusz, pierwsza rzecz – odciął mu zegarek złoty z tej trzykrotnie rannej ręki.

– Jak wyżyję, oddasz... – zastrzega się gruby Królak, który widać i na tamtym świecie będzie optymistą.

No, może starczy już epatowania tymi makabrami. Cała opasła książka Wańkowicza jest jednym pasmem takich drastycznych scen. Proszę mnie dobrze zrozumieć: nie jestem, broń Boże, pacyfistą. Uważam, że krew dla ojczyzny przelewać trzeba. Ale tylko i wyłącznie, kiedy służy to obronie lub odzyskaniu przez nią niepodległości.

Śmierć 924 polskich żołnierzy i rany 2930 (straty niemieckie były czterokrotnie niższe) nijak jednak nie prowadziły do tego celu. Polacy szturmowali Monte Cassino w połowie maja 1944 roku. A więc pół roku po konferencji w Teheranie, pięć miesięcy po wkroczeniu bolszewików na terytorium Polski oraz trzy miesiące po mowie Churchilla w Izbie Gmin. A więc gdy było już jasne, że sojusznicy nas zdradzili, a cała Polska znajdzie się wkrótce pod okupacją Związku Sowieckiego. Gdy było już jasne, że niepodległości nie odzyskamy.

W tej sytuacji posyłanie żołnierzy do szturmu na niezwykle silnie obsadzony i broniony przez doborowe jednostki niemieckie klasztor było nonsensem. Dramat ten w książce Wańkowicza symbolizuje postać młodego oficera: „Kiedy batalion rusza, pada ppor. Tchórzewski, tobruczanin. Umierając, podniósł głowę, i słysząc narastającą kanonadę, widząc wyruszający batalion, uśmiechnął się do kolegów.

– Może się opłaci...".

Jak wiemy, nie opłaciło się. I nie mogło się opłacić. Polska była już bowiem stracona.

Dramat był tym większy, że większość żołnierzy II Korpusu pochodziła z terenów wschodnich Rzeczypospolitej. Tych samych, które Churchill oddał właśnie Stalinowi. A więc byli to ludzie deportowani w latach 1939–1941 przez bolszewików na Syberię i cudem uratowani z „nieludzkiej ziemi". Na ludzi tych powinno się było chuchać i dmuchać. Tymczasem tysiąc spośród nich poświęcono, żeby zdobyć górę pośrodku Włoch, która dla Polski i jej interesów nie miała najmniejszego znaczenia.

Gasiński nie żyje – pisał Wańkowicz. – Jurek Jasiński nie żyje. Madejski nie żyje, nie żyje Okulicki i Anatolek Żak, nie żyje Jerzyk Chmielewski i Genio Barglewicz, i Kłopotowski, i Kujbieda, i Mickowski, i Miarkowski, nie żyją dziesiątki maturzystów, których dohodowaliśmy się na Bliskim Wschodzie. Te nasze dzieci szkorbutowymi nogami maszerowały od Kołymy, odhodowaliśmy ich w Iranie, poczęliśmy uczyć w Iraku, kontynuowaliśmy w Palestynie i Egipcie, grzebaliśmy we Włoszech. Dzieci nasze!

I jeszcze jeden niezwykle charakterystyczny fragment ukazujący dramat ludzi ginących za obcą sprawę: „Kapral Sawicki, chociaż ranny, obejmuje dowództwo i prowadzi natarcie dalej. Tuż przy bunkrze, rażony serią szpandała, ciężko ranny woła: «Chłopcy, dalej – za Sybir, za łagry, za poniewierkę...» i traci przytomność".

Trudno o lepszy przykład na to, na jakich manowcach politycznych znaleźli się Polacy podczas drugiej wojny światowej. Oto kapral Sawicki, mieszkaniec polskich ziem wschodnich zagarniętych przez Związek Sowiecki, ofiara bolszewickich represji, w odległych Włoszech strzela do armii, która jako jedyna z tymi bolszewikami walczy. Swoją „łagrową poniewierkę" mści nie w boju z Sowietami, którzy go do tych łagrów wsadzili, ale z Niemcami, którzy próbowali cały system sowiecki, wraz z jego obozami koncentracyjnymi i NKWD, zniszczyć. Naprawdę Stalin musiał mieć z tego przedni ubaw.

Oczywiście mogą państwo powiedzieć, że moja krytyka generała Andersa jest nieuzasadniona. Był żołnierzem, dostał rozkaz zdobycia Monte Cassino i jego obowiązkiem było go wykonać. Otóż tak nie było. Po tym, gdy wzgórze bezskutecznie szturmowali – okupując to olbrzymimi stratami – Brytyjczycy, Hindusi i Nowozelandczycy, dowództwo alianckie wcale nie zażądało od Andersa dokonania kolejnego ataku.

Dowódca brytyjskiej 8. Armii generał Oliver Leese – jak sam Anders pisze w swoich wspomnieniach – złożył mu tylko propozycję szturmu na Monte Cassino. Polski dowódca otrzymał nawet czas do namysłu. Nie ma więc żadnych wątpliwości, że mógł odmówić. Na nieszczęście swoich żołnierzy podjął wyzwanie. Co jednak najgorsze, nie raczył skonsultować tej brzemiennej w skutki decyzji z naczelnym wodzem.

Na tym tle doszło między oboma generałami do bardzo ostrego sporu. Generał Sosnkowski ostro zganił Andersa, któremu rzucił: „Pióropusz biały panu się śni".

Powiedziałem mu jednak wiele więcej – wspominał Sosnkowski. – Przede wszystkim, że uważam jego samowolny postępek za naruszenie dyscypliny wojskowej, przy tym bardzo niebezpieczne i wysoce szkodliwe na wygnaniu. Powiedziałem mu dalej, że dysponowanie krwią polską w ciężkiej walce politycznej o przyszłość i prawa naszego narodu należy do władz zwierzchnich Rzeczypospolitej. Że pomijanie tych władz na rzecz obcych ośrodków dyspozycji ułatwia tym ostatnim wygrywanie ambicji jednostek dla swoich własnych celów, które przecież mogą pozostawać w sprzeczności z naszymi celami narodowymi, jak tego dowiodła konferencja w Teheranie.

Sosnkowski od razu wiedział, że atak spowoduje wielkie straty, a zysków dla sprawy polskiej nie będzie z niego żadnych. Opowiadał się więc za obejściem Monte Cassino z flanki. Tak też się później stało. Dowódca Francuskiego Korpusu Ekspedycyjnego generał Alphonse Juin obszedł Monte Cassino i właśnie dlatego Niemcy wycofali się ze wzgórza. A nie dlatego, że szturmowali je Polacy. Polskie natarcie, wbrew powstałej później legendzie, miało charakter drugorzędny. Zamiast więc bez sensu wykrwawiać wojsko, należało spokojnie poczekać, aż Francuzi załatwią sprawę…

Gen. Sosnkowski był przerażony, zwłaszcza projektem bezpośredniego czołowego ataku na silnie umocnioną pozycję niemiecką, który sztabowcy brytyjscy od początku planowali w sposób urągający fundamentalnym zasadom sztuki wojennej – pisał profesor Paweł Wieczorkiewicz. – Chociaż w normalnych warunkach na takie zachowanie dowódcy korpusu należało zareagować odebraniem dowództwa, gen. Sosnkowski zrezygnował z sankcji dyscyplinarnych, obawiając się – i słusznie – skandalu w stosunkach zewnętrznych oraz nieobliczalnych tarć wewnątrz. Co gorsza, za późno było na zmianę samej decyzji.

Co ciekawe, Anders tłumaczył później, że decydując się na natarcie na Monte Cassino, również zdawał sobie sprawę, że zostanie ono okupione wielką ilością krwi. Uznał jednak, że gdy nad sprawą Polską „zbierają się czarne chmury", ewentualne zwycięstwo i zdobycie klasztoru… zapewni rozgłos Polakom i wywoła podziw i wdzięczność aliantów, co zmieni sytuację Polski.

Oczywiście była to kolejna z polskich iluzji. To dla Polaków bitwa pod Monte Cassino była i jest wielkim wydarzeniem. Zachodnia prasa o polskim triumfie pisała zaś przez dwa dni… A potem zajęła się innymi, ciekawszymi z jej punktu widzenia tematami. Choćby kolejnymi sukcesami „niezwyciężonej Armii Czerwonej" na froncie wschodnim. Efekt propagandowy masakry Polaków był więc żaden.

„Premier Winston Churchill skwitował w swych pamiętnikach ich czyn zdawkowymi komplementami, pisząc o tym: «ogromnie wyróżnili się podczas tych swoich pierwszych poważnych walk we Włoszech». Pozostała jeszcze żołnierska (lecz nie generalska!) chwała, ale poza Polską pamiętają o niej co najwyżej historycy wielkiej bitwy" – podkreślał Wieczorkiewicz.

Absurdalne było również twierdzenie, że atakując Monte Cassino, Anders chciał zadać kłam sowieckiej propagandzie, która trąbiła, że Polacy nie chcą się bić z Niemcami. Czyżby naprawdę nie rozumiał, że takie kampanie Sowietów miały charakter prowokacyjny? Że jeżeli było w czyimkolwiek interesie, aby setki najlepszych młodych Polaków z Ziem Wschodnich zginęły od ognia niemieckich karabinów maszynowych we włoskich górach – to właśnie w interesie Związku Sowieckiego?

Wydaje się, że w obliczu zdrady sojuszników jedynym wyjściem z sytuacji było powtórzenie manewru Piłsudskiego. Gdy w 1917 roku Komendant zorientował się, że interesy państw centralnych i Polski się rozjechały, odmówił dalszej walki po stronie Niemiec i doprowadził do kryzysu przysięgowego. W 1944 roku Polacy na Zachodzie powinni byli zrobić to samo. Czyli uznać, że Brytyjczycy nas zdradzili, i po prostu złożyć broń i dać się internować.

Wiadomo, że Mikołajczyk panicznie obawiał się właśnie takiego buntu armii Andersa.

Cały II Korpus Andersa stanowili ludzie, którzy dopiero co przeszli przez „nieludzką ziemię", deportacje, więzienia, śledztwa, łagry – pisał Jan Nowak-Jeziorański. – Jakiej reakcji można było oczekiwać od żołnierzy i oficerów, których czekała walka, być może śmierć, gdyby ich własny rząd zgodził się oddać Rosji ich rodzinne strony?

Premier musiał więc liczyć się z tym, że jego próby ratowania niepodległości kosztem utraty ziem wschodnich, oparte na kruchych zapewnieniach i obietnicach Churchilla, mogły doprowadzić do rokoszu w wojsku, a w szczególności w lotnictwie. Mikołajczyk nigdy mi tego nie powiedział, ale mówili o tym ludzie z jego otoczenia, że żył w nieustannej obawie przed jakimś nowym Szczypiornem z Sosnkowskim albo Andersem w roli Piłsudskiego.

Mikołajczyk mógł jednak odetchnąć z ulgą. Skończyło się na kilku pobiciach brytyjskich żołnierzy przez żołnierzy Andersa i spaleniu brytyjskiego kina w jednym z obozów wojskowych. Kilka polskich załóg bombowców, których członkowie wywodzili się z Ziem Wschodnich, odmówiło udziału w kolejnych lotach bojowych przeciwko Niemcom. Do buntu na większą skalę – mimo że plany takie rzeczywiście szykował generał Sosnkowski – jednak niestety nie doszło.

Niestety, bo taka wstrząsająca demonstracja miłości do ojczyzny i niezgody na zdradę Anglosasów na pewno odbiłaby się znaczenie większym echem na świecie niż sto takich jatek jak bitwa o Monte Cassino. A jednocześnie uratowałaby życie wielu Polakom. Powinniśmy na zawsze zapamiętać tę lekcję. Wiernym można być tylko wobec wiernych.

Część III

OPERACJA „HARAKIRI"

Rozdział 1

Wróg u bram

Pierwszy żołnierz Armii Czerwonej przekroczył przedwojenną granicę Polski w nocy z 3 na 4 stycznia 1944 roku. Doszło do tego na Wołyniu, w rejonie Rokitna. Trzeci sowiecki najazd na Polskę – po roku 1920 i roku 1939 – stał się faktem. Wydarzyło się więc to, czego najbardziej obawiali się ci Polacy, którzy zachowali zdolność trzeźwego myślenia. Wehrmacht załamał się na froncie wschodnim i nie mógł już utrzymać bolszewików z dala od terytorium Rzeczypospolitej. Była to dla Polski katastrofa.

Jak na tę katastrofę szykowało się Polskie Państwo Podziemne? O tym, że zrealizować się może taki czarny scenariusz, myślano już na początku 1941 roku. A więc gdy jeszcze Hitler i Stalin byli dobrymi przyjaciółmi. W opracowanym wówczas planie powstania powszechnego – „Meldunku operacyjnym numer 54" – sztabowcy podziemnej armii rozważali wszelkie warianty przebiegu sytuacji. A więc również wybuch wojny między Niemcami a Sowietami i zwycięstwo tych ostatnich.

Gdyby tak się stało, nasze podziemie miało nie podejmować żadnych działań. Oceniono, że walka z wycofującymi się Niemcami byłaby bezsensowną stratą energii, a walkę z wkraczającymi bolszewikami, ze względu na ich miażdżącą przewagę, uznano za „szaleństwo". „Rola nasza polegałaby na pozostawieniu w konspiracji całego aparatu z przestawieniem się na działania powstańcze na moment, kiedy z kolei ustrój i państwo sowieckie zaczną się załamywać" – napisano w meldunku.

Jest to jeden z najmądrzejszych dokumentów opracowanych przez polską konspirację wojskową. Pokazuje, jak rozsądnym człowiekiem był generał Grot-Rowecki, który był autorem tej koncepcji. Gdyby plan ten został zrealizowany w roku 1944, ocaliłoby to kilkaset tysięcy Polaków i Warszawę. Niestety jednak pakt Sikorski–Stalin pchnął Polaków na manowce myśli politycznej. Z działania na rzecz polskich interesów narodowych przestawili się na działanie na rzecz interesów brytyjskich i sowieckich.

Co ciekawe, znacznie bardziej bojowy wobec bolszewików był wówczas... generał Sikorski. W listopadzie 1941 roku za pośrednictwem pułkownika Mitkiewicza naczelny wódz wysłał do Grota-Roweckiego następujące wytyczne: „Wkroczenie Armii Czerwonej musi się, jako akt wrogi, spotkać ze zbrojnym oporem z naszej strony, celem podkreślenia wobec świata naszych wyłącznych praw do zabezpieczenia własnego kraju. W związku z tym Naczelny Wódz daje Panu Generałowi następujące wytyczne: Opór zbrojny musi być zaznaczony możliwie silnie na linii granicy polsko-sowieckiej z lipca 1939 r. Ważnym będzie, aby dalej w głębi rejony Wilna i Lwowa mogły się bronić przez dłuższy czas nawet w odosobnieniu".

Generał Sikorski szybko jednak zmienił zdanie i już w marcu 1942 roku zażądał, żeby – gdy do Polski wkroczą Sowiety – AK zaatakowała wycofujących się Niemców. Rozkazy te wywołały sprzeciw ze strony Grota i od tego momentu zaczął się zaznaczać wyraźny rozdźwięk między żyjącym iluzjami premierem a stąpającym twardo po ziemi dowódcą podziemnego wojska. „W tych warunkach nie mamy celu ani możności podejmowania walki zbrojnej przeciw Niemcom. Zamieniamy okupację niemiecką na sowiecką. Wojsko konspiracyjne nie ujawnia się" – pisał Rowecki do Sikorskiego w czerwcu 1942 roku.

Premier był temu projektowi przeciwny. Wierzył bowiem, że Związek Sowiecki stał się prawdziwym przyjacielem Polski. A z przyjacielem należy przecież lojalnie współpracować. Toteż pisał do Roweckiego: „AK powinna wystąpić jak najsilniej liczebnie, manifestując swoją suwerenność i podkreślając swój stosunek pozytywny do Rosji sowieckiej". Obaj oficerowie pozostali przy swoich zdaniach. Gdy w kwietniu 1943 roku Stalin zerwał sojusz z Polską, Rowecki uznał narzucane mu przez Londyn plany ujawnienia się wobec wkraczających Sowietów za niebyłe. W depeszy do Sikorskiego z czerwca 1943 roku prosił o zgodę na zajęcie „obronnej postawy wobec Rosji", co pozwoliłoby „zbudować podobnie jak przeciw Niemcom trwały plan działań naszych w kraju, tym razem wobec Rosji".

Niestety odpowiedzi na tę depeszę już od Sikorskiego nie dostał. 4 lipca premier i naczelny wódz zginął w katastrofie lotniczej na Gibraltarze. Sam Grot-Rowecki siedział już zaś wówczas od tygodnia w niemieckim więzieniu. O ile śmierć Sikorskiego nie miała większego znaczenia politycznego – Mikołajczyk był kontynuatorem jego polityki – o tyle aresztowanie „Grota" była dla sprawy polskiej niezwykle silnym ciosem. Po jego zatrzymaniu bowiem pełną parą ruszyły prace nad planami przewidującymi współdziałanie z Armią Czerwoną.

Gdyby to „Grot" stał na czele Armii Krajowej, gdy do Polski wkraczali bolszewicy, nasze podziemne wojsko nie otrzymałoby rozkazu pomagania bolszewikom i ujawniania się przed NKWD. Akcji „Burza" by nie było. Nie byłoby również największej z naszych katastrof – Powstania Warszawskiego. Rowecki, w przeciwieństwie do swoich następców, był bowiem człowiekiem obdarzonym zdrowym rozsądkiem.

Gdy go zabrakło, ostatnim obrońcą polskiej racji stanu na szczytach władzy został nowy naczelny wódz Kazimierz Sosnkowski. W taki sposób rozmowę, jaką odbył wówczas z generałem, zapamiętał właśnie przybyły z kraju kurier AK Jan Nowak-Jeziorański:

Generał słuchał uważnie, potakiwał od czasu do czasu głową, nie przerywając, dopóki nie doszedłem do punktu, w którym była mowa o zamiarach wzmożenia dywersji na tyłach cofających się wojsk niemieckich, w razie gdyby doszło do uporządkowanego odwrotu Niemców przez ziemie polskie przed napierającymi wojskami sowieckimi.

– Tego nie rozumiem – przerwał generał. – Jeżeli Rosjanie wtargną do Polski jako nowy zaborca i okupant, a wszystko wskazuje na to, że tak będzie, jaki sens może mieć wzmożenie walki z Niemcami? Ściągniecie tylko na ludność i wojsko jeszcze większe represje i ofiary. Miałoby to swoje uzasadnienie w wypadku, gdyby Rosjanie przestali kwestionować nasze granice, nawiązali z powrotem stosunki z naszym rządem i zaniechali ataków propagandowych. Z uwagi na to, co nas czeka, nakazem chwili staje się unikanie ofiar i ograniczenie walki z Niemcami do aktów koniecznej samoobrony. Jeśli Rosjanie wkroczą do Polski, Armia Krajowa powinna pozostać w konspiracji albo należałoby wycofać oddziały na zachód lub południe Polski.

Poważnie zaniepokojony samobójczym kierunkiem, jaki przyjęła AK, Sosnkowski wymusił na Mikołajczyku wysłanie do kraju wspólnej instrukcji, która ze względu na datę jej wysłania – 27 października 1943 roku – przeszła do historii jako „instrukcja październikowa".

Na wypadek gdyby bolszewicy weszli na terytorium Rzeczypospolitej bez wcześniejszego nawiązania relacji dyplomatycznych między Sowietami a Polską, instrukcja ta zawierała następujące wytyczne:

1. Działania o charakterze dywersyjno-sabotażowym wymierzone w Niemców miały mieć charakter czysto demonstracyjny.

2. Kraj miał odmówić wszelkiej współpracy z Sowietami.

3. Armia Krajowa i cywilne władze podziemne miały nie ujawniać się przed bolszewikami i pozostać w konspiracji.

4. W razie aresztowań członków podziemia czy jakiejkolwiek akcji represyjnej wymierzonej przeciwko Polakom Armia Krajowa miała przejść do samoobrony przeciwko sowieckiemu najeźdźcy.

Kierownictwo Polskiego Państwa Podziemnego postąpiło tymczasem dokładnie na odwrót:

1. AK rzuciła się na Niemców niemal całymi dostępnymi siłami, lekkomyślnie szafując polską krwią na olbrzymią skalę. Akcji „Burza" i Powstania Warszawskiego na pewno nie można uznać za „operacje o charakterze demonstracyjnym".

2. Kraj poszedł na pełną współpracę z Sowietami, oddziałom ruchu oporu rozkazano pomagać Armii Czerwonej w zdobywaniu polskiego terytorium.

3. Armia Krajowa i cywilne władze podziemne ujawniły się przed bolszewikami i nie pozostały w konspiracji.

4. Pomimo masowych aresztowań i wielkiej sowieckiej akcji represyjnej wymierzonej w polski ruch oporu i polskich obywateli AK nie przeszła wobec Sowietów do samoobrony.

Komenda Główna zresztą formalnie odrzuciła wskazania naczelnego wodza. „Nakazałem ujawnienie się wobec wkraczających Rosjan dowódcom i oddziałom, które wezmą udział w zwalczaniu uchodzących Niemców. Zadaniem ich będzie dokumentować swym wystąpieniem istnienie Rzeczypospolitej. W tym punkcie rozkaz mój jest niezgodny z instrukcją rządu" – napisał w listopadzie 1943 roku do Londynu generał Bór-Komorowski.

W nie wyjaśnionych do dzisiaj okolicznościach ta doniosła depesza została wysłana z Warszawy dopiero w styczniu 1944, gdy już doszło do najazdu sowieckiego, a Armia Krajowa przystępowała do „Burzy". Generał Sosnkowski nie miał więc czasu na podjęcie kontrakcji. Mikołajczyk zresztą przyjął „decyzję kraju" z zachwytem i natychmiast ją ex post zaaprobował, również łamiąc „instrukcję październikową".

Był to niezwykle ważny moment. Otóż polityczny punkt ciężkości przesunął się wówczas do kraju. Jednej z najważniejszych polskich decyzji podczas drugiej wojny światowej nie podjął premier ani prezydent czy naczelny wódz, nawet nie delegat rządu na kraj. Podjęła ją grupa oficerów z dowództwa średniego szczebla, jaką była Komenda Główna AK. Ludzie ci nie mieli ani kwalifikacji, ani niezbędnej inteligencji, ani prawa do podobnego działania.

Według Władysława Pobóg-Malinowskiego złamanie „instrukcji październikowej" przez Komendę Główną AK było „jaskrawym wypadkiem samowoli" i „zdumiewającym nieposłuszeństwem", za które w normalnych warunkach należałoby winnych surowo ukarać. „Uderzyła mnie zmiana między atmosferą spotkania z Komorowskim, Pełczyńskim i Rzepeckim przed rokiem i obecnie – wspominał Jan Nowak-Jeziorański, który w 1944 roku wrócił z Londynu do Warszawy. – Wtedy odnosili się do Sosnkowskiego jak wyszkoleni w dyscyplinie wojskowej podkomendni do swego zwierzchnika. Teraz rozmawiałem z gronem wojskowych, którzy doszli do przekonania, że muszą decydować sami na miejscu, nie oglądając się na Londyn".

Ludzie ci świadomie złamali wolę naczelnego wodza i narzucili swojemu narodowi własną, bardzo ryzykowną koncepcję polityczną. Przykro to pisać, ale doszło wówczas do sytuacji o posmaku latynoskim. Sytuacji, w której władzę nad Polakami przejęła grupa oficerów przypominająca meksykańską juntę. Grupa ta pchnęła Polskę do największego szaleństwa w jej obfitujących w szaleństwa dziejach.

Rozdział 2

Autodenuncjacja

Czym była operacja „Burza"? Ujmując rzecz jednym słowem – była samobójstwem. Komenda Główna Armii Krajowej wydała NKWD rzesze patriotycznie nastawionej polskiej młodzieży. Był to największy akt denuncjacji do komunistycznych służb bezpieczeństwa w historii. Dokonał go generał Bór-Komorowski i oficerowie z jego otoczenia. Ludzie, którym dzisiaj stawia się w Polsce pomniki.

Spróbujmy jednak na chwilę oderwać się od polskiego punktu widzenia i spojrzeć na sytuację przełomu roku 1943 i 1944 oczami Stalina. Otóż w pogoni za wycofującymi się Niemcami Armia Czerwona wkracza na terytorium Polski. Państwa, które od czasu rewolucji bolszewickiej było największym wrogiem Związku Sowieckiego, a od pięciuset lat największym wrogiem i konkurentem Rosji do hegemonii w Europie Wschodniej. Polska od zawsze stała na drodze ekspansji rosyjskiej w głąb Europy.

Stalin chciał więc teraz rozwiązać ten problem raz na zawsze. Chciał Polskę ujarzmić. Wiedział jednak, że w kraju tym pod okupacją niemiecką działa potężna podziemna struktura wojskowo-polityczna wierna prawowitemu rządowi Rzeczypospolitej przebywającemu w Londynie, której zadaniem jest przywrócenie niepodległości Polski – Polskie Państwo Podziemne. Dla Stalina było oczywiste, że tworzący je ludzie nie pogodzą się z podbojem swej ojczyzny przez bolszewików, że będą stawiali opór sowietyzacji.

Dlatego Stalin zamierzał tych ludzi i ich organizację zetrzeć z powierzchni ziemi. Tak jak cztery lata wcześniej ich poprzedników w Katyniu. O ile jednak eksterminacja wziętych do niewoli umundurowanych oficerów z technicznego punktu widzenia nie nastręczała większego problemu – Sowieci robili już nie takie rzeczy – to jak Stalin miał sobie poradzić z głęboko zakonspirowaną i szeroko rozgałęzioną organizacją? Wyglądało na to, że Polska, z jej silną Armią Krajową, będzie dla bolszewików twardym orzechem do zgryzienia...

Niestety stało się inaczej. Polska nie okazała się wcale twardym orzechem do zgryzienia. Kiedy Armia Czerwona wkroczyła na terytorium Rzeczypospolitej, zaczęły się dziać rzeczy niebywałe. Otóż Armia Krajowa wyszła z podziemia, oficerowie skoncentrowali swoje oddziały i grzecznie ujawnili przed najbliższymi dowódcami liniowymi Armii Czerwonej. Szczegółowo poinformowali o swoich siłach i miejscu ich koncentracji.

Sowiecka bezpieka naturalnie była im za to bardzo wdzięczna. Polacy bowiem, sami oddawszy się w jej ręce, zaoszczędzili jej olbrzymiej ilości pracy. Oficerowie AK – jak to przewidział generał Sosnkowski – naturalnie zostali natychmiast aresztowani. Część z nich zamordowano metodą katyńską, strzelając im w potylicę, część wywieziono na Sybir lub zamknięto w więzieniach. Los ten spotkał nawet część szeregowców. Reszta została siłą wcielona do armii Berlinga, w szeregach której wielu z nich zginęło. Podobnie potoczyły się losy przedstawicieli podziemnych władz cywilnych, którzy również ujawnili się bolszewikom.

Dla wszystkich tych ludzi było to olbrzymim szokiem. Otumanieni przez londyńską i podziemną propagandę święcie bowiem wierzyli, że polskie czynniki kierownicze doskonale wiedzą, co robią, i prowadzą ich do zwycięskiej walki o niepodległość Polski. A czynniki te zaprowadziły ich prosto do sowieckich kazamat, w których bito ich pałkami, zrywano paznokcie, miażdżono jądra szufladami biurek i trzymano nago w karcerach. Zaprowadzili ich do niewolniczego wyrębu tajgi za kołem podbiegunowym i do bezimiennych dołów śmierci.

Gdy się patrzy w rozpłomienione oczy młodzieży – mówił jeden z bohaterów *Nie trzeba głośno mówić* – w bezwzględną wiarę w wyrazie tych oczu, gotowość do każdego poświęcenia, każdej ofiary, w ślepe zaufanie do drogi, którą się ją prowadzi, i uprzytomni nagle, że to wszystko może być na marne, a droga prowadzi tylko do „wyzwolenia przez dyktaturę proletariatu"... to nawet nie będąc szczególnym patriotą, włosy mogą zjeżyć się na głowie przed możliwością największego chyba w naszej historii oszukaństwa!

Ignacy Matuszewski pisał z kolei:

Kto chce osiągnąć zwycięstwo polskie przez pomnażanie zastępów polskich męczenników, ten błądzi. Tylko przez pomnażanie sił polskich, tylko przez twardą i jawną obronę praw naszych można coś zdziałać. Tymczasem [akcja „Burza"] czyni rzecz zgoła odwrotną: rozbraja Polskę przez ujawnienie jej armii przed wrogiem, zwiększa natomiast zastęp polskich męczenników przez nakazanie najdzielniejszym ludziom, aby oddali się sami w ręce katów.

Gdy Armia Czerwona coraz głębiej wdzierała się w terytorium Polski, kolejne okręgi Armii Krajowej po kolei przystępowały do spektakularnej samolikwidacji. W ten sposób budowane z mozołem przez pięć lat Polskie Państwo Podziemne, z którym nie były sobie w stanie poradzić Gestapo, SD, SS, Abwehra i wszystkie inne tajne służby III Rzeszy razem wzięte, przestało istnieć w ciągu kilku miesięcy. Zostało podane NKWD na tacy.

Operacja „Burza" powinna więc raczej nosić miano operacji „Harakiri". Ocenia się, że bolszewicy zamordowali co najmniej kilka tysięcy spośród ujawniających się im AK-owców, a 50 tysięcy deportowali do Sowietów. Dziesiątki tysięcy zostały uwięzione i poddane innym represjom.

„Walkę z AK ułatwiła aparatowi bezpieczeństwa ZSRS akcja «Burza», która przyczyniła się do ujawnienia władz cywilnych oraz dekonspiracji tysięcy żołnierzy Polski Podziemnej – pisał historyk Piotr Kołakowski. – Skala represji NKWD-NKGB wobec członków podziemia niepodległościowego na Górnym Śląsku, w Wielkopolsce i na Pomorzu była znacznie mniejsza niż w Polsce centralnej i wschodniej, gdyż na tych terenach nie doszło do realizacji akcji «Burza»".

Według Kołakowskiego samo podziemie przyznało później, w jednym z meldunków, że dwoma głównymi przyczynami masowych aresztowań AK-owców były: „akcja «Burza» i późniejszy okres współpracy z władzami sowieckimi w ramach przywracania ładu po działaniach wojennych" oraz „wtyczki komunistyczne w oddziałach AK". Jak wynika z informacji strony polskiej, około sześćdziesięciu–siedemdziesięciu procent aresztowań można było uniknąć, ściśle przestrzegając zasad konspiracji, zwłaszcza nie ujawniając się przed bolszewikami.

Jest jeszcze w tej opowieści jeden niezwykle drażliwy i nieprzyjemny aspekt. Otóż całkowicie rozbrojeni wobec bolszewików przez filosowiecką propagandę podziemia, żołnierze AK, gdy dostali się w ręce śledczych NKWD, masowo się załamywali i udzielali czekistom wszelkich informacji. Była to prawdziwa plaga, która spowodowała kolejne masowe zatrzymania. „Cóż to za organizacja, w której każdy zatrzymany sypie?" – pytał jeden z wyższych funkcjonariuszy NKGB.

Operacja „Burza" była największym dramatem żołnierzy Polskiego Państwa Podziemnego.

Któregoś dnia do ich obozowisk przyszedł rozkaz. Rozkaz, który musieli wykonać. Nakazano najeźdźcę sprzed lat czterech, kata sprzed tak niedawna, witać jak sojusznika – pisał Ignacy Matuszewski. – Dziwne to musiało być spotkanie, kiedy zmartwychwstały stanął przed zabójcą. Polacy, którzy sowieckim generałom u granic Polski wręczyli manifest [o współpracy], musieli w ich oczach być jak widmo, co podniosło się z katyńskiego grobu, jak upiór, co we śnie nawet zbójeckie nawiedza sumienie. Upiór, którego przebić trzeba osinowym kołem, bo inaczej przenigdy podłość nie da spokoju i drżeć nigdy nie przestaną skrwawione ręce.

Dalej Matuszewski pisał:

Z całą pewnością można powiedzieć, że wcześniej czy później wszyscy przywódcy oddziałów armii podziemnej, którzy ujawniają się władzom sowieckim, będą postawieni przed alternatywą: albo przyłączyć się do Berlinga, albo iść na kaźń. Jeśli ktokolwiek z członków gabinetu polskiego myśli, że może stać się inaczej, to jest może poczciwy, lecz na pewno jest naiwny w stopniu niedopuszczalnym dla mężów stanu. Doświadczeń z „dobrą wolą" Sowietów mieliśmy zbyt wiele, by wolno było o nich lekkomyślnie zapomnieć.

Gehennę ujawniającej się Sowietom AK przewidział Matuszewski, przewidzieli Wacław Lipiński, Władysław Studnicki, Adam Ronikier i wielu innych rozsądnych Polaków. Przede wszystkim jednak przewidział ją naczelny wódz Kazimierz Sosnkowski. „Decyzja ta jest w moich oczach rozpaczliwym porywem całopalnym kraju" – pisał 4 stycznia 1944 roku do Mikołajczyka.

Zachwycony pomysłem „Burzy" premier oczywiście jednak te ostrzeżenia zignorował. Tak jak i generał Bór-Komorowski, do którego Sosnkowski 12 lutego pisał:

Skoro nie macie złudzeń co do wrogiego stosunku Sowietów do Was i do Armii Krajowej, to nie możecie ich mieć również co do skutków ujawnienia Waszych oddziałów bez uprzedniego porozumienia politycznego między Rosją a Polską. Jeszcze raz powtarzam swoją opinię: Moskwa dąży do sowietyzacji Polski i uczynienia z niej 17. republiki w granicach, które określi Stalin. Anglia lub Ameryka nie chcą lub nie mogą – na razie przynajmniej – przeciwstawić się czynnie tym dążeniom. Nie uchronią nas dyplomatyczne dobre chęci przyjaciół.

Znowu żadnego odzewu.

Wkrótce po nadejściu depeszy w sprawie „Burzy" zaproszony zostałem na lunch do „Rubensa" – wspominał Jan Nowak-Jeziorański. – Generał

Sosnkowski nie potrafił wytłumaczyć sobie jednego: zamiaru ujawnienia się wobec Rosjan. Dla Naczelnego Wodza było jasne, że NKWD dowódców wyaresztuje i prawdopodobnie zgładzi, a żołnierzy wcieli siłą do Armii Berlinga. Opornym – kula w łeb. Czym więc mógł kierować się sztab AK, wydając podobny rozkaz?

– Był pan niedawno w kraju, może pan pomoże mi zrozumieć, jaki to wszystko ma sens?

Sensu oczywiście to wszystko nie miało żadnego. Nie wolno przy tym zapominać, że sowieckie represje w trakcie i po zakończeniu „Burzy” były tylko ostatnim aktem dramatu, jakim była ta akcja. Wcześniej Armia Krajowa poniosła bowiem olbrzymie straty w walkach z wycofującymi się Niemcami. Źle uzbrojone i wyszkolone oddziałki polskiego podziemia atakowały bowiem straże tylne Wehrmachtu, które wcale nie okazały się tak słabe, jak to przewidywali oficerowie wysokiego szczebla z Komendy Głównej AK.

„Skierowanie energii narodowej i jej siły materialnej przeciw Niemcom celem ich dobijania wobec zbliżania się nowego, potężnego przeciwnika byłoby akcją nieodpowiedzialnych głupców albo rosyjskich agentów" – ostrzegał pułkownik Wacław Lipiński.

Antyniemieckie działania w ramach operacji „Burza” można porównać do dźgania nożem śmiertelnie rannego grubego zwierza. Czyli działania bezcelowego, a narażającego na olbrzymie niebezpieczeństwo. Nawet konający zwierz może bowiem jeszcze machnąć łapskiem i przetrącić myśliwemu kark. Właśnie tak po karku dostała Armia Krajowa. Wystarczyło tylko poczekać, a Niemcy sami, pod naporem bolszewików opuściliby Polskę i się załamali.

Pod koniec wojny nie Niemcy opuszczający Polskę stanowić będą główne zagadnienie polityczno-wojskowe, lecz przychodzący Rosjanie, nie przeciw Niemcom winniśmy mobilizować główną naszą aktywność, lecz przeciw Rosji – pisał Lipiński w styczniu 1944 roku. – Tak się przedstawia istota zagadnienia, którego realizm i słuszność są tym większe, im bardziej są w tej chwili niepopularne. W położeniu wytworzonym przez cofanie się Niemców z Polski i wkraczanie do niej Rosjan nie będzie warunków ani na powstanie antyniemieckie jako akt polityczno-wojskowy, ani na żaden inny akt wywołania odwetu. Niemcy wycofujący się z Polski wśród walk z napierającymi Rosjanami – wykonywać będą musieli swe ruchy bez przeszkód ze strony Polaków.

Oczywiście Lipińskiego nie posłuchano. Podobne ostrzeżenia wychodziły tymczasem również spod pióra, a właściwie maszyny do pisania, Jana Emila Skiwskiego, który na początku 1944 roku, za zgodą władz niemieckich, zaczął wydawać pismo „Przełom". Starał się on przekonać w nim Polaków, że polityka władz Polski Podziemnej sprowadza na Polskę katastrofę. Że dalsza walka z Niemcami nie tylko marnuje siły niezbędne na przyszłość, ale i przyspiesza sowiecki zabór Polski.

Trzeba przesunąć wskazówkę – apelował Skiwski. – Musi obrócić się w kierunku największego dziś niebezpieczeństwa, które nadciąga ze Wschodu. Nie rzucamy tych słów w czasie, kiedy armia niemiecka zagrażała czerwonej Moskwie lub kiedy sztandar ze swastyką powiewał na szczycie Elbrusu. Mówimy to dziś, kiedy hordy Stalina jak stado zgłodniałych wilków harcują pod Tarnopolem. Nie może być namysłów. Wpuszczenie Sowietów w głąb Europy poprzez bramę polską byłoby nieodwracalne. Na to jedno nie ma żadnego lekarstwa w przyszłości. Nie zatrzymamy ich naszymi nagimi piersiami, zatrzymać ich mogą tylko ci, którzy mają broń i chcą z nimi walczyć do ostatka.

I dodawał dobitnie: „Kłótnia polsko-niemiecka jest maszynką, która miele mięso Europy tak, żeby Azjata, jak tu przyjdzie, mógł przełknąć bez gryzienia".

Rozdział 3

Kolaboranci

Dlaczego doszło do „Burzy"? Czym kierowali się pomysłodawcy tej akcji, gdy wydawali wyrok na żołnierskie rzesze Armii Krajowej? Po wojnie podawali oni szereg mniej lub bardziej kuriozalnych przyczyn, ale jedna z nich zdecydowanie wybija się na plan pierwszy. Otóż podstawowym celem „Burzy" miało być udowodnienie dobrej woli Polaków wobec Związku Sowieckiego poprzez wspólną z Armią Czerwoną walkę z Niemcami. Dobra wola ta miała otworzyć drogę do kompromisu politycznego ze Stalinem.

Była to oczywiście mrzonka. Największa z iluzji, którym hołdowali Polacy podczas drugiej wojny światowej. Sowiety bowiem – jak wiemy – żadnego kompromisu z Polakami sobie nie życzyły. Bo i po co, skoro w Polsce mieli być całkowitymi panami sytuacji. A już przekonanie, że zwykli oficerowie AK na polu bitwy osiągną to, czego nie udało się osiągnąć Mikołajczykowi w dyplomatycznych gabinetach, było czystym absurdem.

„Rozkaz ten – oceniał historyk Władysław Pobóg-Malinowski – obarczający niedoświadczonych politycznie dowódców lokalnych zadaniem niezwykle trudnym, będąc przy tym wyrazem mgły w rachubach i pojęciach, da niebawem skutki tragiczne, przed Powstaniem Warszawskim w dziejach Podziemia najposępniejsze".

Podobnie uważało wielu współczesnych. Oddajmy głos Adamowi Ronikierowi, który sprawy te na bieżąco omawiał ze swoim przyjacielem generałem Stanisławem Szeptyckim. „Konkluzją naszą wspólnie powziętą, z żalem wielkim do władz naszych formułowaną, było, że rozporządzenia powyższe są po prostu zbrodnią na młodzieży naszej dokonywaną, że one są w sprzeczności z honorem i sumieniem żołnierza polskiego, który, broniąc Polski przed jednym okupantem, nie może mieć za zadanie oddawania dobrowolnie Polski pod nowego okupanta, gorszego stokrotnie, bo jeżeli Niemiec łamał kości, to bolszewik starał się zabić duszę człowieka".

Trudno o bardziej wymowny objaw całkowitego upadku polskiego instynktu politycznego i poczucia racji stanu niż operacja „Burza". Rzeczywiście Polacy przez całą wojnę bronili się przed wszelką formą kolaboracji z Niemcami – często płacąc za tę pryncypialność olbrzymią cenę – a teraz, gdy tylko granice Polski przekroczyli bolszewicy, ci sami Polacy rzucili się na łeb na szyję, aby z nimi współdziałać i ich wspomagać.

Zresztą pal sześć Niemców. Warto raczej akcję „Burza" porównać z postawą, jaką Polacy zajmowali wobec kilkunastu poprzednich moskiewskich najazdów. Od szesnastego wieku, gdy doszło do pierwszego z nich, Polacy wkraczających w ich granice Moskali niemal zawsze witali ciosami szabel i gradem kul. Wiedzieli bowiem, że mają do czynienia ze śmiertelnym wrogiem, który przybywa, aby odebrać im wolność.

Tym razem Polacy witali zaś Moskali chlebem i solą oraz dobrowolnie wsadzali głowę w stryczek. Tymczasem bolszewicy nawet przez chwilę nie ukrywali swych zamiarów wobec Polski. Nie pozostawiali żadnych złudzeń, że mają ten sam cel, co podczas najazdu sprzed dwudziestu czterech lat.

W 1920 roku przywieźli ze sobą czerwonych Quislingów – Dzierżyńskiego, Kona i Marchlewskiego. W 1944 roku także przywieźli ze sobą czerwonych Quislingów – Bieruta, Gomułkę, Berlinga i Wasilewską. W 1920 roku chcieli zsowietyzować całą Polskę. W 1944 roku również chcieli zsowietyzować całą Polskę. W 1920 roku zamierzali przejść po jej trupie do Niemiec. W 1944 też zamierzali przejść po jej trupie do Niemiec. Zarówno w 1920, jak i w 1944 roku po przekroczeniu polskiej granicy dokonywali zbrodni wojennych.

Różna była tylko reakcja Polaków. W 1920 roku do bolszewików strzelali, w 1944 roku rzucali się im w objęcia. A przecież często byli to ci sami ludzie! Bywało, że w 1944 roku współpracę z Armią Czerwoną podejmowali kawalerowie Orderu Virtuti Militari za kampanię 1920 roku. Jako młodzi ludzie z narażeniem życia bronili ojczyzny przed śmiertelnym wrogiem, a ćwierć wieku później temu śmiertelnemu wrogowi pomagali ją zdobywać.

Trudno zrozumieć, że po wszystkim, co się stało – 17 września, Katyniu, masowych deportacjach, Berlingu, PPR i KRN – polscy przywódcy mogli mieć jeszcze jakiekolwiek złudzenia co do intencji Sowietów. „Dlaczego wprzęgać się miano do moskiewskiego jarzma, jeśli tak stanowczo odrzucano i tak konsekwentnie potępiano samą myśl jakiejkolwiek współpracy z Niemcami? – pytał Pobóg-Malinowski. – Czy sowieckie deportacje ludności polskiej do Workuty i na Kołymę były zbrodnią łagodniejszą w treści, a w skali swej mniejszą od niemieckich łapanek i robót przymusowych? Czy Katyń był mniej potworny niż krematorium w Oświęcimiu?”

Na początku lat sześćdziesiątych Zbigniew S. Siemaszko odbył następującą rozmowę z generałem Tadeuszem Pełczyńskim, zastępcą i prawą ręką generała Bora-Komorowskiego w Komendzie Głównej Armii Krajowej:

> – Czy KG AK zdawała sobie sprawę, że nakazuje oddziałom na Kresach załatwienie spraw politycznych, których nie zdołał rozwiązać ani rząd w Londynie, ani reprezentacja polityczna kraju, ani też KG AK?
> – Tak, zdawała sobie sprawę.
> – Czy KG AK zdawała sobie sprawę, że najbardziej patriotycznej młodzieży kresowej kazała walczyć i ginąć przy zdobywaniu polskiego terytorium dla Sowietów?
> – Tak, zdawała sobie sprawę.

– Czy rzeczywiście zasadniczym celem „Burzy" było uzyskanie uznania polskiego podziemia przez Sowiety za reprezentację narodu?

– Tak było w rzeczywistości.

– Czy KG AK wierzyła, że to jest możliwe?

– Niektórzy w KG wierzyli.

– A czy pan generał osobiście wierzył?

– Nie, nie wierzyłem.

– Wobec tego jak to się stało, że pan generał popierał akcję „Burza"?

Tu skończyła się spokojna, rzeczowa rozmowa. Generał poczerwieniał, zaczął uderzać pięścią w stół i mówić podniesionym głosem:

– Naród polski nie mógł pozostać bezczynny, kiedy jedna okupacja zmieniała się na drugą!

Do dzisiaj w podobny sposób wyglądają rozmowy z obrońcami akcji „Burza", zarówno jej uczestnikami, jak i jej późniejszymi apologetami. Czyli na argumenty odpowiadają oni emocjonalnie, rzucając frazesami i miotając oskarżenia o szarganie świętości. Wszystko to ma przysłonić całkowicie oderwany od rzeczywistości projekt współpracy z najeźdźcą.

Cóż to bowiem znaczy, że „naród polski nie mógł pozostać bezczynny, kiedy jedna okupacja zmieniła się w drugą"? Jest to doprawdy jakieś kuriozum. To chyba jedyny przypadek na świecie, kiedy „nowego okupanta" wita się na swojej ziemi i pomaga mu się ją zdobywać. Gdy kiedyś wspomniany wyżej generał Pełczyński powiedział, że „Burza" miała na celu wobec wkraczających bolszewików „bronić praw Rzeczypospolitej", Pobóg-Malinowski pytał: „Jak? Poprzez współdziałanie z najazdem?".

Powtarzane do dzisiaj opowieści, że akcja „Burza" miała de facto wymiar antysowiecki, są po prostu nieprawdziwe. Ładna mi akcja antysowiecka, która polega na współdziałaniu z Sowietami! W rzeczywistości chodziło o skłonienie bolszewików do uznania Armii Krajowej i do podjęcia z nią pertraktacji o dopuszczeniu przywódców Polski Podziemnej i przedstawicieli władz w Londynie do rządzenia powojenną Polską.

Sprawę tę należy wreszcie nazwać po imieniu. To nieprzyjemne, ale fakty są bezsporne. Niestety działania Armii Krajowej w ramach akcji „Burza" były kolaboracją. „Używamy słowa «kolaboracja» nie dla wysunięcia jakowegoś zarzutu, a dla ścisłego ustalenia stanu faktycznego – pisał Józef Mackiewicz. – Współpracownictwo bowiem z armią i kierownictwem ościennych władz na własnym terytorium jest kolaboracją (*Encyklopedyczny słownik wyrazów obcych* Lama)".

Bardzo podobnie ten termin tłumaczą również współczesne słowniki. Według *Słownika wyrazów obcych i zwrotów obcojęzycznych* Władysława Kopalińskiego kolaborantem jest ten, kto „współpracuje z nieprzyjacielem, okupantem", a według *Słownika języka polskiego* PWN kolaboracja to „współpraca z nie popieraną przez większość społeczeństwa władzą, zwłaszcza z władzami okupacyjnymi". Akcja „Burza" spełnia wszystkie te kryteria.

„Wielkie mocarstwa zachodnie mogły być w drugiej wojnie światowej sojusznikiem Sowietów i de iure, i de facto. Polska natomiast, ze względu na swą słabość i położenie geograficzne, mogła być sojusznikiem tylko de iure. Natomiast de facto stawała się przez ten sojusz kolaborantem z najeźdźcą sowieckim" – podkreślał Mackiewicz. „Oddaliśmy się pod opiekę Rosji, jak swego czasu pod opiekę Katarzyny. Między wielką Rosją a małą Polską wzajemna pomoc jest fikcyjną" – wtórował mu pułkownik Lipiński.

W obliczu wkraczającej do Polski Armii Czerwonej zarówno premier Mikołajczyk, jak i jego delegat w kraju Jan Stanisław Jankowski wydali odezwy witające bolszewików. Mowa w nich o „wyzwoleniu" Polski i woli polskich władz, aby w tym „wyzwoleniu" pomagać. Według cytowanego wyżej Mackiewicza odezwa Jankowskiego „zadziwiająco przypominała odezwę Háchy do narodu czeskiego, wydaną na spotkanie wojsk niemieckich".

Sowiety brutalnie odrzuciły jednak tę gotowość do współpracy i 11 stycznia 1944 roku, a więc kilka dni po przekroczeniu granicy Polski, wydały komunikat, w którym kolejny raz poinformowały, że połowę Polski uważają za swoje terytorium: „Konstytucja sowiecka ustanowiła granicę sowiecko-polską odpowiadającą pragnieniom wyrażonym przez ludność Zachodniej Ukrainy i Zachodniej Białorusi w plebiscycie przeprowadzonym w szerokich ramach demokratycznych w roku 1939".

Był to moment, w którym plan operacji „Burza" należało wyrzucić do kosza. Był to moment, w którym ostatecznie jasne się stało, że „sojusznik naszego sojusznika" – jak mówiono wówczas o Sowietach w polskim podziemiu – nie przestał być naszym wrogiem.

Polacy często – i słusznie – pomstują na Brytyjczyków i Amerykanów za to, że sprzedali Polskę Stalinowi. Spróbujmy jednak spojrzeć na te sprawy z perspektywy przeciętnego logicznie myślącego człowieka Zachodu. Oto bolszewicy wkraczają do Polski i zapowiadają, że chcą jej odebrać połowę terytorium. Polacy w odpowiedzi witają ich i pomagają im tę połowę Polski zdobywać. Wniosek mógł być tylko jeden: widocznie Polacy te sowieckie roszczenia popierają.

„Armia Krajowa, współdziałając według nakazów premiera Mikołajczyka z wojskami sowieckimi w walkach o Łuck, Wilno czy Lwów, działała niestety bezpośrednio na rzecz państwa sowieckiego i jego interesów i bezpośrednio na szkodę własnej Ojczyzny" – pisał Wacław Lipiński.

Co ciekawe, jak wynika z powojennych wypowiedzi autorów „Burzy", mieli oni nadzieję, że jeśli nawet „krakanie" Sosnkowskiego się spełni i bolszewicy zaczną rozbrajać Armię Krajową, wywoła to protest i oburzenie aliantów, którzy doprowadzą Stalina do pionu. „Zawiodą i te, typowo polskie, rachuby na życzliwy odzew świata. Nie drgnie on nawet, gdy nadlecą do niego tragiczne echa beznadziejnego eksperymentu – komentował Pobóg-Malinowski. – Jeśli «Burza» miała być formą przeciwstawienia się celom zaborcy, jeśli miała być eksperymentem – poświęcić tysiące ludzi, skazać ich na bezsensowną walkę i na męczeństwo po walce, po to, by ukazać światu prawdziwe oblicze wroga, to czyż Katyń już nie odsłonił tego oblicza?"

Jest jeszcze jeden motyw, o którym mówili wysocy rangą oficerowie AK, starając się wytłumaczyć wydane przez siebie rozkazy. Otóż – jak pisał w depeszy do Londynu Bór-Komorowski – chodziło o „zadokumentowanie przed światem naszego nieugiętego stanowiska wobec Niemców i niezłomnej woli walki z nimi" oraz „wyrwanie Sowietom złośliwego atutu do zaliczania nas w poczet cichych sprzymierzeńców Niemiec".

Słowa te to tylko kolejne potwierdzenie, że ze wszystkich narodów najbardziej podatny na obce prowokacje jest naród Polski. Podobne oskarżenia ze strony bolszewickiej machiny propagandowej służyły oczywiście tylko i wyłącznie sprowokowaniu Polaków do straceńczych działań i szafowania krwią. Im więcej bowiem Polaków zabiliby Niemcy, tym mniej roboty miałoby później NKWD.

Kierownictwo Polskiego Państwa Podziemnego, zamiast zdemaskować tę fałszywą grę bolszewików, zagrało swojemu wojsku wsiadanego. Czyli zrobiło właśnie to, czego życzył sobie Stalin. Sytuacja ta powtórzyła się w sposób niemal identyczny kilka miesięcy później w Warszawie.

Rozdział 4

Złudzenia
generała „Wilka"

Przyjrzyjmy się teraz, jak akcja „Burza" przebiegała w praktyce. Kto miał rację? Mikołajczyk i generał Bór-Komorowski, którzy wierzyli, że pomagając bolszewikom, zaskarbią sobie ich wdzięczność, czy generał Sosnkowski, który ostrzegał, że Armia Krajowa w ten sposób się wykrwawi i zdekonspiruje przed NKWD?

Pierwszy współdziałanie z bolszewickimi najeźdźcami podjął Okręg Wołyński AK. Tak, ten sam, który pół roku wcześniej nie palił się do obrony własnych rodaków rąbanych siekierami przez ukraińskich nacjonalistów. Teraz zmobilizował się w sile 6,5 tysiąca żołnierzy i pod nazwą 27. Wołyńska Dywizja Piechoty gorliwie pospieszył pomagać Sowietom.

Już w styczniu 1944 roku 27. Dywizja AK nawiązała kontakt z ukrywającymi się po lasach bandami kryminalistów zwanymi sowiecką partyzantką, a w marcu – z regularnymi jednostkami armii Stalina. Podporządkowała się wówczas lokalnemu dowództwu Armii Czerwonej i wiernie wykonywała jego rozkazy.

Zapału do współpracy z wrogiem nie osłabiły nawet represje wobec AK-owców. Już w marcu bolszewicy na Wołyniu rozstrzelali ujawniających się im dowódców AK – między innymi w Rożyszczu i w Przebrażu – a ich żołnierzy aresztowali i wywieźli w niewiadomym kierunku. Od razu ogłosili również pobór do wojska mężczyzn od 17 do 35 roku życia.

Chęci do współpracy z Armią Czerwoną nie zachwiało nawet to, że bolszewicy w oczy mówili polskim oficerom, iż Związek Sowiecki zagrabi ich małą ojczyznę. Gdy dowodzący dywizją podpułkownik Jan Wojciech Kiwerski „Oliwa" podczas spotkania z sowieckim generałem Siergiejewem powitał go na „polskiej ziemi", ten brutalnie stwierdził: „Tutaj jest ziemia ukraińska, Polska rozpocznie się dopiero od Bugu".

Mimo to Kiwerski – wykonując rozkazy sowieckie – wziął udział w bitwie o Kowel. Polakom wyznaczono straceńczy odcinek w Lasach Mosurskich, gdzie bez wsparcia ciężkiego sprzętu i artylerii byli dziesiątkowani przez zmasowane kontrataki Wehrmachtu. Mimo próśb Kiwerskiego o zdjęcie go z tego odcinka sowiecki dowódca nakazał go bronić bez względu na straty. Nie ma żadnej wątpliwości, że w ten sposób bolszewicy chcieli wyrżnąć Polaków rękami Niemców.

Wreszcie dywizja wyrwała się z okrążenia, tracąc połowę żołnierzy oraz dowódcę, i przebiła na Polesie. Tam jednak ponownie została osaczona przez Niemców w Lasach Szackich. Znowu poniosła wielkie straty, w oddziałach szerzył się głód i tyfus. Wreszcie tytanicznym wysiłkiem przerwała pierścień nieprzyjacielski i przeszła dalej na zachód – na Lubelszczyznę. Przeprawa wołyńskiej Armii Krajowej była istną katorgą, na miejsce przeznaczenia dywizja dotarła skrajnie wyniszczona.

Owym miejscem przeznaczenia był Skrobów, gdzie oficerowie jednostki zostali zaproszeni na naradę przez sowieckie dowództwo. Mimo dotychczasowych dramatycznych doświadczeń z bolszewikami Polacy na rozmowy grzecznie pojechali. Podobno nawet wypastowali buty, żeby się dobrze prezentować przed „sojusznikiem naszych sojuszników". Na miejscu zostali oczywiście aresztowani, a tymczasem bolszewicy otoczyli i rozbroili ich żołnierzy. Przez radiostację Polacy zdążyli jeszcze nadać dramatyczną wiadomość do Londynu: „Sowieci nas rozbrajają!". Wiadomość, dodajmy, całkowicie w Londynie zignorowaną.

Część oficerów została przez NKWD zamordowana, część – deportowana w głąb Związku Sowieckiego. Żołnierze albo podzielili ich los, albo zostali wcieleni do armii Berlinga. W ten sposób Sowiety pozbyły się najbardziej patriotycznych i najdzielniejszych polskich Wołyniaków. Zadanie zsowietyzowania i ujarzmienia tych ziem – już wcześniej przetrzebionych z żywiołu polskiego przez UPA – było teraz znacznie łatwiejsze.

„Widziałem wiele różnych armii i narodowości, z którymi w jednym szeregu walczyłem – wspominał kapitan Michał Fijałka „Sokół", cichociemny, weteran roku 1939 i kampanii francuskiej roku 1940. – Nigdzie jednak i nigdy nie spotkałem żołnierzy tak dzielnych, ofiarnych i tak zdolnych do poświęcenia wszystkiego w służbie Ojczyzny, jak żołnierze 27. Wołyńskiej Dywizji Piechoty".

Serce każdego Polaka powinna rozdzierać świadomość, że ci wspaniali żołnierze, wykonując absurdalne rozkazy Komendy Głównej AK, przelewali krew nie w służbie ojczyzny, lecz Związku Sowieckiego.

Obszerniejszego przedstawienia wymaga akcja „Burza" na Wileńszczyźnie, która miała szczególnie dramatyczny przebieg. Gdy do Wilna dotarły pierwsze instrukcje z Warszawy nakazujące przygotowanie się do tej operacji, wywołały one konsternację, a potem wewnętrzny konflikt. Część oficerów uważała, że byłoby to szaleństwo i kolaboracja, część – w szczególności przybysze z Generalnego Gubernatorstwa – przyjęła instrukcje z zadowoleniem.

Józef Mackiewicz tak przedstawił rozmowy, jakie odbywały się na naradach Okręgu Wileńskiego AK:

– Po co owijać w bawełnę: jesteśmy przeznaczeni do współpracy ze zwycięską Armią Czerwoną. Tak czy nie? Do współpracy z bolszewikami wkraczającymi do naszego kraju. Jest to postawienie rzeczy na naiwnej głowie. Jakie oni mają pojęcie o Sowietach? Bolszewicy na opanowanym przez nich terenie nigdy z nikim nie „współpracują". Nigdy z nikim nie dzielą się władzą, a sprawują ją wyłącznie sami. Jest to więc jednostronne wydanie nas bolszewikom!

W tej chwili „Konrad" zerwał się z krzesła.

– Przede wszystkim jest to przeznaczenie nas do walki z Niemcami.

I to powinniśmy poczytywać sobie za wielki honor i wyróżnienie, takie pierwszeństwo. – Usiadł.

– To jest gra słów. W zestawieniu sił walka militarna odbywać się będzie między Niemcami i Sowietami. My zaś możemy się co najwyżej włączać do demonstracji politycznej, bo te nasze oddziały to ziarnko maku. Demonstracji wspomagającej opanowanie naszego kraju przez bolszewików. Ale nawet i do takiej demonstracji oni nas nie dopuszczą, bo wezmą za mordę.

Niedorzeczny plan zakładał, że siły dwóch okręgów, Nowogródzkiego i Wileńskiego, na krótko przed wejściem sił sowieckich wspólnie odbiją Wilno z rąk niemieckich. A następnie powitają w mieście „sojusznika naszych sojuszników" jako gospodarz i zaoferują mu dalszą pomoc w walce ze „wspólnym wrogiem". Był to więc plan bliźniaczo podobny do tego, który potem, z jeszcze fatalniejszym skutkiem, próbowano zrealizować w Warszawie.

O ile w Okręgu Wileńskim część dowódców gotowa była wykonać „Burzę", o tyle w Okręgu Nowogródzkim, który toczył najcięższe boje z bolszewickimi bandami leśnymi, zdecydowana większość oficerów uznała tę koncepcję za poronioną. Tak mówił o tym po wojnie Józef Świda „Lech":

W początkach 1944 roku stanęliśmy przed dodatkowym zadaniem. Mieliśmy na Kresach przeprowadzić „Burzę", czyli operację dywersyjną przeciw cofającej się armii niemieckiej. Cel: ułatwienie pochodu sowieckiego, a jednocześnie wykazanie lojalności wobec wschodniego sąsiada. Nie mogłem wykrzesać z siebie entuzjazmu dla współpracy z Armią Czerwoną po rozbrojeniu Batalionu Stołpeckiego. Zagadnienie przerastało moje siły, piętrzyło się nad głową jak olbrzymia skała. Sytuacja wydawała mi się absurdalna: miałem demonstrować życzliwość i przyjaźń w stosunku do strony, która zerwała stosunki dyplomatyczne z Rzeczpospolitą, Armii Krajowej na Kresach wypowiedziała bezwzględną walkę i nie tylko dążyła do pozbawienia Polski ziemi, na której się urodziłem, ale także do pozbawienia nas życia.

Część oficerów z Nowogródczyzny, która od 1943 roku toczyła otwartą wojnę z partyzantką sowiecką, wystąpiła do komendanta okręgu podpułkownika Janusza Prawdzica-Szlaskiego, aby zbuntował się wobec Komendy Głównej AK. Rozkazy Warszawy nakazujące im podjęcie współpracy z wrogiem uznali za zdradę.

Gdy 2 lipca pod wsią Raściuny doszło do odprawy, podczas której dowódca Okręgu Wileńskiego podpułkownik Aleksander Krzyżanowski „Wilk" przedstawił założenia „Burzy", przed szereg wystąpił kapitan Stanisław Szabunia „Licho".

  – Co robić, jeśli bolszewicy będą nas rozbrajać? – spytał.
  – Do tego nie dojdzie, bo jest porozumienie.
  – A jeżeli mimo to zaczną rozbrajać, czy bić, czy uciekać, czy też poddać się?
  – Do rozbrajania nie dojdzie, zresztą będą rozkazy.
  – A jeżeli rozkazów nie będzie?
  – Rozkazy będą. Wstąp.

Oczywiście żadnych rozkazów nie było. Nie było też żadnego porozumienia. A „Wilk" mimo licznych podobnych obiekcji oficerów niższego stopnia w pośpiechu wywołanym zawrotnym tempem, z jakim ku ziemiom wschodnim Rzeczypospolitej zbliżał się sowiecki walec, wyznaczył dzień natarcia na Wilno na 7 lipca. Operacja miała nosić kryptonim „Ostra Brama". O rozsądku litewskich AK-owców niech świadczy to, że wiele oddziałów, zarówno z Okręgu Wileńskiego, jak i przede wszystkim z Okręgu Nowogródzkiego, nie stawiło się na koncentrację.

Sztandarowym przykładem była 5. Brygada Wileńska AK majora Zygmunta Szendzielarza „Łupaszki". Gdy do jej dowódcy dotarł rozkaz o zdobywaniu Wilna dla bolszewików, otwarcie odmówił jego wykonania. I w obliczu zbliżającej się Armii Czerwonej podjął marsz na Zachód. Inni dowódcy albo również odmówili, albo tak opóźniali marsz pod Wilno, żeby nie zdążyć na wyznaczony termin ataku na miasto.

Atak ten miał przebieg groteskowy. Zacznijmy od tego, że Niemcy, którzy uzbroili wcześniej część oddziałów AK, byli niemal do końca przekonani, że... polscy partyzanci będą razem z nimi bronili Wilna przed bolszewikami. W niemieckim sztabie dyskutowano nawet, który odcinek obrony ma obsadzić AK. Oficerom Wehrmachtu w głowie się bowiem nie mieściło, że Polacy mogliby do tego stopnia zatracić instynkt samozachowawczy, żeby pomagać Sowietom.

Ostatecznie na początku lipca Niemcy zaprosili na spotkanie jednego z wyższych oficerów wileńskiej AK, podpułkownika Lubosława Krzeszowskiego „Ludwika" (żeby było zabawniej, był on najprawdopodobniej agentem sowieckim). Podczas rozmowy generał Gerhard Poel stwierdził, że konflikt polsko-niemiecki z uwagi na postępy Armii Czerwonej nie ma już racji bytu. Niemcy gotowi są więc przekazać miasto Polakom. Polskie podziemie przejęłoby administrację w mieście, a Niemcy wypuściliby polskich jeńców z Gestapo. Oferta została jednak odrzucona i AK na rozkaz „Wilka" przystąpiła do szturmu na miasto, które mogła zająć bez jednego wystrzału.

Ze względu na wspomniany opór dużej części oficerów w akcji udział wzięło jednak zaledwie 5,5 tysiąca ludzi, czyli... 34,4 procenta spośród 16 tysięcy żołnierzy obu okręgów. Te śmieszne siły, wyposażone tylko w karabiny, granaty i broń maszynową, uderzyły na miasto, które tymczasem zostało ogłoszone twierdzą (Fester Platz Wilna).

Jego załogę stanowiło: 17,5 tysiąca zaprawionych w walkach w mieście weteranów, 270 dział, 48 moździerzy, 110 czołgów i wozów bojowych. Do tego samoloty na pobliskim lotnisku na Porubance. Jedynym atutem Polaków było to, że byli u siebie. Atutu tego jednak lekkomyślnie nie wykorzystano. Atak nastąpił bez elementarnego przygotowania wywiadowczego. Nie rozpoznano pozycji wroga, oficerowie nie mieli map, nie wiedzieli, gdzie znajdują się umocnione pozycje wroga.

Tymczasem Niemcy do ataku, o którym zostali uprzedzeni przez swoje służby wywiadowcze, przygotowali się bardzo starannie. Bunkry, gniazda karabinów maszynowych, działa, zamaskowane stanowiska strzeleckie. Gdy Polacy poszli do szturmu, dostali się pod huraganowy ogień artyleryjski, a potem reszty dopełniły samoloty. Dla partyzantów

AK, którzy do tej pory walczyli w lasach z partyzantką sowiecką, atak lotniczy był szokiem.

Rozmawiałem z kilkoma weteranami wileńskiej AK, którzy brali udział w tym uderzeniu. Zgodnie przyznali oni, że był to horror. Oficerowie pędzili ich naprzód bez żadnego sensu i skoordynowanego planu, a na głowy sypał im się deszcz pocisków. Do dziś nie wiadomo, ilu Polaków zginęło w tej masakrze. Były jednak oddziały, które straciły po 25 procent składu. Wielu żołnierzy miało pourywane ręce i nogi. Atak na Wilno był przykładem wojskowego dyletanctwa.

Z góry było wiadomo, że wobec olbrzymiej dysproporcji sił operacja „Ostra Brama" – jak nazwano ów szturm – nie miała najmniejszych szans powodzenia. Po co więc „Wilk" wydał ten rozkaz? Bóg raczy wiedzieć. Na pewno jednak nie postąpił wówczas jak dowódca, który czuje się odpowiedzialny za życie powierzonych mu żołnierzy.

Tu jeszcze jeden ciekawy szczegół: choć kontrolująca lasy wokół Wilna AK mogła uderzyć z dowolnego kierunku, natarła od wschodu... który był najlepiej przez Niemców ufortyfikowany, gdyż stamtąd spodziewano się natarcia Sowietów. Co ciekawe, AK-owcy do ataku na Wilno w dużej mierze używali broni, którą dostali od Niemców do zwalczania partyzantki sowieckiej. Gdy to wyszło na jaw, komisarz miasta Horst Wulff, odpowiedzialny za przekazanie broni Polakom, został rozstrzelany przez SS.

Tymczasem jeszcze tego samego dnia, w którym Niemcy odparli polskie natarcie, pod miasto przybyli bolszewicy. Z miejsca aresztowali napotkanych AK-owców, a potem rozpoczęli szturm na miasto – tym razem już na poważnie. Przystąpiły do niego bowiem uzbrojone w czołgi i ciężką artylerię regularne oddziały Armii Czerwonej, które mogły być równorzędnym przeciwnikiem dla broniących się Niemców.

Z niewiadomych przyczyn ocalałe oddziały AK na rozkaz „Wilka"... wzięły w tym szturmie wydatny udział. I znów trudno zrozumieć, jakimi przesłankami kierował się podpułkownik Krzyżanowski. Przecież miał sam zdobyć miasto, aby powitać w nim wkraczających bolszewików jako gospodarz. Plan ten zakończył się fiaskiem. Dlaczego więc teraz pomagał im, aby to oni w Wilnie stali się gospodarzem?

Bardzo ciężkie walki o miasto ustały 13 lipca, gdy Niemcy ostatecznie wycofali się na zachód. Po zajęciu Wilna wytworzyła się groteskowa sytuacja. Podpułkownik Krzyżanowski, który dla parady – co wzbudziło niesmak u wielu oficerów – zaczął nosić generalski mundur z lampasami, prowadził dziwaczne negocjacje z generałami Armii Czerwonej na temat utworzenia pod jego dowództwem polskiego korpusu podporządkowanego Sowietom. Rozmawiano o nadaniu polskim oficerom wysokich odznaczeń, jedzono razem i tęgo pito, wznosząc toasty za „słowiańskie braterstwo broni". Wygląda na to, że bolszewicy musieli się wówczas świetnie bawić, a „Wilk" był swoją rolą pomocnika Armii Czerwonej poważnie przejęty. Nawiasem mówiąc, był to typowy przykład polskiego oficera wyższego stopnia, któremu ubzdurało się, że ma kompetencje do prowadzenia skomplikowanej gry politycznej. Żołnierze biorący się do polityki – oto zmora Polski podczas drugiej wojny światowej.

Tymczasem enkawudziści na ulicach Wilna powoli pacyfikowali AK. Zaczęło się od zerwania polskiego sztandaru z Góry Zamkowej, potem zabroniono Polakom przemaszerować ulicami miasta. Zaczęły się aresztowania żołnierzy podziemia, na murach wywieszono afisze informujące o poborze do Armii Czerwonej. Nie było żadnych wątpliwości, że bolszewicy traktują Wilno i Wileńszczyznę jako własne terytorium.

Zaciskała się również pętla bezpieki wokół ujawnionych wraz z AK władz cywilnych. Ich lokale znalazły się pod obserwacją i NKWD tylko czekał na rozkaz. Mimo to, gdy oficerowie informowali o tym wszystkim „Wilka", ten zniecierpliwiony odpowiadał: „Bić Niemców najważniejsze, sprawy polityczne później". To wyjątkowo kuriozalna, a zarazem symptomatyczna wypowiedź. Dla polskiego oficera przecież najważniejsze być powinno nie żadne bicie Niemców, ale niepodległość ojczyzny i ratowanie swoich ludzi. „Wilk", jak wielu innych rangą oficerów AK, najwyraźniej zapomniał, o co właściwie Polska toczy wojnę.

Niebywale obciąża go to, że w swoim generalskim mundurze, w samochodzie przystrojonym biało-czerwoną chorągiewką objeżdżał miesz-

kania najważniejszych działaczy podziemia i przekonywał ich, że Armia
Czerwona wkroczyła jako przyjaciel. W ten sposób zdekonspirował tych
ludzi i spowodował, że wkrótce znaleźli się w kazamatach NKWD.
„Wilk" zdradził również bolszewikom ze szczegółami wszystkie miejsca
koncentracji swoich oddziałów.

Szopka ta zakończyła się 17 lipca, gdy Krzyżanowski wraz z szefem
swojego sztabu zostali zaproszeni przez bolszewików na kolejną rundę
negocjacji i aresztowani. Podobnie stało się z młodszymi oficerami,
których zaproszono na naradę. Zostali rozbrojeni, a następnie zapakowani
do ciężarówek (kazano im położyć się plackiem na platformach)
i wywiezieni w nieznane.

Wojska NKWD okrążyły skoncentrowane oddziały AK (jak wynika
z sowieckich dokumentów, nie udałoby im się to bez informacji
przekazanych przez „Wilka") i zmusiły do oddania broni. „Wilk" i inni
oficerowie byli podobno zdziwieni i rozczarowani...

Te oddziały, które wyrwały się z okrążenia, zostały przez Sowietów
rozbite i rozproszone. Jeden z nich, dowodzony przez majora Macieja
Kotwicza-Kalenkiewicza, stoczył nawet z bolszewikami bohaterską,
straceńczą bitwę pod Surkontami. Następca Kotwicza-Kalenkiewicza,
kapitan Sędziak, zdołał jeszcze wysłać drogą radiową meldunek:
„W Surkontach zginął ppłk Kotwicz, trzech oficerów jego sztabu
i 32 żołnierzy. Sowieci dobijali rannych. Straty sowieckie 132 zabitych".

Wziętych do niewoli żołnierzy wileńskiej AK umieszczono w obozie
w Miednikach, skąd, gdy odmówili wcielenia do armii Berlinga,
deportowano ich do Kaługi. Z części utworzono bataliony robotnicze,
inni przepadli na zawsze.

Sam „Wilk" zginął w ubeckim więzieniu w 1951 roku. Tak się skończyła
jego współpraca z bolszewikami oraz iluzja, że możliwy jest kompromis
ze Stalinem. Mimo późniejszej męczeńskiej śmierci „Wilka"
jego postawa w Wilnie zasługuje na jak najgorszą ocenę. Lekkomyślnie
poprowadził swoje oddziały w pułapkę NKWD, jego naiwność
w kontaktach z bolszewikami była wręcz niewiarygodna. Osobnym
rozdziałem jest jego zachowanie w śledztwie. Generał znowu wykazał

się łatwowiernością, dając się wciągnąć oficerom dochodzeniowym w dwuznaczne rozmowy, bardzo niebezpieczne dla jego pozostających na wolności żołnierzy. Wywieziony w końcu do Związku Sowieckiego, w sierpniu 1947 roku uciekł z obozu, pojechał do Moskwy i… udał się do ambasady komunistycznej Polski (!), aby szukać w niej schronienia i załatwić przez nią wyjazd do Warszawy. Od pomysłu tego odstąpił dopiero wtedy, gdy zobaczył, że budynek jest obstawiony przez sowieckich bezpieczniaków. Bał się, że nie przepuszczą go do „polskich dyplomatów"…

Sprawa „Wilka" to dowód na to, że jedną z najsłabszych stron Armii Krajowej był dobór kadr. Znowu na odpowiedzialnym stanowisku znalazł się nieodpowiedzialny człowiek. Można być pewnym, że gdyby na jego miejscu był „Łupaszka", to do katastrofy, jaką była operacja „Ostra Brama" i jej tragiczne następstwa, by nie doszło.

„«Wilk» był zupełnie przeciętnym oficerem zawodowym artylerii, który po 23 latach służby w carskim i polskim wojsku uzyskał stanowisko dowódcy dywizjonu, tj. tuzina dział, co nie stanowiło najlepszego przygotowania do hetmańskiej buławy Wielkiego Księstwa Litewskiego. Wyższego wykształcenia ani wojskowego, ani cywilnego nie posiadał" – pisał Zdzisław A. Siemaszko na łamach paryskich „Zeszytów Historycznych".

Na koniec opowieści o „Wilku" dość ponura anegdota, którą przytoczył Józef Mackiewicz. Rzecz się dzieje po wspólnym z bolszewikami zdobyciu Wilna, a przed aresztowaniem polskich oficerów.

Na przyjęciu dla politruka 1-ej Armii Polskiej utworzonej w Sowietach, Jerzego Putramenta, zorganizowanym przez kierownictwo polityczne Podziemia i AK, nastrój był raczej nerwowy. W pewnej chwili podszedł do politruka mały, podniecony człowiek o krótkich wąsikach i ruchliwych rękach.

– Proszę pana – powiedział głosem przyciszonym. – Jestem komendantem Armii Krajowej na województwo wileńskie. W jednym punkcie ma pan rację: to bydło, ci obszarnicy!

Gdy już mowa o Putramencie, to tak opisywał on wkroczenie berlingowców do Wilna:

Jest cicho w umarłej ulicy. Mówimy jednocześnie, my i oni:
  – Aka?
  – Berlingowcy?
  – Pierwsza Armia! – poprawiamy. Znowu milcząc, podajemy sobie ręce.

Jak państwo widzą, bardzo to wszystko było paskudne.

Rozdział 5

Jak oddaliśmy
Wilno i Lwów

Stanisław Cat-Mackiewicz, choć przebywał w Londynie, z przerażeniem przyjmował wieści o tym, co się dzieje w jego rodzinnym mieście.

Było to po raz pierwszy w dziejach, że Wilnianie przelewali swą krew, aby Rosjanie dostali się do miasta, dotychczas było zawsze na odwrót – pisał. – Normalnie, gdy obce państwo wkracza na twoje terytorium i zaczyna traktować je jako własne, nie biegniesz temu państwu z pomocą wojskową, tylko raczej robisz zupełnie co innego. Należy sobie zdać sprawę, że w styczniu 1944 roku wszyscy już widzą, że Niemcy są pobite i ich pobyt na ziemi polskiej ma tylko czasowy charakter. Tymczasem właśnie z chwilą wkroczenia Rosjan na teren Rzeczypospolitej Armia Krajowa zrywa się do najpoważniejszych akcji bojowych. Polacy sami otwierają przed Rosjanami wrota swego kraju.

Tak samo sprawy te oceniał Władysław Pobóg-Malinowski:

Wilno i Ziemie Wschodnie, przemawiające z kart historii i z kart największych arcydzieł literatury nie tylko bujną, wspaniałą polskością, lecz także bezustannym, czynnym współdziałaniem w ogólnonarodowym oporze wobec moskiewskiego najazdu i w walkach z tym najazdem. Ziemie Kościuszki, Mickiewicza i Słowackiego, Traugutta, Orzeszkowej, Piłsudskiego. Ziemie z *Pana Tadeusza*, z *Dziadów*, z *Nad Niemnem*, teraz po raz pierwszy, dzięki „Burzy", miały najazd moskiewski wspierać, torować mu drogę. Co za bezsens w założeniu, cóż za tragizm w skutkach.

„Burza" we Lwowie i na Lubelszczyźnie skończyła się tak samo jak na Wołyniu i Wileńszczyźnie. Wyjątkowo nieprzyjemny przebieg miała w Okręgu Lwowskim, gdzie miejscowy komendant AK pułkownik Władysław Filipkowski „Janka" po wspólnym z bolszewikami zdobyciu miasta podjął z nimi dwuznaczne negocjacje. Stało się tak, mimo że wprost mu powiedziano, iż Galicja Wschodnia zostanie wcielona do Związku Sowieckiego. Bez zgody Komendy Głównej AK Filipkowski gotów był jednak zgodzić się na wcielenie do armii Berlinga... pod warunkiem że utworzono by tam dla niego dywizję.

Poleciał nawet w tej sprawie specjalnie dla niego podstawionym sowieckim samolotem do Żytomierza na negocjacje ze służącym teraz bolszewikom przedwojennym aferzystą generałem Michałem Żymierskim. „Janka" podobno również był bardzo rozczarowany, gdy na miejscu założono mu kajdanki.

Bardzo mało znanym, bo bardzo wstydliwym, aspektem wkroczenia bolszewików do Polski w roku 1944 jest współpraca wywiadowcza, jaką AK podjęła z komunistycznym tworem o nazwie Polski Sztab Partyzancki. Była to komórka utworzona i kierowana przez oficera sowieckiego wywiadu wojskowego, przedwojennego terrorysty Siergieja Prityckiego. Jej zadaniem było zbieranie danych o ruchach i potencjale niemieckich jednostek na terenie okupowanej Polski oraz o polskich podziemnych organizacjach niepodległościowych.

Te ostatnie informacje potrzebne były oczywiście NKWD do rozbicia tych struktur i wymordowania ich przywódców, gdy Polska zostanie zajęta przez Armię Czerwoną i rozpocznie się jej sowietyzacja. I właśnie tej strukturze AK dostarczała – zdobyte z wielkim trudem i narażeniem życia przez żołnierzy podziemia – informacje o niemieckich przygotowaniach do obrony na linii Bugu. Działania te przyspieszały okupację środkowej Polski przez bolszewików oraz dekonspirowały jej żołnierzy.

Mało tego, współpracę wywiadowczą z bolszewikami Armia Krajowa prowadziła nawet po przekroczeniu przez nich linii Bugu. Podjął ją na przykład komendant Obwodu Lublin Powiat major Stanisław Piotrowski, który przekazał Sowietom informacje o niemieckich obiektach wojskowych w Lublinie. A więc pewnie i o zamku lubelskim, na którym kaci NKWD mordowali później bestialsko AK-owców.

Działalność na rzecz sowieckich służb prowadził szef wywiadu AK Okręgu Radom-Kielce major Zygmunt Szewczyk. „W Piotrowskiem z sowiecką grupą wywiadowczą «Nitra» Sapronowa współpracował oddział AK por. Zenona Suszyckiego «Oscha» – pisał Piotr Kołakowski. – Przekazywał on dane na temat umocnień oraz rozmieszczenia oddziałów niemieckich na tym obszarze. Należy podkreślić, iż grupa Sapronowa, podobnie zresztą jak inne sowieckie grupy wywiadowcze, rozpoznawała też lokalne podziemie niepodległościowe, współpracując z komunistami". Tak właśnie AK sama pchała się do sowieckich kazamat.

Działo się to po spacyfikowaniu oddziałów AK na Ziemiach Wschodnich, kiedy nie mogło już być żadnych złudzeń, że pomysł pomagania bolszewikom w podbijaniu Polski okazał się pomyłką. To chyba jest właśnie największą zagadką tej operacji. Dlaczego po tym, jak „Burza" na Wołyniu zakończyła się aresztowaniami Polaków, wydano rozkaz do „Burzy" na Wileńszczyźnie? Dlaczego po tym, jak „Burza" na Wileńszczyźnie zakończyła się aresztowaniami Polaków, wydano rozkaz do „Burzy" w Galicji Wschodniej? Dlaczego po tym, jak „Burza" w Galicji zakończyła się aresztowaniami Polaków, wydano rozkaz do „Burzy" na Lubelszczyźnie? Jaki miał być sens tego zbiorowego samobójstwa na raty, zrozumieć nie sposób.

Stanisław Cat-Mackiewicz stawiał tezę, która w świetle późniejszych wypowiedzi niektórych oficerów Komendy Głównej AK wydaje się trafna. Otóż utrzymywanie samobójczych rozkazów o wykonywaniu „Burzy" miało wynikać z tego, że przywódcy Państwa Podziemnego spodziewali się, iż bolszewicy będą inaczej traktować Armię Krajową na Ziemiach Wschodnich, do których oficjalnie rościli sobie pretensje, a inaczej w Polsce centralnej.

Od samego początku, od podpisania paktu lipcowego, demaskowałem tę politykę – pisał Cat-Mackiewicz – twierdząc, że oparta ona jest na ułudzie, na błędzie, na nieznajomości polityki rosyjskiej. Rosja – twierdziłem – będzie dążyć do zniesienia niepodległości polskiej. Nie ma kwestii Wilna i Lwowa, wołałem, jest tylko kwestia niepodległości Polski, niepodległości zarówno Wilna, jak Lwowa, jak Warszawy.

Ludzie z rządu podziemnego w Warszawie w głębi serca byli przekonani, że Rosjanie zachowają się inaczej w Warszawie niż w Wilnie. Jako wilnianin ograniczam się do krótkiej uwagi: to *wishful thinking*, że Rosjanie zabiorą Wilno, a zostawią Warszawę, było nie tylko głupie, ale i niemoralne – wobec mego kraju zdradzieckie.

Rząd podziemnej Polski, jeśli chciał zbawiać Warszawę kosztem oddania Wilna Rosji, to nie miał prawa rozkazywać dzieciom wileńskim, aby szły na pomoc Rosjanom w zdobywaniu Wilna.

Największym bohaterem akcji „Burza", człowiekiem, któremu powinniśmy stawiać dzisiaj pomniki, był komendant Okręgu Białostockiego AK podpułkownik Władysław Liniarski „Mścisław". Otóż jego bohaterstwo polegało na tym, że... nie wykonał rozkazu Komendy Głównej. A raczej wykonał go w minimalnym stopniu. Przeprowadził na pokaz kilka drobnych akcji, a po przyjściu Armii Czerwonej zakazał swoim oficerom ujawnić się nowemu okupantowi. Swoją strukturę jeszcze głębiej zakonspirował. Dobrze pamiętał bowiem, jak wyglądała sowiecka okupacja Białegostoku w latach 1939–1941. I nie miał najmniejszego zamiaru fraternizować się z wrogiem Rzeczypospolitej. Olbrzymią goryczą, z którą patrzy się dzisiaj na akcję „Burza", pogłębia właśnie to, że część AK-owców podczas spotkań z bolszewikami zachowywała się niestety żałośnie. Doszło nawet do tego, że Bór-Komorowski w rozkazie z 12 lipca 1944 roku musiał upomnieć podwładnych, że „postawa żołnierzy AK w stosunku do Sowietów musi być pełna godności. Wykluczająca służalczość lub nadskakiwanie".

Niestety do dziś akcja „Burza", choć nie ma i nie było ani jednego rzeczowego argumentu mogącego ją usprawiedliwić, jest całkowicie bezkrytycznie gloryfikowana, i to przy użyciu niebywałych frazesów. Pomysłodawcom tej paranoi nie ma się nic do zarzucenia. Całe oburzenie rezerwowane jest dla Sowietów. Jak też oni mogli nas tak paskudnie zdradzić?! Myśmy im tak pięknie pomagali, a oni nas tak okropnie potraktowali!

Rozumowanie to pokazuje, że iluzje i fałszywe filosowieckie doktryny, które przyświecały dowódcom Armii Krajowej, wciąż są rozpowszechnione. „Zdradzić" może bowiem tylko przyjaciel. Wróg z samej definicji zdradzić zaś nie może. Decydujące dla zrozumienia polskiego dramatu w roku 1944 jest bowiem ukazanie różnicy we wzajemnym postrzeganiu Sowietów i Polaków. O ile Polacy traktowali Sowietów jako „sojuszników", a później jako „sojuszników naszych sojuszników" i tworzyli niebywałe wręcz łamańce myślowe, aby wmówić sobie, że imperium Stalina jest ich przyjacielem, o tyle Sowiety od początku do końca wojny uważały Polaków za wrogów, których należy zniszczyć.

Dlatego oburzanie się na bolszewików, że spacyfikowali ujawniającą się przed nimi Armię Krajową, jest nonsensem. Równie dobrze można by się oburzać na hienę, jeśliby pogryzła bezbronnego człowieka, który lekkomyślnie wszedłby do jej klatki. Rozbicie kolaborującej z Sowietami Armii Krajowej przez NKWD nie było żadną „zdradą", lecz elementem konsekwentnej polityki Stalina wobec Polski, której natury mógł nie dostrzegać tylko ślepiec.

Dlatego, zdaniem Józefa Mackiewicza, nikt nie powinien się dziwić tragicznemu finałowi „Burzy". „Komuniści mają zwyczaj likwidować wszystkich tych, którzy nie są im już potrzebni, a mogliby się stać zawadą w przyszłości – pisał. – Represje względem AK należały do klasycznego wzoru likwidacji zbędnych już *poputczikow*. *Poputczik* pochodzi od rosyjskiego zwrotu *po puti* – po drodze, do celu oczywiście. Z chwilą, gdy cel jest osiągnięty, *poputczik* jest już niepotrzebny i może odejść jak Murzyn, który zrobił swoje".

Tym Murzynem w roku 1944 była Armia Krajowa. Wydany przez Bora-Komorowskiego rozkaz o przeprowadzeniu „Burzy" był zdradą własnych żołnierzy.

Rozdział 6

Chwała Narodowym Siłom Zbrojnym!

Co więc powinno było robić Polskie Państwo Podziemne w 1944 roku, gdy do naszego kraju wkroczyli bolszewicy? Należało po prostu zachować się jak wojsko. Zamiast robić na własną rękę politykę, należało słuchać rozkazów naczelnego wodza.

Polacy w roku 1944 mieli trzy możliwości:

1. Najgorszą: podjąć kolaborację z bolszewikami. Jak wiadomo, właśnie ta koncepcja została zrealizowana i skończyła się straszliwą katastrofą.

2. Nieco lepszą: strzelać do bolszewików. W ten sposób przynajmniej Armia Krajowa rzeczywiście zademonstrowałaby przed całym światem niezgodę na wcielenie Ziem Wschodnich do Związku Sowieckiego i sowietyzację reszty Polski. Efekt byłby jednak podobny: hekatomba i rozbicie podziemia. Z potęgą, jaką była w roku 1944 roku Armia Czerwona, AK nie miałaby żadnych szans.

3. Polacy mieli wreszcie możliwość trzecią, najlepszą, choć zupełnie nie odpowiadającą naszemu temperamentowi: nie robić nic.

Była to możliwość najsensowniejsza. W styczniu 1944 roku, gdy Armia Czerwona zaczęła zalewać nasz kraj, było już bowiem oczywiste, że sprawa polska jest przegrana. Że Polska zostanie ujarzmiona i nie ma najmniejszych szans na odzyskanie niepodległości. A konferencja w Teheranie – o której ustaleniach Polacy dowiedzieli się niemal natychmiast – potwierdzała, że Brytyjczycy i Amerykanie nie kiwną w obronie Polski palcem. Wojna dla nas była już skończona, porażka – przypieczętowana.

I nic, żadne „Burze", powstania i inne ofiary, nie mogło tego zmienić. Polacy powinni byli więc zawiesić karabiny na kołkach i czekać na zmianę koniunktury: wybuch trzeciej wojny światowej między Zachodem a bolszewizmem albo wewnętrzne załamanie się systemu sowieckiego. A więc czekać na rok 1989. Najbardziej zagrożone aresztowaniem przez NKWD jednostki należało zaś natychmiast ewakuować na Zachód, zamiast wydawać je w ręce bolszewików. To właśnie zalecał krajowi generał Kazimierz Sosnkowski.

„Jak najwięcej elementów AK, najcenniejszych i najbardziej zagrożonych eksterminacją sowiecką, wedle możności przesunąć przede wszystkim na zachód albo nawet na południe do Małopolski, skąd mogłyby one wycofać się czasowo na terytorium Węgier, bezpośrednio lub poprzez Słowację" – pisał naczelny wódz do „Bora" 2 marca 1944 roku. Instrukcje te ponawiał w kolejnych miesiącach, sugerując, żeby w skrajnych wypadkach zgłaszać nawet młodych ludzi na roboty do Niemiec i w ten sposób ratować ich przed NKWD.

Bardzo podobny pogląd już w listopadzie 1943 roku wyraził Adam Doboszyński:

Stawiamy sprawę jasno i otwarcie: przygotowanie ewakuacji wszystkich czynników zaangażowanych dotychczas w walce podziemnej, jak również wszystkich elementów społecznych, dla których okupacja sowiecka stanowiłaby automatycznie wyrok zagłady, stanowić dziś powinno jedno z głównych zadań naszego rządu. Daj Boże, byśmy wrócili zaraz po klęsce Niemiec do wolnego Kraju. Możliwość ta nie jest jeszcze bynajmniej wykluczona. Losy nasze rozstrzygają się dziś pod Kijowem i Mińskiem. Ale nie wolno nam – przez tchórzostwo czy lenistwo – nie przygotować się na najgorsze.

Zbigniew S. Siemaszko w dyskusji prowadzonej po latach z jednym z oficerów podziemia mówił zaś tak:

Wyjścia mogły być różne. Rozwiązanie oddziałów i rozpuszczenie żołnierzy do domów. Pozostawienie, lub nie, oddziałów kadrowych. Zachowanie bojówek w celu prowadzenia akcji samoobrony przeciwko wyjątkowo szkodliwym jednostkom lub komórkom sowieckich służb bezpieczeństwa. Wycofanie najbardziej zagrożonych na Zachód. Jednego nie wolno było robić. Nie wolno było zebrać, zmobilizować wojska i zszeregowanych, policzonych i spisanych żołnierzy oddać w ręce sowieckie. A to właśnie zrobiono.

Niestety instrukcje naczelnego wodza – ku uciesze Mikołajczyka – zostały zignorowane przez Armię Krajową. Z tego frontu współdziałania z bolszewikami wyłamały się tradycyjnie antykomunistyczne i tradycyjnie znacznie rozsądniejsze niż AK Narodowe Siły Zbrojne. W wydanym 15 stycznia 1944 roku przez dowództwo tej organizacji rozkazie ogólnym numer 3 czytamy:

„Wojska sowieckie na terytorium Polski muszą być uznawane za wojska wrogie. Na podstawie instrukcji Rządu RP z dn. 27 października 1943 r., przewidującej współpracę z wojskami sowieckimi jedynie w przypadku wcześniejszej normalizacji stosunków polsko-sowieckich, podaje się do wiadomości, że wszelka współpraca obywateli polskich z wojskami sowieckimi jako działanie wbrew rozkazom Rządu i interesom Narodu Polskiego traktowana będzie jako zdrada Państwa Polskiego".

Jak podkreślał Zbigniew S. Siemaszko – autor pierwszej monografii NSZ – w efekcie wytworzyła się sytuacja paradoksalna. Legalne wojsko, czyli Armia Krajowa, odrzuciło instrukcję naczelnego wodza i przeprowadziło sprzeczną z tymi rozkazami operację „Burza". Natomiast formalnie nielegalne i potępiane przez Bora-Komorowskiego za rzekome „warcholstwo" Narodowe Siły Zbrojne do rozkazów naczelnego wodza zastosowały się ściśle.

NSZ – pisał Siemaszko – przyjęły linię postępowania podobną do proponowanej przez Roweckiego. Natomiast spadkobiercy spuścizny po Roweckim, Armia Krajowa, wprowadzali w życie ujawnienie się przed Czerwoną Armią, przeciwko czemu Rowecki wypowiadał się wielokrotnie. Oto KG AK, którą pomawiano wielokrotnie o powiązania sanacyjne, szukając porozumienia z ZSRS, postąpiła sprzecznie z tradycją piłsudczyków. Natomiast środowisko NSZ, wywodzące się z obozu narodowego, gdzie tendencje spoglądania z nadzieją w kierunku wschodnim zawsze istniały, odcięło się całkowicie od poszukiwania kompromisu z ZSRS.

W sztabie Narodowych Sił Zbrojnych tak wówczas analizowano sytuację: „Niemcy już wojnę przegrały. Ich odpłynięcie z ziem polskich jest tylko kwestią czasu. Polskę opanuje całkowicie Rosja. W tej chwili wrogiem numer jeden narodu i państwa polskiego jest już Rosja. Zabrania się działać na rzecz wojsk rosyjskich. Żadnych powstań, dywersji i sabotaży, które by ułatwiły Rosji okupowanie naszego kraju".

Gdy Armia Czerwona posuwała się w głąb Polski i było już jasne, że Niemcy nie utrzymają frontu, w Narodowych Siłach Zbrojnych zapadła decyzja o wypełnieniu kolejnej z instrukcji naczelnego wodza – ewakuacji.

Narodowcom udało się, za pośrednictwem znanego nam już oficera Paula Fuchsa, zawrzeć taktyczny układ z Niemcami i oddziały NSZ – połączone w dużą jednostkę o nazwie Brygada Świętokrzyska – w styczniu 1945 roku, gdy ruszyła sowiecka ofensywa zimowa, zaczęły maszerować na zachód. Rozpoczął się dramatyczny marsz, podczas którego bolszewickie czołówki pancerne następowały Polakom na pięty i ostrzeliwały ich z broni maszynowej.

Marsz odbywał się w porozumieniu z Niemcami, którzy wydali brygadzie specjalny glejt i dostarczyli jej przewodników, zaopatrzenie oraz racje żywnościowe niezbędne w marszu. NSZ maszerowały przez Śląsk, a następnie – odrywając się od nacierających Sowietów – przeszły do Protektoratu Czech i Moraw. Przez cały czas Niemcy próbowali wymóc na Polakach, żeby zatrzymali się, zajęli jeden z odcinków frontu i stawili opór bolszewikom. Rozsądne dowództwo Brygady Świętokrzyskiej starało się jednak na wszelkie sposoby od tego wykręcać, zasłaniając się brakiem sprzętu, odpowiedniego wyszkolenia i oficerów.

O ile bowiem kolaboracja AK z Sowietami przyniosła potworne cierpienia i śmierć tysięcy żołnierzy, o tyle kolaboracja NSZ z Niemcami była obliczona na ratowanie żołnierzy i zaoszczędzenie im cierpień. „Niech panowie sobie nie wyobrażają, że Brygada będzie księciem Józefem Poniatowskim dla III Rzeszy" – powiedział do niemieckich oficerów znany nam spod Borowa Leonard Zub-Zdanowicz „Ząb".

„Sytuacja była jasna – mówił po wojnie Zub-Zdanowicz. – Bolszewicy zajmą całą Polskę. Żołnierzom Brygady groziło wyłapanie". Pułkownik Antoni Szacki „Bohun" następująco wyjaśniał zaś motywy swojego działania: „Zasadniczym celem zorganizowania Brygady Świętokrzyskiej i następnie przesunięcia jej na Zachód była ochrona członków NSZ przed wyniszczeniem biologicznym przez polską bezpiekę i NKWD po zajęciu przez nie ziem polskich".

Po drodze jednostka stawała się coraz liczniejsza, dołączali bowiem do niej napotkani Polacy. Między innymi 120 powstańców warszawskich, którzy prowadzeni byli akurat drogą przez eskortę SS. Gdy minęło pierwsze zdumienie na widok w pełni umundurowanego i uzbrojonego polskiego wojska, powstańcy natychmiast przeskoczyli do swoich. Esesmani nie śmieli protestować.

Dzieje Brygady Świętokrzyskiej to jeden z najciekawszych polskich epizodów drugiej wojny światowej. Nie miejsce tu, by je ze szczegółami opisywać, choć obfitowały one w wydarzenia wręcz fantastyczne. Niemcy, wiążący olbrzymie nadzieje z tą jednostką (liczyli, że stanie się ona zaczątkiem polskiej antybolszewickiej armii bijącej się u boku Wehrmachtu), w celu zwiększenia jej liczebności proponowali nawet zwolnienie z obozów jenieckich i koncentracyjnych polskich mężczyzn. Mówiono również o werbunku w oflagach, w których siedzieli jeńcy z wojny 1939 roku.

W geście dobrej woli Niemcy rzeczywiście zwolnili z obozu koncentracyjnego... żonę premiera Mikołajczyka i przekazali ją brygadzie. Tymczasem na mocy specjalnego porozumienia kilku żołnierzy brygady zostało błyskawicznie przeszkolonych i zrzuconych z niemieckich samolotów do okupowanej przez bolszewików Polski w celach wywiadowczych. Jak pisał historyk Wojciech Muszyński, byli to „zapomniani polscy cichociemni".

Wreszcie 28 kwietnia brygada nawiązała kontakt z amerykańską dywizją walczącą w Czechach. NSZ zmieniły natychmiast front i wyzwoliły niemiecki obóz koncentracyjny dla kobiet pod Holýšovem. Uratowały 700 więźniarek, w tym 167 Polek. Do niewoli wzięto 200 esesmanów i strażniczek.

Brygada została z otwartymi ramionami przyjęta przez Amerykanów, nikt na Zachodzie – oprócz starego sowieckiego agenta Stefana Litauera, który domagał się spacyfikowania „polskich faszystów" – nie miał do niej pretensji, że ratując się spod bolszewickiego jarzma, zawarła przejściowe porozumienie z Niemcami. Mało tego, jednostka zbierała gratulacje i podziękowania od Francuzów, Holendrów i przedstawicieli innych rodaków, do których należały uwolnione pod Holýšovem kobiety. Po wojnie żołnierze Brygady Świętokrzyskiej pełnili zaś u boku Amerykanów funkcje wartownicze w okupowanych Niemczech.

Pod koniec wojny Armię Krajową i Narodowe Siły Zbrojne dzieliły już nie tylko kwestie prestiżowe czy ambicjonalne, ale i głęboki spór natury ideowej. AK opowiadała się za dalszą walką z Niemcami i wspomaganiem Sowietów. Liczyła, że dzięki temu zaskarbi sobie wdzięczność Stalina, który wzruszony ofiarnością Polaków nie zwasalizuje ich państwa. NSZ uważały, że takie rozumowanie to mrzonka, Stalin chce Polskę ujarzmić, a ujawnienie się Armii Czerwonej oznacza samobójstwo.

Dla AK bolszewicy byli „sojusznikiem naszych sojuszników", dla NSZ – nowym okupantem.

O niesmaku, jaki wywoływały pomysły Armii Krajowej wśród żołnierzy Narodowych Sił Zbrojnych, tak pisał jeden z oficerów NSZ, Tadeusz Siemiątkowski „Mazur":

Gdy zaczęły przeciekać pierwsze wiadomości o „Burzy", nie chcieliśmy im początkowo wierzyć. Nie mieliśmy najmniejszych wątpliwości, jak będzie wyglądało wykonanie tego planu. Dochodziły nas już różne słuchy o „sto-

Uroczyste podpisanie Paktu Sikorski–Stalin. Polska robi krok ku przepaści. Londyn, 30 lipca 1941 roku.

Podpisanie układu przez premiera Władysława Sikorskiego i ambasadora Iwana Majskiego odbyło się pod czujnym okiem Winstona Churchilla i Anthony'ego Edena.

Józef Stalin podpisuje układ o wzajemnej pomocy wojskowej z Polską. Za plecami dyktatora Władysław Sikorski. Moskwa, 4 grudnia 1941 roku.

Generałowie Władysław Sikorski i Władysław Anders podczas pogawędki ze Stalinem.

Polski premier konferuje z bolszewickimi komisarzami – Andriejem Wyszynskim i Michaiłem Kalininem.

Sikorski i Wyszynski w Buzułuku.

Władysław Sikorski i Wiaczesław Mołotow.

Żołnierze armii Andersa podczas nabożeństwa. Obok ołtarza popiersie Stalina. Dżalalabad, maj 1942 roku.

Naczelny wódz generał Kazimierz Sosnkowski wśród żołnierzy 1. Samodzielnej Brygady Spadochronowej. W wojsku był uwielbiany.

Wojsko wizytuje premier Stanisław Mikołajczyk. Obie strony nie darzą się wielką miłością.

Józef Retinger dochodzi do siebie po powrocie z okupowanej Polski. Wielka Brytania, lato 1944 roku.

Stanisław Tatar, jeden z największych polskich szkodników podczas drugiej wojny światowej.

Generał Władysław Anders pod Monte Cassino. Maj 1944 roku.

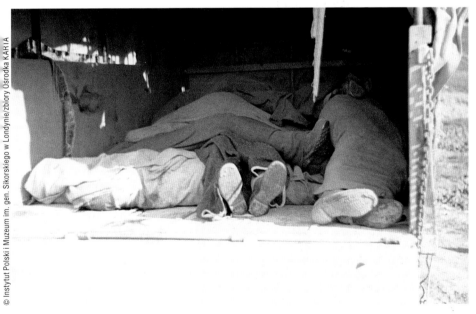

W drodze na cmentarz. Ciała polskich żołnierzy zmasakrowanych podczas szturmu na ruiny klasztoru.

Największy żołnierz Wileńszczyzny – rotmistrz Zygmunt Szendzielarz „Łupaszka” z córką Barbarą. Maj 1944 roku.

Nieudany dowódca wileńskiej AK podpułkownik Aleksander Krzyżanowski „Wilk”.

Pamiątkowe zdjęcie żołnierzy AK z „sojusznikami naszych sojuszników" podczas operacji „Burza". Okolice Mejszagoły, 11 lipca 1944 roku.

Sojusznikom dopisuje humor.

Sesji zdjęciowej ciąg dalszy. Na razie obie strony razem „biją Niemca". Dla Polaków skończy się to tragicznie.

Żołnierze 27. Wołyńskiej Dywizji Armii Krajowej podczas kolacji z oficerami Armii Czerwonej. Kwiecień 1944 roku.

Sowiecki pułkownik Fiodorow wizytuje 27. Dywizję.

Żołnierze Armii Krajowej ramię w ramię z bolszewikami podczas „wyzwalania" Wilna. Lipiec 1944 roku.

Pułkownik Janusz Bokszczanin, najlepszy żołnierz Armii Krajowej.

Pułkownik Jan Rzepecki.

Generał Tadeusz Pełczyński.

Generał Antoni Chruściel „Monter" wśród żołnierzy podczas Powstania Warszawskiego.

Generał Tadeusz Bór-Komorowski. Kapitulacja Powstania, 2 października 1944 roku.

Dowódcy polskiej armii w Związku Sowieckim. Dolny rząd: gen. Michał Karaszewicz--Tokarzewski, gen. Władysław Anders, gen. Mieczysław Boruta-Spiechowicz. Górny rząd: gen. Zygmunt Szyszko-Bohusz, płk dypl. Leopold Okulicki.

Pułkownik Okulicki z generałem Andersem. Związek Sowiecki, rok 1942.

Ze zbiorów Jacka Pawłowicza i portalu edukacyjnego www.okulicki.ipn.gov.pl

Główny sprawca Powstania Warszawskiego – generał Leopold Okulicki –
podczas bitwy na ulicach stolicy.

„Kobra".

Leopold Okulicki na Łubiance po raz pierwszy – rok 1941.

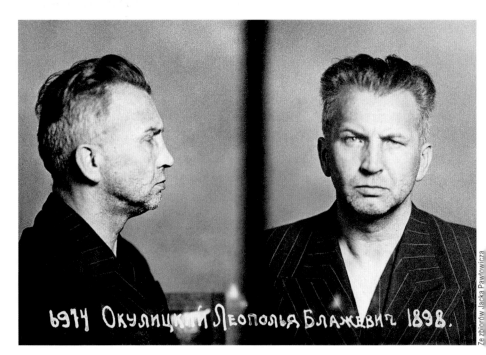

6974 Окулицкий Леополья Блажевич 1898.

Leopold Okulicki na Łubiance po raz drugi – rok 1945.

sunkach" między oddziałami AK a partyzantką sowiecką. Uważaliśmy, że oficjalna polityka polska nie jest niezależna, jest pod stałym naciskiem obcym i do tego jest jeszcze infiltrowana przez wrogów narodu polskiego. Że nie reprezentuje ona polskiej racji stanu. Wprost przeciwnie, działa na niekorzyść naszego narodu.

Kto miał rację, AK czy NSZ, pokazała historia.

Warto tu zaznaczyć, że NSZ nie były jedynym silnym środowiskiem sprzeciwiającym się prosowieckiemu kursowi, który przyjęły władze Polskiego Państwa Podziemnego. Drugim takim środowiskiem byli, niestety odsunięci na margines konspiracji, piłsudczycy.

Pod okupacją niemiecką stworzyli oni dwie organizacje: kierowany przez Zygmunta Hempla Konwent Organizacji Niepodległościowych (KON) i Obóz Polski Walczącej (OPW) Juliana Piaseckiego. Obie te grupy od początku do końca wojny pozostały wierne koncepcji dwóch wrogów. Podczas gdy Armia Krajowa szykowała się do wspierania nadciągających Sowietów w ramach operacji „Burza", konspiracyjna prasa piłsudczykowska ostrzegała: „Uwaga! Nadchodzi wróg numer dwa".

Piłsudczycy od samego początku byli zdecydowanymi krytykami paktu Sikorski–Stalin i od samego początku domagali się zdecydowanej rozprawy z agenturą komunistyczną na terenie okupowanej Polski. Powoływali się przy tym na autorytet marszałka Piłsudskiego, który zawsze widział w Związku Sowieckim śmiertelnego wroga Rzeczypospolitej.

„1) Żadna gra polityczna, żadne pakty, obietnice, wizyty czy «współdziałania» nie zmienią faktu, że nie tylko jednego mamy wroga, lecz dwóch: Niemcy i Rosję – pisała już pod koniec 1941 roku piłsudczykowska „Myśl Państwowa". – 2) Nie wolno nam tu, w kraju, słuchać nakazów Moskwy i w jakikolwiek sposób z jej agentami współdziałać, podobnie jak nie czyniliśmy tego w stosunku do Niemiec".

Gdy Armia Czerwona zaczęła brać górę nad Wehrmachtem i zbliżać się do granic Polski, piłsudczycy nie mieli żadnej wątpliwości, czym to grozi.

Nie należy [utrudniać] Niemcom wojny z Rosją przez prowadzenie dywersji na ich tyłach – pisał podpułkownik Franciszek Pfeiffer – a zająć się w tej nowej sytuacji polityczno-wojskowej tylko obroną własnej ludności przed bezprawiem Niemców i bolszewickich band partyzanckich, operujących gęsto na naszych kresach wschodnich, jak również przed tzw. „Armią Ludową" grasującą z poręki bolszewików wewnątrz kraju, i przygotowaniem społeczeństwa polskiego do dalszej czekającej nas rozprawy z wojskami bolszewickimi.

Nietrudno się więc domyślić, że akcja „Burza" była dla piłsudczyków abberacją. „Obserwujemy z przerażeniem próby ujawniania w momencie wkraczania wojsk sowieckich na nasze ziemie oddziałów AK" – pisano w prasie KON. „Armia i władze sowieckie reprezentują w Polsce wrogą nam okupację, taką samą jak okupacja niemiecka. Praca konspiracyjna ma funkcjonować w dotychczasowych formach, bez żadnej zmiany" – ostrzegał organ OPW.

Czołowy piłsudczyk, były wojewoda wołyński Henryk Józewski – którego notabene bolszewicy próbowali zamordować – pisał zaś w połowie lipca 1944 roku na łamach „Polska Walczy": „Wołamy na cały świat: Rosja atakuje Polskę! Zbliża się chwila sowieckiej okupacji wszystkich polskich ziem. Zbliża się chwila walki o Polskę, o polską duszę i polską samowiedzę, wystawioną na atak fali bolszewicko-mongolskiego zalewu".

O ideowym obliczu podziemia piłsudczykowskiego przez wiele lat wolano nie mówić. Zakazywali tego komuniści, ale było ono również niewygodne dla patriotycznie poprawnych propagandzistów, którzy lansowali i lansują fałszywą tezę o „jednomyślności narodu polskiego". O bezwarunkowym poparciu całego obozu niepodległościowego wobec jedynie słusznej koncepcji Polskiego Państwa Podziemnego.

Obecnie, po latach, głównie dzięki staraniom znakomitego historyka młodego pokolenia Marka Gałęzowskiego, dowiadujemy się coraz więcej o opozycyjnym nastawieniu piłsudczyków. Z jego najnowszej książki *Przeciwko dwóm zaborcom* wyłania się wstrząsający obraz. Piłsudczycy zasypywali władze podziemia rozpaczliwymi ostrzeżeniami. Nie mieli żadnej wątpliwości, że bolszewicy spacyfikują próbującą się przed nimi ujawniać Armię Krajową, że Powstanie zakończy się rzezią. Zostali jednak uznani za defetystów, a ich przestrogi zostały zignorowane.

„Gdy rozpoczęła się wojna niemiecko-rosyjska, czyniliśmy w stosunku do wojska zdecydowane sugestie, by w konflikcie tych dwóch wrogich nam państw zachować możliwie neutralne stanowisko, ograniczając swoją działalność do aktów samoobrony i fingując raczej dywersję i sabotaż. Nie zostaliśmy zrozumiani – wspominał Mikołaj Dolanowski z KON. – Nikt nie miał szacunku do krwi własnego społeczeństwa i nikt nie chciał zrozumieć potrzeby ekonomii sił".

Niestety.

Rozdział 7

Okłamywanie
własnego narodu

Akcja „Burza" była wielkim nieszczęściem i wielkim błędem. Po przedstawieniu jej konsekwencji warto się zastanowić, dlaczego do niej doszło. Jak to się stało, że wysocy oficerowie Komendy Głównej mogli oprzeć swoje działania na tak fatalnie nietrafnym rozumowaniu. Wydaje się, że można wskazać trzy główne przyczyny:

1. Polityka okupacyjna III Rzeszy.

2. Okłamywanie własnego narodu przez rząd w Londynie co do prawdziwych intencji sowieckich i rzeczywistego stosunku Stanów Zjednoczonych i Wielkiej Brytanii do sprawy polskiej.

3. Infiltracja struktur polskiego państwa podziemnego przez sowieckich agentów i wyraźne przesunięcie organizacji w lewo.

Pierwsza sprawa jest oczywista. Ludobójcza i rasistowska strategia, jaką Niemcy przyjęli wobec Polaków, wepchnęła nas w ramiona Sowietów. „Rodacy moi w stolicy byli po prostu pozbawieni zdolności myślenia w kategoriach politycznych – pisał Adam Ronikier. – Nienawiść do Niemców przysłaniała im zupełnie sąd właściwy o bolszewikach i groźbie z ich strony Polsce coraz wyraźniej się kształtującej". Im więcej ludzi mordowali Niemcy, tym bardziej Polacy skłaniali się do komunizmu.

Józef Mackiewicz wspominał:

Największym popularyzatorem bolszewizmu, nie tylko w Polsce, ale w całej Europie, stali się Niemcy. Stali się po pierwsze dlatego, że zastosowawszy drakońskie metody rządzenia w okupowanych przez siebie krajach Europy, wywiesili jednocześnie sztandar krucjaty antybolszewickiej, kompromitując w ten sposób wspaniałą ideę i wtrącając konsekwentnie uciemiężone przez się narody do obozu przeciwnego, czyli probolszewickiego. [Właśnie dlatego] z chwilą, gdy bolszewicy doszli do maksimum potęgi powodzenia i stali się groźni dla wszystkich, Niemcy pozbawiły wszystkie nieomal narody europejskie ich zdrowego odruchu, ich samoobrony.

Przejdźmy do punktu drugiego. Polskiej propagandy. Niestety na ostatnim etapie wojny zaczęła ona coraz bardziej reklamować wkraczających Sowietów i przekonywać Polaków, że nic im ze strony bolszewików nie grozi. Zdaniem Mackiewicza szczególną rolę odegrało londyńskie radio, którego „usypiającego optymizmu" nikt nie śmiał krytykować.

Żadnego katechizmu, żadnej ewangelii nie wysłuchiwano z tak bezkrytycznym posłuszeństwem – pisał. – Żaden Watykan świata nie potrafiłby zadać kłamu intencji rozpoczętej słowami: „Tu mówi Londyn. Dobry wieczór państwu". Gdy czasem grano „Jeszcze Polska nie zginęła", ludzie wstawali bez komendy, stali w pozach teatralnych i na sześć osób czterem płynęły łzy. W jaki sposób można było tedy nie wierzyć, że Marszałek Stalin nie pragnie „silnej i niepodległej Polski"? Pomijam, nieliczne zresztą, audycje o nie skrywanej tendencji spopularyzowania „naszego wielkiego sąsiada wschodniego". Ale weźmy przeciętną informacyjną audycję. Intonację, z jaką mówiono: „Marszałek Timoszenko... Marszałek Koniew... wojska rosyjskie w brawurowym ataku... w bohaterskiej obronie...". Czy była to propaganda prosowiecka? Na to pytanie odpowie najlepiej następująca formuła: Gdyby ten sam słuchacz natrafił był przypadkiem na falę, na której z identyczną intonacją usłyszałby słowa wypowiedziane po polsku: „Kanclerz i Führer powiedział... grenadierzy niemieccy w brawurowym ataku..." – to nawet nie dosłuchawszy, co mianowicie powiedział Führer i jaką właściwie miejscowość zdobyli grenadierzy, wiedziałby na pewno, że ma do czynienia z niemiecką stacją gadzinową. Londyn i Ameryka, rząd polski, podziemie polskie, radia polskie, propaganda szeptana, pisana, nadawana, krzyczana, wszystko to miało nas przekonać, że bolszewicy nie są tacy straszni... Pod takim ciężarem jakiż kraj by temu przekonaniu nie uległ!

Zdaniem pisarza efektem było całkowite rozbrojenie psychiczne narodu polskiego przed nadciągającą ze wschodu bolszewicką nawałą.

Ludzie słuchali. Szedł ku nim głos pewny siebie i spływał balsamem optymizmu. Obserwowałem tych ludzi, jak twarze ich rozbrajały się ze zmarszczek, jak wygięta szablą krzywizna ust prostowała się z wolna, zęby nie gryzły już warg. A front parł odwrotnie, na Wielkie Łuki, na Smoleńsk, na Kijów. Patrząc w mimikę zasłuchanych twarzy, widziało się mimikę historii. To nie usta wygięte, to krzywe szable ktoś chowa do pochew, to nie zmarszczki się wyrównują, to cały naród się rozbraja na przyjęcie sowieckiego najeźdźcy. I wtedy zrozumiałem: nikt mu nie tylko granatem w twarz, ale nawet kłody nie rzuci pod nogi, „sojusznikowi naszych sojuszników".

Trudno się dziwić, że w takiej atmosferze wszystkie głosy próbujące ostrzec przed sowieckim zagrożeniem uznawane były za „krakanie" i „defetyzm". „Każda jawna krytyka ruchu oporu – pisał Jan Emil Skiwski – była dla ludzi podejmujących ją niewygodna i niebezpieczna. Ryzykowali kulę w łeb, a narażali się niechybnie na zarzut zdrady".

Niestety zaś, o czym Polacy w kraju nie wiedzieli, propaganda polska była wówczas pod całkowitą kontrolą Brytyjczyków.

Pomimo swej formalnej niezależności programy Polskiego Radia podlegały bezceremonialnej cenzurze angielskiej – wspominał Jan Nowak-Jeziorański. – Cenzurowano nawet przemówienia Prezydenta RP, Premiera, ministrów, Naczelnego Wodza i przywódców stronnictw. Nie wolno było poruszać w Polskim Radio sprawy granicy z Rosją i przynależności Wilna i Lwowa do Polski. Biskup Karol Radoński z Włocławka, gdy odwiedziłem go po nabożeństwie w polskim kościele na Devonia Road, skarżył mi się z oburzeniem, że wycięto mu z gwiazdkowego przemówienia radiowego ustęp, w którym Lwów i Wilno wymienił jako polskie miasta. Podział stref okupacyjnych między trzy mocarstwa został zadecydowany w r. 1943 w Moskwie i w Teheranie. Wojska sowieckie miały okupować całą Polskę i Europę Wschodnią aż po linię Łaby. Tam w kraju od najniższych dołów aż do samej góry społeczeństwo żyło w całkowitym oderwaniu od rzeczywistości, nie zdając sobie sprawy z beznadziejności położenia, niczego się nie domyślając.

Jeden z bohaterów *Nie trzeba głośno mówić* dodawał zaś:

Znamy nie prawdę, a propagandę. Podczas wojny kłamią wszystkie propagandy. To jest jasne. O to nie można mieć pretensji. Ale zarówno propaganda sowiecka, jak propaganda niemiecka w jednym przynajmniej są szczere: obydwie mówią to, co w tej chwili chce powiedzieć Stalin lub chce powiedzieć Hitler. Nasza propaganda nie tylko nie mówi, ale nawet nie jest w stanie powiedzieć tego, co chciałaby powiedzieć polska racja stanu czy polski rząd. A tylko to, co chce powiedzieć angielska racja stanu i angielski rząd.

Zresztą, powiedzmy to szczerze, nie była do tego wszystkiego potrzebna nawet brytyjska cenzura. Polskie czynniki rządowe same dbały o to, żeby do końca nic nie zmąciło optymizmu i wysokiego morale narodu polskiego. Przekazywane do kraju informacje służyły niestety bardziej pokrzepieniu serc niż rzetelnemu informowaniu rodaków.

Efekty opisywał Jan Nowak-Jeziorański, który po powrocie do kraju w 1944 roku był szczerze zdumiony zastanymi nastrojami:

Przypomina się wrzesień trzydziestego dziewiątego. Uderza to, że w rozmowach nie słyszę ani jednego słowa na temat, co będzie, gdy miejsce

Niemców zajmą Sowieciarze. Żadnego niepokoju, cienia obawy o przyszłość, która dosłownie stoi na progu. Ludzie są całkowicie i niepodzielnie pochłonięci radosną myślą, że kończy się koszmar okupacji i terroru hitlerowskiego. Nienawiść, którą okupant siał przez pięć lat dzień po dniu, wypełnia dusze ludzkie po brzegi, jak naczynie o ograniczonej pojemności. Nie ma już miejsca na nic innego. Nie pada ani jedno słowo o tym, co działo się trzy lata temu we Lwowie, Wilnie czy w Baranowiczach. W pamięci zbiorowej powstała jakaś luka.

Obawiam się, że wyjaśnienie tego fenomenu jest nie tyle zadaniem dla historyków i specjalistów od infiltracji tajnych służb, ile dla psychiatrów. Występowało tu chyba to, co lekarze nazywają syndromem wyparcia.

Zapewne, gdyby Rząd Polski w Londynie – pisał Ferdynand Goetel – zdobył się na odwagę podzielenia się z Polską swym sceptycyzmem co do końcowego wyniku walki i roli naszych sprzymierzeńców, których złowrogą grę już dostrzegano, gdyby użył całego ogromnego autorytetu, jaki „Londyn” wciąż posiadał, gdyby przedstawił cały prawdziwy obraz sprawy, może by ostudził pożar, który ogarnął umysły. Ale „Londyn” podtrzymywał tylko „ducha” i tak już zawrotnie uniesionego i prawdę gorzką przemilczał.

Niestety Polacy sami przyłożyli rękę do straszliwego nieszczęścia, jakie spadło na nich w roku 1944 i 1945. „Ruch podziemny pracował wówczas na to, aby sprowadzić co prędzej ten stan rzeczy, nad którym obecnie jego ludzie załamują ręce” – pisał Jan Emil Skiwski.
A Józef Mackiewicz dodawał:

Dziś za to wszystko, co się w kraju dzieje, za te zastępy bezpieki, za zdrajców z PPR, za Quislingów, przeklina się Bierutów i agentów moskiewskich. Ale kto im drogę skatiertu układał [kto im przecierał szlak – red.]?! Kto przez sześć lat oduczał systematycznie myśleć kategoriami politycznymi, zastępując je ekstazą odwetu za barbarzyństwa niemieckie? Kto dziś może zaprzeczyć, że nie tylko „błahostki" w rodzaju granic wschodnich czy ostrzeżenia Teheranu, ale sam sens wojny, jej cel, zgubił się po drodze? Rozgromienie Niemców ze środka, jakim miało być do odzyskania niepodległości, przeistoczyło się w cel sam w sobie bezapelacyjny, bezkrytyczny. No więc Niemcy leżą rozgromione...

I niech te słowa posłużą za puentę tego rozdziału.

Rozdział 8

Na lewo patrz!

Analiza przyczyn, które doprowadziły Polskie Państwo Podziemne do spektakularnego samobójstwa, jakim była akcja „Burza", będzie niepełna bez przedstawienia głębokiego ideowego przeobrażenia tej organizacji. Armia Krajowa, a szerzej Polskie Państwo Podziemne w miarę upływu czasu coraz bardziej dryfowały bowiem w lewo.

Choć formalnie podziemne władze cywilne oparte były na szerokiej koalicji Stronnictwa Ludowego, Polskiej Partii Socjalistycznej (PPS-WRN), chadeckiego Stronnictwa Pracy i Stronnictwa Narodowego – w praktyce wyglądało to zupełnie inaczej. Stronnictwo Narodowe i PPS zostały zmarginalizowane, a Stronnictwo Pracy było nie liczącą się organizacją kanapową. Motorem napędowym stało się więc niezwykle zradykalizowane podczas wojny Stronnictwo Ludowe. Całkowicie pozbawieni wpływu na sprawy polskie zostali zaś piłsudczycy oraz tradycyjnie będący orędownikami umiaru i zdrowego rozsądku konserwatyści.

Jednocześnie, co jest decydujące dla naszych rozważań, rosły wpływy lewicy w strukturach wojskowych. Jest to decydujące, bo u progu roku 1944 realna władza przeszła całkowicie w ręce Komendy Głównej

AK i to wojskowi, a nie cywile, podejmowali wszystkie najważniejsze decyzje. Dla czytelników wychowanych w kulcie Armii Krajowej, kulcie, który nakazuje wielbić tę organizację bez zadawania niewygodnych pytań, sprawy poruszone w tym rozdziale będą zapewne sporym zaskoczeniem.

Do dzisiaj bowiem istnieje głębokie przekonanie, że było to ogólnonarodowe wojsko ponad politycznymi podziałami. Tezę tę obronić można jednak tylko w odniesieniu do struktur terenowych i zwykłych żołnierzy. Ośrodki centralne w Warszawie zostały zaś opanowane przez ludzi lewicy. Niestety z idei apolityczności, która w 1939 roku przyświecała założycielom Służby Zwycięstwu Polski, a później Związku Walki Zbrojnej, niewiele pozostało.

Najbardziej wymownym i jednocześnie kuriozalnym wyrazem tego „skrętu w lewo" była depesza, jaką dowódca AK generał Tadeusz Bór-Komorowski – uważany niegdyś za endeka – wysłał do Londynu przed samym wybuchem Powstania, a więc 22 lipca 1944 roku. Dokument ten jest wstydliwie pomijany przez wielu hurrapatriotycznych upiększaczy historii z tytułami naukowymi. Oto bowiem, jakie działania postulował „Bór", aby zapobiec ujarzmieniu Polski przez bolszewików: „Odebranie Sowietom inicjatywy reform społecznych w Polsce i dokonanie natychmiast takich pociągnięć prawnych, które by natchnęły szerokie masy ludowe wsi i miast pełnym zaufaniem do polskiego czynnika kierowniczego. Zaangażowanie się w tym kierunku polskiego czynnika kierowniczego musi być tak duże, aby masy stanęły po jego stronie".

Dowódca AK zalecał wydanie podpisanej przez pełnomocnika rządu, przewodniczącego Rady Jedności Narodowej i dowódcę Armii Krajowej odezwy do narodu zawierającej następujące dekrety:

a. O przebudowie ustroju Polski obejmującego przejęcie bez odszkodowania na rzecz reformy rolnej wielkiej własności ziemskiej;

b. O uspołecznieniu głównych gałęzi produkcji przemysłowej i ustanowieniu rad załogowych;

c. O upowszechnieniu oświaty i opieki społecznej;

d. O zasadach nowych ordynacji wyborczych do ciał ustawodawczych i samorządowych.

Najbardziej ostre i agresywne słowa „Bór” w dokumencie tym przeznaczył nie dla Niemców czy Sowietów, ale dla... Narodowych Sił Zbrojnych, czyli jedynej organizacji zbrojnej, która chciała zwalczać komunę i przeciwstawić się sowieckiemu najazdowi. Narodowcy zostali określeni w dokumencie mianem „warchołów”. Ich antysowiecka działalność miała być „ostro potępiona”, a winni jej ludzie „pociągnięci do odpowiedzialności”.

Tak, może się to wydawać trudne do uwierzenia, ale cytowanego wyżej dokumentu nie sporządziła PPR ani inna komunistyczna jaczejka, lecz dowódca Armii Krajowej. A ściślej – dokument ten został przez niego zaaprobowany. Bo prawdziwym autorem był pułkownik Jan Rzepecki „Prezes”, prominentny przedstawiciel Komendy Głównej AK, jedna z najbardziej ponurych postaci w najnowszej historii Polski.

Szkody, jakie pułkownik Jan Rzepecki wyrządził sprawie polskiej, były olbrzymie. Był to bowiem fanatyczny zwolennik szukania za wszelką cenę porozumienia ze Związkiem Sowieckim. To on w strukturach podziemnych był głównym odpowiedzialnym za wprowadzanie w błąd kraju co do rzeczywistych intencji brytyjskich, amerykańskich i przede wszystkim sowieckich.

Tak spotkanie z nim po powrocie z wyprawy na Zachód opisał kurier podziemia Jan Nowak-Jeziorański:

„Prezes” przychylał się w swych sympatiach zdecydowanie w kierunku lewicy demokratycznej, a więc PPS, SL oraz Stronnictwa Demokratycznego. Opowiedziałem Rzepeckiemu, jakim wstrząsem było bezpośrednie zetknięcie się z tamtejszą rzeczywistością dla mnie, przeciętnego warszawskiego inteligenta, karmionego wyłącznie nasłuchami Londynu, wiadomościami i komentarzami prasy podziemnej.

– Informacje BBC są bez zarzutu – ciągnąłem – jeśli chodzi o informacje z frontu, lecz są selektywne, gdy chodzi o takie sprawy jak stosunki polsko-rosyjskie. W konkluzji wyraziłem pogląd, że społeczeństwo nie orientuje się w sytuacji, idealizuje Aliantów i wyolbrzymia znaczenie, jakie Anglosasi przywiązują do Polski. „Prezes" słuchał uważnie, lecz jakby z rezerwą i lekko wyczuwalnym odcieniem niedowierzania.

Nie trafiam – pomyślałem – on podejrzewa, że przesadzam. Nie trzeba było narzucać żadnych wniosków.

Rzepecki zorientował się jednak, że piję do niego jako do szefa propagandy.

– Zadaniem propagandy wojennej – odpowiedział na moje wywody – jest podtrzymywanie morale ludności i jej woli walki. Pesymizm, zresztą przedwczesny, byłby wodą na młyn okupanta, który stara się szerzyć defetyzm i w najgorszym świetle przedstawiać Sprzymierzeńców. Sprzyjałoby to także dywersyjnej grupie komunistycznej, gdybyśmy mówili za dużo o niebezpieczeństwie sowieckim.

Jestem zwolennikiem poglądu, że nic tak nie mówi o człowieku jak jego własne słowa. Dlatego cytuję poniżej sześć fragmentów ze wspomnień Rzepeckiego, napisanych w PRL, gdy pułkownik już otwarcie zdradził i przeszedł na stronę nieprzyjaciela:

[AK zawarła] sojusz z faszystami z NSZ, którzy jawnie obiecywali ziemianom obronę przed reformą rolną i wspólne z NSZ wkroczenie na drogę mordów bratobójczych.

Przyszła Polska musi być czerwona, chłopsko-robotnicza! Jeśliby tak miało być, jak było – to niech to szlag trafi [co zabawne, „Prezes" włożył tę swoją złotą myśl w usta „Grota"].

Stronnictwo Narodowe wkroczyło w okupację pod pełnym żaglem faszystowskim.

Pierwsze pertraktacje o wcielenie do NSZ torpedowałem uporczywie przypominaniem zbrodni pod Borowem i pomniejszych wybryków NSZ.

Niemcy ogłosili, że stracono 200 komunistów – dla nas to giną Polacy.

Wyznawałem pogląd, że komunizm to piękna idea, do zrealizowania której nie dorośli jeszcze ani ci, których ma ona uszczęśliwić, ani ci, którzy to zadanie biorą pochopnie na siebie, że zatem droga do celu jest jeszcze długa, kręta i ciernista. Niemniej nie należy tej idei zwalczać prostackim negowaniem. Należy głosić tezę, że nie taki diabeł straszny, jak go malują i że w każdym razie należy mu się przyjrzeć z bliska, zanim go się oceni.

Tak, Rzepecki był zaprzańcem. Na każdej stronie jego książki roi się od podobnych wynurzeń. Wszelkie granice przekroczył zaś w swoim memoriale z 10 marca 1944 roku, który przedłożył Borowi-Komorowskiemu. Oto fragment: „Wartość kadry oficerskiej AK obniża poważnie brak zrozumienia zjawisk społecznych i wyraźnie lewicowych tendencji rozwojowych społeczeństwa polskiego. [Są też oficerowie] o światopoglądzie wręcz reakcyjnym. Ta kadra w swej większości słabo nadaje się na rewolucyjno-powstańczych dowódców walczących w AK rzesz chłopskich i robotniczych".

Bez żadnej żenady napisał on, że PPR ma „energiczniejsze i lepsze kierownictwo" (mowa o agentach NKWD!) niż Polskie Państwo Podziemne, którego władze uprawiały – według „Prezesa" – „polityczne kramikarstwo".

Podobne wypowiedzi cytować można jeszcze długo. Wystarczy już chyba jednak to, co jest powyżej, żeby ukazać, że na samym szczycie władzy w AK, w jej Komendzie Głównej, znalazł się człowiek, który działał na rzecz zrealizowania interesów sowieckich, a nie polskich. Niestety, dzięki nieprawdopodobnemu tupetowi i skłonnościom do intryganctwa udało mu się zdominować „Bora" i pod koniec wojny stał się de facto ideologiem, mózgiem politycznym Armii Krajowej.

Prosowieccy ugodowcy zdominowali również oddział operacyjny AK odpowiedzialny za szykowanie planów wojennych. Na jego czele stał generał Stanisław Tatar – jeden z największych szkodników w historii Polski, do którego przyjdzie nam jeszcze bardzo obszernie wrócić. Na razie powiedzmy, że był on otwartym zwolennikiem „przeskoczenia" Armii Krajowej z obozu anglo-amerykańskiego do sowieckiego.

Tatar konsekwentnie usuwał ze sztabu oficerów twardo obstających przy obronie niepodległości i zastępował ich swoimi ludźmi, podzielającymi jego prosowieckie zapędy. Wśród nich na czoło wysuwali się pułkownik Marian Drobik „Dzięcioł" – który już w 1943 roku sporządził memoriał, w którym wzywał do ugody ze Stalinem – oraz pułkownik Jerzy Kirchmayer „Andrzej". Ten pierwszy został, w dwuznacznych okolicznościach, aresztowany przez Gestapo. Drugi, wraz z Tatarem, sporządził... plan operacji „Burza".

Rozdział 9

BIP-owcy

Pułkownikowi Janowi Rzepeckiemu podlegało Biuro Informacji i Propagandy (BIP) Armii Krajowej. Był to niezwykle wpływowy wydział Polskiego Państwa Podziemnego, kształtujący opinię Polaków. W jego gestii znajdowało się wydawanie czasopism podziemnych, na czele z wychodzącym w kilkudziesięciu tysiącach egzemplarzy „Biuletynem Informacyjnym", który był przez Polaków pod niemiecką okupacją czytany jak Pismo Święte.

Za sprawą Rzepeckiego BIP został zdominowany przez elementy opowiadające się za ugodą z Sowietami. Znaleźli się w nim działacze przedwojennego Stronnictwa Demokratycznego, kanapowej, acz radykalnej frakcji polskiej lewicy. Głównymi postaciami tego środowiska, nazywanego później przez przychylną mu komunistyczną historiografię „postępową inteligencją", byli: Ludwik Widerszal, Jerzy Makowiecki i Tadeusz Wardejn-Zagórski.

Najbardziej groteskową postacią związaną z BIP-em była jednak bez wątpienia Halina Krahelska. Niegdysiejsza eserówka, członkini Rady Delegatów Robotniczych i Żołnierskich w Kańsku podczas rewolucji bolszewickiej, a później aktywistka przybudówki KPP noszącej nazwę

Międzynarodowa Organizacja Pomocy Rewolucjonistom. Prywatnie była to zaś bliska przyjaciółka żony Rzepeckiego.

„Przedwojenne SD było pomostem między «postępowością» a komunizmem – pisał historyk Sebastian Bojemski. – Dla Sowietów był to idealny inkubator «pożytecznych idiotów». Część działaczy i publicystów SD z atencją odnosiła się do Związku Sowieckiego i akceptowała, pod pewnymi warunkami, bolszewizm".

Po rozwiązaniu w 1938 roku przez Stalina Komunistycznej Partii Polski wielu osieroconych komunistów, którzy nie chcieli rezygnować z działalności politycznej, wylądowało w związanych z SD Klubach Demokratycznych. Jednym z nich był Józef Różański, później jeden z największych sadystów bezpieki. W SD tacy ludzie mogli czuć się jak w domu, bo partia ta oficjalnie nawiązywała do „nauk Marksa, Engelsa i jego następców".

Kontakty z lat trzydziestych były utrzymywane podczas okupacji. Działacze SD, którzy znaleźli się w Biurze Informacji i Propagandy AK, spotykali się ze starymi kolegami z KPP, którzy teraz działali w PPR. Przy okazji tych kontaktów przedstawiciele BIP-u dopuścili się podobno licznych niedyskrecji i przekazali komunistom wiele informacji dotyczących podziemia niepodległościowego. Historyk Piotr Gontarczyk pisał o Makowieckim wprost jako o komunistycznym „źródle informacji" w AK.

Opanowanie tak ważnego departamentu Armii Krajowej działacze SD wykorzystywali do narzucania całej organizacji swojego ideologicznego programu. Program ten sprowadzał się zaś do zawrócenia AK z drogi współdziałania z „reakcyjnym Londynem", „usamodzielnienia się kraju" i dogadania ze Związkiem Sowieckim.

Aby pokazać „maksimum dobrej woli", BIP na łamach wydawanej przez siebie prasy nawoływało do „wzmożonej akcji dywersyjnej" wobec Niemców i „pełnej kolaboracji" z wkraczającą Armią Czerwoną. Program Rzepeckiego i BIP-u był więc zbieżny z programem, który w Londynie lansował Stanisław Mikołajczyk. Stąd bezwarunkowe poparcie, jakie środowisko to po śmierci Sikorskiego udzieliło nowemu premierowi.

Niezwykle ostro zwalczało zaś ono NSZ. To właśnie za sprawą Rzepeckiego po wyeliminowaniu bandy GL pod Borowem w „Biuletynie Informacyjnym” pojawił się artykuł pod tytułem *NSZ – potępione*. To również Rzepecki i jego ludzie zakulisowymi intrygami doprowadzili do krachu rozmów scaleniowych między AK a wojskiem narodowym. Makowiecki był zaś człowiekiem, który w 1943 roku prowadził wspomniane wcześniej rozmowy o włączeniu do Polskiego Państwa Podziemnego PPR.

Dochodzimy tym samym do najbardziej drażliwego aspektu sprawy – penetracji Polskiego Państwa Podziemnego przez polskich komunistów i NKWD. Niestety penetracja ta, między innymi dzięki filosowieckiemu nastawieniu BIP-u i parasolowi ochronnemu, jaki nad komunistami rozpiął Rzepecki, była olbrzymia. Choć nie poznamy całej skali problemu, dopóki Moskwa nie otworzy akt sowieckiej bezpieki, już to, co wiemy, musi szokować.

Znana jest sprawa starego agenta NKWD Włodzimierza Lechowicza. Przez BIP przeniknął on do podziemnego Państwowego Korpusu Bezpieczeństwa, którego jednym z zadań było... zwalczanie komuny. Utrzymujący bliskie kontakty z Makowieckim i Widerszalem Lechowicz wciągnął do PKB innych agentów NKWD, między innymi Stanisława Nienałtowskiego i Wacława Dobrzyńskiego.

W efekcie działania tych sowieckich „wtyczek” w AK żołnierze polskiego kontrwywiadu, którzy starali się spenetrować ruch komunistyczny, byli dekonspirowani i ginęli w tajemniczych okolicznościach. Dla Sowietów pracowało również bardzo wielu oficerów średniego i niższego szczebla. Nie tylko w warszawskiej centrali, ale również w okręgach. Agenci w dużej mierze opanowali struktury AK między innymi w Krakowie i Lwowie.

Przed wojną Polska broniła się przed infiltracją bolszewicką zasiekami z drutu kolczastego, Korpusem Ochrony Pogranicza, kontrwywiadem, policją polityczną – pisał Józef Mackiewicz. – Poważny aparat państwowy ześrodkowany był na odparcie infiltracji bolszewickiej. A jednak infiltracja trwała i mieliśmy ciągle jej dowody to w armii, to administracji, w organizacjach społecznych. Łatwo więc sobie wyobrazić, jakie rozmiary musiała przybrać z chwilą, gdy nagle granice zostają otwarte, struktura państwa wstrząśnięta i wrota dla agentów sowieckich na oścież otwarte... Mało tego: rząd polski zawiera z Moskwą układ o przyjaźni i dotychczasowy, najniebezpieczniejszy infiltrator przeistacza się w – sojusznika.

Wszyscy agenci bolszewiccy w Polskim Państwie Podziemnym oczywiście nie tylko zbierali na jego temat informacje, ale także starali się popychać tę strukturę w stronę realizowania polityki najbardziej korzystnej dla Związku Sowieckiego. A więc w stronę akcji „Burza".

Sprawa ta wywoływała głęboki niepokój w kontrwywiadzie AK. Efektem był wstrząsający „Raport o agenturach komuny i NKWD w AK i Delegaturze Rządu" z marca 1944 roku.

„Zagadnieniem nie mniej groźnym dla bezpieczeństwa AK niż sprawa «wtyczek» niemieckich jest kwestia wpływów komuny oraz sieci szpiegowskiej NKWD usiłującej przeniknąć do wszystkich komórek polskiego życia podziemnego – napisano w tym raporcie. – Ogniskiem, w którym skupiają się główne nici wpływów politycznych pro- i parakomunistycznych w AK, jest, jak się zdaje, BIP".

Dalej padały nazwiska „bohaterów" tego rozdziału – Makowieckiego, Widerszala i Wardejn-Zagórskiego. „Znamienne jest, że w swoim czasie sprawa prokomunistycznych tendencji wyżej wymienionych osób była meldowana władzom wyższym, została jednak umorzona, mimo wyraźnych zupełnie poszlak wskazujących na bliskie kontakty tych osób z komuną" – stwierdzali autorzy raportu. Jako na osobę odpowiedzialną za krycie komuny wskazywali zaś na Rzepeckiego.

W dokumencie tym podkreślono, że działalność PPR jest znacznie bardziej niebezpieczna niż służb niemieckich: „Infiltracja agentów komuny ma charakter nie tylko szpiegowski, ale i polityczny. Przenikanie do organizacji polskich jest dla komuny o wiele łatwiejsze, zaczęło się wcześniej, prowadzone jest o wiele umiejętniej z obliczeniem na pracę głęboką, długofalową (ewentualna likwidacja dopiero w przeddzień walki jawnej, a może dopiero po wkroczeniu Czerwonej Armii)".

A oto wnioski: „Usunięcie macek nieprzyjaciela z naszych szeregów jest zadaniem trudnym, ale bezwzględnie koniecznym. W wykonaniu tego zadania zastosować należy metody chirurgiczne. Czułostkowość i chwiejność w przeprowadzeniu akcji oczyszczającej spowodować mogą zmarnowanie tego olbrzymiego wysiłku społeczeństwa, jaki został włożony w organizację wojska i władz cywilnych".

Docieramy teraz do jednej z najbardziej kontrowersyjnych spraw związanych z polskim podziemiem podczas drugiej wojny światowej. Otóż na krótko przed wybuchem Powstania Warszawskiego doszło do czystki w BIP. Była to czystka fizyczna. 13 czerwca 1944 roku w domu przy ulicy Asfaltowej na Mokotowie grupa dywersyjna AK dowodzona przez Andrzeja Popławskiego „Sudeczkę" zastrzeliła Widerszala. Tego samego dnia z mieszkania na Ochocie zabrani zostali Makowiecki i jego żona. Wywieziono ich samochodem pod Warszawę, w rejon dzisiejszego Bemowa, gdzie zostali zgładzeni.

Sprawa tych zabójstw do dziś nie została wyjaśniona i do dziś wzbudza olbrzymie kontrowersje i spory. Według zajmujących się nią młodych historyków o poglądach narodowych dominuje przekonanie, że Widerszal i Makowiecki byli agentami sowieckimi i dlatego zdecydowano się ich zlikwidować. Inni badacze dopatrują się w tej sprawie motywów osobistych, a nawet komunistycznej prowokacji. Nie ma również zgody co do roli, jaką odgrywali obaj zabici oficerowie. Część historyków uważa ich za „pożytecznych idiotów" komunizmu, inni przeciwnie – za polskich patriotów niesłusznie oskarżonych o zdradę. Obecny stan badań nakazuje zachowanie najdalej posuniętej ostrożności i uniemożliwia rozstrzygnięcie tych kwestii. Wstrzymam się więc od ferowania jakichkolwiek wyroków w tej niezwykle delikatnej sprawie.

Kierunek, który obrało BIP, był bez wątpienia bardzo szkodliwy i budzący wątpliwości. Z drugiej strony należy jednak wyrazić co najmniej zdziwienie, że zdecydowano się zastrzelić akurat tych ludzi, a pozostawiono w spokoju całą wierchuszkę PPR, czyli jawnych zdrajców, co do których nie mogło być żadnych wątpliwości, że są sowieckimi agentami. „Sudeczko" miałby dzisiaj pomnik w każdym polskim mieście, gdyby zamiast Makowieckiego i Widerszala zastrzelił Gomułkę, Bieruta, Spychalskiego i Moczara.

Rozdział 10

Tajna misja Retingera

Wielki udział w sprokurowaniu dramatu „Burzy" miał też Stanisław Mikołajczyk. U źródeł decyzji o witaniu bolszewików wkraczających do Polski leżała bowiem jego koncepcja szukania za wszelką cenę porozumienia z Sowietami. Mikołajczyk i inni ludowcy tajnymi kanałami konsekwentnie urabiali kraj w tym kierunku jeszcze przed śmiercią Sikorskiego. Robili to za pośrednictwem kurierów, ale przede wszystkim radia. Ludowcy mieli bowiem własne szyfry i własną sieć łączności z okupowaną Polską.

„Najważniejsze było to, że profesor Kot posiadał drut do kraju i stąd rzeźba stosunków politycznych w kraju i obsada personalna dygnitarstw Polski podziemnej od niego w dużym stopniu zależała – pisał Stanisław Cat-Mackiewicz. – Od chwili dymisji generała Sosnkowskiego i usunięcia go z szefostwa VI oddziału sztabu drut kontaktów z krajem jest opanowany całkowicie przez ludowców i tak już będzie *usque ad finem*".

Władysław Pobóg-Malinowski pisał zaś:

Niemałą rolę odegrały raporty, naświetlenia, sugestie, sądy, wnioski tajnymi kanałami za plecami Prezydenta, rządu i Naczelnego Wodza nadsyłane z Londynu do partyjnych, ludowych przede wszystkim, ośrodków w kraju przez tych, którzy uznawali już, choć jeszcze po cichu, konieczność rezygnacji z „nierozsądnych mrzonek" dla porozumienia z Moskwą. Zwłaszcza ludowcy z Mikołajczykiem na czele, szukający porozumienia z Moskwą, za atut ułatwiający je uważali bojowe współdziałanie AK z armią sowiecką.

Oprócz własnych złudzeń premiera olbrzymią rolę odegrały tu naciski Brytyjczyków. Nie jest bowiem tajemnicą, że Anthony Eden i inni brytyjscy rozmówcy Mikołajczyka ustawicznie domagali się od niego, aby wydał Armii Krajowej rozkaz zaatakowania wycofujących się Niemców i wspierania Sowietów. „Polacy muszą dowieść, że są antyniemieccy, muszą dowieść, że nie współdziałają po cichu z Hitlerem" – mówił brytyjski minister spraw zagranicznych. Powołując się na tezy sowieckiej propagandy, raz wyrażał wątpliwości, czy AK w ogólne istnieje, innym razem pytał, czy to prawda, że zajmuje się tylko „mordowaniem komunistów".

Wszystko to działało na Mikołajczyka niezwykle podniecająco. Jednocześnie premier zupełnie nie dostrzegał, że to nachalne domaganie się przez naszych „sojuszników" wzmożenia działań zbrojnych wymierzonych w III Rzeszę szło w parze... ze wstrzymaniem przesyłania broni dla polskiego podziemia.

Mniej więcej w połowie września 1943 roku nastąpiło drastyczne ograniczenie lotów do Polski ze zrzutami ludzi, broni, amunicji i sprzętu – pisał Jan Nowak-Jeziorański. – Od połowy października zostały wstrzymane całkowicie zrzuty skoczków, którzy zabierali ze sobą prócz poczty także pasy z pieniędzmi dla AK i Delegatury Rządu. Wielki plan zaopatrzenia AK w broń i w specjalistów przy pomocy około trzystu lotów i przygotowanie w ten sposób polskiego Podziemia do akcji na wielką skalę utknął na samym wstępie. Chociaż Anglicy stale powoływali się na przeszkody natury technicznej, po stronie polskiej panowało przekonanie, że wstrzymanie zrzutów ludzi i broni jest podyktowane motywami politycznymi i stanowi rezultat sowieckich oskarżeń, że AK nie walczy z Niemcami, lecz dostarczaną broń używa przeciwko sowieckim partyzantom.

Dzisiaj, dzięki ujawnieniu części brytyjskich dokumentów dyplomatycznych, wiemy już, że przekonanie to było uzasadnione. Brytyjczycy zaprzestali wysyłania broni dla Armii Krajowej na wyraźne żądanie Wiaczesława Mołotowa. Sami zresztą bali się, że ich broń zostanie przez AK użyta do obrony ojczyzny przed wkraczającymi Sowietami. Nie byli oni bowiem do końca pewni, czy w ostatniej chwili Polacy nie dokonają jednak antysowieckiego zwrotu. Jak wiadomo, poważnie nas przecenili – do końca pozostaliśmy posłuszni dyrektywom londyńskiego Wielkiego Brata. Nawet jeżeli prowadziły nas w przepaść.

Gdy mowa o akcji „Burza", to Mikołajczyka najbardziej obciąża jego reakcja na aresztowania polskich oficerów i rozbijanie AK przez NKWD. A więc na fatalne skutki koncepcji, którą sam popierał.

Jak państwo pamiętają, Armia Krajowa liczyła na to, że jeżeli Sowieci po ujawnieniu ją spacyfikują, „otworzy to oczy Anglosasów" na perfidię Stalina. Pomysł sam w sobie skrajnie naiwny, ale do przyjęcia. Tymczasem gdy Sowieci naprawdę zaczęli pacyfikować AK, rząd Mikołajczyka, zamiast podnieść raban i „otwierać oczy świata"… skrzętnie to ukrywał. W wydanym w kwietniu komunikacie rządowa Polska Agencja Telegraficzna poinformowała, że „na ogół współpraca z oddziałami AK nawiązywała się pomyślnie. Dowódcy sowieccy stwierdzają, że wszędzie otrzymywali pomoc, i wyrażają uznanie dla postawy bojowej i dowództwa AK".

Dalej była jedynie mowa o „paru" niepokojących sprawozdaniach z terenu, które wymagają wyjaśnienia. Było to oczywiste kłamstwo, bo rząd doskonale już wówczas wiedział, że Polacy są pacyfikowani przez bolszewików na masową skalę. Podobnie przybyły z kraju generał Tatar – o czym będzie jeszcze mowa – występując przed alianckimi generałami w Waszyngtonie, zachwycał się wspaniałą, niczym nie zmąconą współpracą między AK i Armią Czerwoną.

„Ja osobiście wierzę w społeczeństwo – mówił sam Mikołajczyk. – Musimy użyć tej karty dla wykazania, że jesteśmy gotowi do uczciwej współpracy z Rosją. Armia Krajowa musi walczyć z Niemcami do końca i wspierać postępy Armii Czerwonej bez względu na trudności. Nie możemy dać się wypchnąć w ostatnim momencie z rodziny narodów sprzymierzonych".

Dlaczego ci ludzie mówili takie rzeczy? Dlaczego nie tylko kłamali, ale jawnie działali wbrew interesowi swojego narodu? Odpowiedź jest prosta – bo taki był rozkaz Brytyjczyków i Amerykanów, którzy nie życzyli sobie, aby ujawniane były jakiekolwiek informacje mogące postawić w złym świetle sowieckiego sojusznika.

Stosunek Churchilla do gehenny Armii Krajowej na Ziemiach Wschodnich był zresztą bardzo znamienny. Gdy jeden z urzędników polskich powiedział brytyjskiemu premierowi, że naród polski nigdy nie pogodzi się z utratą Lwowa i Wilna, Churchill odrzekł: „każdy, jeśli koniecznie chce, może popełnić samobójstwo i nikt mu tego prawa nie może odmówić". Szkoda, że Brytyjczycy nie mówili tak w roku 1939, gdy zachęcili nas do popełnienia samobójstwa nie w obronie połowy Polski, ale niemieckiego Gdańska.

Gdy zaś Mikołajczyk przyszedł do Churchilla ze skargą na rozbrajanie przez Sowietów oddziałów wileńskiej AK, ten wpadł w pasję. W bardzo brutalnych słowach wyraził niezadowolenie, że Armia Krajowa „pcha się" na tereny, które mają przypaść Związkowi Sowieckiemu. Podobne traktowanie terytorium swojego sojusznika było czymś zdumiewającym i nie spotykanym w historii dyplomacji. Mikołajczyk jednak oczywiście nie śmiał protestować.

Tymczasem brak reakcji Anglosasów na brutalne traktowanie Armii Krajowej, wojska było nie było sojuszniczego, wzbudzał wśród wielu Polaków oburzenie.

Dwudziestu powieszonych oficerów polskich nie skłania rządu brytyjskiego do żądania od Moskwy, aby nie plamiła hańbą narodów zjednoczonych – pisał Ignacy Matuszewski. – Natomiast skłania rząd brytyjski do nalegania na polskich dygnitarzy, by oni także przemilczali gwałty rosyjskie i nakazywali coraz nowym szeregom wkładać głowy w pętle stryczka. Rząd RP posłusznie to czyni. Polska jest szarpana, anektowana, sowietyzowana, rząd zaś RP w Londynie wysyła coraz nowe zastępy na śmierć i zgubę, by „dowieść swojej woli" wobec zbrodniarza, który zabija. Ci ignoranci pouczający Polaków, że skoro nie chcieli oni być pokorni wobec Hitlera, to muszą być pokorni wobec Stalina, są naiwni. Nie tylko ja tak myślę, Stalin myśli tak samo.

I dodawał: „Po pięciu latach wojny sprzymierzeńcy zachodni zgadzają się na deportowanie narodu polskiego z Europy do Azji".

Choć Polska znajdowała się w dramatycznej sytuacji, Mikołajczyk i jego otoczenie nie zaprzestawali intryg wymierzonych w Sosnkowskiego i zbliżonego do niego politycznie prezesa Stronnictwa Narodowego Tadeusza Bieleckiego. Im bardziej bowiem Brytyjczycy skłaniali Mikołajczyka do kapitulacji wobec Sowietów, tym bardziej Bielecki i Sosnkowski walczyli o uratowanie godności Rzeczypospolitej i powstrzymanie kraju przed obłędem bezsensownego przelewania krwi.

Nie bez znaczenia było w tym wszystkim to, że w otoczeniu Mikołajczyka działało wielu sowieckich agentów. Przede wszystkim niedawny zły duch generała Sikorskiego, który teraz szybko znalazł sobie miejsce u boku Mikołajczyka, Stefan Litauer. Oprócz tego wiadomo, że dla sowieckich tajnych służb pracowało dwóch ministrów w polskim rządzie – nosili oni operacyjne pseudonimy „Henryk" i „Sadownik". Głęboko spenetrowana była komórka odpowiedzialna za łączność Londynu z krajem.

Dla Sowietów pracował też najprawdopodobniej Jan Drohojowski, doradca Mikołajczyka, który później towarzyszył mu w podróżach do Rosji. Doradzał oczywiście w sprawach sowieckich. Bolszewicy naszpikowali także swoimi wtyczkami II Korpus generała Andersa jeszcze w okresie jego formowania w Sowietach. Potem, po ewakuacji z nieludzkiej ziemi, część tych agentów trafiła do Londynu.

Do dzisiaj nie jest również do końca wyjaśniona sprawa szarej eminencji polskiego Londynu, Józefa Retingera. Ta niezwykle tajemnicza postać nie odstępowała ani na krok premiera Władysława Sikorskiego, a później odgrywała ważną rolę u boku Mikołajczyka. O to, że Retinger był agentem brytyjskim, nikt już się chyba dziś nie spiera, on sam to zresztą przyznawał. Zagadką pozostają natomiast jego kontakty z Sowietami.

Zanim Retinger stał się zausznikiem Sikorskiego, ze względu na jego fatalną reputację nie wpuszczano go za próg ambasady polskiej w Londynie. Jego rola przy obu polskich premierach sprowadzała się zaś do ustawicznego namawiania ich do kompromisu i kolejnych ustępstw wobec Związku Sowieckiego.

Już w 1940 roku, a więc wtedy, gdy pół Polski było pod sowieckim jarzmem i trwały deportacje na Sybir, Retinger nakłonił Sikorskiego, by napisał memoriał do Churchilla o konieczności wciągnięcia Stalina do koalicji antyniemieckiej. Również pakt Sikorski–Stalin z 1941 roku, jak pisał Zbigniew Grabowski, został napisany na kolanie Retingera, a ściślej „na kolanach Retingera i Litauera". Gdy zaś Stanisław Cat--Mackiewicz zaczął ten pakt krytykować, Retinger zabiegał u Brytyjczyków o jego natychmiastowe internowanie.

To również Retinger po śmierci Sikorskiego (co ciekawe, towarzyszył on generałowi we wszystkich podróżach oprócz... ostatniej) zarekomendował Mikołajczyka na kolejnego szefa polskiego rządu. Miał on bowiem, według niego, najlepiej pasować do brytyjskich planów. Zajadle natomiast zwalczał generała Sosnkowskiego.

W kwietniu 1944 roku Retinger został zrzucony na spadochronie do Polski (w wieku blisko sześćdziesięciu lat!) jako emisariusz Mikołajczyka, a tak naprawdę Brytyjczyków. Co ciekawe, Mikołajczyk starał się zachować jego misję w tajemnicy przed generałem Sosnkowskim i „Salamander" – taki pseudonim przyjął Retinger – został dostarczony do samolotu w masce. Miał ze sobą grubą gotówkę i siedem tajemniczych walizek.

Po wylądowaniu w kraju rozpoczął rozmowy sondażowe na temat nawiązania porozumienia między Polskim Państwem Podziemnym a komunistami. Według forsowanego przez niego projektu do koalicji stronnictw stanowiących zaplecze Armii Krajowej mieliby zostać włączeni komunistyczni agenci z PPR i w efekcie miał powstać nowy rząd, akceptowalny dla Związku Sowieckiego.

Retinger namawiał Polaków do ujawnienia się Armii Czerwonej i nieatakowania pod żadnych pozorem band Armii Ludowej. A także do nasilenia działań dywersyjnych wymierzonych w Niemców i powstania.

W roku 1942 postawiłem jednemu z najinteligentniejszych oficerów naszego II Oddziału pytanie, kim jest Retinger – pisał Adam Doboszyński. – Odpowiedział mi: „Członkiem potężnej międzynarodowej mafii lewicowej". Przypomniało mi się to powiedzenie, kiedy niedawno opowiadano mi wystąpienie Rettingera w Warszawie na wiosnę 1944 r., tuż przed powstaniem, na posiedzeniu Rady Jedności Narodowej z udziałem delegata rządu i ministrów. Zawiadamiając najwyższe ciało Polski Podziemnej, że za chwilę stanie przed nim Retinger, delegat rządu ostrzegł, by obecni byli ostrożni w swych wypowiedziach, gdyż Rettinger jest nie tylko agentem brytyjskim, ale zapewne reprezentuje pewne inne czynniki. Jakże znamienny to epizod dla sieci, w którą omotano naród polski, że najwyższe jego ciało musiało dyskutować najpoufniejsze sprawy polskie z człowiekiem, co do którego panowało tak mało złudzeń.

Tajemnicza misja Retingera należy do jednego z najbardziej interesujących epizodów historii Polski podczas drugiej wojny światowej. Na wysłannika Mikołajczyka polowali bowiem egzekutorzy z NSZ, próbowali go zabić również AK-owcy sprzeciwiający się kapitulacji wobec Sowietów. Rozkaz jego fizycznego wyeliminowania przysłał zresztą z Londynu zaufany człowiek generała Sosnkowskiego pułkownik Franciszek Demel.

Retinger był truty wąglikiem, zrzucany z furmanek, a nawet topiony w lodowatej kałuży! Efektem tych wszystkich przygód był paraliż kręgosłupa. Retinger już do końca życia pozostał kaleką. Cała sprawa przypominała wręcz komedię pomyłek. Ostatecznie narada o ewentualnej likwidacji Retingera odbyła się w Komendzie Głównej AK i jego wyeliminowania stanowczo zabronił „Bór". „Salamadrowi" udało się więc odlecieć do Londynu.

Na ile jego sugestie i podszepty zadecydowały o podjęciu samobójczych działań przez Polskie Państwo Podziemne, trudno powiedzieć. Wypada jednak zakończyć ten rozdział przytaczanymi często przeze mnie słowami Józefa Piłsudskiego: „W dobie kryzysu strzeżcie się agentów".

Rozdział 11

Ześlizg do wasalizmu

Za rządów Stanisława Mikołajczyka wielki polski ześlizg w stronę wasalizmu zapoczątkowany w dniu podpisania paktu Sikorski–Stalin nabrał niebywałego przyspieszenia.

Już w marcu 1944 roku premier za pośrednictwem swojego ministra spraw wewnętrznych Władysława Banaczyka rozpoczął tajne negocjacje z ambasadą sowiecką w Londynie. Skończyły się one wstępnym układem, na mocy którego miał zostać powołany kompromisowy rząd złożony z jednej strony z komunistów, z drugiej zaś z „postępowych" stronnictw niepodległościowych. A więc przede wszystkim ludowców i socjalistów.

Była to więc formuła, którą od dłuższego czasu podsuwali Mikołajczykowi Brytyjczycy, formuła, za którą lobbował w Warszawie Retinger i którą forsowali prosowiecko nastawieni oficerowie w centrali Armii Krajowej, a wreszcie formuła, którą w 1945 roku zrealizował Stalin w formie pseudorządu komunisty Edwarda Osóbki-Morawskiego z Mikołajczykiem jako jego zastępcą.

W tym wypadku doszedł jednak dodatkowy, zdumiewający paragraf. Otóż temu rządowi złożonemu z Mikołajczyka i jego kolegów oraz agentów NKWD miały zostać podporządkowane polskie siły zbrojne – zarówno na Zachodzie, jak i w kraju. A więc na żołd Stalina miałaby przejść nie tylko Armia Krajowa, ale również II Korpus generała Andersa, złożony niemal w całości z ludzi wypuszczonych w 1941 roku z bolszewickich łagrów.

Był to oczywiście pomysł poroniony, rząd taki byłby bezwolnym narzędziem w rękach Stalina. Mimo to Mikołajczyk wysłał w maju do Polski kuriera Stanisława Mostwina, który miał poinformować o tych ustaleniach delegata Jankowskiego. Projekt został przez władze Polski Podziemnej zdecydowanie odrzucony. Ale oczywiście nie dlatego, że uważała ona, iż jest coś zdrożnego w dążeniu do ugody ze Stalinem. Kraj – jak pisał Zbigniew S. Siemaszko – miał po prostu „własny sposób", jak do tej ugody doprowadzić. Tym sposobem miała być „Burza".

Kolejne rozmowy z Sowietami Stanisław Mikołajczyk – bez wiedzy prezydenta Rzeczypospolitej, naczelnego wodza, a nawet członków własnego rządu – podjął w lipcu 1944 roku. Kontakt z Wiktorem Lebiediewem, sowieckim ambasadorem przy rządach uchodźczych w Londynie, szef polskiego rządu nawiązał za pośrednictwem zawsze gotowego do jakiegoś aktu szkodnictwa Stanisława Grabskiego. Potem z bolszewickim dyplomatą spotkał się sam Mikołajczyk. Choć premier zaoferował Sowietom koncesje terytorialne i zdymisjonowanie generała Sosnkowskiego, rozmowy zakończyły się fiaskiem. Lebiediew stawiał bowiem tak wygórowane żądania – między innymi dymisji prezydenta – że przeraziły one nawet Mikołajczyka.

Zresztą premier wkrótce uznał, że na tak niskim szczeblu nie ma co gadać. Brytyjczycy załatwili mu bowiem wizytę w Moskwie. Mikołajczyk miał się tam spotkać z samym Stalinem i – jak wierzył i do czego przekonywał go obłudny Churchill – w „osobistej, szczerej rozmowie" z generalissimusem przeciąć wszystkie kwestie sporne, dojść do porozumienia i wznowić stosunki dyplomatyczne zerwane przez bolszewików po ujawnieniu sprawy Katynia.

„Organ 2-go Korpusu «Orzeł Biały» porównał Mikołajczyka z Háchą – pisał Pobóg-Malinowski. – Czy słusznie? Jeśliby się uznało nawet, że Hácha w zachowaniu się wobec Hitlera, w poczuciu honoru i godności narodowej i osobistej, nie stał wyżej od Mikołajczyka, to jednak stwierdzić trzeba, że nie zabiegał o «wizytę», lecz wezwany przez Hitlera zjawić się w Berlinie musiał".

Mikołajczyk tymczasem już widział oczami wyobraźni, jak przylatuje do „wyzwolonej" przez Armię Czerwoną Warszawy i zostaje szychą w „przyjaznym wobec Sowietów" rządzie, którego podstawę stworzą jego SL i sowiecka PPR. O tym, jak oderwany od rzeczywistości był ten człowiek, niech świadczy następująca wymiana zdań z generałem Sosnkowskim, do której doszło 3 lipca w Londynie:

> *Sosnkowski*: Czy rząd polski protestował przeciw podziałowi Europy na strefy wpływów, wedle którego Polska miałaby się znaleźć pod jarzmem sowieckim?
>
> *Mikołajczyk*: Pytałem o to w swoim czasie Edena, ten jednak zasłonił się tajemnicą wojskową.
>
> *Sosnkowski*: Czy premier wierzy, że sowieckie wojska okupujące Polskę i Niemcy opuszczą te kraje?
>
> *Mikołajczyk*: Wierzę.
>
> *Sosnkowski*: Dopuszczenie komunistów do udziału w rządzie polskim musiałoby doprowadzić, w warunkach okupacji sowieckiej, do tego, że komuniści staliby się wkrótce elementem decydującym w rządzie, eliminując następnie wszystkie inne czynniki.
>
> *Mikołajczyk*: Nie sądzę, aby można było twierdzić z całą stanowczością, że Rosja dąży do stworzenia z Polski siedemnastej republiki, raczej sądzę, że będzie liczyć się z opinią świata i państw anglosaskich i że dużo zależeć będzie od postawy społeczeństwa i od tego, jak naród w tych godzinach próby zda egzamin.

Pozostawmy tę wymianę zdań bez komentarza. Jeden z czołowych działaczy PPS w okupowanej Polsce, Kazimierz Pużak, tak ocenił projekt forsowany przez polskiego premiera: „Mikołajczyk jest Poznaniakiem i w życiu swoim nie miał do czynienia z Moskalami. Nie zna ich tak, jak ja ich poznałem. Premier się łudzi, jeśli sobie wyobraża, że będzie mógł się bronić przed sowietyzacją, mając komunistów w rządzie, a Armię Czerwoną i NKWD za plecami. Nie będzie miał tu nic do gadania. Dziś Moskwa chce, by pozbył się Sosnkowskiego i Raczkiewicza, a jutro zażąda jego głowy albo sami się go pozbędą". Jak wiadomo, tak się później stało. Swojej współpracy z Sowietami Mikołajczyk omal nie przypłacił życiem.

Podobne obiekcje omamionemu wiarą w swoją wielką historyczną rolę premierowi nie przychodziły jednak do głowy. Najlepiej w polskim piśmiennictwie stan ducha Mikołajczyka w dniu wylotu do Moskwy – 25 czerwca 1944 roku – opisał Stanisław Cat-Mackiewicz. Mam nadzieję, że wybaczą mi państwo, że zamieszczę teraz długi cytat z *Lat nadziei*. Nie tylko znakomicie oddaje on istotę rzeczy, ale i należy do jednych z najbarwniejszych w niezwykle barwnym pisarstwie Cata. Chciałbym napisać to równie dobrze, ale nie potrafię. Oddaję więc pole jednemu z mistrzów mojego politycznego myślenia:

Słuchając łoskotu śmigieł, Mikołajczyk rozmyśla nad sytuacją i wzbiera w nim gniew na tych, którzy „utrudniają" i „uniemożliwiają" porozumienie z Rosją. Uważa, że z Rosją można by się pogodzić, gdyby nie opór ze strony polskiej co do uznania linii Curzona. Gdyby nie było tych wszystkich Sosnkowskich i Bieleckich! W końcu Mikołajczyk odczuwa niechęć do tych Ziem Wschodnich, z którymi nic go nie łączy, a które teraz uniemożliwiają tak świetny interes. Z łoskotem śmigieł i mąceniem się wzroku od patrzenia z góry na monotonne i groźne przestrzenie mórz, nad którymi leci samolot, przychodzą mu do zmęczonej głowy różne echa frazesów. Że Piłsudski miał zoologiczną nienawiść do Rosji, że chłop wielkopolski... itd. itd. Nie! Trzeba prędzej oddać to Wilno i Lwów.

Po przyjeździe do Moskwy Mikołajczyk czuje, jak mu imponuje ta Rosja. Wszystko jest takie wielkie: przestrzenie, maszyny, kolumny wojsk. Polska przedwojenna ze swoimi rogatywkami na głowach żołnierzy i chełpliwymi oficerami wydaje się mu w porównaniu taka prowincjonalna. Kreml! Siedziba carów! Dla niego wyrazy „car", „moskal" nie mają elektrycznych iskier zewu do walki, jaki mają dla potomków powstańców. Zniżmy tu głos i powiedzmy cicho – jak się mówi o rzeczy bardzo intymnej – że dla Mikołajczyka inny wyraz jest bardziej podniecający, wyraz: „dziedzic".

Ale od chwili, kiedy Mikołajczyk znajdzie się na „Krasnoj płoszczadi" i wyciągnie ręce do sojuszu z Rosją, sojusz ten będzie mu uciekać. Mikołajczyk będzie za nim biec jak spragniony człowiek nie znający pustyni ku *fata morgana*, a oto im dłużej ku niemu będzie biec, tym sojusz będzie dalszy, aż wreszcie rozwieje się w obłokach. Mikołajczyk rozumie raptem, że oddanie Wilna i Lwowa to jeszcze za mało, by zyskać sojusz z Rosją. Mikołajczyk będzie pytać się nerwowo: „co więcej, co więcej" i oto skonstatuje, że Stalin nic mu dać nie chce, a Anglicy, którzy tak mądrze mu tłumaczyli, żeby do porozumienia z Rosją dążył, nie potrafią mu teraz wytłumaczyć, jak te mądre teorie zamienić w czyn. I Mikołajczyk ze wszystkimi prosowieckimi swymi tendencjami, sympatiami i ofertami zawiśnie w powietrzu. Przestąpił przez próg zasad i oto teraz, zamiast otrzymać od Rosji hojną zapłatę, leci w przepaść, a Rosja i Anglia nie podają mu ręki, odwracają się od niego. Mikołajczyk patrzy na swą osobę, chce przerwać sen i powiada: przecież jestem ten sam Mikołajczyk, którego swego czasu „Daily Worker" po śmierci generała Sikorskiego rekomendował na premiera, ten sam, którego prosowiecka „prasa londyńska" wciąż nazywała „demokratą", co oznaczało, że uważała go za przyjaciela Rosji, i chwaliła za walkę z Sosnkowskim. Przecież robiłem, co mogłem, aby walczyć z sanacją i faszystami. Dlaczego teraz jest tak trudno?

Mikołajczyk wciąż jeszcze nie rozumie, że polityka sowiecka dąży do ubezwłasnowolnienia Polski, że cel ten jest dla niej ważniejszy niż nawet pobicie Niemców, że Stalin nie zgodzi się nigdy, aby Polską rządził kto inny niż jego agenci, że Anglia dawno Rosji Polskę odstąpiła, że jeśli Anglia hodowała u siebie podczas wojny rząd polski, to tylko jako cielaka przeznaczonego na sprzedaż, że on, Mikołajczyk, jest teraz tym cielakiem już nie biegającym po łące i porykującym, jak to było w początkach naszej kolaboracji z Anglią, lecz cielakiem związanym sznurem za kopyta i przywiezionym tu do Moskwy na sprzedaż i na rzeź, że może jeszcze porykiwać, ale już nie może się wtrącać do targu o swoją skórę i mięso, bo to do niego nie należy. Co tam Stalinowi po Wilnie i Lwowie, które Mikołajczyk chce mu ofiarować. Mało ma miast i sioł, mało ziemi i ludności? Nie Wilna i Lwowa chce, a Europy Środkowej, a temu Polska niepodległa zawsze będzie stać na zawadzie.

Tak, nieszczęście Polski podczas drugiej wojny światowej polegało na tym, że nasi przywódcy polityczni zupełnie nie rozumieli Związku Sowieckiego i jego intencji. Jest to o tyle zadziwiające, że to podobno Polacy ze wszystkich narodów na całym świecie najlepiej znają się na Moskalach.

Część IV

HEKATOMBA
WARSZAWY

Rozdział 1

Obłęd w Warszawie

Muza historii, Klio, w ostatnich stuleciach nie była łaskawa dla Rzeczypospolitej. Klęskami, które na nas spadły, można by obdzielić kilka narodów. I wszystkie mogłyby powiedzieć o sobie, że są nieszczęśliwe. Żadna z tych klęsk nie może się jednak równać z klęską drugiej wojny światowej. A największym dramatem, największą katastrofą tej wojny było dla nas Powstanie Warszawskie.

Milionowe miasto, stolica Rzeczypospolitej, zostało obrócone w perzynę. Zburzone zostały muzea, pałace, świątynie i inne bezcenne zabytki. Z dymem poszły archiwa, biblioteki, niezliczone dzieła sztuki. Metodycznie, niezwykle brutalnie wymordowano co najmniej 150 tysięcy mieszkańców. Do tego należy doliczyć blisko 20 tysięcy poległych żołnierzy i tysiące cywilów zmarłych w obozach, do których Niemcy po Powstaniu wysłali wielu warszawiaków. W wyniku tej bitwy straciliśmy w sumie 200 tysięcy ludzi. Resztę mieszkańców miasta rozpędzono na wszystkie strony świata. Zgładzono przy tym patriotyczną elitę, która walczyła w szeregach Armii Krajowej, najwspanialsze młode pokolenie, jakiego kiedykolwiek się dorobiliśmy.

Był to gwóźdź do trumny polskiej niepodległości. Kres II Rzeczypospolitej z całym jej światem wartości. Był to koniec Polski, jaką znali i tworzyli od pokoleń nasi przodkowie. Rany, które wówczas ponieśliśmy, nie zabliźniły się do dziś i nie zabliźnią się nigdy. Kolejne pokolenia Polaków będą żyły w cieniu tej tragedii, ponosząc jej konsekwencje.

Nigdy wcześniej tak jak w 1944 roku tak silnie nie splotły się ze sobą dwie najbardziej polskie ze wszystkich polskich cech. Niebywały heroizm, patriotyzm i gotowość do poświęceń Polaków. A z drugiej strony głupota polityczna naszych przywódców.

Generałowie Tadeusz Bór-Komorowski, Leopold Okulicki, Tadeusz Pełczyński, Antoni Chruściel i pułkownik Jan Rzepecki... Trudno w dziejach Polski znaleźć inną grupę ludzi, która przyniosłaby swojemu państwu tak olbrzymie szkody i sprowadziła na swoich rodaków tak straszliwe cierpienia. Za kilkadziesiąt lat, gdy opadnie już unoszący się wciąż nad Warszawą bitewny kurz patriotycznej egzaltacji, przyszłe pokolenia Polaków wystawią tym ludziom niezwykle gorzką ocenę.

Według słownikowej i konstytucyjnej definicji siły zbrojne służą obronie obywateli przed obcą przemocą. Taki jest sens ich istnienia. Po to część naszych podatków przeznaczana jest na zbrojenia, żeby armia Rzeczypospolitej Polskiej broniła nas przed wrogiem. Nas, nasze rodziny, nasze domy i miasta. Dowódcy Armii Krajowej sprzeniewierzyli się temu podstawowemu obowiązkowi nałożonemu na nich przez naród i państwo. Zamiast bronić Warszawy i jej mieszkańców, doprowadzili miasto do zagłady.

Było to skutkiem decyzji podjętej w całkowitym oderwaniu od realiów i z góry skazanej na porażkę. Z fachowego, wojskowego punktu widzenia bitwa stoczona przez Armię Krajową na ulicach Warszawy była szaleństwem. Z punktu widzenia politycznego była zaś samobójstwem. Jej jedynym efektem mogła być masowa rzeź Polaków. Mężczyzn, kobiet, dzieci. Tak też się stało.

Dlatego właśnie po wojnie, na emigracji w Londynie, wielokrotnie pojawiały się wnioski i apele, aby postawić sprawców Powstania przed trybunałem stanu. Nie kto inny jak generał Anders pierwszy powiedział, że ludzie ci byli zbrodniarzami.

3 sierpnia napisał on w depeszy do szefa Sztabu Naczelnego Wodza, generała Kopańskiego: „uważam decyzję dowódcy Armii Krajowej za nieszczęście". Kilkanaście godzin później zameldował zaś generałowi Kukielowi w imieniu całego swojego korpusu:

Żołnierz nie rozumie celowości powstania w Warszawie. Nikt nie miał u nas złudzenia, żeby bolszewicy pomogli stolicy. W tych warunkach stolica mimo bezprzykładnego w historii bohaterstwa skazana jest na zagładę. Wywołanie powstania uważamy za ciężką zbrodnię i pytamy, kto ponosi za to odpowiedzialność.

W kolejnej wypowiedzi stwierdził:

Jestem na kolanach przed walczącą Warszawą, ale sam fakt powstania w Warszawie uważam za zbrodnię. Dziś oczywiście nie jest jeszcze czas na wyjaśnienie tej sprawy, ale generał Komorowski i szereg innych osób stanie na pewno przed sądem za tak straszliwe, lekkomyślne i niepotrzebne ofiary. Kilkaset tysięcy zabitych, doszczętnie zniszczona Warszawa, straszliwe cierpienia całej ludności, zniszczony dorobek kultury kilku wieków i wreszcie całkowite zniszczenie ośrodka oporu narodowego, co dziś szalenie ułatwia zadanie sowietyzacji Polaków.

Ja także jestem na kolanach przed warszawską Armią Krajową. Przeczytałem setki wspomnień żołnierzy biorących udział w Powstaniu Warszawskim, z dziesiątkami z nich sam rozmawiałem. W insurekcji tej brało udział kilku członków mojej rodziny. Nie ma żadnej wątpliwości, że nigdy nie mieliśmy żołnierzy równie wspaniałych, równie bohaterskich jak w roku 1944. Nigdy też Polakom nie kazano walczyć w tak beznadziejnych warunkach i w tak niekorzystnej proporcji sił. Nigdy nie kazano Polakom umierać tak bez sensu.

Celem i sensem każdej walki jest bowiem zwycięstwo. Jest to rzecz oczywista. Powstanie Warszawskie przegrało. Zakończyło się 2 października kapitulacją warszawskiego garnizonu AK przyjętą przez niemieckiego dowódcę generała Ericha von dem Bacha-Zelewskiego. Wynik ten mógł z góry przewidzieć nawet całkowity wojskowy dyletant. Do obłędnej koncepcji wojskowej, na której opierało się Powstanie, jeszcze przyjdzie nam wrócić.

Zacznijmy jednak od nie mniej obłędnej koncepcji politycznej. Bitwa o polską stolicę nie była bowiem zwykłym starciem zbrojnym. Była – jak mówili po wojnie jej sprawcy – „ostatnią wielką próbą uratowania niepodległości Polski".

Problem polega na tym, że gdy w Komendzie Głównej AK zapadała decyzja o wydaniu Niemcom bitwy na ulicach milionowego miasta, niepodległość była już dawno stracona. I żadne – nawet najbardziej rozpaczliwe działania i akty całopalenia Polaków – nie mogły mieć na to najmniejszego wpływu. Polskę zalewały już armie Związku Sowieckiego, któremu nasi „sojusznicy" sprzedali nas w Teheranie. To był koniec marzeń o odzyskaniu wolności.

„Z powstaniem czy bez powstania – pisał już w listopadzie 1943 roku Adam Doboszyński – całość naszych ziem odzyskamy dopiero w razie wielkiego osłabienia Rosji w zapasach z Niemcami, względnie po pobiciu Rosji przez świat zachodni. Żadne krwawe gesty przedsiębrane przedwcześnie nic nam tu nie pomogą. Wręcz przeciwnie, powstanie, likwidujące ostatecznie element przywódczy Narodu, może uniemożliwić późniejsze wykorzystanie pomyślnego dla nas obrotu wypadków".

Słynny kurier z Polski, Jan Karski, na przełomie 1943 i 1944 roku mówił: „Polska w sensie politycznym wojnę przegrała. Gdyby nasi politycy, zamiast żyć pobożnymi życzeniami, mieli odwagę spojrzeć prawdzie w oczy, usiedliby razem i zastanowili się, JAK mamy tę wojnę przegrać. Powinniśmy zacząć myśleć o tym, jak oszczędzić krajowi strat i ofiar, jak go uzbroić i przygotować najlepiej do tego, co go czeka".

Niestety oficerowie Komendy Głównej AK – i nakłaniający ich do działania Mikołajczyk – nie mieli odwagi spojrzeć prawdzie w oczy. I kierując się niedorzecznymi mrzonkami, pchnęli Polaków do zbiorowego samobójstwa.

W swojej książce *Ani tryumf, ani zgon* Tomasz Łubieński przytacza słowa umierającego młodego powstańca. „Oczywiście chciałbym przeżyć, ale najważniejsze jest, aby Polska odzyskała niepodległość" – mówi dziecko posłane z gołymi rękami na uzbrojonych po zęby esesmanów. Dramatem tego chłopca oraz wszystkich poległych i zamordowanych w tej tragicznej bitwie było to, że ich śmierć nie mogła w żaden sposób wpłynąć na to, czy ich ukochana Polska będzie, czy nie będzie niepodległa. Kwestię tę – z czego dowódcy AK powinni byli sobie zdawać sprawę – już bowiem rozstrzygnięto.

W tej sytuacji nawet sukces militarny – którego, nawiasem mówiąc, nie można było osiągnąć – oznaczałby katastrofę. Gdyby jakimś cudem Niemców udało się wyrzucić ze stolicy i wkroczyliby do niej bolszewicy, warszawski garnizon Armii Krajowej podzieliłby los oddziałów AK na Ziemiach Wschodnich i na Lubelszczyźnie. Żołnierze zostaliby wcieleni do armii Berlinga. Oficerowie, na czele z „Borem", aresztowani i wywiezieni na Syberię.

Panowie z Komendy Głównej byli jednak przekonani, że tak się nie stanie. A przyparty do muru przez naczelnego wodza Bór-Komorowski w raporcie wysłanym w lipcu 1944 roku do Londynu pisał: „Zdaję sobie sprawę, że ujawnienie nasze może grozić wyniszczeniem najbardziej ideowego elementu w Polsce, lecz niszczenia tego nie będą mogły Sowiety przeprowadzić skrycie, a będzie musiał nastąpić jawny gwałt, co może wywołać protest przyjaznych nam sojuszników".

Słów tych nie można określić inaczej niż jako żałosne. Nie ma najmniejszej wątpliwości, że Sowieci bez mrugnięcia okiem złamaliby na „oczach świata" warszawską Armię Krajową, a „przyjaźni nam sojusznicy" nie ośmieliliby się wysłać Stalinowi noty protestacyjnej. Nie ośmieliliby się nawet delikatnie zwrócić mu uwagi. Jak „Bór", który w chwili wybuchu Powstania miał czterdzieści dziewięć lat, mógł żywić tak infantylne nadzieje?

Wystarczyło tylko spojrzeć na sytuację na froncie. Sowiety na froncie wschodnim wiązały 163 niemieckie dywizje, w tym 32 pancerne, alianci zaś 38 dywizji we Francji i 23 we Włoszech. W tym 10 pancernych. Ile dywizji mogła zaś związać dowodzona przez „Bora" Armia Krajowa, lepiej nawet nie liczyć. Może z pół? Oczywiste więc było, że w każdym konflikcie między Polakami a Sowietami Anglosasi zawsze wybiorą tych ostatnich. W polityce bowiem nie liczą się żadne sojusznicze gwarancje, wzniosłe deklaracje czy tym bardziej moralność. W polityce liczy się tylko siła. Słabymi i naiwnymi się zaś pogardza.

To, że „Bór" i jego otoczenie, a także premier Rzeczypospolitej, nie potrafili zrozumieć tak podstawowej sprawy, było tragedią. I dowodem na całkowitą kompromitację polskiej myśli politycznej.

Rozdział 2

Witamy
Armię Czerwoną

Po co więc zrobiono Powstanie? Po wojnie stworzono mit, według którego insurekcja ta tak naprawdę miała być... wymierzona w Sowiety. Sprawcy Powstania Warszawskiego twierdzili, że ich prawdziwym celem było zademonstrowanie całemu światu sprzeciwu wobec oddania Polski w łapska Stalina. Udowodnienie, że Polacy chcą żyć w niepodległym państwie, a nie w sowieckiej kolonii.

Brzmi to pięknie, lecz jest całkowicie nielogiczne. Gdyby rzeczywiście Komenda Główna AK chciała bronić Warszawy przed bolszewikami, to przecież powinna była się zachować odwrotnie, niż się zachowała. Jak? Pokazali to ci sami Polacy w sierpniu 1920 roku, gdy Sowieci po raz pierwszy podchodzili pod naszą stolicę.

Jeżeli chce się przed kimś bronić, to się do niego strzela. Gdyby więc rzeczywiście Powstanie – jak nam się wmawia – było antysowieckie, to Armia Krajowa powinna była przeczekać, aż Niemcy wycofają się z Warszawy, i wkraczających do miasta bolszewików przyjąć kulami karabinowymi, butelkami z benzyną i granatami.

Skutek byłby ten sam: oddziały Armii Krajowej zostałyby unicestwione, Warszawa zostałaby zrównana z ziemią, a jej ludność – wyrżnięta. Tyle że przez Armię Czerwoną. Ale przynajmniej rzeczywiście byłby to dobitny protest przeciwko oddaniu Polski na pastwę Stalina, protest, który odbiłby się głośnym echem. Nic takiego jednak nie zrobiono, ba, o niczym podobnym nawet nie myślano.

Jaki więc był zamysł Komendy Głównej? Opanować miasto własnymi siłami na chwilę przed wkroczeniem do niego Armii Czerwonej, ujawnić się bolszewikom i przywitać ich w roli gospodarza jako wkraczającego sojusznika. Rzeczywiście bardzo antysowieckie intencje...

Niestety, jest to rzecz dla wielu Polaków przykra i niewygodna, ale Powstanie Warszawskie, ten wielki zryw, z którego jesteśmy tak dumni, było tylko kolejnym zakrojonym na szeroką skalę aktem kolaboracji ze Związkiem Sowieckim.

Sytuacja nad Wisłą była wówczas bardzo prosta. Wzdłuż rzeki przebiegał front niemiecko-sowiecki. Atakując na tym teatrze działań Niemców, Armia Krajowa działała na rzecz i w interesie Sowietów. Sami oficerowie z Komendy Głównej AK tego zresztą nie ukrywali. Już w obozie jenieckim generał „Bór" w odczycie wygłoszonym dla oficerów alianckich otwarcie mówił, że wydał warszawskiej AK rozkaz, którego intencją było udzielenie wsparcia bolszewikom.

„Rozkazy te – mówił „Bór" – były oparte i wzorowane na tych, które regulowały współpracę jednostek polskich na Zachodzie z Anglosasami, na przykład korpusu gen. Andersa walczącego we Włoszech. Okazało się, że Rosjanie nie kwapili się do nawiązania z nami ścisłej współpracy. Niemniej uważaliśmy, że należało spróbować nawiązać z nimi współpracę w Warszawie".

Podobnie wypowiadał się szef sztabu „Bora", generał Tadeusz Pełczyński „Grzegorz". „Uważaliśmy, że nasze wystąpienie będzie się zbiegało z interesami Sowietów. Nasza akcja była polską akcją zsynchronizowaną z ogólną akcją sowiecką" – mówił po wojnie. Na pytanie historyka, czy Powstanie Warszawskie było działalnością polityczną przeciwko Rosji, odparł: „Nie. Rosja to tak ustawiła i taką tezę lansuje. Oni byli agresywni, a nie my. Oni teraz mącą w głowach".

Opowiadanie dzisiaj, że Armia Krajowa, atakując niemiecki garnizon Warszawy i licząc na współdziałanie w tej walce bolszewików, tak naprawdę chciała z tymi bolszewikami walczyć, jest niepoważne.

„Nic nie obali prawdy – uważał Władysław Pobóg-Malinowski – że powstanie w Warszawie jako forma współdziałania z armią moskiewską w walce z Niemcami mogło być tylko kolaboracją z nowym najazdem i torowaniem mu drogi do jego celów. Sztabowcy podtrzymujący Mikołajczyka i niecierpliwie wyczekujący wyników rozmów jego w Moskwie nie mogli myśleć o politycznej manifestacji przeciw Rosji. Politycznie antyrosyjski aspekt powstania ukształtował się post factum".

Jest coś doprawdy niebywałego w słowach „Bora" o tym, że podczas „Burzy" bolszewicy „nie kwapili się do nawiązania z nami ścisłej współpracy", więc zdecydował się on na podjęcie kolejnej próby w Warszawie. Przykro to pisać, ale Polacy w upokarzający, nachalny wręcz sposób narzucali się Stalinowi ze swoim nonsensownym sojuszem, którego sowiecki dyktator – co demonstracyjnie okazywał – wcale nie potrzebował i nie chciał.

Wywołując Powstanie Warszawskie, chciano zmusić Stalina do zawarcia jakiegoś kompromisu z rządem Mikołajczyka i kierownictwem Polskiego Państwa Podziemnego. Nie myślano o żadnej konfrontacji z Sowietami, ale o ugodzie. Marzono o rządzie, w którym obok polskich komunistów znalazłoby się miejsce dla polskiego premiera i jego ministrów. O wojsku, w którym znalazłoby się miejsce dla „Bora" i jego oficerów. „Brak Powstania doprowadziłby jedynie do usadowienia się PKWN w Warszawie, bez naszego w tym udziału" – mówił w przypływie szczerości generał Pełczyński.

Andrzej Pomian w dziesiątą rocznicę śmierci jednego ze sprawców Powstania Warszawskiego, Antoniego Chruściela „Montera", mówił zaś o zmarłym:

Z pogardą odrzucał twierdzenie, że powstanie było w istocie wystąpieniem antyrosyjskim. Wiedział, jak niezwykle dogodną sytuację nad Wisłą, w najważniejszym punkcie, na głównym berlińskim kierunku stwarzał dla Armii Czerwonej zbrojny zryw Warszawy. Wyzyskanie tej okazji pozwoliłoby Rosjanom na znacznie wcześniejsze wkroczenie na teren III Rzeszy. W powstaniu powinna była zatem Moskwa dojrzeć gest pojednawczy, próbę przełamania lodów wspólną walką przeciw wspólnemu wrogowi i załatwienia w ten sposób wzajemnego sporu.

Jak, po tym wszystkim, co się wcześniej wydarzyło, można było mieć choćby cień złudzeń, że uda się dogadać z bolszewikami? Operacja „Burza" zakończyła się przecież kompromitującym fiaskiem. Kalkulacje Mikołajczyka i kierownictwa AK o możliwości osiągnięcia porozumienia w ogniu walki okazały się fatalnie nietrafne. Już w marcu 1944 roku nastąpiły pierwsze aresztowania ujawniających się AK-owców na Wołyniu. W połowie lipca 1944 roku bolszewicy spacyfikowali Armię Krajową na Wileńszczyźnie, a kilkanaście dni później we Lwowie. 25 lipca bolszewicy zaczęli aresztować oficerów i rozbrajać oddziały AK, które przystąpiły do „Burzy" na Lubelszczyźnie, a więc już po zachodniej stronie linii Curzona.

„O zamiarach Rosji mówił aż nadto wyraźnie przebieg «Burzy» – pisał Pobóg-Malinowski. – Kto tkwił wśród tych wydarzeń, nie może narzekać na brak elementów do oceny sytuacji. A jeśli narzeka, to albo ucieka małodusznie przed odpowiedzialnością, albo przyznaje, iż był dzieckiem, które trzeba prowadzić za rękę. Albo że działał jak ślepiec wśród kolorów. Miejsce zaś dzieci i ślepców nie tam, gdzie ważą się losy narodu!"

Na dziewięć dni przed Powstaniem pojawił się dowód rozstrzygający i ostateczny. 22 lipca 1944 roku Radio Moskwa poinformowało o utworzeniu w Chełmie Lubelskim – w rzeczywistości nastąpiło to w Moskwie – groteskowego tworu o nazwie Polski Komitet Wyzwolenia Narodowego. W nazwie tej tylko jeden wyraz był prawdziwy. Rzeczywiście był to komitet. Nie był jednak wcale polski, nie służył wyzwoleniu i na pewno nie miał nic wspólnego z narodem.

Był to stworzony przez Stalina zalążek przyszłego komunistycznego rządu zwasalizowanej wobec Sowietów Polski. Natychmiast po jego powołaniu Moskwa uznała PKWN za jedyną legalną reprezentację Polaków. „Emigracyjny «rząd» w Londynie i jego delegatura w Kraju – napisano w manifeście PKWN – jest władzą samozwańczą, władzą nielegalną. Dlatego Krajowa Rada Narodowa, tymczasowy parlament narodu polskiego, powołała Polski Komitet Wyzwolenia Narodowego jako legalną tymczasową władzę wykonawczą dla kierowania walką wyzwoleńczą narodu, zdobycia niepodległości i odbudowy państwowości polskiej".

W tym momencie już chyba nawet dla średnio rozgarniętego ucznia pierwszej klasy tajnego gimnazjum powinno było stać się jasne, że to koniec. Że wiara w to, iż bolszewicy po wyrzuceniu Niemców z Polski grzecznie się z niej wycofają i oddadzą ją Polakom, jest iluzją.

Stalin nie potrzebował do niczego panów Mikołajczyka, Tatara, Bora-Komorowskiego, Okulickiego czy Jankowskiego. Po cóż miałby się z nimi dzielić władzą w Polsce, skoro miał Bieruta, Osóbkę-Morawskiego i panią Wasilewską? Po co miał oddawać Polskę ludziom, których uważał za wrogów, skoro mógł ją oddać ludziom, którzy mu byli całkowicie posłuszni?

Inteligencja ludzi z rządu podziemnego w Warszawie nie była w stanie ocenić całej doniosłości takich faktów, jak istnienie korpusu polskiego po stronie rosyjskiej, jak powstanie Krajowej Rady Narodowej w Warszawie i jej meldowanie się u Stalina w maju 1944 r., jak działalność PPR i całego szeregu innych jednoznaczących dowodów – pisał Stanisław Cat-Mackiewicz. – Myśleli, że to wszystko jest... tak sobie, a właściwie rząd sowiecki zgodzi się, aby w Warszawie powstał rząd państwa całkiem niezależnego. Ludzie nieinteligentni, gdy przez zarozumiałość sięgają po kierownictwo losami wielkiego narodu, zasługują na rozstrzelanie.

Z utworzeniem PKWN cała koncepcja Mikołajczyka i Armii Krajowej, koncepcja szukania kompromisu z Sowietami, ostatecznie rozsypała się jak domek z kart. Nietrudno się domyślić, jaki dramat musiał się wówczas rozgrywać w duszach przywódców Polski Podziemnej. Myśl, że po pięciu latach zaciętej walki z Niemcami, po poniesieniu tylu ofiar Polska ma zostać pożarta przez Związek Sowiecki, musiała być straszna. Ludzie ci byli jednak dorosłymi mężczyznami. A dorośli mężczyźni powinni mieć odwagę spojrzeć w oczy faktom i wyciągnąć z nich wnioski.

Wniosków tych nie wyciągnięto i komendant Armii Krajowej generał Tadeusz Bór-Komorowski 31 lipca 1944 roku wydał rozkaz o wywołaniu powstania przeciwko Niemcom. Powstanie to miało się rozegrać nie w lasach, górach czy na rozległych równinach – a więc miejscach służących mężczyznom do toczenia wojen – ale na ulicach milionowego miasta. Miasta pełnego kobiet i dzieci. Polacy zdecydowali się również bić bez narzędzi używanych w tej epoce do prowadzenia wojen. Bez czołgów, samolotów i dział.

Konsekwencją tej decyzji była hekatomba.

Rozdział 3

Powstanie
wcale nie musiało
wybuchnąć

Zadziwiające, jak wiele wspólnego mają ze sobą marksiści i hurrapatriotyczni piewcy naszych fatalnych błędów i katastrof. To bowiem zgodnie z regułami marksistowskiego determinizmu dziejowego, jeżeli coś się w historii wydarzyło, to znaczy, że musiało się wydarzyć. Ileż razy słyszałem te słowa z ust polemistów podczas dyskusji na temat Powstania Warszawskiego. Skoro Powstanie wybuchło, znaczy to, że musiało wybuchnąć!

To jeden z dogmatów, których ludzie gloryfikujący dziś decyzję Komendy Głównej AK bronią z niebywałą pewnością siebie. Na podparcie tej tezy wysuwane są na ogół argumenty natury metafizycznej. Według nich Powstanie nie było wydarzeniem, które można poddać jakiejkolwiek racjonalnej analizie. Było to wypełnienie „przeznaczenia", „szał i uniesienie", którymi kierowała jakaś bliżej nie określona „siła wyższa". Zgodnie z taką wykładnią na temat Powstania nie wolno dyskutować, ba! – nie wolno go nawet badać. Można je tylko czcić.

Wobec podobnych „argumentów" człowiek myślący racjonalnie jest oczywiście bezbronny. Są bowiem nie tylko niedorzeczne, ale powstały post factum, w ramach poszukiwania celu i sensu w tragedii, która –

niestety – żadnego celu i sensu nie miała. Całkowicie zresztą rozumiem ludzi, którzy mówią i piszą podobne rzeczy. Tragedia Warszawy była bowiem czymś tak przerażającym, skala związanych z nią cierpień i zniszczenia tak olbrzymia, że trudno się pogodzić, iż wszystko to nie tylko poszło na marne, ale było skutkiem fatalnego błędu. Błędu, którego można było uniknąć.

Na podparcie tezy, że Powstanie Warszawskie musiało wybuchnąć, wysuwane są zresztą i „merytoryczne" argumenty. Według nich nastroje w Warszawie były tak napięte, żądza odwetu na Niemcach tak olbrzymia, że nawet gdyby Bór-Komorowski nie wyznaczył godziny „W", Powstanie Warszawskie i tak by wybuchło.

To nieprawda. Powstanie Warszawskie nie było żadną rewolucją, żadną ludową rebelią. Było bitwą toczoną przez dwie armie. Przez podziemne wojsko polskie i armię niemiecką. O jej stoczeniu nie zdecydował naród polski ani lud Warszawy. Nie zdecydowały marksistowskie „żelazne prawa historii", żadne „siły wyższe", a tym bardziej patriotyczne nastroje mas. Nie zdecydowało przeznaczenie ani fatum. Nie zdecydowała również „narwana" młodzież, jak w naszych powstaniach z roku 1830 i 1863.

Decyzja zapadła w Komendzie Głównej Armii Krajowej w Warszawie, w gronie kilku zawodowych wojskowych wysokiego szczebla. Była to podjęta na zimno – no może niezupełnie na zimno, o czym w kolejnych rozdziałach – decyzja sztabowa. Pierwsze uderzenie było realizowane według określonego planu operacyjnego. Biorący w nim udział Polacy mieli stopnie wojskowe, dzielili się na pułki, kompanie i plutony. Armia Krajowa 1 sierpnia 1944 roku nie zaatakowała Niemców na ulicach Warszawy dlatego, że nagle doznała jakiegoś patriotycznego objawienia, ale dlatego, że dostała taki rozkaz od swoich dowódców. Nie byłoby tego rozkazu – nie byłoby Powstania.

Opowieści o „konieczności" zrywu roku 1944 po wojnie powtarzali przede wszystkim odpowiedzialni za klęskę oficerowie Komendy Głównej AK. Pęd do walki ze strony dołów Armii Krajowej był rzekomo tak silny, że nie mieli wyboru i musieli podjąć taką, a nie inną decyzję. Mówiąc takie rzeczy, dowódcy naszej podziemnej armii obrażali tymczasem własnych podkomendnych. I była to obraza najgorsza z możliwych.

Nie można bowiem zarzucić żołnierzowi nic gorszego niż nielojalność wobec dowódców. Cała instytucja wojska opiera się bowiem na żelaznej dyscyplinie. Armia Krajowa nie była zaś – jak głosiła to później komunistyczna propaganda – żadną cywilbandą. Nie składała się z uzbrojonych oprychów czy anarchistów, którzy robili, co im się żywnie podobało, strzelali do kogo i kiedy mieli ochotę. Armia Krajowa była wojskiem. A wojsko słucha rozkazów.

Niewątpliwie myśl o zerwaniu się do boju, myśl o odwecie na znienawidzonych Niemcach była wśród żołnierzy AK niezwykle silna. Nie ma jednak żadnych dowodów, ba, żadnych przesłanek usprawiedliwiających rzucanie na nich oskarżenia, że byli gotowi zbuntować się przeciwko swojemu dowództwu i podjąć działania na własną rękę. Mamy za to bardzo poważne przesłanki, aby móc stwierdzić, że dochowaliby wierności Komendzie Głównej AK, gdyby nie zdecydowała się ona na podjęcie walki na ulicach miasta.

W tym miejscu musimy nieco wybiec w przyszłość i przeskoczyć do 27 lipca 1944 roku. Otóż tego dnia pułkownik Antoni Chruściel „Monter", komendant Okręgu Warszawskiego AK, za plecami generała Komorowskiego zarządził mobilizację podległych sobie oddziałów. Oddziały te zebrały się w wyznaczonych miejscach zbiórek i koncentracji, szykując się na rozpoczęcie walki w mieście, która miała wybuchnąć najpóźniej nazajutrz.

Udało się wówczas zmobilizować i postawić w stan gotowości osiemdziesiąt procent stanu okręgu, czyli dwa razy więcej niż podczas drugiej i ostatecznej mobilizacji 1 sierpnia. Żołnierzom rozdano nieliczną posiadaną broń i przydzielono zadania. Wszyscy w napięciu czekali na rozkaz do ataku. Całe szczęście „Bór", który jeszcze wówczas zachował resztki zdrowego rozsądku i kontroli nad swoją organizacją, alarm odwołał.

I co? I nic. Warszawska AK zdała broń i karnie rozeszła się do domów. Nie doszło do żadnej spontanicznej rebelii, nie rzucono się, żeby rozrywać Niemców na strzępy, choć okazja była znakomita. Broń z konspiracyjnych magazynów znajdowała się w rękach żołnierzy, oddziały były zebrane do kupy i gotowe do akcji. Oczywiście odwołanie powstania wywołało pewne rozczarowanie, ale rozkazy okazały się najważniejsze.

Pomysł, że kilka dni później to samo karne wojsko, które celująco przeszło taką próbę, mogłoby wypowiedzieć posłuszeństwo i z gołymi rękami (zdecydowana większość broni była w zakonspirowanych magazynach) rzucić się na Niemców, jest niepoważny. I – powtarzam – obraźliwy dla żołnierzy AK, którzy nie zasłużyli sobie na takie obelgi.

„Przy pierwszym alarmie żołnierze zeszli z posterunków bez buntu – wspominał kapitan Franciszek Miszczak „Reda". – Najmniejsza notatka w «Biuletynie» była ogromnie respektowana. Jestem przekonany, że do samorzutnego wybuchu nie doszłoby, gdyby taka instrukcja została wydana".

„Dyscyplina w oddziałach była duża – podkreślał Wiesław Chrzanowski „Wiesław". – To nie znaczy, że my, młodzież, nie byliśmy napaleni. Ale mowy nie było o tym, by można było wywołać powstanie bez rozkazu. Myśmy byli bardzo zdyscyplinowani. Przecież pierwsza mobilizacja nastąpiła już w piątek wieczorem 28 lipca. Trwaliśmy całą noc w pogotowiu, a w sobotę rano rozkaz został cofnięty i wszyscy się rozeszliśmy. Nie było więc tak, że tego nie dałoby się zatrzymać".

„Powstanie nieuniknione? To jest absolutnie nieprawda, bo choć rwaliśmy się do walki, to nie mieliśmy broni. A byliśmy, raz, że zdyscyplinowani, dwa – za inteligentni, aby uderzyć na Niemców uzbrojeni w noże kuchenne, tak jak to sobie pewnie życzyło naczelne dowództwo" – opowiadał powstaniec z Woli Jerzy K. Malewicz „Janek".

W świetle takich relacji, a jest ich bardzo dużo, tezy lansowane przez sprawców Powstania wydają się całkowicie nieuzasadnione. Było coś wyjątkowo niskiego w tych próbach przerzucania odpowiedzialności za własną fatalną pomyłkę na swoich młodych żołnierzy. Ludzi, których posłało się na śmierć. Według tej wersji okazuje się bowiem nagle, że to de facto „doły" AK wydawały rozkazy dowództwu, a nie odwrotnie. Jest to oczywista nieprawda.

Motyw to równoznaczny z kompromitującym przyznaniem się do bezradności – pisał Władysław Pobóg-Malinowski. – Kierownictwo nie dorasta do swoich zadań i obowiązków, nie spełnia swej roli, jeśli ulega nastrojowi mas, jeśli nie prowadzi ich, a idzie w tyle za nimi. Było zresztą dość czasu, nie brakowało też środków, by nastroje mas ująć w karby dyscypliny społeczno-narodowej. Nie robiono tego. Przeciwnie, nie tylko w ciągu lat okupacji, ale i w ostatnich dniach przed wybuchem, zrobiono wiele, by temperaturę nastrojów podnieść, a pęd do odwetu wprowadzić w fazę gorączkowego podniecenia i zniecierpliwienia. Zresztą argument o groźbie „spontanicznego wybuchu" nie odpowiada wcale obrazowi rzeczywistości. Nie brakowało bardzo mocnych głosów rozwagi i ostrzeżeń. Piłsudczycy zwłaszcza przemawiali bardzo dobitnie, dowodząc, że w chwili, gdy zmora niemiecka znika, a nie mniej straszliwa zmora nadciąga ze wschodu, wszelka akcja powstańcza być może tylko szaleństwem, tylko obłąkańczym kręceniem tym mocniejszego czerwonego powrozu na polską szyję! Zlekceważono te apele, nie chciano ich słuchać!

Nasuwa się tu skojarzenie z rokiem 1939, gdy nasz nieszczęsny minister spraw zagranicznych Józef Beck wepchnął Polskę w bezsensowną wojnę z Niemcami, wojnę, której – tak jak Powstania Warszawskiego – nie mogliśmy wygrać. Wówczas również nastroje ulicy były bardzo bojowe i buńczuczne. I Beck, podobnie jak pięć lat później Bór-Komorowski, tym nastrojom uległ.

Tymczasem zadaniem, a raczej obowiązkiem odpowiedzialnych przywódców jest nie ulegać kaprysom opinii publicznej, ale odwrotnie – narzucać jej własną wolę. Masy na ogół bowiem kierują się emocjami, a nie zdrowym rozsądkiem. Emocje są zaś złym doradcą w polityce. Obie klęski, w roku 1939 i 1944, były skutkiem słabości przywódców, którzy woleli popłynąć z prądem, zamiast zdobyć się na odwagę, aby iść wbrew samobójczym tendencjom narodu.

„Pełczyński argumentował, że młodzież warszawska rwie się do walki. I to była prawda – pisał znany endecki działacz i publicysta Jan Matłachowski. – Tylko że młodzież pragnęła walki zwycięskiej, ale nie całopalenia, i obowiązkiem dowódców było poprowadzić ją do zwycięstwa, a nie do samounicestwienia".

Rozstrzygającym dowodem na to, że Powstanie wcale nie musiało wybuchnąć, są zresztą plany Armii Krajowej. Otóż według pierwotnej koncepcji akcji „Burza" stolica miała być wyłączona z walki. Tamtejszy garnizon AK w czasie zbliżania się bolszewików do miasta miał wymaszerować na Zachód – w rejon Skierniewic – i tam wejść w próżnię między wycofującymi się jednostkami niemieckimi a nacierającymi jednostkami sowieckimi. Cel: nękać straże tylne Wehrmachtu.

„W planach akcji «Burza» walki w Warszawie nie były przewidziane. Podobne stanowisko zajmowaliśmy i co do innych większych miast, pragnąc uniknąć zniszczeń i zaoszczędzić cierpień ludności cywilnej" – tłumaczył kilka lat później Bór-Komorowski. „Chcieliśmy unikać walki w dużych miastach, żeby je oszczędzić" – wtórował mu generał Pełczyński. Szczególnie warta oszczędzenia była oczywiście Warszawa. Serce państwa i narodu.

Konsekwencją takiego, a nie innego planu był odpływ najlepszych bojowych oficerów, na czele z cichociemnymi, oraz broni i amunicji ze stolicy do wschodnich okręgów AK, które wykonywały „Burzę". I tak 7 lipca na rozkaz „Bora" do oddziałów walczących na Ziemiach Wschodnich wysłano z Warszawy 900 pistoletów maszynowych *Błyskawica* wraz z amunicją. Na dwa tygodnie przed Powstaniem tą samą drogą powędrowało kolejne 60 peemów i 4,4 tysiąca nabojów. Podobnie było z innymi rodzajami broni.

Aby zrozumieć, co oznaczają te liczby, wystarczy przeczytać dowolne wspomnienia powstańca warszawskiego. Główną troską każdego polskiego żołnierza walczącego na ulicach stolicy latem 1944 roku był rozpaczliwy brak broni i amunicji.

Dowództwo AK nie rozbroiło własnych oddziałów z głupoty czy złej woli. Po prostu jeszcze w połowie lipca nikt nie przewidywał, że w stolicy dojdzie do walki z Niemcami. „Wiem dobrze, że przed wybuchem powstania, na wiosnę 1944 roku, była delegacja ziemiaństwa u generała «Bora», prosząc go, aby powstrzymał wybuch powstania. «Bór» zapewnił wtedy, że powstania w Warszawie nie będzie" – wspominał słynny powstańczy kapelan Józef Warszawski.

Mało tego, za pośrednictwem Watykanu i Szwajcarii nawiązane zostały tajne negocjacje z Niemcami w sprawie oszczędzenia Warszawy. Chodziło o to, aby skłonić nieprzyjaciela do uznania polskiej stolicy za miasto otwarte i wyłączyć ją z działań wojennych, aby nie narazić bezcennych zabytków na uszczerbek, a ludności cywilnej na niepotrzebne cierpienia. Niestety, jak wiemy, ten patriotyczny i odpowiedzialny zamysł nie został zrealizowany. Wygrał inny wariant.

Jeszcze 14 lipca, a więc na dwa tygodnie przed wybuchem Powstania, generał Bór-Komorowski wysłał do naczelnego wodza depeszę, w której dokonał następującej oceny sytuacji:

Przy obecnym stanie sił niemieckich w Polsce, ich przygotowaniach przeciwpowstaniowych, polegających na rozbudowie każdego budynku zajętego przez oddziały, a nawet urzędów, w obronne fortece z bunkrami i drutem kolczastym, powstanie nie ma widoków powodzenia. Może ono udać się jedynie w wypadku załamania się Niemców i rozkładu wojska. W obecnym stanie przeprowadzenie powstania, nawet przy wybitnym zasileniu w broń i współdziałaniu lotnictwa i wojsk spadochronowych, byłoby okupione dużymi stratami.

Powtórzmy, ta arcysłuszna depesza wysłana została 14 lipca. A więc dwa tygodnie przed wybuchem Powstania. Podjęcie podobnej akcji „Bór" uznawał wówczas za samobójstwo, za działanie bez jakichkolwiek szans powodzenia. Warszawa była uratowana. Co więc stało się między 14 a 31 lipca – dniem, w którym Bór-Komorowski wydał najbardziej fatalny rozkaz w swoim życiu?

Nieprzyjaciel przecież nie zdemontował swoich „fortec z bunkrami", które stały niemal na każdym warszawskim rogu. Nie doszło również do „załamania się Niemców i rozkładu wojska". Przeciwnie, niemieckie morale 1 sierpnia stało o niebo wyżej niż 14 lipca. Niemcy pozbierali się do kupy. Dlaczego więc „Bór" zmienił zdanie? Odpowiedź jest bardzo smutna: ponieważ odebrano mu dowództwo Armii Krajowej. Komendę – choć nieformalnie – przejął ktoś inny.

Rozdział 4

Generał Sosnkowski
ostrzega

Komendę Główną Armii Krajowej w poprzednich rozdziałach porównałem do meksykańskiej junty. Brzmi to szokująco, ale niestety podobieństw jest aż nadto. Złamanie przez kraj „instrukcji październikowej" było de facto wypowiedzeniem posłuszeństwa naczelnemu wodzowi, aktem nielojalności wobec władz zwierzchnich.

Była to decyzja nie tyle wojskowa, ile polityczna. Oficerowie z Komendy Głównej – choć nie mieli do tego ani uprawnień, ani niezbędnych predyspozycji – zaczęli robić wielką politykę. Skończyło się to dla Polski fatalnie.

„Już nie Londyn, jak za życia Sikorskiego, ale Warszawa, a w szczególności Komenda Główna Armii Krajowej, stała się najważniejszym polskim ośrodkiem decyzji – pisał Zbigniew S. Siemaszko. – Komenda ta wyzwoliła się od zwierzchności Naczelnego Wodza, gdyż dowództwo, które raz nie wykona otrzymanych zarządzeń i pozostanie nadal na swoim stanowisku bez żadnych konsekwencji, będzie odtąd wykonywać jedynie te zarządzenia, które będą szły po jego myśli, a inne zignoruje".

Wydanie rozkazu o podjęciu bitwy o Warszawę było modelowym przykładem tego, o czym napisał emigracyjny historyk. Paradoksem naszej tragedii w roku 1944 jest bowiem to, że naczelny wódz – a więc człowiek, który powinien dowodzić armią i podejmować najistotniejsze decyzje – był zdecydowanym przeciwnikiem insurekcji. Najważniejsza z najważniejszych polskich decyzji podczas drugiej wojny światowej została podjęta wbrew jego woli.

Na tle innych postaci, które znalazły się na szczytach polskiej władzy podczas drugiej wojny światowej, na tle takich figur jak Józef Beck, Władysław Sikorski, Stanisław Mikołajczyk czy Tadeusz Bór-Komorowski, generał Sosnkowski jawi się jako mąż stanu. Kazimierz Sosnkowski – największy spośród piłsudczyków, najbliższy współpracownik Komendanta – uratował honor Wojska Polskiego i Polski, pokazując, że nie wszyscy Polacy podczas drugiej wojny światowej zatracili zdolność politycznego myślenia. Niestety marna to pociecha. Nie o honor bowiem toczyła się ta gra, lecz o życie.

Dlaczego naczelny wódz nie uratował Polski? Przede wszystkim miał wszystkich przeciwko sobie. A więc premiera Sikorskiego, a później premiera Mikołajczyka. Miał przeciwko sobie Brytyjczyków i Amerykanów, którzy zwalczali go jako jednego z niewielu Polaków nie godzącego się na kompromisy i twardo obstającego przy obronie polskiej niepodległości.

Miał wreszcie przeciwko sobie bolszewików, którzy z upływem czasu coraz bardziej natarczywie domagali się jego dymisji. Zwalczała go zajadle – inspirowana przez polskie i brytyjskie czynniki rządowe – anglosaska prasa, przedstawiając go jako „zatwardziałego reakcjonistę", „obszarnika" i „zwolennika Hitlera". Zwalczała go wreszcie Komenda Główna AK. Opleciony lepkimi nićmi intryg i spisków, mający do czynienia z nielojalnością własnych podwładnych, Sosnkowski miał spętane ręce. Było to wielką tragedią tego człowieka i wielką tragedią Polski.

W jego sytuacji, gdy sam ledwie utrzymywał się na stanowisku i musiał odpierać ataki, żadne szarpnięcie cuglami, żadna zdecydowana próba przywrócenia do pionu Komendy Głównej AK nie była możliwa. Nawet gdyby generał wydał rozkaz o dymisji „Bora" i otaczających go oficerów, rozkaz ten nie zostałby wykonany. Tak jak nie zostały wykonane jego liczne instrukcje ostrzegające przed zgubnymi skutkami powstania.

„Jako Naczelny Wódz, a wcześniej jeszcze jako pierwszy Komendant Główny ZWZ, Sosnkowski dbał przede wszystkim o to, aby nie szafować bezmyślnie i niepotrzebnie krwią żołnierza polskiego. Było to konsekwencją wspólnych z Piłsudskim poczynań w czasach Legionów. Stale ostrzegał Armię Krajową przed przedwczesnymi zrywami, informował o nadchodzącym zagrożeniu" – pisał biograf generała historyk Jerzy Kirszak.

W tym duchu sformułowana była właśnie część „instrukcji październikowej" poświęcona ewentualnemu powstaniu. Wyraźnie stwierdzono w niej, że przystąpić do niego można tylko i wyłącznie, jeśli spełnione będą bardzo konkretne warunki:

1. Niemcy utrzymają front wschodni do czasu, gdy wojska aliantów zachodnich i walczące u ich boku Polskie Siły Zbrojne na Zachodzie na tyle zbliżą się do terytorium Rzeczypospolitej, że będą mogły przyjść z pomocą powstaniu drogą lotniczą.

2. „Sojusznicy" dotrzymają swoich obietnic i prześlą Armii Krajowej duże ilości broni i sprzętu niezbędne do powstania.

3. „Sojusznicy" zrzucą do Polski Samodzielną Brygadę Spadochronową generała Sosabowskiego wraz z amerykańskimi i brytyjskimi oficerami łącznikowymi.

4. Całkowicie załamie się niemiecka machina wojenna, a na tyłach wybuchnie panika.

Jak wiemy, żaden z tych warunków 1 sierpnia 1944 roku nie był spełniony:

1. Alianci zachodni byli zbyt daleko, aby udzielić walczącym Polakom jakiegokolwiek poważnego wsparcia lotniczego.

2. Brytyjczycy nie tylko nie przesłali broni i sprzętu niezbędnego do powstania, ale i zmniejszyli zrzuty dla AK niemal do zera.

3. Anglosasi odmówili zrzucenia do Polski brygady Sosabowskiego, którą przekazano do wykorzystania na froncie zachodnim.

4. Niemiecka machina wojenna na terenie Polski wcale się nie załamała. Panika wśród Niemców nie wybuchła.

A więc również w sprawie Powstania Warszawskiego Komenda Główna złamała „instrukcję październikową" i postąpiła wbrew woli naczelnego wodza. Stało się to oczywiście ku zadowoleniu Stanisława Mikołajczyka. Generał Sosnkowski na próżno próbował wpłynąć na premiera, aby przekonał kraj, że wzniecanie powstania jest „niemożliwością". Określenie to padło podczas rozmowy, która odbyła się 3 lipca 1944 roku w Londynie.

„Trudno sobie wyobrazić – mówił Sosnkowski – możność opanowania większego obszaru lub poważniejszego centrum na czas dłuższy niż parę dni. Potem zaś nieuniknionym skutkiem podobnej próby byłaby rzeź polskiej ludności". Według niego powstanie w ówczesnych warunkach „pod względem wojskowym byłoby niczym innym jak aktem rozpaczy". Mikołajczyk jednak patrzył spode łba i wiedział swoje.

Dzień po rozmowie z Sosnkowskim wysłał depeszę, w której podkreślał, że Polskie Państwo Podziemne powinno „okazać do ostatniej chwili wysiłek walki i gotowość kolaboracji". Oczywiście walki z Niemcami, a kolaboracji z Sowietami. Dalej premier pisał: „Czyście rozpatrywali kwestię powstania na wypadek rozsypki Niemców, ewentualnie częściowego powstania, gdzie by władzę przed przyjściem Sowietów objęli Delegat Rządu i dowódca Armii Krajowej?" – pytał. Depesza ta dawała Komendzie Głównej carte blanche i była jawną zachętą do walki. Potem takich podjudzających depesz posłał jeszcze kilka.

W tej sytuacji generał Sosnkowski prowadził dalej swoją samotną walkę o uratowanie stolicy. Oto fragmenty kilku jego depesz z tego okresu:

7 lipca 1944

Wszystko wskazuje na to, że w stosunku do Polski rząd sowiecki powziął decyzję pójścia drogą faktów dokonanych. W tych warunkach powstanie zbrojne narodu nie byłoby niczym usprawiedliwione, nie mówiąc już o braku fizycznych szans powodzenia.

25 lipca 1944

W obliczu szybkich postępów okupacji sowieckiej na terytorium kraju trzeba dążyć do zaoszczędzenia substancji biologicznej narodu w obliczu podwójnej groźby eksterminacji.

28 lipca 1944

W obliczu sowieckiej polityki gwałtów i faktów dokonanych powstanie zbrojne byłoby aktem pozbawionym politycznego sensu, mogącym za sobą pociągnąć niepotrzebne ofiary.

29 lipca 1944

W obecnych warunkach politycznych jestem bezwzględnie przeciwny powszechnemu powstaniu, którego sens historyczny musiałby z konieczności wyrazić się w zamianie jednej okupacji na drugą. Wasza ocena sytuacji niemieckiej musi być bardzo trzeźwa i realna. Omyłka pod tym względem kosztowałaby bardzo wiele. Trzeba jednocześnie skupiać wszystkie siły polityczne i fizyczne przeciwko aneksyjnym planom Moskwy. Nie widzę żadnej możliwości nawet rozważania sprawy powstania.

30 lipca 1944

Jeszcze raz powtarzam: jestem w obecnych warunkach politycznych bezwzględnie przeciwny powszechnemu powstaniu, którego sensem z konieczności byłaby zamiana jednej okupacji na drugą.

Po przeczytaniu tych depesz ciśnie się na usta jedno słowo: Dlaczego? Dlaczego te przestrogi pozostały głosem wołającego na puszczy? Dlaczego rozkazy naczelnego wodza – a więc osoby, do której powinna należeć decyzja „bić się czy nie bić" – zostały zignorowane? Dlaczego musiało zginąć 200 tysięcy ludzi, a stolica Polski obrócić się w gruzy, skoro najwyższy dowódca polskiej armii stanowczo sprzeciwiał się powstaniu?

Choć nie ma żadnych wątpliwości, że Komenda Główna AK w pełni zdawała sobie sprawę, iż naczelny wódz jest przeciwny powstaniu, należy wskazać na pewną okoliczność łagodzącą. Otóż część cytowanych wyżej depesz, pomimo że została nadana przez generała Sosnkowskiego, nie trafiła do kraju. Korespondencja naczelnego wodza była bowiem… cenzurowana, opóźniana i zatrzymywana przez jego podwładnych, którzy opowiadali się za szukaniem kompromisu z Sowietami i wywołaniem powstania w Warszawie.

Czy gdyby depesze te dotarły w pełnej formie do Polski, zmieniłyby ostateczną decyzję Komendy Głównej? Na to pytanie nie potrafimy odpowiedzieć. Jedno jest jednak pewne – grupa oficerów w Londynie zakulisowymi działaniami spowodowała, że depesze naczelnego wodza do kraju nie dotarły. Teraz nie mówimy już o politycznych iluzjach, braku odpowiedzialności i chciejstwie osób, które w gruncie rzeczy miały szczytne intencje. Mówimy o zdradzie.

Do sprawy tej jeszcze wrócimy w części poświęconej sowieckiej prowokacji.

Rozdział 5

Operacja „Weller 29"

W nocy z 21 na 22 maja 1944 roku na lądowisko „Kos" w pobliżu Krakowa zrzucono spadochroniarza o pseudonimie „Kobra". Na nieszczęście dla Polski operacja zakończyła się pełnym sukcesem – mężczyzna bezpiecznie wylądował na ziemi. Pod pseudonimem „Kobra" ukrywał się generał Wojska Polskiego Leopold Okulicki. Człowiek, który doprowadził do rzezi Warszawy.

„Kobrę" do Polski wysłał... generał Kazimierz Sosnkowski. Okulicki miał uratować Warszawę. Któż mógł się do tego zadania nadawać lepiej niż on! Były legionista, dzielny oficer, skłonny do zdecydowanych, często wręcz brutalnych działań. Były żołnierz 1920 roku, w latach 1940–1941 więziony przez NKWD. Wydawałoby się, że taki człowiek nie może żywić żadnych wątpliwości co do prawdziwych intencji Sowietów.

Przed wysłaniem „Kobry" do kraju generał Sosnkowski odbył z nim szereg długich rozmów. Przedstawił oficerowi, któremu ufał bezgranicznie, pełny, tragiczny obraz sytuacji. Powiedział bez ogródek, że sprawa polska jest przegrana. Że Rzeczpospolita została sprzedana przez aliantów Stalinowi i dalsza walka nie ma żadnego sensu. Może przyczynić się tylko do zagłady AK i spowodować potworne cierpienia ludności.

Generał Sosnkowski dał Okulickiemu jedno, jedyne zadanie: ratować biologiczną substancję narodu przez powstrzymanie wybuchu powstania. „Kobra" po przylocie do kraju miał przekonać Komendę Główną AK, że powstanie byłoby szaleństwem. W razie gdyby było to konieczne, miał ten pogląd narzucić siłą. Generał Okulicki rozkazy przyjął i obiecał dołożyć wszelkich starań, żeby je wykonać.

Tymczasem po przylocie do kraju z pełną świadomością i premedytacją podjął działania całkowicie sprzeczne z poleceniami generała Sosnkowskiego. Okulicki złamał tym samym rozkazy naczelnego wodza, plamiąc mundur i honor oficera Wojska Polskiego. Sprawia to, że jest największym szwarccharakterem tej książki i jednym z największych szwarccharakterów w historii Rzeczypospolitej.

Okulicki z pełną świadomością sprzeniewierzył się rozkazom swojego zwierzchnika. Gdy w Komendzie Głównej AK jeszcze przed Powstaniem dyskutowano możliwość przylotu do kraju generała Sosnkowskiego, to właśnie Okulicki – a więc jego emisariusz – był temu najbardziej przeciwny. „On nam tu wszystko przewróci" – mówił. I miał absolutną rację.

Tymczasem po dotarciu na przełomie maja i czerwca 1944 roku do Warszawy „Kobra" z miejsca podjął energiczną zakulisową kampanię mającą przekonać oficerów Komendy Głównej Armii Krajowej, że powstanie jest… konieczne. Do tego celu dążył z olbrzymią determinacją, nie wahając się przed szantażem, terrorem psychicznym i kłamstwem. Niestety ów cel osiągnął.

Sam w zeznaniu, które sporządził dla Ławrientija Berii 5 kwietnia 1945 roku w celi na Łubiance, Okulicki stwierdził: „przyznaję, że w Komendzie Głównej ja byłem motorem wcześniejszego rozpoczęcia walki o Warszawę. Jeśli kto ma za to odpowiadać przed sądem, to w pierwszym rzędzie powinienem odpowiadać ja". Opinię tę potwierdził Bór--Komorowski, który po wojnie przyznał, że „Okulicki był tym, który wysunął projekt walki o Warszawę".

Generał Antoni Chruściel „Monter", faktyczny dowódca Powstania Warszawskiego, po wojnie zapewniał, że bez Okulickiego do żadnego powstania w stolicy by nie doszło. Tak też uważał szef oddziału operacyjnego KG AK i jeden z najrozsądniejszych oficerów naszego podziemia, pułkownik Janusz Bokszczanin. „Od chwili, gdy przybył Okulicki, wszystko się zmienia. Nie wiem, kto go wysłał ani jaka była jego misja, lecz wiem, że Powstanie Warszawskie było jego dziełem" – mówił pułkownik.

Jest to więc sprawa bezsporna, której dziś żaden historyk nie podaje w wątpliwość. Powstanie Warszawskie „zawdzięczamy" generałowi Leopoldowi Okulickiemu.

Już w kantynie oficerskiej bazy lotniczej w Brindisi, gdzie oczekiwał na samolot, którym miał polecieć do okupowanej Polski, Okulicki prężył bicepsy i mówił: „Mam równie potężne pełnomocnictwa. Jadę tam zrobić trochę porządku". Stało się na odwrót. Zamiast wprowadzić porządek do pracy Komendy Głównej AK, wprowadził do niej całkowity chaos. Trudno również uznać zburzenie milionowego miasta, śmierć 200 tysięcy rodaków i zniszczenie polskiego podziemia za „zrobienie porządku".

Okulicki po przybyciu do Warszawy zastał Komendę Główną AK w głębokim kryzysie. Bór-Komorowski był całkowicie zdezorientowany i zrezygnowany. Podczas odpraw generał właściwie tylko kiwał głową, niezdolny podjąć najbardziej błahej decyzji bez konsultacji ze swoim szefem sztabu Tadeuszem Pełczyńskim i innymi oficerami. Armią Krajową zarządzał w sposób kolektywny, organizując głosowania. AK była więc de facto strukturą pozbawioną głowy.

„Bór" latem 1944 roku był już strzępem człowieka. Zresztą nawet gdy był w pełni formy, nie nadawał się na dowódcę takiej organizacji jak AK. Jak mówiła jedna z przedwojennych opinii służbowych, „mógł pracować z dużym pożytkiem dla sportu konnego". I gdyby nie wybuch wojny, pewnie byłby to szczyt jego możliwości. Przed wojną znany był bowiem właśnie ze znakomitych występów podczas zawodów hipicznych. Był to oczywiście człowiek kulturalny, wielki dżentelmen i patriota, ale brakowało mu charyzmy, zdecydowania, a wreszcie kwalifikacji do sprawowania tak poważnej funkcji. A tym bardziej podejmowania tak poważnych decyzji.

Pułkownik Komorowski zaczął robić zawrotną karierę dopiero w konspiracji – pisał były powstaniec i emigracyjny historyk Jan Ciechanowski – gdzie brak odpowiednich kwalifikacji był pokryty tajemnicą i niewiele mówiącymi, choć nieraz szumnymi pseudonimami i gdzie nie było odpowiednich warunków do ich sprawdzenia. Manewrów, gier wojennych itp. Przypadek i zrządzenie losu (aresztowanie gen. Grota-Roweckiego) wyniosły go na stanowisko Dowódcy AK i kazały mu decydować o losach stolicy i narodu, chociaż przerastało to tragicznie jego skromne możliwości zawodowe i intelektualne.

Jak pisał jeden z najlepszych oficerów w KG AK Ludwik Muzyczka: „Nominacja «Bora» była tragicznym nieporozumieniem". Bardzo dużo o generale i jego horyzontach mówi powojenna rozmowa z Komorowskim Jana Nowaka-Jeziorańskiego:

– Jaki moment z Powstania utkwił panu Generałowi najmocniej w pamięci?

Myślałem, że usłyszę jakąś wstrząsającą historyjkę. Generał odbył przecież „przemarsz przez piekło" na Starym Mieście, a później kanałami do Śródmieścia. Oglądał walki w trzech dzielnicach: na Woli, na Starym Mieście i w Śródmieściu. „Bór" zastanawiał się długo i w pewnej chwili twarz mu się rozjaśniła.

– Pamiętam – powiedział, śmiejąc się – jak mi żołnierze przynieśli do PKO ze sklepu Hiszpańskiego piękne kawaleryjskie buty z cholewami.

No cóż, wróćmy do lipca 1944 roku. Nie tylko „Bór", ale również inni wysocy oficerowie AK znajdowali się wówczas na skraju wytrzymałości. Przez pięć lat służby w warunkach konspiracyjnych żyli w najwyższym napięciu nerwowym. Codziennie narażali życie, musieli się ukrywać, groziło im aresztowanie przez Gestapo. Byli po prostu wyczerpani. Miękka ręka „Bora" sprawiała, że struktura się rozłaziła.

„Na wiosnę 1944 roku Armia Krajowa, ten niezwykły mechanizm stworzony przez Roweckiego, była już tylko wielkim ciałem, ślepym i rozkładającym się – wspominał pułkownik Janusz Bokszczanin „Sęk". – I wówczas przyjechał Okulicki. Byliśmy zmęczeni, podzieleni, na krawędzi rozpaczy. On kipiał energią, żywotnością i wiarą. W ciągu kilku tygodni stał się dowódcą AK. Był jak byk, który umiał tylko rzucać się na wszystkie czerwone chusty, którymi wymachiwano mu przed nosem".

Okulickiemu sytuację ułatwiło to, że został z miejsca mianowany szefem operacji Komendy Głównej, wygryzając z tego stanowiska Bokszczanina, najlepszego z wyższych oficerów AK. W przeciwieństwie do kolegów „Sęk" był bowiem znakomitym fachowcem, w którym trudy konspiracji nie zabiły zdolności do chłodnego i analitycznego myślenia.

Okulicki był jego całkowitym przeciwieństwem. Oficer o bardzo wąskich horyzontach, o przeroście fantazji nad rozumem. Jego koledzy mówili, że najpierw działał, a dopiero potem myślał. Grot-Rowecki nazywał go rębajłą i gdy mówiono przy nim o Okulickim, wstawał i dla żartu wymachiwał ręką, jakby trzymał w niej szablę, atakując wyimaginowanego przeciwnika. „Bór" mówił zaś o nim, że to „chojrak". Człowiek do „pitki i wybitki".

Do tego dochodzi jeszcze jedna, niezwykle nieprzyjemna, sprawa. Otóż Okulicki cierpiał na ciężką chorobę alkoholową. W rozstrzygających dniach poprzedzających decyzję o wywołaniu Powstania Warszawskiego niemal cały czas był na rauszu. Zapewne wiele najbardziej buńczucznych i oderwanych od rzeczywistości opinii Okulicki wypowiedział właśnie pod wpływem alkoholu.

„Powiedziałem mu, że naszą jedyną troską jest uratowanie miasta – wspominał Bokszczanin. – Odparł, że go to nie interesuje. Obecnie nie chodzi już o ocalenie Warszawy, lecz Polski. Sądzę, że pił tego dnia. W ogóle pił dużo. Zaczął się denerwować. «Kocham Warszawę tak samo jak pan, powiedział, lecz ja widzę dalej. Historia Polski pełna jest zdrajców i tchórzy, którzy ją zaprzedawali pod pretekstem kilku istnień ludzkich lub domów»".

To typowa mieszanka, którą „Kobra" posługiwał się podczas rozmów z innymi oficerami. Z jednej strony groźby i oskarżenia o tchórzostwo, z drugiej podbijanie patriotycznego bębenka. Obie te struny były – niestety – wyjątkowo czułe i taka argumentacja miała olbrzymi wpływ na dowódców podziemnej armii. Nikt nie chciał zostać uznany za defetystę, dekownika czy kiepskiego patriotę przez świeżo przybyłego z Londynu bojowego generała.

W ramach swojej zakulisowej akcji obliczonej na przejęcie kontroli nad Komendą Główną „Kobra" wykazał się zaskakującą jak na niego inteligencją i sprytem. Starał się bowiem urabiać po kolei najważniejszych oficerów Komendy Głównej AK.

W połowie lipca Okulicki spędził jedną noc u mnie – wspominał pułkownik Antoni Sanojca. – Rozmawialiśmy właściwie przez całą noc. Według niego powinniśmy bić się z Niemcami, tak by pozostać w walce aż do końca. Następnie gwałtownie skrytykował dowództwo, używając bardzo ostrych słów: sklerotycy, tchórze itd. Wypominał im, że wyłączyli Warszawę ze strefy walk z powodu obecności ludności cywilnej. Właśnie dlatego, powiadał, ponieważ Warszawę zamieszkuje milion ludzi, którzy ani na chwilę nie zaprzestali walki, nie mamy prawa w ostatnim momencie kazać im złożyć broni. Warszawa musi walczyć niezależnie od ceny. Czułem się trochę onieśmielony jego stanowiskiem.

Okulicki mówił również innym oficerom, że Bór-Komorowski nie jest człowiekiem, który „byłby w stanie wziąć na siebie odpowiedzialność za kraj w chwili tak poważnej", i należałoby go zastąpić kimś „zdecydowanym, o silniejszej indywidualności", który nie bałby się „stawić czoła przeznaczeniu". Oczywiście miał na myśli siebie.

Właśnie z tych rozstrzygających dni pochodzi jedna z najbardziej ponurych i mrożących krew w żyłach wypowiedzi Okulickiego: „Musimy stoczyć wielką bitwę w Warszawie, i to niezależnie od ceny. Niech się walą mury, niech płynie krew. Tylko nasza walka, nasza śmierć, nasza ofiara może zmienić stanowisko wielkich mocarstw".

W osobie generała Okulickiego jak w soczewce zdają się skupiać wszystkie najgorsze polskie przywary, które z taką mocą uwydatniły się podczas drugiej wojny światowej. A więc zupełne nieliczenie się z realiami, optymizm graniczący z szaleństwem i pęd do nadmiernego szafowania krwią. Oczywiście nie swoją, tylko podległych sobie żołnierzy. Przede wszystkim jednak brak zrozumienia dla elementarnych praw, którymi rządzi się polityka, a co za tym idzie – będąca jej przedłużeniem – wojna.

Nieszczęsny Okulicki nie rozumiał, że mógłby obrócić w gruzy nie tylko Warszawę, ale jeszcze na przykład Wilno, Lwów, Kraków, Łódź, Poznań i piętnaście innych największych polskich miast. Mógłby doprowadzić do śmierci nie kilkuset tysięcy polskich mężczyzn, kobiet i dzieci, ale powiedzmy 15 milionów. Wszystko to nie miałoby żadnego znaczenia, żadnego wpływu na Anglików i Amerykanów. I tak w obronie Polski nie kiwnęliby palcem.

Miał rację Jan Nowak, kiedy wróciwszy do Polski na krótko przed wybuchem Powstania, ostrzegł Komendę Główną AK, że na Zachodzie odniesie ono taki efekt jak „burza w szklance wody". Powstanie Warszawskie nie tylko nie wywołało żadnego moralnego wstrząsu u Anglosasów ani nawet podziwu dla „niezłomnej i bohaterskiej Armii Krajowej", ale jeszcze pogłębiło przekonanie, że Polacy są ludźmi bez rozumu politycznego, oderwanymi od rzeczywistości fantastami o skłonnościach samobójczych. A więc partnerem niepoważnym.

Kompleks pawia rozrósł się u nas ostatnio do rozmiarów zupełnie samobójczych – pisał Adam Doboszyński – popełniamy gesty bohaterskie, kosztujące nas dużo, w przekonaniu, że podnoszą nas one w oczach zagranicy. Nie rozumiemy, że dzieje się wręcz odwrotnie. We wszystkich dyskusjach na temat powstania jako główną korzyść z niego wysuwa się nadal pozytywny rzekomo oddźwięk jego na Zachodzie. Otóż nie, po stokroć nie! Byłem w czasie powstania w Londynie i będę to powtarzał do końca życia, że powstanie i ogrom jego ofiary zaszkodziły nam w opinii świata, a nie pomogły. Przez pierwsze dwa dni powstania Anglicy zastanawiali się nad jego celowością, a poczynając od dnia trzeciego, taktowniejsi spośród nich przestali w ogóle rozmawiać na ten temat z Polakami. Nie mówi się z nikim o siostrze, choćby najcnotliwszej i urodziwej, która w przystępie nagłego obłędu wyskoczyła z piątego piętra, ani o szwagrze, który rozdawał ubogim zawartość swego przedsiębiorstwa i poszedł do więzienia za złośliwe bankructwo. Ludziom trzeźwym nie każe się podziwiać lunatyków, zjadacze chleba sceptycznie odnoszą się do świętych, szczególnie jeśli ich świętość wydaje się nie zapominać o efektach zewnętrznych.

Władysław Pobóg-Malinowski dodawał: „Rachuby na uczuciowy czy szlachetny oddźwięk świata były przykładem polskiego prymitywizmu w myśleniu politycznym".

Każdego logicznie myślącego człowieka informacja, że prąca na zachód armia sowiecka rozbija kolejne oddziały AK, skłoniłaby do zawieszenia wszelkich marzeń o walce w Warszawie. Tymczasem Okulicki wyciągnął z tragedii Armii Krajowej na wschodnich terenach Polski wniosek dokładnie odwrotny.

Skoro „Burza" okazała się zbyt mało spektakularna, to zróbmy to samo na jeszcze większą skalę! Poświęćmy jeszcze więcej ludzi! Szef wywiadu Komendy Głównej AK Kazimierz Iranek-Osmecki tak zapamiętał dzień, w którym do Warszawy dotarła informacja o aresztowaniu oficerów i rozbrojeniu 27. Wołyńskiej Dywizji Piechoty AK przez Sowietów.

Tego wieczoru przyszedł Okulicki i powiedział:
– Musimy się bić.
Na początku nie zrozumiałem, do czego robi aluzję. Nie wiedziałem, że znał los ludzi 27. Dywizji. Widząc moje zaskoczenie, wyjaśnił:
– Tylko my wiemy, co się stało z ludźmi 27. Dywizji. Dla całego świata ona nie istnieje i nigdy nie istniała. Nasza jedyna szansa to rozpocząć walkę, o której wszyscy musieliby wiedzieć. Tę bitwę powinniśmy wydać w Warszawie, stolicy Polski.

Trudno się oprzeć wrażeniu, że historia Polski zatoczyła wówczas pełen, trwający pięć lat obrót. Wiosną 1939 roku, gdy współpracownicy pytali z niepokojem naszego ministra spraw zagranicznych Józefa Becka, co się stanie, jeżeli Niemcy polską odmowę na złożoną im ofertę wspólnej wyprawy na Związek Sowiecki potraktują jako casus belli i zaatakują Polskę, odpowiedział krótko: „To jasne, będziemy się bić".

Pięć lat później, z tymi samymi słowami na ustach, z taką samą dezynwolturą i brakiem odpowiedzialności Okulicki pchał Polskę ku kolejnej przepaści. Tak jak w 1939 roku, Polacy w 1944 roku ponownie mieli stawić czoło przeciwnikowi, z którym nie mieli najmniejszych szans. Tak jak wtedy całe ich nadzieje opierały się na wierze w pomoc odległych sojuszników. Podobnie jak wtedy zlekceważyli Związek Sowiecki.

W zestawieniu Beck–Okulicki ten drugi wypada jednak znacznie mniej korzystnie. O ile bowiem ostatni szef dyplomacji II Rzeczypospolitej przeciwko niemieckim czołgom i samolotom mógł jeszcze rzucić polskie czołgi i samoloty, o tyle „Kobra" przeciwko niemieckim czołgom i samolotom rzucił już tylko kwiat polskiej młodzieży z butelkami z benzyną. Dlatego Beck przegrał wojnę, a grzech Okulickiego jest znacznie cięższy. Okulicki sprowokował rzeź.

Rozdział 6

Spisek
w Komendzie Głównej

Komenda Główna AK w dniach poprzedzających wybuch Powstania Warszawskiego stała się areną jednej z najbardziej tragicznych i brzemiennych w skutki rozgrywek w historii Polski. W ostatnich dniach lipca wyżsi oficerowie podziemnego wojska spotykali się dwa razy dziennie – o 9.00 i 18.00 – na odprawach, podczas których decydował się los stolicy Polski i miliona jej mieszkańców. Ze wspomnień i relacji świadków wyłania się dramatyczny obraz tych dyskusji.

Za oknami upał, w pomieszczeniach gęste kłęby papierosowego dymu. Za stołem kilku mężczyzn prowadzących zażarty spór. Płomienne wystąpienia, trwające godzinami dyskusje, nerwy napięte do granic możliwości. Poczucie, że zbliża się czas rozstrzygnięć. Armia Czerwona z każdym dniem zbliża się do miasta i z każdym dniem rośnie niepewność. Co się stanie? Co mamy robić? Bić się czy nie bić? Zdania są podzielone.

Jednocześnie Niemcy w mieście zdradzają coraz większe oznaki nerwowości. Przez Polską stolicę przeciągają długie kolumny pobitych oddziałów Wehrmachtu. Dla warszawiaków to, co widzą, jest szokiem. Niemieccy żołnierze nie są już dumnymi übermenschami w idealnie wyprasowanych mundurach, którzy patrzą z pogardą na przechodniów.

Warszawiacy widzą oberwaną, wymęczoną hordę maruderów ze spuszczonymi głowami. To wycofujące się na zachód resztki rozbitych przez bolszewików dywizji.

Wraz z żołnierzami przez miasto przeciągają tłumy uciekających cywilów. Niemców, ale przede wszystkim wschodnich Europejczyków: Ukraińców, Rosjan, Białorusinów i Polaków z Ziem Wschodnich, którzy nie mają najmniejszej ochoty być ponownie „wyzwoleni" przez Sowiety. Ludzie ci jadą na obładowanych tobołami i pierzynami furmankach, pędzą ze sobą krowy. Jednocześnie ze wschodu dochodzi zwiastujący zbliżanie się frontu groźny pomruk bolszewickiej artylerii.

Obserwujący to z lekkomyślną satysfakcją warszawiacy są przekonani, że mają do czynienia z symptomami całkowitego rozkładu i załamania III Rzeszy. Dezinformowani podziemną propagandą wierzą, że oto ze wschodu nadciąga „sojusznik naszych sojuszników" i wyzwolenie jest bliskie. Powoduje to, że w mieście wzrastają bojowe nastroje wobec Niemców. Rozemocjonowana ulica oczekuje, że AK weźmie odwet na znienawidzonym, wyraźnie załamującym się okupancie.

Ta niezwykle silna presja społeczna oczywiście dociera do Komendy Głównej. „Kiedy wreszcie zaczniecie?" – pytają wszyscy warszawiacy, od profesorów po baby handlujące w bramach cielęciną. Wciąż jednak obowiązuje rozkaz o wyłączeniu Warszawy z akcji „Burza" w trosce o jej zabytki i mieszkańców. „Bór" jest zdecydowany iść pod prąd i rozkaz utrzymać.

Wokół Okulickiego skupiają się jednak prący do walki oficerowie i poddają rozkaz dowódcy coraz ostrzejszej krytyce. „Bór" jest w rozterce, cała rozgrywka bardzo wiele go kosztuje. Zdaje sobie bowiem sprawę, jak wielka odpowiedzialność spoczywa na jego barkach. Niestety ciężar ten wraz z upływem czasu zaczyna go przygniatać, miażdżyć. Pod wpływem coraz bardziej agresywnego Okulickiego zaczyna się wahać i ustępować. Coraz bardziej jasne staje się, że generałowie zamieniają się miejscami. Okulicki przejmuje dowodzenie Armią Krajową.

„Kobrę" zdecydowanie popierał przede wszystkim – tak, domyślają się państwo – dobrze nam znany pułkownik Jan Rzepecki z BIP. Przekonywał on na odprawach, że powstanie w Warszawie otworzy drogę do współpracy i pojednania ze Związkiem Sowieckim. Że będzie ono olbrzymim atutem w ręku lecącego właśnie do Moskwy Stanisława Mikołajczyka. Premier będzie mógł wskazać na walki toczące się w mieście jako na kolejny akt dobrej woli wobec Sowietów i dowód na to, że dysponuje w kraju realną siłą. To na pewno, przekonywał Rzepecki, zrobi takie wrażenie na Stalinie, że nas wreszcie uzna za sprzymierzeńców.

Okulickiego popierał również – o dziwo – człowiek numer dwa w organizacji, szef sztabu generał Tadeusz Pełczyński. Choć wywodził się ze środowiska piłsudczykowskiego, Pełczyński w ostatnich latach znacznie się oddalił od byłych kolegów. Znalazł się pod wpływem mocno lewicującej żony, która stała się jego „głową polityczną". Nie podzielał więc zdania piłsudczyków, którzy ostrzegali, że powstanie skończy się masakrą.

Nieoczekiwanie w sukurs grupie Okulickiego przyszedł... pułkownik Claus von Stauffenberg i grupa niemieckich oficerów. 20 lipca o 12.42 w Wilczym Szańcu Hitlera w Prusach Wschodnich Stauffenberg podłożył bombę. Potężna eksplozja zdemolowała pomieszczenie, w którym trwała narada wojenna. Niestety w momencie eksplozji krótkowzroczny Hitler niemal leżał na rozłożonych mapach i masywna dębowa podpora stołu uratowała mu życie. Pucz skończył się fiaskiem. Spiskowcy zawiśli na rzeźnickich hakach.

Zamach na Hitlera, o którym wiadomość do polskiej stolicy dotarła 21 lipca, wywołał wśród warszawiaków euforię. Wykorzystując ten nastrój, Okulicki i Pełczyński zameldowali się u Bora-Komorowskiego. W tajemnicy przed resztą Komendy Głównej odbyła się „narada trzech generałów", podczas której obaj oficerowie po długich perswazjach nakłonili komendanta AK do zmiany decyzji.

Udało im się przekonać „Bora" do nowej koncepcji, którą wyłożył Okulicki. Stwierdził on, że zamiast wyprowadzać wojsko z Warszawy i atakować niemieckie straże tylne gdzieś pod Skierniewicami, należy podjąć walkę na ulicach miasta, aby „wyzwolić je spod niemieckiej okupacji polskimi rękoma". Następnie Armia Krajowa i podziemne władze cywilne powinny ujawnić się przed bolszewikami i przywitać ich w roli – jak to określił Okulicki – hospodarów.

Zapytany przez „Bora", czy Sowiety nie zrobią z warszawską AK tego samego co z AK na Ziemiach Wschodnich, Okulicki machnął ręką i odrzekł, że „świat na coś takiego nie mógłby pozwolić". Generał Komorowski – na nieszczęście swoje i Polski – wstępnie zgodził się na ten plan. Zastrzegł jednak, że zostanie on wykonany tylko i wyłącznie wtedy, jeżeli na froncie wytworzą się warunki dające stuprocentową pewność, iż operacja się powiedzie. A więc gdy będzie pewne, że Armia Czerwona zajmie Warszawę.

Jak widać, nie opuściły go jeszcze resztki zdrowego rozsądku. Pierwszy krok ku przepaści został jednak zrobiony.

22 lipca 1944 roku w Komendzie Głównej rozpoczęła się gra, która miała skłonić „Bora" do wydania ostatecznej decyzji. Zwolennikom walki opór stawił pułkownik Janusz Bokszczanin i skupiona wokół niego grupa oficerów, która wezwała oponentów do opamiętania. Dyskusje przybierały coraz bardziej dramatyczny obrót...

Jak więc widać, konflikt – i to zażarty – o sens podejmowania walki z gołymi rękami na ulicach miasta trwał zarówno przed, w trakcie, jak i po zagładzie Warszawy. Mówienie o tym sporze dla apologetów Powstania jest jednak szczytem patriotycznej niepoprawności. To niebezpieczny temat tabu.

Spór ten jest bowiem kolejnym dowodem na to, że Powstanie Warszawskie nie było żadną dziejową koniecznością, że wcale nie musiało wybuchnąć. Jest dowodem na to, że Powstanie Warszawskie było po prostu błędną decyzją wojskową i polityczną. Podjętą na podstawie fałszywych przesłanek przez oficerów, którzy choć okazali się słabymi fachowcami, narzucili swoją wolę reszcie Komendy Głównej AK.

Część oficerów centrali podziemnej armii uważała jednak tę decyzję za obłęd. Takiego zdania był najlepszy polski dowódca tamtych czasów – generał Kazimierz Sosnkowski – a także Władysław Anders. Opinię tę podzielało – znowu wbrew patriotycznie poprawnej propagandzie – wielu zwykłych żołnierzy AK, którzy zdawali sobie sprawę ze słabości swojej organizacji i absurdalności planów forsowanych przez Okulickiego i jego ludzi.

Wystarczy zajrzeć do popularnych wspomnień Jana Nowaka-Jeziorańskiego, żeby znaleźć w nich następujące sceny:

Sobota, 29 lipca
Na miejscu zastaję łączniczkę „Teresę", niemłodą już, bardzo poważną, szczupłą, wysoką panią. Mówi, że klatki schodowe, bramy domów i mieszkania są pełne stłoczonych młodych ludzi z bronią i bez broni, czekających na rozkaz rozpoczęcia walki. Generalny atak na Niemców wisi na włosku. Zwraca się do mnie: – Pan dopiero co stamtąd przyleciał. W panu ostatnia nadzieja. Może pan ich przekona, może im pan wyperswaduje, żeby tego nie robili.

Wtorek, 1 sierpnia
Rano wpada Kazimierz Gorzkowski „Wolf", kierownik Akcji Specjalnej w „N". Załamuje ręce, pogrążony jest w skrajnej rozpaczy. „Cóż oni robią, biada, przecież w tej sytuacji powstanie nie ma żadnego sensu. Mamy pomagać bolszewikom w zajmowaniu Warszawy? Cóż za tragiczny paradoks!"

Jaka szkoda, że „Wolf", albo chociaż łączniczka „Teresa", nie piastował w miejsce „Bora" stanowiska komendanta AK.

Wybaczą mi państwo, że nie będę rekonstruował wszystkich dramatycznych odpraw w Komendzie Głównej między 22 a feralnym 31 lipca 1944 roku. Wyglądały one bowiem na ogół bardzo podobnie. Szef II Oddziału, czyli wywiadu Armii Krajowej, pułkownik Kazimierz Iranek-Osmecki „Heller", występował z długimi analizami sytuacji na froncie wschodnim. Ostrzegał, że objawy niemieckiej klęski i paniki widoczne na ulicach Warszawy mogą być mylące.

Z dostarczanych mu meldunków wyraźnie wynikało bowiem, że Niemcy koncentrują potężne siły na wschodnim przedpolu stolicy do odparcia sowieckiego ataku. W okolice Warszawy ściągane były trzy dywizje pancerne, *Totenkopf, Hermann Göring* i *Wiking.* Można było z tego wywnioskować, że Niemcy zamierzają bronić się na linii Wisły, która była ostatnią dużą przeszkodą naturalną na drodze do Rzeszy.

Sukces ofensywy sowieckiej i rychłe zajęcie Warszawy nie były więc wcale takie pewne, jak mogło się wydawać. Iranek-Osmecki radził zatem, aby spokojnie czekać na wyjaśnienie sytuacji. Działania podjęte zbyt wcześnie, mówił, zanim bolszewicy przystąpią do szturmu na Warszawę lub zaczną obchodzić ją z flanki, zakończą się masakrą. Niemcy mają bowiem taką przewagę, że niewielkie siły warszawskiej Armii Krajowej po prostu zmiażdżą. Podtrzymywał go w tym między innymi pułkownik Janusz Bokszczanin, generał Albin Skroczyński „Łaszcz" (dowódca Obszaru Warszawskiego AK) oraz podpułkownik Ludwik Muzyczka „Benedykt". Poważne wątpliwości miał szef łączności pułkownik Kazimierz Pluta-Czachowski.

Coraz bardziej pobudzony Okulicki sprzeciwiał się jednak czekaniu. Przekonywał, że „lepiej pospieszyć się o tydzień, niż spóźnić o minutę". A że przez ten tydzień zginą tysiące warszawiaków? Kto by się tam przejmował takimi szczegółami…

Wszystko wskazuje na to, że Okulicki, Pełczyński i Rzepecki zawarli – za plecami Komorowskiego – tajne porozumienie. Zawiązali spisek. Jego celem było wywołanie powstania w Warszawie. Jest to sprawa skrzętnie pomijana przez dzisiejszych historyków, którzy oparli swoje kariery na wychwalaniu pod niebiosa decyzji, która doprowadziła do rzezi Warszawy. Podobnych oporów przed pisaniem prawdy nie ma jednak Jan Ciechanowski, historyk pracujący w Londynie, były żołnierz AK i weteran warszawskiej insurekcji. W swojej głośnej książce *Powstanie Warszawskie* opisał on zdumiewający incydent, do którego doszło 25 lipca.

Otóż podczas jednej z przerw w naradach Okulicki i Rzepecki próbowali wymóc na szefie wywiadu AK pułkowniku Iranku-Osmeckim, aby fałszywie zreferował sytuację „Borowi", żeby wymóc na dowódcy wydanie rozkazu wszczęcia powstania. Oburzonemu oficerowi powiedzieli wprost, że uważają „postawę «Bora» za chwiejną i chcą ją usztywnić". Obawiali się bowiem, że „wymiga się od walki".

Iranek-Osmecki stanowczo im odmówił i stwierdził, że będzie dowódcy meldować „tylko to, co mu dyktuje powinność służbowa i sumienie oficera". Niestety jednak nie poinformował „Bora" o zakulisowych machinacjach obu generałów.

Jeden z oficerów Komendy Głównej powiedział później, że choć Okulicki utrzymywał, iż walczy z totalitaryzmem, „sam był w pewnym sensie totalitarny".

I tak pod koniec narady – wspominał ów oficer – gdy powstała kwestia, kto powinien zdecydować o rozpoczęciu walki, Londyn czy Warszawa, Okulicki nalegał energicznie, żeby nie pytać o zgodę rządu, który, mówił, składa się ze «starych sklerotyków» i jest już do niczego. Pluta-Czachowski próbował dyskutować, lecz Okulicki nawet go nie słuchał. Podnosząc głos, odparł: „będziemy się bili my, więc my musimy decydować". Tak zazwyczaj mówią oficerowie-zamachowcy przygotowujący pucz.

Okulicki za pośrednictwem Rzepeckiego nawiązał kontakty z prącym do ugody z Sowietami Stronnictwem Ludowym. Jak wspominał Pluta-Czachowski, „Rzepecki stale w soboty z teczką pełną flach jeździł na rozmowy z Kazimierzem Banachem do Podkowy". Na spotkania te zaczął być zapraszany również Okulicki. Pewnego razu, mocno wcięty, zaczął dowodzić, że zarówno „Bór", jak i delegat Jan Stanisław Jankowski są „niezdolni do decyzji i sprawowania władzy. Że trzeba ich odsunąć i wprowadzić dyktaturę ludowcowo-akowską".

Pułkownik Janusz Bokszczanin uważał, że ustępstwa „Bora" wobec zdeterminowanej i niezwykle wpływowej grupy oficerów były naturalną konsekwencją aresztowania Grota-Roweckiego.

Tak naprawdę „Bór" nigdy nie został komendantem – wspominał. – W najlepszym przypadku rozstrzygał, lecz przeważnie kierowali nim inni. Najpierw Pełczyński, potem Okulicki, a w końcu „Monter". Wychowany w armii carskiej byłem przyzwyczajony do żelaznej dyscypliny i muszę przyznać, że to, co się działo, atmosfera spisku i przymusu, te ledwie maskowane szantaże, wywoływały we mnie bardzo nieprzyjemne uczucia. Czy można sobie wyobrazić w jakiejkolwiek armii grupę oficerów sprzymierzających się w celu zmuszenia dowódcy do decyzji, którą on, nie bez racji, uważa za przedwczesną?

To właśnie „Kobra" zabronił wysłania depeszy, w której miano zapytać władze Rzeczypospolitej o zdanie dotyczące ewentualnej decyzji o podjęciu walki w Warszawie. Zamiast tego 25 lipca wysłano zredagowaną przez „Kobrę" depeszę informującą Londyn, że decyzja została już podjęta. Stanisław Mikołajczyk dzień później decyzję tę zatwierdził ex post. Do przeciwnego powstaniu generała Sosnkowskiego, do którego powinna należeć decyzja, depesza nie dotarła wcale. W ten sposób generał Okulicki de facto przeprowadził zamach stanu. Wynikiem tego zamachu stanu było Powstanie Warszawskie.

Rozdział 7

Czystka

Celem spiskowców z grupy Okulickiego było wydanie Niemcom walnej bitwy na ulicach, a środkiem do tego – usunięcie oficerów starających się powstrzymać katastrofę. Zaczęli od Bokszczanina, którego wygryźli ze stanowiska szefa operacji i przed samym wybuchem walk usunęli z Warszawy. Potem zabrali się do generała Albina Skroczyńskiego „Łaszcza".

O walce w Warszawie usłyszałem po raz pierwszy od marca, kiedy to oznajmiono mi decyzję, że Warszawa nie znajdzie się w strefie walk. Wydawało mi się to bardzo rozsądne – opowiadał już po wojnie Skroczyński. – Byłem odpowiedzialny za stronę wojskową Obszaru Warszawskiego AK, to jest nie tylko okolic, ale także i samego miasta, a znając tragiczną słabość naszych środków, wiedziałem, że jakakolwiek walka zakończy się masakrą.

Swoje zdanie „Łaszcz" postanowił bez ogródek przekazać generałowi Pełczyńskiemu.

Powiedziałem mu, że nie ma prawa podejmowania takiej decyzji, która jest niczym innym jak samobójstwem. Zbladł nieco i odparł, że decyzja już została powzięta i nie ma o czym dyskutować. Zwróciłem się do „Bora" i poprosiłem o odwołanie decyzji, lecz nic mi na to nie odpowiedział. Zażądałem wówczas, by ta rozmowa została zaprotokołowana, wyjaśniając, że nie chcę odpowiadać za takie szaleństwo. Wówczas Pełczyński wyjaśnił mi, że nie mam powodu do niepokoju, gdyż od tej chwili siły znajdujące się w Warszawie nie podlegają mnie, lecz zostały podporządkowane Komendzie Głównej. Nie pozostało mi nic innego, jak wstać i wyjść, co też, chłodno się pożegnawszy, uczyniłem.

Zignorowane zostały także ostrzeżenia podpułkownika Ludwika Muzyczki „Benedykta", szefa Biur Wojskowych KG AK, i komendanta organizacji „NIE", pułkownika Augusta Emila Fieldorfa. „Od początku byłem świadom tego, że powstanie jest prawdziwym samobójstwem, zarówno politycznym, jak i fizycznym – wspominał Muzyczka. – Przewidywałem, że nie tylko miasto zostanie zniszczone, lecz że wydarzenie to narazi nasze szanse przyszłego oporu przeciwko okupacji sowieckiej. Było dla mnie jasne, że rzucamy wszystkie nasze siły do jednej bitwy, do wygrania której nie mamy środków".

Relacja z odprawy z 28 lipca, podczas której Muzyczka starł się z Okulickim, zasługuje na szersze przytoczenie:

Podałem „Borowi" swój raport, mówiąc, że ja i Fieldorf uważamy za swój obowiązek zwrócić uwagę na ryzyko, jakie podejmuje, wywołując powstanie w Warszawie – wspominał Muzyczka. – Warszawa, powiedziałem, jest ośrodkiem podziemnej władzy politycznej i wojskowej. Jest ona zarówno sercem, jak i mózgiem oporu. Jeśli rozpoczną się walki, miasto będzie odcięte od kraju, który zostanie wielkim bezwładnym ciałem, niezdolnym do skoordynowania najmniejszej nawet akcji o szerszym zasięgu. Będzie to koniec polskiego oporu. I to tym bardziej, że w przypadku klęski szok będzie tak wielki, że pociągnie za sobą załamanie moralne. Byłoby to równoznaczne z prawdziwym samobójstwem politycznym, gdyż po klęsce Polska pozostanie bez nadziei, bez odwagi i bez dowódcy wobec nowego wroga, o którym można przypuszczać, że będzie dla niepodległości Polski co najmniej równie niebezpieczny jak poprzedni.

Generał Bór-Komorowski po wystąpieniu Muzyczki zachował milczenie, odezwał się za to Okulicki. Oczywiście przypuścił bezpardonowy szturm na oficera, którego uznał za „pesymistę". Zapewnił, że Armia Krajowa może wygrać bitwę o Warszawę.

– Jeżeli Rosjanie przyjdą z pomocą – odparł Muzyczka.
– Przyjdą, dyktują im to korzyści strategiczne pod Warszawą.
– Ale korzyści polityczne zabraniają. Dlaczego chce pan, żeby ryzykowali i poświęcali setki, jeżeli nie tysiące żołnierzy, dla przyjścia z pomocą ludziom, których uważają za wrogów politycznych? Stalin nie jest ministrantem i wątpię, aby nie skorzystał z okazji pozbycia się nas.
– Nie będzie mógł wobec świata Niemcom pozwolić na zniszczenie miasta i wymordowanie ludności.
– Może ma pan rację, a może nie. Tego nikt nie wie. Istnienie naszej stolicy, życie setek tysięcy osób cywilnych, nasza przyszłość polityczna – to jest zbyt wysoka stawka, abyśmy mieli prawo się zakładać.

Na zakończenie odprawy „Bór" podziękował Muzyczce za raport. Obiecał, że weźmie pod uwagę jego zastrzeżenia. Gdy jednak tylko za oficerem zamknęły się drzwi, raport sporządzony przez niego wspólnie z Emilem Fieldorfem wylądował w koszu. Jak mówił Okulicki, „to nie był czas na defetyzm i czarnowidztwo".

Zgodnie z procedurami generał Bór-Komorowski musiał uzyskać zgodę na wystąpienie zbrojne w Warszawie od władz cywilnych, a więc delegata rządu na kraj Jana Stanisława Jankowskiego. Uzyskał ją bez większego problemu. Trudno zresztą się dziwić – delegat jako cywil całkowicie polegał na ocenie sytuacji dowódcy AK, wierzył, że proponowana przez „Bora" operacja ma szanse powodzenia.

De facto więc jego rola ograniczyła się do żyrowania decyzji wojskowych. Aby jednak formalności stało się zadość, oficjalnie musiał nakazać to wojsku rząd. Komedię tę odegrano w jednym z lokali konspiracyjnych i nie trwała ona dłużej niż pięć minut. Delegat rządu stanął przed oficerami Komendy Głównej AK i uroczyście zwrócił się do „Bora":

– Daję panu komendantowi zadanie dla Armii Krajowej. Po pierwsze, rozpocząć walkę w odpowiednich ku temu warunkach i terminie. Po drugie, dać przynajmniej dwanaście godzin na zorganizowanie się administracji cywilnej w uwolnionym mieście.

Gdy Jankowski wypowiedział te słowa, wszyscy oficerowie Komendy wstali. Po jego wyjściu „Bór" zwrócił się do podkomendnych:

– Co panowie na to powiedzą?

– Zadanie jest niewykonalne – odpowiedział Bokszczanin.

– Pesymista, defetysta, protestant – syknął Okulicki.

W tym momencie do Bokszczanina podszedł energicznie generał Pełczyński.

– Panie pułkowniku – odezwał się – w wojsku każde zadanie jest wykonalne, jeżeli chce się je wykonać!

Powiedziawszy to, generał zasalutował. Bokszczaninowi nie pozostało nic innego, jak odsalutować i z ciężkim sercem usiąść na krześle. Tak jak on czuł się wówczas, musi się chyba czuć jedyny zdrowy w domu wariatów.

Problem polegał bowiem na tym, że oswobodzenie miasta na dwanaście godzin przed wejściem Sowietów było rzeczywiście całkowicie nierealne. Pomysł Jankowskiego, że będzie witał bolszewików chlebem i solą na moście Poniatowskiego, mógł zrodzić się tylko w umyśle zupełnie oderwanym od rzeczywistości. Jak bowiem wyliczyć te dwanaście godzin? Skąd Armia Krajowa – która nie miała żadnego kontaktu z bolszewickim sztabem – miała wiedzieć, kiedy dokładnie Armia Czerwona zajmie stolicę Polski? „Projekt był równie abstrakcyjny co niewykonalny" – wspominał Pluta-Czachowski.

Potem wystąpił Rzepecki. Stwierdził on, że obawy, jakoby Armia Czerwona nie wkroczyła w ciągu kilku dni do Warszawy i nie pomogła Armii Krajowej, są śmieszne. Zapewniał, że lada dzień Mikołajczyk nawiąże ponownie stosunki na linii polski rząd w Londynie–Sowiety i znowu oba kraje będą sojusznikami. W tej sytuacji wybuch powstania miał być naszym obowiązkiem wobec „wyzwalającej" Polskę Armii Czerwonej. Podobnego zdania był Okulicki i reszta spiskowców.

Była to z ich strony wielka naiwność – wspominał Bokszczanin – jeśli są-
dzili, że Stalin da sobie wydrzeć zwycięstwo. Stalin nie mógł zgodzić się
na to, żeby pierwszym rezultatem jego zwycięstwa nad armią niemiecką
było oddanie władzy w Polsce ludziom, których nienawidził. Biorąc pod
uwagę te elementy, łatwo było przewidzieć, że Stalin zrobi wszystko, by
z chwilą wywołania powstania nie przyjść nam z pomocą. Dlatego ostrze-
gałem Komendę Główną przed zbyt wczesnym wybuchem. Dla mnie było
zupełnie jasne, że jeżeli zaatakujemy za wcześnie, to bolszewicy pozostawią
nas samych wobec Niemców. Mówiłem o tym bez ogródek.

Wręcz zdumiewająca jest depesza, którą Bór-Komorowski wysłał
do Londynu 27 lipca. Informował w niej, że na Lubelszczyźnie Armia
Czerwona rozbiła kolaborujące z nią oddziały AK. „Fakt ten, jak też
wrogi stosunek do naszych sił w rejonie Wilna, wyraźnie wskazuje na
to, że Sowiety chcą zniszczyć AK jako polską siłę dyspozycyjną, im nie
podporządkowaną" – pisał.

Brawo panie generale! Lepiej późno niż wcale. Tak właśnie było. Sowiety naprawdę chciały „zniszczyć AK jako polską siłę dyspozycyjną,
im nie podporządkowaną". Po cóż więc było w takiej sytuacji robić powstanie? Jak można było planować, że będzie się witało we własnej stolicy nieprzyjaciela? Jak można było liczyć na pomoc Armii Czerwonej?

Nie ma wątpliwości, że nawet gdyby udało się pobić Niemców i wyrzucić ich ze stolicy, warszawska Armia Krajowa zostałaby zniszczona
przez bolszewików. Ostrzegał przed tym generał Sosnkowski i wielu
innych oficerów. Dlatego właśnie zburzenie polskiej stolicy i śmierć
200 tysięcy jej mieszkańców nie przyniosły i nie mogły przynieść żadnego zysku sprawie polskiej. Cała ta rzeź nie mogła zmienić losu Polski,
który już był przypieczętowany. „Wolałem opanowanie miasta przez
komunistów niż jego zniszczenie przez Niemców – mówił po latach
francuskiemu dziennikarzowi Jean-François Steinerowi pułkownik
Bokszczanin. – Wolałem bowiem Warszawę żywą i komunistyczną niż
Warszawę umarłą i... także komunistyczną".

Rozdział 8

Samowola „Montera"

W świetle tego, co działo się na ulicach Warszawy 25 lipca, czyli w dniu, w którym generał „Bór" pod naciskiem Okulickiego posłał feralną depeszę do Londynu o postawieniu AK w stan gotowości, ostrzeżenia Bokszczanina i innych realistów rzeczywiście mogły brzmieć jak krakanie. Niemcy rozpoczęli ewakuację urzędów, mieszkający w Warszawie folksdojcze w pośpiechu porzucali swoje mieszkania oraz dobytek i uciekali w stronę Rzeszy.

Palono dokumenty, przestały ukazywać się wydawane w Warszawie niemieckie pisma, z ulic zniknęli żandarmi. A ci nieliczni Niemcy, którzy się pokazywali, przemykali bokiem, nie reagując na zaczepki i szyderstwa tłumu. Na ulicach zaczęto otwarcie sprzedawać podziemną prasę. Wywołało to wrażenie, że Niemcy rzeczywiście się załamują, podobnie jak w listopadzie 1918 roku, kiedy to dziewczęta z parasolkami rozbrajały żołnierzy armii kajzera na ulicach Warszawy.

Gdyby taki nastrój utrzymał się aż do wybuchu Powstania, dzisiaj można byłoby od biedy usprawiedliwiać Komendę Główną AK, że podjęła decyzję o walce. Rzeczywiście dowódcom podziemnego wojska mogło się wówczas wydawać, że to już koniec tysiącletniej Rzeszy i wystarczy tupnąć nogą, aby zdemoralizowani Niemcy uciekli ze stolicy.

Tyle że 27 lipca Niemcy zdecydowanie opanowali rozprężenie, a ich pozycja w mieście raptownie się wzmocniła. Bardzo wyraźnie widać to w pamiętnikach z epoki. Z dnia na dzień sytuacja w Warszawie zmieniła się o 180 stopni. Do miasta sprowadzono silne oddziały policji i żandarmerii. Na ulicach zaroiło się od patroli. W Warszawie na powrót wprowadzono ostry reżim. Ulicami zaczęły przetaczać się dywizje pancerne.

27 lipca powinny były rozwiać się wszelkie mrzonki, że Niemców uda się rozbroić tak jak pod koniec pierwszej wojny światowej. Że – jak przekonywał Okulicki – Niemcy pójdą w rozsypkę po pierwszym uderzeniu Polaków. Tego dnia stało się jasne, że słabo uzbrojona i słabo wyszkolona Armia Krajowa napotka silny opór garnizonu niemieckiego, w starciu z którym nie ma najmniejszych szans.

Stało się zaś na odwrót. Właśnie 27 lipca rozpoczął się łańcuch wydarzeń, które doprowadziły do wybuchu Powstania. O piątej po południu przez szczekaczki umieszczone na rogach ulic nadana została odezwa gubernatora warszawskiego Ludwiga Fishera. Wzywał on, aby następnego dnia 100 tysięcy warszawiaków stawiło się do kopania rowów przeciwczołgowych na przedpolach stolicy.

Fisher w obwieszczeniu tym odwoływał się do antykomunizmu Polaków. Przypominał, że już raz – w roku 1920 – Warszawa stała się „szańcem cywilizacji europejskiej", o który rozbiła się bolszewicka horda zmierzająca na podbój starego kontynentu. Zapowiedział, że Niemcy, podobnie jak dwadzieścia cztery lata wcześniej armia Józefa Piłsudskiego, Sowietów u wrót polskiej stolicy pobiją.

W tej chwili na scenę wchodzi nowy bohater, czy też raczej antybohater, naszej opowieści. Pułkownik Antoni Chruściel „Monter", komendant Okręgu AK Warszawa-miasto. Oficera tego, początkowo sceptycznie nastawionego do powstania – znał słabość swoich sił i potęgę przeciwnika – nakłonił do koncepcji walki generał Okulicki. W długich nocnych rozmowach „Kobra" przekonał „Montera", że „prawdziwy patriota nie może siedzieć z założonymi rękami" oraz wątpić w pomoc Brytyjczyków, i pułkownik dołączył do spisku.

Dwie godziny po obwieszczeniu Fishera „Monter" wydał wspomniany już rozkaz o mobilizacji warszawskich oddziałów i oczekiwaniu na ogłoszenie godziny „W" w miejscach zbiórek. Oficjalnym powodem była obawa, że Niemcy, wyciągnąwszy z miasta 100 tysięcy mężczyzn, rozbiją oddziały AK i uniemożliwią powstanie. „Monter" podobno obawiał się również, że jeżeli warszawiacy nie stawią się na apel, na Warszawę spadną represje.

Sprawa tego rozkazu jest jednak bardzo tajemnicza. „Monter" wydał go bowiem za plecami swojego dowódcy, Bora-Komorowskiego. Generał o tym niezwykle ważnym rozporządzeniu został poinformowany post factum. Decyzję taką mógł podjąć tylko on. Mamy więc do czynienia z kolejną rażącą nielojalnością i niesubordynacją wśród wysokich oficerów AK.

Rozkaz był bowiem konsultowany z Okulickim, Rzepeckim i Pełczyńskim. „«Monter» nie był człowiekiem, który podjąłby sam taką decyzję – wspominał Iranek-Osmecki. – Ktoś musiał go zachęcać. Ponieważ między 21 a 31 lipca spotykał się codziennie z Rzepeckim, można przypuszczać, to tylko hipoteza, że to on go zainspirował". Hipoteza, dodajmy, bardzo prawdopodobna. „Monter" bowiem był z Rzepeckim niezwykle blisko zaprzyjaźniony, w sprawach politycznych polegał na nim całkowicie.

Oficerowie zaangażowani w spisek „Kobry" wiedzieli, że zgodnie z opracowanym w 1942 roku planem powstania powszechnego raz wydany rozkaz o mobilizacji nie może zostać odwołany i musi automatycznie skutkować przystąpieniem do walki. Rzepeckiemu i Okulickiemu wydawało się, że wydanie tego rozkazu będzie więc jednoznaczne z wybuchem powstania. Wydawało im się, że odtąd nie będzie już odwrotu.

Była to więc kolejna zakulisowa intryga spisku „Kobry". Nie miał co do tego najmniejszych wątpliwości choćby kapitan Tadeusz Żenczykowski „Kania". Według niego Rzepecki i Okulicki skłonili „Montera" do wydania rozkazu o mobilizacji po tym, jak trzeźwe argumenty Bokszczanina spowodowały, że „Bór" zdecydował się odłożyć decyzję o wszczęciu powstania.

„Ktoś miał zasadniczy wpływ na decyzję «Montera» – mówił w rozmowie ze Steinerem „Kania" – Okulicki lub Rzepecki albo obydwaj razem. Nie wiem. Wydaje mi się, że ci trzej ludzie tworzyli przez krótki czas rodzaj grupy nacisku, wewnątrz której działania były koordynowane, a której udało się dzięki stosowaniu ukrytych akcji wymusić akcję ostateczną. Gdybym rozdzielał role, powiedziałbym, że inspiratorem był Okulicki, Rzepecki strategiem, a «Monter» wykonawcą".

Oto, jak wydanie rozkazu zapamiętał Stanisław Weber „Chirurg", szef sztabu „Montera":

Powiedziałem mu, że działając w ten sposób, nie informując nawet Komendy Głównej, podejmuje poważne ryzyko. Wybuchnąć mogą walki, które zakończą się zupełnym zniszczeniem miasta. Nie udało mi się go jednak przekonać, gdyż był pewny, że Rosjanie nadejdą. Dyskusja ożywiła się i w pewnej chwili powiedziałem: „Zobaczy pan, że nie przyjdą". Wówczas powiedział coś, czego nigdy nie zapomnę: „A więc w takim razie wszyscy zostaniemy wymordowani, umrzemy na miejscu, lecz przynajmniej umrzemy w walce".

W każdej normalnej armii – no, może poza bolszewicką, która zupełnie nie liczyła się z życiem własnych żołnierzy i cywilów – oficer, który by powiedział coś takiego, zostałby natychmiast rozbrojony i aresztowany przez własnych podwładnych. Następnie zaś, jako jednostka skrajnie nieodpowiedzialna, zdymisjonowany. Armia Krajowa była jednak armią polską. „Weber" ustąpił i samobójczy rozkaz został wydany.

Na szczęście Bór-Komorowski zachował jednak jeszcze wówczas zdrowy rozsądek i na chwilę obudził się w nim prawdziwy dowódca. Niestety był to już ostatni przebłysk charakteru u tego człowieka. „Bór" złamał procedurę i rozkaz odwołał. Świadkiem tej sceny był pułkownik Pluta-Czachowski, który o ósmej rano 28 lipca przyszedł złożyć codzienny raport.

Ledwo rozpocząłem, gdy weszła łączniczka i podała mu pismo. Zaczął czytać i nagle zobaczyłem, jak zbladł. Powiedział:
– Ależ on zwariował.

Potem, ponieważ spojrzałem na niego pytająco, podał mi papier. Przeczytałem i poczułem, jak krew odpływa mi z twarzy. Była to wiadomość od „Montera", donosząca „Borowi" o rozkazie mobilizacji, który „Monter" wysłał poprzedniego dnia do wszystkich jednostek. „Bór" chwycił się za głowę i powtarzał:

– Jak ten wariat mógł zrobić podobną rzecz?

[Po kilku minutach] powiedział głosem stanowczym – wydawało mi się, że odzyskał całkowicie zimną krew:

– Nie będzie walk. Przynajmniej nie dzisiaj. Nie mamy prawa do podejmowania podobnego ryzyka.

Zupełnie się z nim zgadzałem. Byłem jednak także świadomy niebezpieczeństwa, jakie przedstawiało anulowanie rozkazu „Montera". Plan bowiem przewidywał, że mobilizacja będzie etapem nieodwracalnym.

– Wiem – odpowiedział – lecz chyba nie chce pan, żebym pozwolił tym szaleńcom popchnąć miasto ku katastrofie?

I natychmiast podyktował łączniczce, która czekała w pokoju, rozkaz do „Montera", polecający mu rozpuszczenie zgrupowanych jednostek.

Żołnierze pododdziałów warszawskiej AK, które skoncentrowały się w miejscach zbiórek, oddali broń i rozeszli się do domów. Zachowali się jak prawdziwe, zdyscyplinowane wojsko. A Bór-Komorowski zachował się wówczas jak prawdziwy wódz. Na aresztowanie nielojalnych podwładnych i zduszenie spisku sił mu już jednak nie starczyło.

„Trudno oprzeć się wrażeniu, że dowodzenie AK było luźne i niezdyscyplinowane, co umożliwiło tego rodzaju incydenty jak ten – pisał emigracyjny historyk Zbigniew S. Siemaszko. – Takie wypadki nie byłyby tolerowane ani pod dowództwem Andersa, ani tym bardziej Maczka. Z pewnością za czasów Roweckiego nie byłyby one możliwe w Armii Krajowej. «Bór» miał zbyt miękką rękę".

Sam Okulicki znakomicie zdawał sobie z tego sprawę. „Na ostatniej odprawie nie wytrzymałem – opowiadał po Powstaniu – i wybuchnąłem. Zarzuciłem «Borowi» kunktatorstwo i brak zdecydowania. Gdyby na miejscu «Bora» był Anders, wyleciałbym z miejsca. Ale «Bór» wysłuchał wszystkiego ze spuszczonymi oczyma".

Wróćmy do obaw „Montera", które rzekomo zdecydowały o wydaniu przez niego samowolnie rozkazu o mobilizacji. Okazały się one bezpodstawne. Mimo że warszawiacy nie stawili się do kopania rowów przeciwczołgowych – na miejscach zbiórek zjawiło się zaledwie kilkaset osób – Niemcy zrezygnowali z jakichkolwiek represji. Zdając sobie sprawę z narastającego w mieście napięcia, uznali, że taka akcja może tylko zadrażnić sytuację. Po prostu machnęli na to ręką.

Mimo to do dziś apologeci rzezi Warszawy z charakterystyczną dla nich pogardą dla faktów twierdzą, że gdyby w Warszawie nie wybuchło Powstanie, Niemcy na pewno wypędziliby lub wręcz wyrżnęliby jej mieszkańców w odwecie za niekopanie rowów na przedpolach... Na tę dziką fantasmagorię nie ma jednak najmniejszego potwierdzenia w materiałach źródłowych. To tylko kolejny wymysł mający post factum usprawiedliwić decyzję, której – w świetle faktów – usprawiedliwić nie sposób.

Szef wywiadu AK, Iranek-Osmecki, mówił po wojnie, że „przed powstaniem żadnych specjalnych wiadomości o zagrożeniu niemieckim nie było". Nawet Rzepecki, co było u niego rzadkie, zdobył się na prawdomówność i przyznał po wojnie, że „uzasadnienie takie jest nieszczere. Nie przypominam sobie, abym w toku ówczesnych zebrań słyszał argument, że mamy podjąć walkę, aby uniknąć zniszczenia miasta, a ludności oszczędzić cierpień".

Było na odwrót – jak wynika z dokumentów, Komenda Główna nie wydała rozkazu do powstania dlatego, że obawiała się, iż Niemcy wymordują lub wypędzą warszawiaków. A także nie dlatego – bo i takie pomysły się pojawiają – że się bała, iż Niemcy zamienią polską stolicę w twierdzę i zostanie ona zniszczona w walkach z bolszewikami. Komenda Główna AK wydała ten rozkaz dlatego, że była święcie przekonana, iż Niemcy są już tak słabi, że nie zdołają zrobić większej krzywdy nawet jej słabym oddziałkom. A więc na pewno nie zakładano, że byłoby ich jeszcze stać na obronę miasta przed bolszewikami czy wypędzenie ludności.

Nie przeszkodziło to później byłym oficerom AK opracowującym w Londynie oficjalne wydawnictwo *Polskie Siły Zbrojne w drugiej wojnie światowej* napisać, że w Komendzie Głównej spodziewano się, iż Niemcy zarządzą ewakuację Warszawy w „ostatniej chwili" i „pod ogniem bomb i pocisków sterroryzowana ludność zmuszona będzie do pozostawienia dobytku na łup". Tak komentował podobne konstrukcje Pobóg-Malinowski: „Cóż za nonsens! Jak można ewakuować milionowe miasto «w ostatniej chwili»? Jakich sił i środków musieliby Niemcy użyć, by wygnać milion ludzi, w warunkach, gdy sił brakowało dla zatrzymania naporu rosyjskiego? Milionem ludzi zatłoczyć drogi dojazdowe do linii frontu w momencie zmagań?".

Niemożliwa z technicznego punktu widzenia byłaby również obrona miasta przez Niemców przed bolszewikami i zniszczenie go wskutek walk ulicznych między Wehrmachtem i Armią Czerwoną. Lewobrzeżna Warszawa znajduje się bowiem na skarpie, zachodni brzeg Wisły jest znacznie wyższy niż wschodni. Takich miast nie atakuje się zaś nigdy frontalnie. To ABC sztuki wojennej. Takie miasta zdobywa się za pomocą manewru okrążającego.

Tak właśnie się stało, gdy bolszewicy rzeczywiście zdobyli Warszawę, a właściwie wkroczyli na jej ruiny w styczniu 1945 roku. Armia Czerwona utworzyła wówczas przyczółki po drugiej stronie Wisły na północ i południe od miasta, skutkiem czego Niemcy musieli się po prostu z niego wycofać, aby nie dać się zamknąć w kotle.

Paradoksem jest więc to, że o ile niestawienie się na niemieckie wezwanie do kopania szańców nie naraziło młodzieży warszawskiej na żadne represje, o tyle naraził je na nie nieodpowiedzialny rozkaz „Montera". Zbiórki młodzieży w całym mieście zdekonspirowały bowiem na masową skalę lokale AK i poszczególnych żołnierzy, którzy w tym dniu nie stawili się do pracy. O podejrzanych ruchach w mieście natychmiast zameldowali agenci Gestapo.

Zemściło się to fatalnie, gdy rzeczywiście wybuchło powstanie. Niemcy byli już bowiem na nie doskonale przygotowani, znali miejsca zbiórek i siłę oddziałów. Na drugą mobilizację 1 sierpnia wielu żołnierzy AK zresztą po prostu nie przyszło. Podczas pierwszej ujawniony został bowiem tak dramatyczny brak broni, że doprowadziło to do drastycznego spadku morale. Tak oto Chruściel zaszkodził nie tylko sprawie polskiej i własnym żołnierzom, ale nawet popieranej przez siebie koncepcji powstańczej.

Rozdział 9

Skok w przepaść

31 lipca 1944 roku. Tego dnia podjęta została jedna z najtragiczniejszych decyzji w historii Polski. Jej skutkiem było zburzenie stolicy państwa, śmierć 200 tysięcy ludzi, eksterminowanie elity narodu. A przede wszystkim otwarcie drogi do sowietyzacji Polski. Była to decyzja o wszczęciu Powstania Warszawskiego.

Zgodnie z dotychczasową procedurą 31 lipca odbyły się dwie narady. Pierwsza – o dziewiątej rano. Zaczęła się od wystąpienia Iranka-Osmeckiego. Stwierdził on, że sytuacja na wschodnim przedpolu Warszawy wciąż jest niejasna. Wyglądało na to, że Niemcy będą bronić podejść do miasta. U jego bram może dojść do wielkiej bitwy pancernej. Od jej wyniku należało uzależnić własne wystąpienie. Szef wywiadu zalecał więc ponownie, aby spokojnie czekać na rozwój wydarzeń. Błąd – mówił – może nas zbyt wiele kosztować.

Po Iranku-Osmeckim – jak zawsze – głos zabrał Okulicki. Zawsze wypowiadał się bardzo emocjonalnie, gestykulując i podnosząc głos, ale tym razem przekroczył wszelkie granice. Przez wszystkie przypadki odmienił słowa „Polska", „Ojczyzna" i „honor", a kolegów ze sztabu wyzywał od tchórzy. Generała Bora-Komorowskiego ostrzegł, że jeżeli nie wyda rozkazu, zostanie „nowym Skrzyneckim". Czyli generałem, który przez swoje niezdecydowanie zaprzepaścił szanse na powodzenie powstania listopadowego.

Z kolei ja zabrałem głos – wspominał Bokszczanin – mówiłem bardzo krótko, powtarzając, że nie możemy nic zrobić do czasu, aż Niemcy zostaną pobici przez wojska sowieckie. Wówczas wstał Okulicki i bijąc pięścią w stół, znów nazwał nas tchórzami. „Bór" zakrył twarz rękami i nic nie odpowiedział. Ja oświadczyłem Okulickiemu, że bitwa, której pragnie, będzie improwizacją.

– Cała nasza walka jest improwizacją, a zwycięzca będzie zawsze miał rację – odpowiedział. – Armia niemiecka jest u kresu sił, ludność rozbije ją swoją masą. Nie potrzeba nam ani planów, ani przygotowań. Potrzebny jest tylko rozkaz, a milion warszawiaków rzuci się na Niemców z karabinem, butelką, kijem. Trzeba tylko, abyśmy mieli odwagę ten rozkaz wydać.

Ktoś odpowiedział mu, że nie jest to kwestią odwagi, lecz poczucia odpowiedzialności.

„Bór" był zupełnie zagubiony. Widać było, iż nie wie, co ma robić. Namyślał się, a potem zaproponował, aby głosować za lub przeciw natychmiastowemu wybuchowi powstania.

Głosowanie, które odbyło się rano 31 lipca, jest kolejnym dowodem na to, że dowódca AK całkowicie stracił kontrolę nad sytuacją. A Komenda Główna przestała być instytucją wojskową. Głosowanie to może mechanizm dobry na zebraniu kółka gospodyń wiejskich decydujących, czy na najbliższą pielgrzymkę pojechać do Częstochowy, czy do Wilna. W prawdziwej armii na demokrację – całe szczęście – miejsca nie ma. Decyduje dowódca. Armia Krajowa 31 lipca 1944 roku dowódcy nie miała. A już na pewno nie był nim „Bór".

Wróćmy jednak do nieszczęsnego sejmiku pułkowników i generałów. Padł w nim wynik – w zależności od relacji – albo 5:5 albo 4:3 na korzyść przeciwników przystąpienia do walki. Sprawę rozstrzygnął „Bór", który w głosowaniu nie brał udziału. Stwierdził, że wobec takiego wyniku decyzja zostaje wstrzymana. „Walka nie zostanie podjęta 1 sierpnia i jest mało prawdopodobne podjęcie jej 2 sierpnia" – stwierdził.

Według innej relacji, złożonej po wojnie przez jednego z oficerów, mowa była zaś o wstrzymaniu się z decyzją przez kilka dni. Armia Krajowa miała, jak sugerował Iranek-Osmecki, spokojnie oczekiwać na rozwój wypadków w wielkiej bitwie na przedpolach Warszawy. Na tym, ku wściekłości Okulickiego i Rzepeckiego, naradę zakończono i oficerowie się rozeszli. Była pierwsza.

Zaskakująca decyzja o przystąpieniu do powstania została podjęta cztery godziny później. Co się stało w tym czasie? Dlaczego generał Tadeusz Bór-Komorowski zmienił zdanie? Co wpłynęło na jego decyzję?

Oficjalny powód to oczywiście słynny meldunek „Montera" o czołgach sowieckich, które miały się pojawić na Pradze. Meldunek ten był jednak tylko kulminacją ostatniej intrygi grupy Okulickiego. Otóż zawiedzeni i rozczarowani zwolennicy powstania zrozumieli, że zarządzone przez „Bora" głosowanie było dowodem, iż dowódca już całkowicie się załamał. I postanowili to bezwzględnie wykorzystać.

Generałowie Okulicki i Pełczyński zameldowali się u „Bora" znacznie wcześniej, niż zaplanowano popołudniową odprawę – czyli między 16.30 a 17.00 po południu. Zrobili to po to, aby dowódca był sam i nie mógł się podeprzeć opinią oficerów wzywających do opamiętania. Jak opowiadał później jeden z adiutantów „Bora", między trzema generałami doszło do niezwykle gwałtownej dyskusji, wreszcie z pokoju zaczęły dochodzić krzyki. Obstawa lokalu zaczęła się nawet bać, że krzyki te zostaną usłyszane na ulicy i zwrócą uwagę przechodzącego pod oknami patrolu niemieckiego lub polskiej policji.

Według Jana Matłachowskiego przebieg wydarzeń wyglądał tak:

Rozpoczyna się dyskusja między nimi dwoma, którzy chcą namówić „Bora", a nim samym, który odmawia. Głosy się podnoszą. Sposób, w jaki Okulicki mówił do „Bora", pozwala wyobrażać sobie, na jaki nacisk biedny „Bór" był narażony. „Bór" się opiera, jest to jednak człowiek słaby, niezdecydowany – jak mówi Pełczyński, „on potrzebuje podparcia" – poza tym, z czym wszyscy się zgadzają, to człowiek wyczerpany fizycznie i moralnie. Zaczyna więc słabnąć. Szarpany przez wszystkie siły, które nim targają, nie wie już, co myśleć. Krótko mówiąc, jest dojrzały do ostatniego pchnięcia.

I wówczas, zupełnym przypadkiem, wchodzi „Monter", „czerwony i zadyszany", i mówi:

– Rosjanie nadchodzą, właśnie dotarli do Pragi, za sześć godzin mają być tutaj.

Jest to absurd, ale „Bór" jest już u kresu sił, załamuje się i każe wezwać Jankowskiego.

Czy tak rzeczywiście było? Wiele przesłanek pozwala stwierdzić, że Matłachowski trafnie zrekonstruował przebieg wydarzeń. Biorąc pod uwagę wcześniejsze ordynarne i obelżywe zachowanie „Kobry" wobec dowódcy AK, jest bardzo prawdopodobne, że na „Bora" wywierano silną presję psychiczną, jest ona również jedynym logicznym wytłumaczeniem raptownej zmiany decyzji.

Trudno też uwierzyć, że Okulicki i Pełczyński przypadkiem zameldowali się u „Bora" za wcześnie, a potem również zbyt wcześnie do lokalu przyszedł „Monter". Wszystkim trzem zaczęły się spieszyć zegarki?

Pod koniec sierpnia – pisał Jan Matłachowski – w chwili, gdy stało się jasne dla wszystkich, że powstanie okazało się piekielną pułapką, odbyło się plenarne zebranie Rady Jedności Narodowej. Na początku zebrania Jaworski, jeden z członków Rady, zapytał Zygmunta Zarembę, numer 2 partii socjalistycznej, czy wie, dlaczego podjęto decyzję w tak nieodpowiednim czasie.

– Są to sprawy tak skomplikowane i przykre, że nawet w cztery oczy nie mogę tego panu powiedzieć – gdyby bowiem szczegóły tych okoliczności doszły do wiadomości ogólnej, załamałoby to ducha naszej walki – odpowiedział mi Zaremba.

Jan Hoppe, wiceprzewodniczący Stronnictwa Pracy, zapewniał zaś, że według niego wybuch powstania był prawdziwym zamachem stanu zorganizowanym przez klikę wojskową.

Ciekawa w tym kontekście jest także wypowiedź czołowego socjalisty Kazimierza Pużaka: „To są sprawy bolesne. Kiedyś to sobie wyjaśnimy... To są sprawy podejrzane... Wszystkich nas zaskoczyli...". Pozostaje jeszcze tylko jedno pytanie. Czy „Monter" rzeczywiście pojechał rowerem na Pragę i zobaczył jakieś sowieckie czołgi? Według części uczestników wydarzeń był to zwykły wymysł mający doprowadzić do złamania „Bora". Według innych na wschodnich rogatkach miasta rzeczywiście mógł się pojawić jakiś zabłąkany sowiecki patrol pancerny.

Przesłanką potwierdzającą podejrzenia, że Chruściel rozmyślnie wprowadził w błąd dowódcę AK, może być relacja jego szefa sztabu, podpułkownika Stanisława Webera „Chirurga". Otóż okazuje się, że oficer ten przekazał „Monterowi" informacje o koncentracji niemieckiej do kontruderzenia około 15.00, a więc przed samym jego wyjściem do kwatery „Bora". Gdy panowie spotkali się ponownie wieczorem, rozegrała się następująca scena:

Twarz „Montera", zawsze bardzo opanowana, zdradzała wielkie podniecenie. Zdumiony zapytałem, co się stało.

– „Bór" podjął decyzję – odparł.

– To szaleństwo – nie mogłem się powstrzymać. – To będzie prawdziwa rzeź.

Myślałem, że się ze mną zgodzi, ale on odpowiedział:

– Nie mogliśmy dłużej czekać, sytuacja nam się wymyka.

Zrozumiałem wówczas, że on tę decyzję pochwala, co bardzo mnie zdziwiło, ponieważ wiedział, powiedziałem mu to przed wyjściem do kwatery „Bora", że Niemcy byli bliscy rozpoczęcia przeciwnatarcia.

Gdy 31 rano Rzepecki dowiedział się, że decyzja została przesunięta o kilka dalszych dni, musiał być wściekły i poszedł do „Montera", by mu o tym powiedzieć. Dodał niewątpliwie, że „Bór" jest chwiejny i że jeśli się go nie popchnie, nigdy się sam nie zdecyduje. Słyszałem już, jak wygłaszał takie opinie. Wówczas „Monter", myśląc, że jego powstanie mu się wymknie, zablefował i wymyślił historię o czołgach.

Na dowódcę Armii Krajowej na pewno zachęcająco podziałała też informacja, którą otrzymał 31 lipca – o tym, że Mikołajczyk wyruszył w podróż do Moskwy.

To była wspaniała wiadomość – dowodził generał Bór-Komorowski. – Rząd sowiecki zerwał stosunki dyplomatyczne z rządem polskim w kwietniu 1943 i od tego czasu nie mogliśmy tych stosunków odnowić ani też uzgodnić naszych działań wojskowych z Armią Czerwoną. Obecnie premier niewątpliwie ustali w Moskwie współdziałanie Armii Czerwonej z Armią Krajową, a nasze równoczesne działanie zbrojne w Warszawie pomoże ze swej strony w ponownym nawiązaniu stosunków dyplomatycznych pomiędzy naszymi rządami.

Słowa te znakomicie oddają nastawienie polityczne panujące w Komendzie Głównej. Jest coś odpychającego w tym, jak dowódca polskiej armii podnieca się na myśl, że będzie mógł wreszcie kolaborować ze śmiertelnym wrogiem swojego narodu bez obawy przed aresztowaniem, bo Mikołajczyk mu „wszystko załatwi".

Wróćmy jednak do decydującej, ostatniej narady Komendy Głównej, na której zdecydowano o wybuchu powstania. Natychmiast po podjęciu decyzji „Bór" kazał przyprowadzić delegata rządu na kraj – Jana Stanisława Jankowskiego – aby podżyrował decyzję wojskowych. Jankowski przybył natychmiast i usłyszawszy od zgromadzonych oficerów, że sytuacja dojrzała do walki, wydał zgodę na powstanie.

– Dobrze, niech pan zaczyna – stwierdził.

Wówczas Bór zwrócił się do „Montera":

– Jutro o piątej po południu rozpocznie pan działania.

Przejęty Jankowski ruszył do wyjścia, ale nagle przystanął. Najwyraźniej coś go tknęło, gdyż odwrócił się i powiedział do Pełczyńskiego:

– A co będzie, jeżeli bolszewicy nie przyjdą?

– Wtedy wszyscy zostaniemy wyrżnięci – opowiedział bez wahania generał.

Niestety zgromadzeni, z samym mówiącym na czele, nie dosłyszeli ponurego proroctwa, które zabrzmiało w tych słowach. Jak wiemy, byli bowiem pewni, że bolszewicy, których z taką niecierpliwością wyglądali i z którymi tak gorliwie chcieli współpracować, przyjdą im na pomoc...

Niezależnie od mrzonek i iluzji politycznych, którym hołdował, generał Bór-Komorowski przede wszystkim działał sprzecznie z zasadami sztuki wojennej.

> Normalnie przed powzięciem decyzji o poważnych skutkach – pisał Zbigniew S. Siemaszko – zbiera się wszelkie dane ze wszystkich możliwych źródeł, w celu ograniczenia czy też wyeliminowania ryzyka. A przynajmniej dąży się do potwierdzenia wiadomości nadchodzących jednym kanałem, przez dane pochodzące z innego kanału. Tymczasem „Bór" i Pełczyński podjęli decyzję na podstawie jednej informacji, pochodzącej z jednego źródła, od płk. Chruściela. To jest niezmiernie ryzykowna metoda dowodzenia.

Tym innym źródłem mógłby być choćby meldunek szefa wywiadu pułkownika Iranka-Osmeckiego czy szefa oddziału operacyjnego KG AK Józefa Szostaka. Ludzie ci mieli znacznie więcej informacji i znacznie lepszy osąd sytuacji niż „Monter". Niestety Iranek-Osmecki przybył zbyt późno. Do konspiracyjnego mieszkania, w którym miała się odbyć odprawa, dotarł po szóstej. Zastał tam już tylko dowódcę Armii Krajowej. Pułkownik wspominał po latach:

> W przedpokoju wpadłem na „Bora". Wyglądało, że właśnie wychodzi. Spojrzałem na niego zdziwiony i zapytałem:
> – Jak to, pan jest sam? Pozostali nie przyszli?
> – Zebranie się skończyło – odpowiedział szybko. – Wydałem rozkaz rozpoczęcia walk.
> Popatrzyłem na niego zaskoczony i powiedziałem machinalnie:
> – Rozpoczęcie walk? Ale dlaczego?
> – „Monter" przyniósł informacje, według których czołgi sowieckie zajmują właśnie Okuniew, Radość i Miłosną oraz zrobiły wyłom na przyczółku mostowym na Pradze. Powiedział, że jeśli nie zaczniemy natychmiast, to ryzykujemy, że możemy się spóźnić. Wydałem więc rozkaz.

Słyszałem te słowa, ale nie mogłem jakoś pojąć ich sensu. Wewnętrznie odrzucałem jeszcze przyjęcie tej decyzji. Potem powoli mój umysł zaczął funkcjonować.

– Popełnił pan błąd, panie generale. Informacje „Montera" nie są ścisłe. Otrzymałem właśnie ostatnie raporty od moich miejscowych agentów. Dementują wyraźnie pogłoski, że przyczółek mostowy na Pradze został rozbity. Przeciwnie, potwierdzają wszystko to, o czym mówiłem rano: Niemcy przygotowują się do kontrnatarcia.

„Bór" usiadł lub raczej opadł na krzesło. Przesunął kilka razy ręką po czole. Po czym zapytał mnie bezbarwnym, urywanym głosem:

– Czy jest pan zupełnie pewny, że wiadomość „Montera" jest nieprawdziwa?

– Zupełnie pewny, panie generale.

Przez chwilę milczał, a potem znowu nalegał:

– Czy może mnie pan o tym zapewnić?

Rozumiejąc, że „Bór" się waha, starałem się mówić jak najbardziej przekonująco.

– Zapewniam pana, generale – odpowiedziałem stanowczym głosem.

Bór wydawał się bardzo przybity. Spojrzenie jego błądziło po pokoju, prześlizgując się po przedmiotach, których wydawał się nie widzieć.

– Co mam robić? – szeptał. – Co mogę zrobić? Co mi pan radzi?

Miałem wrażenie, że mogę jeszcze powstrzymać przeznaczenie. Zapytałem go:

– Czy ma pan łączniczkę, którą mógłby pan posłać do „Montera", aby odwołać rozkaz?

Spojrzał na mnie i zapytał:

– A więc trzeba jeszcze raz anulować, jeszcze przełożyć?

– Tak, panie generale. Wybrał pan najgorszy moment. Trzeba odwołać rozkaz.

„Bór" spojrzał na zegarek. Chciał coś powiedzieć, gdy drzwi nagle się otworzyły. Przyszedł Szostak. Popatrzył na nas obydwu: „Bora" siedzącego w kapeluszu i płaszczu i na mnie stojącego naprzeciw niego. Zdziwienie malowało się na jego twarzy.

– Co się dzieje? – zapytał z kolei. – Czy odprawa już zakończona?

Wyglądało, jakby „Bór" nie zauważył przybycia Szostaka. Patrząc bez ruchu na zegarek, powiedział:

– Mój Boże, już szósta. Już przeszło godzina, jak „Monter" wyszedł. Dawno już pewnie zdążył rozesłać rozkazy. Za późno. Nie możemy już nic zrobić.

Zrozumiawszy nagle, o co chodzi, Szostak wykrzyknął:

– Jak to?! Wydał pan rozkaz, nie poradziwszy się Iranka, szefa II Oddziału, ani mnie? Ależ to szaleństwo. Damy się w ten sposób wymordować. Trzeba natychmiast anulować rozkaz.

Lecz „Bór" tylko odpowiedział:

– Za późno. Nie możemy już nic poradzić.

Siedział bez sił, wyczerpany, z bezkrwistą twarzą, ze spojrzeniem bez wyrazu, prawie godny politowania, w zbyt dużym płaszczu źle ukrywającym jego szczupłe ramiona i w kapeluszu, którego rondo ocieniało zapadniętą twarz, porysowaną i pofałdowaną ciemnymi zmarszczkami.

– Nie możemy już nic zrobić – powtórzył po raz trzeci głosem wyrażającym mieszaninę zmęczenia i ulgi.

Następnie wstał i wyszedł.

Chwilę później przyszedł Pluta-Czachowski. Spotkał „Bora" na schodach i już wiedział. Spoglądaliśmy na siebie w milczeniu, milczeniu ciężkim od nie zadawanych pytań i obaw. Zrozumiałem, że trzeba coś robić, i powiedziałem:

– A więc po wszystkim. Nic już na to nie poradzimy. Nie pomoże nam, jeśli będziemy tu stali i rozpaczali. Zróbmy wszystko, na co nas stać, aby sprawy potoczyły się możliwie z jak najmniejszą szkodą. Od tej chwili liczy się każda minuta.

Skierowałem się do drzwi, aby wyjść, gdy Pluta powiedział głosem obojętnym, tak jakby oznajmiał rzecz nie mającą znaczenia:

– À propos, właśnie zaczyna się przeciwnatarcie niemieckie.

Bór-Komorowski, mówiąc, że jest zbyt późno na odwołanie rozkazu, po raz kolejny się mylił. Rozmowa z Irankiem odbyła się między szóstą a najpóźniej wpół do siódmej. Tymczasem sam Chruściel po wojnie przyznał, że po przybyciu do swojej kwatery przy ulicy Filtrowej 68 rozkaz do oddziałów okręgu w sprawie alarmu i godziny „W" podpisał o siódmej, a rozesłał o ósmej wieczorem.

Oznacza to, że po tym, gdy generał Bór-Komorowski dowiedział się od Iranka-Osmeckiego i Szostaka, że meldunek „Montera" o sowieckim natarciu na Pragę jest nieprawdziwy, było jeszcze co najmniej półtorej godziny na powstrzymanie „Chruściela". Dystans między Pańską 67, gdzie znajdował się „Bór", a Filtrową 68 łączniczka Armii Krajowej pokonałaby góra w pół godziny.

Mało tego, ze względu na godzinę policyjną większość dowódców oddziałów rozkaz otrzymała dopiero nad ranem około ósmej. Na zatrzymanie katastrofy było więc bardzo dużo czasu. „Bór" był już jednak całkowicie zrezygnowany i nie znalazł w sobie dość siły, by po raz kolejny sprzeciwić się generałowi Leopoldowi Okulickiemu.

Spisek zawiązany przez tego oficera powiódł się.

Nazajutrz Warszawa miała się spotkać ze swoim przeznaczeniem.

Rozdział 10

Bój bez planu

Koncepcja polityczna, która przyświecała sprawcom Powstania War-szawskiego, była nonsensowna. Oficerowie Komendy Głównej AK byli marnymi politykami. Trudno się jednak temu dziwić. Choć tak bardzo się do polityki pchali, uprawianie jej nie było ich zawodem. Zdumienie musi natomiast budzić to, że równie nonsensowna była wojskowa koncepcja powstania. Ludzie, którzy podjęli decyzję o walce, byli przecież zawodowymi oficerami. Żadna bitwa w dziejach Polski nie została tymczasem przygotowana i przeprowadzona tak dyletancko, jak bitwa o Warszawę w roku 1944.

Analizę militarną zacznijmy od początku, czyli od planu. Otóż plany powstańcze były opracowywane przez sztabowców podziemnej armii niemal od początku jej istnienia. Zorganizowanie powstania w ostatniej fazie wojny było nadrzędnym zadaniem Związku Walki Zbrojnej, a następnie Armii Krajowej.

Pierwszy plan powstania, przygotowany na początku 1941 roku, został wysłany do Londynu w lutym jako „Meldunek operacyjny numer 54". Po wybuchu wojny niemiecko-sowieckiej uaktualniono go i we wrześniu 1942 roku w nowej formie przekazano do Sztabu Naczelnego

Wodza. Tym razem nosił kryptonim „Raport operacyjny numer 154".
Oba projekty były solidną sztabową robotą, nad którą pieczę miał generał „Grot".

Podstawowe założenie planu nie pozostawiało żadnych wątpliwości co do intencji autorów: „Powstanie nie może się nie udać". Oznaczało to, że do działań zbrojnych na szeroką skalę podziemie może przystąpić tylko i wyłącznie wtedy, gdy będzie miało 100 procent pewności, że pokona przeciwnika. W przeciwnym razie przedsięwzięcie byłoby zbyt ryzykowne.

Od początku myślano o powstaniu powszechnym, czyli zbrojnym wystąpieniu AK na terenie całego kraju, a nie tylko w jednym mieście. Sztabowcy podziemia stwierdzali, że powstanie może się udać pod sześcioma spełnionymi łącznie warunkami:

1. Bolszewicy będą daleko od granic Polski.

2. Armia niemiecka i naród niemiecki się załamią.

3. Polskie siły zbrojne wkroczą na terytorium Polski drogą lądową lub dokonają desantu morskiego przez Gdynię i Gdańsk.

4. Polskim siłom zbrojnym będą towarzyszyły oddziały anglosaskie.

5. Polskie lotnictwo bombowe udzieli wielkiego wsparcia AK.

6. Anglosasi dostarczą podziemnemu wojsku olbrzymie ilości broni i amunicji, która pozwoli porządnie uzbroić jego żołnierzy.

Niespełnienie któregokolwiek z tych warunków – uważali sztabowcy w roku 1942 – miało skutkować odwołaniem powstańczych planów. Wystąpienie skazane byłoby bowiem na klęskę. Ile z tych warunków było spełnionych 31 lipca 1944 roku, gdy podjęto decyzję o powstaniu? Otóż… żaden.

Rozpoczynając bitwę o Warszawę, Armia Krajowa złamała więc zasady wyjściowe, które sama opracowała. Nie tylko nie miała wymaganych 100 procent pewności, że zryw na ulicach stolicy się powiedzie – nie miała jej ani 75, ani nawet 50 procent. Szanse były bowiem zerowe. Chyba jest to najlepsze wytłumaczenie tytułu książki, którą trzymacie państwo w rękach.

Jeżeli chodzi o samą Warszawę, to istniały dwa plany powstania.

Pierwszy, będący elementem planu powstania powszechnego, zakładał, że gdy cała Polska rzuci się do walki z Niemcami, warszawskie siły AK opanują miasto. Czyli zdobędzie oba lotniska, mosty, dworce, koszary i inne ważne obiekty, wypychając z miasta niemiecki garnizon. Powtórzmy to jednak jeszcze raz: plan ten przygotowany został tylko i wyłącznie na wypadek, gdyby Niemcy się załamali, zaczęli uciekać z Warszawy i dawali się rozbrajać jak w roku 1918.

Drugi plan, o którym już pisałem, został zaś zaaprobowany w marcu 1944 roku, gdy zamiast powstania powszechnego zaczęto realizować akcję „Burza". Zgodnie z tą nową koncepcją – w trosce o zabytki i ludność cywilną – Warszawa miała być wyłączona z działań zbrojnych. Polskie oddziały miały wyjść z miasta i uderzyć na wycofujący się Wehrmacht na zachód od stolicy.

W rzeczywistości 1944 roku oba plany nie miały żadnych szans powodzenia i były nad wyraz szkodliwe dla sprawy polskiej. Miara tej szkodliwości była jednak nierówna. O ile pierwszy plan – czyli otwarte wystąpienie słabych polskich oddziałów przeciwko wciąż potężnym Niemcom na terenie miasta – oznaczał zagładę Armii Krajowej, Warszawy i ludności cywilnej, o tyle plan drugi doprowadziłby jedynie do zagłady podziemnego wojska.

Gdyby warszawska AK zaatakowała wycofujących się Niemców w lasach na zachód od Warszawy, oczywiście zostałaby pobita tak samo, jak została pobita w mieście. Prawa logiki są bowiem nieubłagane i człowiek uzbrojony w pistolet *Vis* kalibru 9 mm po prostu nie ma szans z człowiekiem siedzącym w czołgu *Tiger* wyposażonym w armatę kalibru 88 mm.

Oddziały „Bora" zostałyby więc rozbite, a następnie błąkających się po lasach niedobitków wyłapałaby Armia Czerwona. Czyli stałoby się dokładnie to, co ze wszystkimi innymi oddziałami AK biorącymi udział w akcji „Burza". Byłby to olbrzymi dramat, ale poświęcone zostałoby tylko wojsko. A konkretnie 4 tysiące ludzi, bo tylu żołnierzy miało zostać uzbrojonych i wyprowadzonych z miasta do walki.

Jednym z argumentów powtarzanych w obronie decyzji o wywołaniu Powstania Warszawskiego jest twierdzenie, że po pięciu latach okupacji polskie wojsko podziemne nie mogło pozostać bezczynne. Że po prostu musiało walczyć, bo inaczej nie byłoby wojskiem. No cóż – jak powiedział Winston Churchill – nikomu, nawet najsłabszemu, nie można odmówić prawa do samobójstwa. Dlaczego jednak Komenda Główna AK wciągnęła w swoje szaleństwo milion Bogu ducha winnych warszawiaków?

Rzeczywiście bowiem, jeśli człowiek nie może się uporać z życiem, ma prawo je sobie odebrać. To jego sprawa i bierze ten grzech na swoje sumienie. My możemy mu tylko współczuć i się za niego modlić. Zupełnie inaczej ocenimy jednak tego samego człowieka, jeśli rzuci się w przepaść, pociągając ze sobą żonę i małe dzieci. Wówczas jest nie tylko samobójcą. Jest też mordercą.

Komenda Główna AK, pod wpływem maniakalnych nacisków Okulickiego pośpiesznie podejmując decyzję o wywołaniu powstania w Warszawie, nie miała oczywiście planu takiej operacji. Sięgnęła więc po jedyny gotowy plan walki w stolicy – będący elementem powstania powszechnego. Był to zaś projekt, przypomnijmy, opracowany w roku 1942 w zupełnie innych warunkach, przy zupełnie innych założeniach taktycznych.

Byłem bardzo zaskoczony, gdy Okulicki powiedział mi, że operacje warszawskie będą przebiegać według planu pierwszego, nieco zmodyfikowanego – mówił pułkownik Józef Szostak „Filip", szef operacji KG AK. – Plan ten, nadmiernie ambitny już w tym czasie, kiedy go opracowano, w lipcu 1944 roku był nie do przeprowadzenia. Z jednej strony Niemcy byli znacznie silniejsi, niż to przewidywano w koncepcji z 1942 roku, z drugiej strony my byliśmy nieskończenie gorzej uzbrojeni, niż należało.

Pułkownik Janusz Bokszczanin wspominał zaś:

Gdy przedstawiłem Okulickiemu tę część planu „Burza", która dotyczyła Warszawy [a więc wycofanie sił z miasta i atak na wycofujących się Niemców – P.Z.], przejrzał ją szybko, właściwie nie czytając, i powiedział:
– Nie, to nie tak. Ten plan to tchórzostwo.

A zatem dla Polaka lepiej umrzeć, niż być tchórzem. Próbowałem z nim dyskutować, wytłumaczyć mu, że nie mamy niestety środków, aby przeprowadzić operację na szeroką skalę. Poprosiłem, aby przynajmniej uważnie przeczytał plan. Odpowiedział:

– To nie ma celu. Równie dobrze moglibyśmy nic nie robić.

Oczywiście mogłem mu powiedzieć, że jeśli któregoś dnia nie przestaniemy umierać dla Polski, to wkrótce nie będzie nikogo, kto by w niej w przyszłości żył i mieszkał. Wolałem jednak nie zaostrzać dyskusji.

Od chwili przyjazdu Okulickiego prace sztabu AK charakteryzował brak realizmu i powagi, amatorszczyzna. Przez cztery lata pracowaliśmy z niezwykłą drobiazgowością i ścisłością, zarówno w dziedzinie wywiadu oraz w ocenie sytuacji, jak i nad przygotowaniem planów. Mając odwagę patrzenia prosto w twarz rzeczywistości, zawsze trzymaliśmy się jej i umieliśmy dostosować do niej nasze działania. Potem nagle przyjechał Okulicki z sercem przepełnionym energią, lecz głową pełną chaosu. I w ciągu kilku tygodni zniweczył pięć lat drobiazgowej i zapamiętałej pracy.

Podobnego zdania był Felicjan Majorkiewicz, cichociemny skierowany do sztabu AK. Gdy otrzymał do wglądu plan powstania, długo nie mógł dojść do siebie.

W czasie przeglądania poszczególnych arkuszy – w aspekcie zmienionych warunków i sytuacji na frontach – zostałem zaskoczony przede wszystkim słabym uzbrojeniem oddziałów. Niektóre kompanie posiadały w swoim uposażeniu zaledwie po kilka karabinów lub w ogóle ich nie miały, a broń maszynowa stanowiła znikomy procent ogólnego stanu uzbrojenia. Następną zaskakującą rzeczą była koncepcja użycia oddziałów. Zamiast koncentracji sił i środków zastosowano ich rozwodnienie. Po zapoznaniu się z planem doszedłem do wniosku, że jest on – zwłaszcza z chwilą umocnienia i ufortyfikowania obiektów przez Niemców – nieaktualny. Przygnębiony wracałem do sztabu…

To, że Okulicki wybrał plan frontalnego ataku na niemieckie bunkry, to było jednak jeszcze nic. Otóż generał wprowadził w planie poważną poprawkę. Otóż wpadł na pomysł, że przy pomocy młodzieży uzbrojonej w butelki z benzyną... zamieni Warszawę w wielki kocioł, zamknie w nim Niemców i... wytnie w pień.

Podczas jednej z odpraw, 22 lub 23 lipca, sprawę postawił generał Pełczyński.

– Co wy powiecie – spytał Bokszczanina – jeśli my zrobimy Niemcom kocioł w Warszawie? Zamkniemy ich w kotle i wyrżniemy. Jak to mówił Napoleon, żeby pobić nieprzyjaciela, trzeba zniszczyć jego siły żywe.

Pułkownik początkowo nie mógł uwierzyć własnym uszom. Potem stwierdził, że pomysł jest niewykonalny. Do stworzenia kotła potrzebna jest bowiem olbrzymia przewaga liczebna nad nieprzyjacielem. A w Warszawie należała ona do Niemców. Trzeba mieć ponadto ciężką artylerię i lotnictwo, które pozwolą „zmiękczyć" zamkniętego w kotle wroga. Armia Krajowa takiego sprzętu zaś oczywiście nie miała. W przeciwieństwie do Niemców. Zatem jeśli ktoś mógł kogoś zamknąć w kotle, to tylko Niemcy Polaków.

Dlatego właśnie zdaniem Bokszczanina sprawa nie była nawet warta dyskusji. Przeczyła bowiem elementarnym zasadom taktyki wykładanym adeptom szkół wojskowych na pierwszych zajęciach.

Był to projekt śmieszny, groteskowy, gdy znało się potęgę niemiecką i siły, którymi dysponowaliśmy – wspominał pułkownik. – Usiłowałem to Okulickiemu wykazać, lecz odparł mi, że tchórze zawsze znajdują przyczyny, aby się nie bić. Był to argument nikczemny i niegodny oficera Komendy Głównej, rodzaj wypowiedzi, której można w ostateczności użyć w stosunku do sierżanta, lecz która jest bezsensowna w odniesieniu do oficera KG, którego zadaniem jest myśleć, a nie ryzykować życie.

Okulicki wolał umrzeć, niż myśleć. Zużyliśmy cztery lata na opracowanie dwóch planów. W ciągu kilku tygodni Okulicki opracował trzeci, o którym to mogę powiedzieć, że był co najmniej szalony. Nawet w najbardziej optymistycznym okresie nie wyobrażaliśmy sobie nigdy, że możemy pobić Niemców. Dlatego też pierwszy plan Roweckiego, który zakładał najkorzystniejsze dla nas warunki, przewidywał, że linie komu-

nikacyjne na zachód pozostaną wolne, aby pozwolić Niemcom na wycofanie się.

Tymczasem według Okulickiego jedyne, co należy uczynić, to pobić
Niemców w Warszawie. Ten plan nigdy jednak nie został zredagowa-
ny. Nie chodziło o prawdziwy plan, lecz o ideę, marzenie, chimerę, na niczym nie opartą i nie mającą żadnego związku z rzeczywistością.

Nie przez przypadek tak często cytuję pułkownika Janusza Bokszczanina. Był to bowiem prawdziwy Polski bohater i prawdziwy żołnierz.
Człowiek, którego imieniem powinniśmy nazywać place i ulice w największych naszych miastach. Te same place i ulice, które noszą dzisiaj
imiona sprawców Powstania Warszawskiego. Tymczasem to Bokszczanin był największym z AK-owców.

Rozdział 11

Bój bez broni

Gdy jeden z oficerów Komendy Głównej zwrócił uwagę Okulickiemu, że szykowana przez niego „operacja warszawska będzie improwizacją", ten odparł: „W takiej walce zawsze jest improwizacja. A zwycięża ten, kto jest śmielszy". Takie słowa były zdumiewające w ustach zawodowego oficera. W walce zwycięża bowiem nie ten, kto śmielszy, ale ten, kto ma więcej karabinów maszynowych, pocisków, czołgów i dział.

Tych zaś Armia Krajowa nie miała. Bez broni, czego Polacy nie potrafią zrozumieć, nie ma zaś walki. Jest tylko umieranie.

Dla Polaków polityka zagraniczna to scena obrotowa dla deklamacji Słowackiego i innych wieszczów – pisał Stanisław Cat-Mackiewicz. – Zdarza się, że scena się obróci, reżyseria i gwiazdory wyjadą, jeśli nie na Berdyczów, to na Zaleszczyki, a dzieci, dziewczęta nieletnie z nieporównanym heroizmem pójdą w „bój bez broni", będą rozstrzeliwane, masakrowane, mordowane. Dla Anglii pojęcie „bój bez broni" nie istnieje, a gdyby istniało, miałoby charakter niepoważny, komiczny, coś jak gdyby ktoś zapewniał, że będzie latać, choć nie ma samolotu.

Komenda Główna poderwała Warszawę do lotu bez skrzydeł. Efekt był nietrudny do przewidzenia. Spadła z dużej wysokości na beton i została z niej mokra plama. A można to było bez trudu przewidzieć. Kazimierz Bagiński, działacz ludowy, opowiadał po wojnie:

W marcu 1944 roku na posiedzeniu Rady Jedności Narodowej zapytałem „Bora":
– Jaki jest stan broni?
„Bór" odpowiedział wówczas:
– 10 procent zapotrzebowania.
– W takich warunkach powstanie powszechne jest niemożliwe – odparłem na to.

Jak wiemy, „Bór" miał inne zdanie.

Największym dramatem było to, o czym wspominałem wyżej. Od marca 1944 roku, gdy stolicę wyłączono z akcji „Burza", arsenały w mieście były systematycznie opróżniane – broń wysyłano do wschodnich okręgów Armii Krajowej. Najbardziej dotkliwa była strata 960 pistoletów maszynowych wraz z amunicją, przetransportowanych do okręgu białostockiego i sąsiednich na dwa–trzy tygodnie przed wybuchem walk. Już to jedno, zdaniem szefa uzbrojenia AK podpułkownika Jana Szypowskiego „Leśnika", wykluczało decyzję o wywołaniu powstania.

Według planu z 1942 roku oddziały wyznaczone do pierwszego uderzenia, najważniejszego i decydującego o powodzeniu całego zrywu, miały mieć ściśle określone uzbrojenie. Chodziło o broń szturmową – a więc przede wszystkim właśnie pistolety maszynowe – która umożliwiłaby zdobycie niemieckich obiektów. 1 sierpnia 1944 roku tego uzbrojenia w Warszawie już zaś po prostu nie było. Efektem był tragiczny paradoks. Otóż Warszawa, okręg AK, który miał dokonać największej, najważniejszej i najbardziej spektakularnej akcji Polskiego Państwa Podziemnego, była uzbrojona znacznie gorzej od innych okręgów.

Na tym jednak nie koniec. Otóż Niemcy – którzy dowiedzieli się od swoich agentów, że w Warszawie może dojść do zbrojnego wystąpienia na większą skalę – w ostatnich dniach lipca przeprowadzili szereg nalotów na arsenały AK. O wielu z nich dowiedzieli się dzięki doniesieniom informatorów i wsypom w podziemiu. W ten sposób Gestapo przejęło między innymi 78 tysięcy granatów i 170 miotaczy ognia.

W innych budynkach, gdzie znajdowały się polskie składy broni, w ostatnim momencie usadowili się Niemcy i przez całe Powstanie nie było do tych składów dostępu. Miejsca te zostały więc dobrane fatalnie. Najbardziej kompromitujące jest jednak to, że w wyniku ogólnego bałaganu, który nastąpił 1 sierpnia 1944 roku, o części arsenałów po prostu zapomniano. I tak na przykład nietknięty skład broni na Lesznie – z 678 pistoletami maszynowymi i 60 tysiącami pocisków – magazynier ujawnił dopiero... w 1947 roku.

Armia Krajowa przystąpiła więc do Powstania Warszawskiego, mając około 600 pistoletów maszynowych. Dopiero znając tę liczbę, można zrozumieć, czym była strata w sumie 1638 peemów w przededniu walki. „Wielki i najbardziej ofiarny wysiłek inżynierów i robotników zapewnił oddziałom warszawskim całkowite niemal uzbrojenie szturmowe na pierwsze uderzenie, lecz wysiłek ten w większości poszedł na marne" – pisał gorzko pierwszy historyk, a zarazem weteran Powstania Adam Borkiewicz.

Część broni trafiła zresztą do oddziałów dopiero po jakimś czasie, ponieważ w atmosferze gorączki, pośpiechu i chaosu, w jakiej koncentrowały się oddziały, wystąpiły problemy z wydobyciem jej ze skrytek. W efekcie spośród około 20 tysięcy oficerów i żołnierzy AK, którzy stawili się na mobilizację 1 sierpnia, broń – i to na ogół byle jaką – miał może co siódmy. Był to prawdziwy dramat.

W efekcie bowiem około 3 tysięcy młodych Polaków – zdecydowana większość miała mniej niż dwadzieścia lat i niemal dla wszystkich była to pierwsza walka – stanęło naprzeciw 20 tysięcy znakomicie uzbrojonych żołnierzy niemieckich. Mało tego, ta młodzież miała szturmować silnie umocnione pozycje wroga. Olbrzymie bohaterstwo i wola walki polskich nastolatków nie mogły tu nic zmienić. Dowódcy dali im zadanie, które było niewykonalne.

Konkretne przykłady mrożą krew w żyłach. Liczące 900 żołnierzy zgrupowanie kapitana Lucjana Giżyńskiego „Gozdawy" otrzymało 103 granaty, 48 pistoletów, 8 pistoletów maszynowych i 9 karabinów. Do tego dwie myśliwskie dubeltówki, dwa ręczne karabiny maszynowe i jeden ciężki karabin maszynowy. Zgrupowanie to – na tle innych oddziałów – można uznać za uzbrojone znakomicie. Niektóre oddziały były bowiem całkowicie bezbronne.

Licząca 170 żołnierzy kompania porucznika Zygmunta Sapuły „Zygmunta" otrzymała rozkaz zdobycia silnie ufortyfikowanego, bronionego przez 40 SA-manów Domu Akademiczek za pomocą... 7 pistoletów, 3 karabinów, 2 pistoletów maszynowych (popsutych) i 40 granatów. Gdy „Zygmunt" powiedział, że z braku broni zadanie jest niewykonalne, oficer, który przyniósł ten rozkaz, w przypływie wisielczego humoru stwierdził: „a ja mam scyzoryk"...

Powstanie zacząłem 1 sierpnia 1944 roku w najdalej wysuniętej na zachód dzielnicy Warszawy, Woli – relacjonował Jerzy K. Malewicz „Janek". – Nie mieliśmy zupełnie broni. Na około 80 powstańców było coś 7 sztuk prywatnej broni, w tym dwa karabiny i pięć pistoletów czy rewolwerów. Przyrzeczonej broni dowództwo nie dostarczyło. Nie mieliśmy hełmów ani butów, które sobie zorganizowałem później. Tam rozmawialiśmy ze starszymi mężczyznami, uczestnikami czy I, czy II wojny światowej, którzy mówili: „oni was wyrżną, oni mają armaty, czołgi, samoloty, a wy nic".

Weterani oczywiście mieli rację, straty oddziału Malewicza wyniosły... 90 procent.

Jan Herbich, żołnierz koncentrującego się na Mokotowie „Granatu", wspominał:

Dzień 1 sierpnia 1944 roku zapisał się w pamięci mojej jako czarna noc. Rano pojechałem na Żoliborz, żeby sprawdzić wiarygodność dnia i godziny wybuchu Powstania. Niestety to jest prawda, straszna prawda. „Karol" był wręcz zrozpaczony. Nie mamy już żadnych szans na zaskoczenie Niemców ani na przechwycenie Warszawy. Czas paniki u Niemców już minął. Punktem zbiórki dowodzonej przeze mnie baterii był dom przy ulicy Łowickiej. Naprzeciw nas znajdował się dom SGGW, zajęty przez oddział SS. Byliśmy bezbronni. Trudno bowiem uznać prywatną zdobycz Wacka Kwiatkowskiego: zardzewiały pistolet bez amunicji i sidolkę, za uzbrojenie. Jest nas chyba dwudziestu. Nikt nami się nie interesuje.

Po całym dniu jałowego oczekiwania Herbich przejął inicjatywę i wyprowadził swój bezbronny oddziałek w pobliskie lasy, ratując swoich podkomendnych od masakry. Niestety niewielu oficerów wykazało się taką przytomnością umysłu.

Brak broni, który równał się wyrokowi śmierci wydanemu na własnych żołnierzy, nie zaprzątał specjalnie uwagi przedstawicieli Komendy Głównej, którzy za wszelką cenę dążyli do sprowokowania walk na ulicach miasta. Gdy w komendzie ktoś zaczął mówić o niewystarczającej liczbie karabinów, generał Pełczyński stwierdził, że „kiedy lud paryski ruszył na Bastylię, nie liczył pałek, z którymi wyruszył".

Jan Ciechanowski, historyk i weteran Powstania, tak komentował te słowa: „Tego rodzaju porównanie, pomimo całego swego porywającego patosu i odwagi, która się za nim kryła, nie mogło mieć zastosowania w przypadku Powstania Warszawskiego, które zostało wszczęte przez zawodowych wojskowych w pełni obeznanych z prawami taktyki, a nie głodnych i zdesperowanych sankiulotów. Właśnie dokładne liczenie «pałek» przed wyruszeniem do boju powinno być jedną z głównych czynności sztabowców AK".

Nie mniej kuriozalna wypowiedź padła z ust „Montera". Gdy podczas odprawy młodsi stopniem oficerowie powiedzieli mu, że żołnierze nie mają broni niezbędnej do wykonania zadań, pułkownik odpowiedział, że... „brak broni zastąpi furia odwetu". Gdy jego rozmówcy nie dawali za wygraną i przekonywali, że bój bez broni to szaleństwo, Chruściel stwierdził: „nie posiadających broni uzbroić w siekiery, kilofy i łomy".

Jest to jedna z najbardziej zdumiewających wypowiedzi, jakie padły w dziejach oręża polskiego. I dowód na całkowity upadek – zawodowy i moralny – niektórych wysokich oficerów Armii Krajowej. Według jednej z wersji tej wypowiedzi Chruściel dodał, że żołnierze, którzy będą niezdolni do zdobycia broni... „pójdą pod sąd". Obawiam się, że osobą, którą natychmiast należało wówczas oddać pod sąd, był on sam.

To właśnie „Monter" swoje działania oparł na obłędnym założeniu, że żołnierze w pierwszych godzinach powstania zdobędą broń do dalszej walki na Niemcach. Tym, jak mieliby to zrobić gołymi rękami, już się nie przejmował. Podobne było zresztą nastawienie władz cywilnych. Gdy Józef Chaciński i Jerzy Braun ze Stronnictwa Pracy w dramatyczny sposób starali się przekonać delegata Jana Stanisława Jankowskiego, że powstanie skończy się masakrą, bo żołnierze nie mają broni, ten wzruszył ramionami i odparł: „To sobie zdobędą".

„W żadnej armii, poza sowiecką, nie wydawano rozkazów zdobywania broni na wrogu. I atakowania nieprzyjacielskich pozycji z gołymi rękoma. W przedwojennej armii polskiej takie coś było nie do pomyślenia. Jest granica szafowania ludzkim życiem" – stwierdził profesor Paweł Wieczorkiewicz. „Nigdzie w czasie II wojny światowej nie było bitwy o takiej doniosłości i rozmiarze, w której przeciwnicy byliby tak nierówno wyposażeni" – dodawał Janusz K. Zawodny, weteran Powstania i znany historyk emigracyjny.

Przykro to pisać, ale przypominało to wojny toczone w dziewiętnastym wieku przez Zulusów z Brytyjczykami. Wojownicy tego afrykańskiego ludu również byli niezwykle bohaterscy i wykazywali na polu bitwy olbrzymią brawurę i odwagę. Również walczyli za słuszną sprawę. Cóż jednak z tego, skoro przeciwnik dysponował nowoczesnymi karabinami odtylcowymi systemu Martini-Henry, a oni mieli tylko włócznie i tarcze, przez które kule przechodziły jak przez papier.

Że zuluscy kacykowie nie mogli wiedzieć, jak działa broń palna i jaką przewagę mają nad nimi biali przybysze zza oceanu, to zrozumiałe. Od zawodowych oficerów Komendy Głównej AK można chyba jednak było wymagać elementarnej wiedzy na temat prowadzenia nowoczesnej wojny.

„Powstanie była to fachowa wojskowa robota wykonywana przez świetnych fachowców" – pisał w swojej głośnej książce *Kinderszenen* Jarosław Marek Rymkiewicz. Pogląd ten jest prawdziwy tylko w połowie. O ile pacyfikacja Powstania Warszawskiego przez Niemców rze-czywiście była fachową, zbrodniczą robotą, o tyle działania powstańcze zostały przez oficerów Armii Krajowej przeprowadzone dyletancko. Tak, to bardzo bolesne dla wrażliwości historycznej Polaków, tak dumnych ze swojego niepodległościowego zrywu sprzed blisko siedem-dziesięciu lat. Niestety Powstanie Warszawskie było oparte na absur-dalnej koncepcji politycznej i absurdalnej koncepcji wojskowej. Zostało przeprowadzone według fatalnego planu i bez środków do walki, które dawałyby choćby minimalne szanse na zwycięstwo. A jakby tego było mało, samo wykonanie było nieudolne.

Działacz Stronnictwa Ludowego Adam Bień oraz wielu innych uczestników i historyków Powstania utrzymywało, że Warszawa zerwała się do walki zbyt późno. Według nich należało uderzyć na Niemców 24 lub 25 lipca, gdy byli ogarnięci paniką i masowo uciekali z Warsza-wy. Wówczas można byłoby rzekomo liczyć na powtórzenie scenariusza z roku 1918 roku, czyli rozbrojenie niemieckiego garnizonu warszaw-skiego niemal bez walki.

Brzmi to dość mało prawdopodobnie, ale nawet gdybyśmy zało-żyli, że takie wcześniejsze uderzenie i opanowanie miasta przez AK było możliwe, to... wcale nie uratowałoby ono Warszawy. Znamy bo-wiem reakcję przebywającego wówczas w Wilczym Szańcu Hitlera, gdy mu doniesiono o polskiej insurekcji. Führer wpadł w szał. „Wycofać wszystkie wojska z Warszawy i odsunąć je na skraj miasta, a następnie, wykorzystując wszystkie samoloty frontu środkowego, zrównać War-szawę z ziemią i przez to zdusić ognisko powstania" – rozkazał. Miał to być przykład odstraszający dla całej Europy.

Plan ten – który dano już nawet do zrealizowania generałowi Ritte-rowi von Greimowi, został wstrzymany w ostatniej chwili, gdy się oka-zało, że Powstanie... jest takie słabe. Skoro AK nie zdołała opanować niemieckich budynków na terenie Warszawy i wiele tysięcy Niemców wciąż znajdowało się w samym środku miasta, odwołano bombardo-wanie dywanowe, żeby nie zrobić krzywdy własnym rodakom.

Gdyby więc nawet powstańcy zaatakowali wcześniej i odnieśli mili-tarny sukces, nic by to nie zmieniło. Opanowane przez Polaków miasto zostałoby zburzone wskutek ataku z powietrza, który zakończyłby się mniej więcej tak, jak największe, ludobójcze bombardowania tej wojny: amerykański nalot na Tokio z marca 1945 roku, atak atomowy na Hiroszimę i Nagasaki czy alianckie bombardowania dywanowe Hamburga. Warszawa i tak zostałaby zgładzona.

Tak naprawdę więc Warszawa do walki nie przystąpiła zbyt późno, ale zbyt wcześnie. Jeżeli już koniecznie Komenda Główna paliła się do witania bolszewickiego najeźdźcy w stolicy własnego kraju, to należało słuchać Bokszczanina i Pluty-Czachowskiego. Obaj oficerowie mówili, że sygnałem do rozpoczęcia walki powinno być zajęcie przez Armię Czerwoną Pragi, położenie ognia artyleryjskiego przez bolszewików na lewą stronę Wisły i rozpoczęcie przeprawy. Najprawdopodobniej zresztą – wskazywali oficerowie – nastąpiłaby ona nie na wysokości samej stolicy, ale przyczółków na północ i południe od miasta. Z argumentacją tą początkowo „Bór" się zgodził, a następnie sam odstąpił od tych zasad.

Niestety Komendzie Głównej zabrakło opanowania i rozkaz o przystąpieniu do walki został wydany, gdy tylko Chruściel przyniósł informację o czołgach widzianych rzekomo na Pradze. Byleby się nie spóźnić! Byleby tylko zdążyć! Ten niebywały pęd do walki, bez oglądania się na realia, do dzisiaj musi budzić zdumienie.

Przykro to pisać, ale rację – w ocenie terminu rozpoczęcia walki – mieli nasi wrogowie. A więc przede wszystkim dowodzący sowieckim Frontem Białoruskim marszałek Konstanty Rokossowski, który stwierdził: „Dowództwo AK popełniło okropną pomyłkę. Bór-Komorowski i jego otoczenie wystąpili jak klown w cyrku, który pojawia się w nieodpowiednim momencie i zostaje natychmiast zrolowany w dywan". Tego samego zdania był niemiecki generał Heinz Guderian, który stwierdził, że Powstanie Polacy rozpoczęli przedwcześnie.

To, co powinni byli zrobić oficerowie Komendy Głównej, to czekać na rozstrzygnięcie niemiecko-sowieckiej bitwy pancernej, która 31 lipca rozpoczęła się na wschodnich przedpolach Warszawy, pod Wołominem. Niestety – nie wiadomo dlaczego – bitwę tę z góry uznali oni za rozstrzygniętą. Oczywiście na korzyść bolszewików. Stało się tymczasem odwrotnie i 3 sierpnia Niemcy w potężnym kontruderzeniu rozbili sowiecki korpus pancerny i odrzucili czerwonych spod bram polskiej stolicy.

„Oni pociągnęli fałszywą kartę, jokera, kiedy ostatecznie zdecydowali się działać – komentował decyzję Komendy Głównej ówczesny minister obrony generał Marian Kukiel. – Sowieci podeszli pod Warszawę, dostali po pysku i odeszli podobnie jak w 1920 roku". On również uważał, że podjęcie tak ważnej decyzji na podstawie słowa „Montera" było co najmniej pochopne. Według Kukiela można się było bowiem domyślić, że owe czołgi widziane rzekomo na Pradze były tylko patrolem, który zapędził się daleko przed główne siły.

Profesor Jan Ciechanowski pisał: „Nie ulega kwestii, że gdyby Bór-Komorowski i jego sztab dokonali bardziej wnikliwej oceny położenia strategicznego, to z pewnością zrezygnowaliby z próby opanowania Warszawy w pierwszych dniach sierpnia 1944 roku. Dowództwo AK w pełni zdawało sobie sprawę, jeszcze przed wybuchem powstania, że jego wynik zależy od powodzenia natarcia rosyjskiego na Warszawę".

Tymczasem natarcie to się nie zaczęło, a mimo to Komenda Główna wydała straceńczy rozkaz. Pytani o to po wojnie, sprawcy Powstania zgodnie odpowiadali: „Myśleliśmy, że Sowiety wkroczą". Oni nie tylko tak „myśleli", ale byli tego pewni. I właśnie to wkroczenie najbardziej absorbowało ich uwagę i wyobraźnię. Jak pisał Jan Sidorowicz, historyk i świadek walk w Warszawie, Komenda Główna tak była zajęta planowaniem, jak przywitać bolszewików w stolicy, że zapomniała, iż najpierw trzeba jeszcze stoczyć bitwę z Niemcami.

Rozdział 12

Warszawscy kamikadze

Decyzja o wszczęciu powstania została podjęta w pośpiechu, nie było więc oczywiście czasu na większe korekty w przyjętym, całkowicie nieaktualnym i nie przystającym do obecnej sytuacji, planie. Mimo to mający kierować walką Antoni Chruściel „Monter" pospiesznie jednak wprowadził kilka poprawek. Już wiem, co państwo sobie pomyśleli. O, wreszcie coś pozytywnego o dowódcach Powstania! Wreszcie jeden z nich wykazał się jakąś sensowną inicjatywą.

Niestety muszę państwa rozczarować. Poprawki wprowadzone przez „Montera" były chybione, a ich skutki – fatalne. Pierwszą było skrócenie czasu mobilizacji do dwunastu z przewidzianych w planie trzydziestu sześciu godzin. W praktyce zaś czas ten był jeszcze krótszy, bo rozkaz o mobilizacji i godzinie „W" do poszczególnych dowódców dotarł nad ranem, a w najgorszych wypadkach nawet po południu.

Na koncentrację ludzi i rozdanie im broni wielu oficerów miało zatem po kilka godzin. Efekty były dramatyczne. Broni często rozdać nie zdążono, a na mobilizację stawiło się średnio po czterdzieści procent żołnierzy. A więc – przypomnijmy – o połowę mniej niż kilka dni wcześniej. Cały plan zakładał zaś, że powstanie uda się tylko wtedy, gdy powiedzie się pierwsze zmasowane uderzenie na Niemców.

W świetle opracowanego w 1942 roku przez sztab AK dokumentu „Zasady walki powstańczej" to, co zrobiono 1 sierpnia 1944 roku, wygląda wręcz jak kpina. „Powstanie – napisano w o dwa lata wcześniejszym dokumencie – musi charakteryzować długotrwałe, precyzyjne w szczegółach przygotowanie, a następnie krótkie, gwałtowne, powszechne i jednoczesne uderzenie, które przez postawienie wszystkiego na jedną kartę i działanie niezwykle śmiałe, powinno doprowadzić do rozstrzygnięcia w ciągu niewielu godzin powstańczej nocy".

Gdy zaś przyszło co do czego, oficerowie Komendy Głównej zrobili wszystko na opak. Powstanie było zupełnie nie przygotowane, a uderzenie – niezwykle słabe. Co jednak najgorsze, zamiast w nocy... kazano żołnierzom AK zaatakować siedzącego w bunkrach wroga w pełnym świetle dnia. I tu docieramy do najbardziej katastrofalnej zmiany, jaką „Chruściel" wprowadził do planu powstania powszechnego. Czyli wyznaczenia godziny „W" na piątą po południu.

Uzasadniałem to – tłumaczył „Chruściel" – względną łatwością zaskoczenia wartowników niemieckich w godzinie największego ruchu w mieście. O tej porze przez ulice przewalały się w pośpiechu olbrzymie tłumy, tramwaje były dosłownie oblepione ludźmi. Patrole uliczne nie były w stanie przeprowadzić kontroli, wartownicy przyzwyczaili się do tego nasilenia ruchu około godz. 17.00 i obserwacja fal ludzkich, przesuwających się ulicami obok nich, odrywała ich uwagę. Wmieszani w takie tłumy żołnierze, tworzący grupy czołowe mające uderzyć na wartowników i opanować bunkry przy wejściach do bloków, mieli widoki powodzenia. Również przesunięcie i gromadzenie całych plutonów mogło ujść uwagi agentów Gestapo i policji jedynie o tej porze.

Wszystkie te rachuby okazały się chybione. Zacznijmy od elementu zaskoczenia. Rzeczywiście nieodzownym warunkiem powodzenia całej operacji było całkowite zaskoczenie przeciwnika. Wobec fatalnego uzbrojenia i słabości sił wybór momentu rozpoczęcia walki był być może największym, jeżeli nie jedynym atutem Armii Krajowej. Problem jednak polegał na tym, że Niemcy dobrze wiedzieli, kiedy powstanie wybuchnie.

Trudno zresztą, żeby było inaczej, skoro nawet warszawskie przekupki 1 sierpnia 1944 roku mówiły między sobą o mających wybuchnąć walkach. Naród polski ma wiele przymiotów, ale dyskrecja na pewno nie jest jednym z nich. Ostatecznym potwierdzeniem informacji od nadstawiających ucha agentów Gestapo był telefon od pewnego młodego niemieckiego lotnika. Zakochana w nim Polka błagała go, aby natychmiast opuścił Warszawę. Zapytana dlaczego, wszystko mu wyjawiła.

Dlatego też Niemcy w ostatnich godzinach poprzedzających wybuch Powstania postawili swój warszawski garnizon w stan pełnej gotowości. Żołnierzom wydano broń i amunicję i skoncentrowano ich w punktach umocnionych. Było to kilkaset gmachów rozrzuconych po całym mieście, które zostały zamienione w małe twierdze. Zwoje drutu kolczastego, worki z piaskiem, stanowiska karabinów maszynowych, amunicja i zapasy. Przed szeregiem gmachów znajdowały się betonowe bunkry. O piątej po południu ich uzbrojone po zęby załogi w napięciu czekały na rozwój wypadków.

W tej sytuacji rozkaz o przeprowadzeniu ataku w pełnym świetle dnia oznaczał skazanie własnych żołnierzy na jatkę. Szturmowanie umocnionych punktów oporu przez symbolicznie uzbrojoną warszawską młodzież nawet nocą skazane było na porażkę. O piątej po południu było już całkowitą paranoją.

„Cały czas liczyliśmy się z tym, że akcja zacznie się w nocy – mówił podpułkownik Mieczysław Niedzielski „Żywiciel" dowodzący oddziałami na Żoliborzu. – A tu powstanie w biały dzień! A my byliśmy w willowej dzielnicy, z ogrodami, z odkrytymi, obszernymi terenami. To było zabójstwo! Nasze pozycje wyjściowe to były szerokie arterie i pola, które trzeba było przechodzić…"

Dramat bowiem polegał na tym, że choć zmieniono godzinę rozpoczęcia powstania, to oczywiście nie przećwiczono nowego wariantu walki. W efekcie młodzi AK-owcy – najczęściej przerażeni i zdezorientowani swoją pierwszą akcją bojową – odruchowo realizowali schematy przećwiczone w ramach poprzedniego planu. Pędzili więc w „szyku gęsim" lub wręcz „rojami" w stronę niemieckich pozycji, zupełnie jakby osłaniała ich ciemność nocy. Efekt był nietrudny po przewidzenia. Powstańcy zostali wszędzie wysieczeni ogniem karabinów maszynowych. Atak ten został utopiony we krwi.

Prawda o tym pierwszym powstańczym dniu jest przerażająca. Niesione patriotycznym uniesieniem nastolatki zostały popędzone przez swoich dowódców prosto pod niemieckie lufy. To nawet nie była walka – to była masowa egzekucja.

Niestety tylko niewielu oficerów miało na tyle odwagi cywilnej, aby postąpić jak major Ludwik Gawrych. Jeden z jego żołnierzy, Wiesław Chrzanowski, opowiadał:

Nasza kompania miała za zadanie zdobycie koszar żandarmerii. Ale gdy Gawrych dowiedział się od płk. „Radwana", że nie będzie przewidzianego przydziału broni, odmówił wykonania rozkazu. Zagrożono mu sądem wojennym, ale on powiedział, że sam gotów jest ponieść wszelką odpowiedzialność, ale nie będzie narażał podwładnych na oczywistą śmierć. Bardzo go za to ceniłem, bo w pierwszej godzinie powstania była największa rzeź, dlatego że wielu dowódców ślepo wypełniało samobójcze rozkazy. Niektóre oddziały w ciągu kilkunastu minut straciły połowę stanu.

Na całym świecie były tylko dwie armie, które stosowały taką taktykę, tylko dwie armie, które całkowicie nie liczyły się z życiem swoich żołnierzy. Były to Armia Krajowa i Armia Czerwona. O ile jednak Stalin posyłał na pewną śmierć na wpół piśmiennych mużyków i odurzonych wódką Azjatów, Komenda Główna AK posłała na pewną śmierć najwspanialsze polskie pokolenie. Dzieci z inteligenckich, najbardziej patriotycznych rodzin, przyszłą elitę państwa i narodu. Doprawdy, trudno zrozumieć, cóż Polska zyskała na tym, że wymordowane zostały jej najlepsze dzieci?

„Krzysztof Baczyński zginął w czwartym dniu walk na Woli – wspominał jeden z powstańców. – Dowiedziałem się o tym od jednego z jego kolegów, młodego oficera z tego samego batalionu. Oznajmiając mi to, powiedział: Oto nasz polski sposób trwonienia skarbów. Czuło się w jego głosie głęboką gorycz".

Historyk Władysław Pobóg-Malinowski pisał: „Dowództwo wydające rozkaz natarcia w takich warunkach składało tylko dowód brawurowej beztroski w szafowaniu młodą, bohaterską, wspaniałą krwią. Wykazywało zdumiewający zanik poczucia odpowiedzialności i przeniosło na karty narodowej historii nie tylko swój tragiczny błąd w kalkulacji, ale i ten jeszcze swój niewybaczalny grzech wobec młodego pokolenia i całego narodu".

Znacznie wyżej od działań Komendy Głównej AK należy ocenić nawet taktykę używania lotników samobójców przez armię japońską. Jeśli bowiem kamikadze doleciał do amerykańskiego okrętu i krzycząc „Banzai!", wbijał się w jego pancerz, to przynajmniej miał spore szanse posłać taki okręt na dno. Samobójcza śmierć jednego japońskiego żołnierza pociągała więc za sobą śmierć kilkudziesięciu, a nawet kilkuset wrogów. I olbrzymie straty materialne.

W Powstaniu Warszawskim proporcje zaś były odwrotne. Młodzi warszawiacy, choć również zostali wysłani na samobójczą misję, nie mogli wyrządzić ukrytym w bunkrach Niemcom najmniejszej krzywdy. Warszawscy kamikadze ginęli więc zupełnie na próżno.

Oto jak wyglądała ta masakra. Liczący czterdziestu siedmiu żołnierzy pluton podporucznika Karola Wróblewskiego „Wrony" został najpierw odparty spod Domu Prasy przy Marszałkowskiej, a następnie wycięty w pień na Polach Mokotowskich, przez które próbował się wycofywać. Przeżyło... siedemnastu ludzi. A jedną z zabitych była Krystyna Krahelska, łączniczka AK i poetka. Autorka piosenki *Hej, chłopcy, bagnet na broń*, której twarz posłużyła za wzór twarzy warszawskiej Syrenki.

Masakrą zakończył się szturm na Dom Akademicki podjęty przez żołnierzy kapitana „Zycha".

Około 60 ludzi zostało uzbrojonych w 1 karabin z 10 pociskami, 1 pistolet z 1 magazynkiem i trzy granaty. Porucznik „Gustaw" wydał rozkaz zdobycia koszar na placu Narutowicza i cała ta masa ludzi, w ogromnej większości nieuzbrojona, ruszyła na rzeź – wspominał wnuk jednego z uczestników tej walki na podstawie wspomnień dziadka. – Nie dotarli nawet do połowy odległości, jaka dzieliła ich od budynku koszar. Zostali zmasakrowani w taki sposób, że w przeciągu 2–3 minut plac Narutowicza wraz z ulicami do niego dochodzącymi pokrył się ciałami ponad 300 osób. Dziadek powiedział, że gdyby mógł, to najpierw zdegradowałby, a później powiesił Bora-Komorowskiego i tę całą jego „bandę" (nie zasłużyli nawet na rozstrzelanie) za to, że skazali na śmierć całe pokolenie młodych ludzi i zniszczyli miasto.

Olbrzymie straty poniosła licząca 200 ludzi kompania „Zbójnika", która atakowała Fort „Mokotów". Natarcie prowadzące przez otwarte pole przyniosło 66 procent zabitych. Rzezią zakończył się szturm na lotnisko Okęcie. Prowadzący go oddział został rozniesiony na strzępy. Zginęło 120 polskich żołnierzy, w tym niemal wszyscy oficerowie.

Ogrom rzezi wywołał przerażenie nawet wśród starych weteranów. „Mam sporo doświadczenia – mówi cichociemny Kazik Bilski „Rum", żołnierz kampanii 1939 roku i kampanii francuskiej. – Nigdy jeszcze nie znajdowałem się jednak w takiej beznadziejnej sytuacji. To nie na nasze siły". Podpułkownik Edward Lubowiecki „Seweryn" dodawał: „Byłem na trzech wojnach, ale takiej rzezi jak ta jeszcze nie widziałem. Kto za to wszystko będzie wisiał?".

W poprzednim rozdziale mowa była o rozkazie zdobycia Domu Akademiczek, jaki otrzymał porucznik „Zygmunt". Jego protesty, że zadanie jest niewykonalne, zostały odrzucone. Cóż więc było robić – trzeba było atakować. Rozkaz to rozkaz. Spośród 170 podległych mu ludzi był w stanie uzbroić – i to kiepsko – 23. Następnie stworzyć z nich „grupę szturmową". Celowo włożyłem to określenie w cudzysłów, grupa ta bowiem przedstawiała sobą żałosny widok.

W ataku tym brał udział Jan Ciechanowski, uzbrojony w jeden angielski granat.

Punktualnie o 17.00 ruszyliśmy do natarcia – wspominał – ale jak tylko znaleźliśmy się pod skarpą Ogrodu Frascati i Ogrodu Sejmowego, dostaliśmy się pod silny ogień niemieckich ciężkich karabinów maszynowych z trzech stron. Pod tym morderczym, krzyżowym ogniem nasze natarcie załamało się, a Niemcy zaczęli przechodzić do przeciwuderzenia, zorientowawszy się, że jesteśmy uzbrojeni głównie w broń krótką i granaty. W natarciu straciliśmy dziesięciu ludzi, w tym dowódcę [43 procent strat w kilka minut! – P.Z.]. Dalszy napór Niemców powstrzymały wybuchy granatów, celnie rzucanych przez naszych chłopców. Niemcy zatrzymali się i zaczęli dobijać rannych, co pozwoliło nam oderwać się od nich i wycofać. Natarcie to nigdy nie miało choćby najmniejszej szansy powodzenia, jego wynik był z góry przesądzony. Wypadki i doświadczenia, jakich doznałem podczas pierwszego dnia powstania, głęboko zapadły w mym umyśle i sercu.

Efektem było napisanie wiele lat później w Wielkiej Brytanii monumentalnego dzieła *Powstanie Warszawskie*, które jest jednym wielkim aktem oskarżenia przeciwko brakowi odpowiedzialności „Bora" i innych oficerów. Ciechanowski cytuje w tej książce między innymi szokujące słowa generała Pełczyńskiego, który z niebywałą dezynwolturą przyznał po wojnie, że... „nie wszystko zostało przemyślane do końca".

„Bór" w rozmowie z Ciechanowskim oświadczył zaś, że „były błędy". „Stąd rodziło się natarczywe pytanie – pisał historyk – jak do popełnienia tych zasadniczych błędów doszło. Szczególnie że popełniali je doświadczeni, wyżsi przywódcy i oficerowie zawodowi dobrze obeznani z żelaznymi zasadami i prawidłami walki". Tak, jest to niewątpliwie pytanie kapitalne. Jak to możliwe, że AK, to „największe", „najlepiej zorganizowane" podziemne wojsko świata, było dowodzone przez tak kiepskich oficerów?

Wydając rozkazy zaatakowania takich twierdz, jak rejon Szucha, koszary Śmigłego-Rydza na Chocimskiej czy koszary lotników na Rakowieckiej, dowództwo wykazało kompromitujący brak wiedzy wojskowej lub karygodną lekkomyślność – pisał Jan Sidorowicz. – Ja jestem tylko plutonowym podchorążym, ale na studium wojskowym wbijano mi do głowy, że aby atak miał szansę powodzenia, trzeba mieć przewagę liczebną nad wrogiem w stosunku 2:1. Stosunek był 1 powstaniec na 3 Niemców, przy braku broni długiej, nie mówiąc już o broni ciężkiej.

Bilans tego pierwszego, decydującego uderzenia AK, które miało przesądzić o powodzeniu całego Powstania, był zatrważający. Co najmniej 2 tysiące polskich żołnierzy zginęło. Spośród najważniejszych niemieckich obiektów, które należało natychmiast zdobyć, aby myśleć o powodzeniu całego zrywu, nie zdobyto ani jednego.

Dysproporcja sił w bitwie o Warszawę nie sprowadzała się tylko do kolosalnej różnicy w uzbrojeniu, ale również w jakości żołnierza. Młodym Polakom nie można było odmówić szaleńczej odwagi i zapału do walki, ale na tym – niestety – ich walory się kończyły. Nawet najbardziej zapalony amator nigdy nie ma bowiem szans z zawodowcem.

Podczas Powstania z jednej strony do walki stanęli nie ostrzelani harcerze. Wbrew legendom szkolenia AK, ze względu na ich konspiracyjny charakter, z natury rzeczy stały na bardzo niskim poziomie. Trochę zajęć teoretycznych, zabawa w podchody w podwarszawskich lasach. Szczytem marzeń było – jak mówił jeden z żołnierzy – potrzymanie rewolweru za kolbę. O normalnym zaznajomieniu się z bronią czy oddaniu chociaż kilkudziesięciu próbnych strzałów do tarczy nie było zaś w ogóle mowy.

Z drugiej strony do walki stanęli dorośli mężczyźni – średnia wieku Niemców walczących w Powstaniu była znacznie wyższa niż Polaków – często o sporym doświadczeniu bojowym. Wielu niemieckich żołnierzy toczyło wcześniej zacięte walki na froncie wschodnim, inni walczyli we Włoszech.

Tak generał Janusz Brochwicz-Lewiński „Gryf", legendarny obrońca pałacyku Michla, opisywał w rozmowie ze mną bitwę, którą odbył z Niemcami na cmentarzu ewangelicko-augsburskim:

– Dirlewangerowcy mieli na sobie kamuflażowe mundury, pokrowce na hełmach. Nakryli się badylami i liśćmi, co bardzo utrudniało ich zauważenie. Strzelali nie tylko bezpośrednio do nas, ale również do płyt. W ten sposób na wszystkie strony w powietrze wystrzeliwał grad kamiennych odprysków, które były równie niebezpieczne jak kule. Z równą skutecznością zabijały ludzi.

– *Czyli mieliście do czynienia z trudnym przeciwnikiem.*

– O, bez wątpienia. Oni leżeli bez ruchu, cierpliwi, znakomicie wyszkoleni. Wcześniej spędzili trzy lata na froncie wschodnim. Byli nie tylko znakomitymi strzelcami, byli także twardymi żołnierzami, potrafili do końca zachować zimną krew. Podchodzili do żołnierskiej roboty profesjonalnie. A ja miałem osiemnastoletnich chłopców. Bardzo bohaterskich, odważnych, ale bez takiego doświadczenia jak nieprzyjaciel. Ostatnie trzy miesiące przed powstaniem szkoliłem tych młodych chłopaków. Ale to było za mało. Resztę musieli zdobyć już w trakcie powstania…

– *I „zdobyli".*

– Tak, straty „Parasola" w trakcie 63 dni Powstania Warszawskiego to 85 procent… Ci chłopcy bardzo dzielnie umierali…

Czyż można się w tej sytuacji dziwić, że żołnierze „Parasola", idąc na akcję, wołali: „Ave Caesar, morituri te salutant!"? Niestety podczas Powstania Warszawskiego specjaliści od umierania walczyli ze specjalistami od zabijania.

„Potężna pięść akowskich batalionów «Zośki», «Chrobrego» i «Łukasińskiego» uderzyła w Niemców i pokazała im, kim są i co potrafią Polacy. Nawet nie mając czołgów, armat, pociągów pancernych i samolotów. Byłoby dobrze, żeby Niemcy to sobie zapamiętali" – pisał Jarosław Marek Rymkiewicz. Niestety nie była to żadna „potężna pięść", tylko dziecięca piąstka, która bębniła bezradnie i bezsilnie po piersi oprawcy. Wbrew temu, co napisał poeta, miejmy nadzieję, że Niemcy to jak najszybciej zapomnieli. Źle jest bowiem, gdy sąsiad uważa nas za słabeuszy, których można bezkarnie wyrzynać.

Wręcz tragikomiczny przebieg miały losy samej Komendy Głównej tego pierwszego, nieszczęsnego dnia bitwy. Otóż zgodnie z pierwotnym planem dowództwo podziemnej armii miało przygotowaną kwaterę na Mokotowie. Opracowano plany jej obrony, podciągnięto łączność i przygotowano całą infrastrukturę niezbędną do dowodzenia. Generała „Bora" i jego ludzi miały chronić doborowe oddziały.

W ostatniej chwili – znowu ta szalona improwizacja! – zdecydowano jednak o przeniesieniu sztabu do fabryki mebli Kamlera na Woli. Wyżsi oficerowie znaleźli się tam pod „opieką" złożonego głównie z robotników fabrycznych plutonu w sile 33 ludzi z 15 karabinami. Tylko w pobliskiej fabryce wyrobów tytoniowych siedziało zaś 50 Niemców uzbrojonych po zęby w granaty i broń maszynową.

Mniej więcej na godzinę przed wybuchem Powstania doszło do zadziwiającego incydentu. Otóż do fabryki Kamlera przyjechali niemieccy żołnierze po... znajdujące się na jej terenie mundury. To nie mieści się w głowie, że wywiad AK nie zdołał sprawdzić, co znajduje się w magazynach, i wybrał dla swojego dowództwa tak niebezpieczne miejsce. Doszło oczywiście do strzelaniny i regularnego oblężenia fabryki.

Niewiele zabrakło, żeby już 1 sierpnia, a nie 2 października, generał Bór-Komorowski z całą swoją świtą dostał się do niewoli. Dowództwo zostało odcięte i dopiero po dłuższym czasie przyszła odsiecz. Zresztą dla dowodzenia i tak nie miało to większego znaczenia. Armia Krajowa nie zadbała bowiem choćby o podstawowe środki łączności – takie jak krótkofalówki – i w efekcie niczym armia średniowieczna musiała polegać na młodych posłańcach, do których Niemcy strzelali jak do kaczek.

Sprawiło to, że o żadnej koordynacji działań czy dowodzeniu z prawdziwego zdarzenia nie mogło być mowy. Powstanie Warszawskie szybko przemieniło się w serię chaotycznych potyczek prowadzonych przez lokalnych dowódców. Oficerowie z Komendy Głównej, aby się dowiedzieć, co się dzieje, musieli zaś – jak wspominał generał Pełczyński – wychodzić na dachy. Niewiele lepiej zorientowany był w sytuacji „Monter", który miał bezpośrednio kierować akcją.

Na koniec fragment wywiadu, którego Antoni Chruściel 3 sierpnia udzielił „Biuletynowi Informacyjnemu":

Zapytujemy komendanta naszego Okręgu o sytuację wojenną. Otrzymujemy odpowiedź w krótkich i zwartych słowach:
– Bój o wolność Warszawy osiągnął swój punkt szczytowy. Jesteśmy górą. Zajmujemy całe miasto z wyjątkiem nielicznych wysepek trzy-

manych przez wroga, który drży ze zdenerwowania, ale trzyma się jeszcze tu i ówdzie, dając świadectwo prawdzie, że Niemiec jest istotą bezmyślną.

Niestety prawda była zupełnie inna. Z przebiegu pierwszego powstańczego szturmu można było wyciągnąć wnioski całkowicie przeciwne do wniosków Chruściela. Że to wcale nie Niemiec w tej bitwie okazał się istotą bezmyślną.

Rozdział 13

Porażka
w kilka godzin

Żołnierze Armii Krajowej wytrwali pod morderczym ogniem nieprzyjaciela sześćdziesiąt trzy dni i to może być dla nas powodem do dumy. Był to wyczyn zaiste heroiczny. Dowód na niezmordowaną wolę walki i gotowość do olbrzymich poświęceń. Ludziom tym należy się najwyższe uznanie i pamięć nasza oraz przyszłych pokoleń. Nigdy nie mieliśmy i nigdy nie będziemy już mieli wspanialszego wojska. Nieporozumieniem jest jednak twierdzenie, że Niemcom udało się pokonać powstańców dopiero po sześćdziesięciu trzech dniach.

Udało im się to bowiem w kilka godzin. Powstanie Warszawskie tak naprawdę nie trwało sześćdziesiąt trzy dni, lecz kilkaset minut. Tyle, ile zajął pierwszy, zakończony krwawą łaźnią, szturm. Potem AK już po prostu starała się przetrwać. Przypomnijmy bowiem, że celem Powstania nie było opanowanie kilku dzielnic miasta i trwanie w nich przez jak najdłuższy czas pod gradem pocisków wroga i oczekiwanie jak na zbawienie, aż wkroczą bolszewicy.

Celem Powstania było opanowanie miasta własnymi siłami przed przybyciem Armii Czerwonej. I już po kilku godzinach walki stało się jasne, że cel ten nie zostanie osiągnięty. Że całe przedsięwzięcie zakończyło się fiaskiem. Pomimo olbrzymiej determinacji i woli walki żołnierzy Armii Krajowej – które równały się tylko niekompetencji i lekkomyślności ich dowódców – nie udało im się osiągnąć ani jednego z postawionych im zadań.

Nie opanowali żadnego lotniska, rzecz decydująca w kontekście ewentualnej pomocy z Zachodu. Nie zajęli żadnego mostu. Ani żadnego dworca. Nie udało im się zdobyć broni do dalszej walki. Część oficerów w obliczu oczywistej klęski wyprowadziła swoje oddziały w lasy wokoło miasta. Jednym słowem: klęska.

Informacje na ten temat szybko dotarły do Komendy Głównej. W ocenie jej oficerów sytuacja była rozpaczliwa. Na porannej naradzie 2 sierpnia zrezygnowany „Bór" nie pozostawił swoim współpracownikom żadnych złudzeń. Przegraliśmy. Jak mówili świadkowie, generał Komorowski „zachowywał się biernie". Pełczyński zaś zupełnie stracił nerwy. „Ponieważ uderzenie przez zaskoczenie nie udało się, wszystko jest stracone. Niedługo przyjdzie gestapo aresztować nas" – mówił.

Już 1 sierpnia w nocy w Komendzie Głównej AK zredagowana została depesza, która była oficjalnym i formalnym przyznaniem się do klęski Powstania. Depeszę tę zaadresowano do premiera oraz naczelnego wodza i nadano 2 sierpnia rano w imieniu delegata rządu na kraj i dowódcy Armii Krajowej. Był to apel o... wywarcie jak najsilniejszej presji na Związek Sowiecki, aby przyspieszył uderzenie na Warszawę i czym prędzej przyszedł Powstaniu na ratunek.

Nie było więc już mowy o żadnym „witaniu bolszewików w roli gospodarza", nie było mowy o realizacji planu. Z potencjalnego partnera Sowietów Armia Krajowa stała się ich petentem. A bolszewicy, jak na złość, na pomoc przyjść nie chcieli. Tak oto potwierdziły się wszystkie ostrzeżenia Bokszczanina, Muzyczki i innych oficerów, których Okulicki nazywał „czarnowidzami" i „malkontentami". Potwierdziły się ostrzeżenia naczelnego wodza, generała Kazimierza Sosnkowskiego.

Z 2 sierpnia pochodzą również inne kompromitujące Komendę Główną dokumenty. Otóż tego dnia w depeszy do Londynu generał Bór-Komorowski domagał się natychmiastowych zrzutów broni i amunicji na... konkretne warszawskie place, parki i ulice. Filtry, Kercelego,

Puławską, Belwederską. Aleje Niepodległości, Madalińskiego, cmentarz żydowski, a nawet „placyki między Mireckiego i Żytnią".

Jak słusznie pisał świadek Powstania Jan Sidorowicz, depesze te po prostu ośmieszały dowódców Armii Krajowej. Przede wszystkim większość wymienionych w nich miejsc 2 sierpnia nie była pod kontrolą Polaków. Więc nawet gdyby udało się na nie zrzucić jakąkolwiek broń, wpadłaby w ręce niemieckie. Jedynym efektem takich działań byłoby dozbrojenie i tak znakomicie uzbrojonych Niemców.

Taka operacja powietrzna była jednak niewykonalna. Warszawa bowiem płonęła, nad miastem wisiały gęste kłęby dymu i łuny pożarów. Nawet gdyby samolotom jakimś cudem udało się przelecieć pół Europy i przedrzeć przez zaporę niemieckiej artylerii przeciwlotniczej, zrzuty na „placyki między Mireckiego i Żytnią" były oczywiście niemożliwe technicznie. Nawet w normalnych warunkach nastręczałoby to olbrzymich kłopotów, a co dopiero przy tak ograniczonej widoczności.

Umieszczenie takich dezyderatów w depeszy wysłanej przez zawodowych wojskowych, którzy powinni mieć choćby minimalne pojęcie o lotnictwie, było po prostu zdumiewające. Za szczyt wszystkiego trzeba jednak uznać depeszę, którą tego samego dnia wysłał pułkownik Szostak: „Brygadę Spadochronową dajcie w rejon Woli". Gdy cichociemny Felicjan Majorkiewicz „Iron" zwrócił Szostakowi uwagę, że pomysł ten jest niedorzeczny, „Filip" nie chciał go słuchać.

Przede wszystkim już wiosną 1944 roku 1. Samodzielna Brygada Spadochronowa generała Sosabowskiego została przekazana brytyjskiemu dowództwu z przeznaczeniem na zachodni teatr działań wojennych. Nim naczelny wódz zgodził się na tę prośbę Anglików, konsultował się z Komendą Główną AK, która nie miała w tej sprawie obiekcji. Najwyraźniej jednak po kilku miesiącach ten „drobny szczegół" wyleciał oficerom AK z głowy.

Decyzję o przekazaniu 1. Samodzielnej Brygady Spadochronowej Brytyjczykom podjęto zaś z bardzo prostego powodu. Zrzucenie jej do Polski było niewykonalne. Do przetransportowania tak dużej jednostki wraz z niezbędnym dla niej sprzętem na tak duży dystans potrzeba było bowiem olbrzymiej liczby samolotów. I to samolotów specjalnie przygotowanych – z powiększonymi zbiornikami paliwa – które mogłyby dotrzeć nad Warszawę i wrócić do bazy. A tych Brytyjczycy nie mieli wystarczająco wielu.

Zdaniem Zbigniewa S. Siemaszki Brytyjczycy mogliby od biedy znaleźć samoloty na przetransportowanie jednej kompanii, a w najlepszym razie dwóch. Po drodze maszyny te zostałyby jednak bez wątpienia zestrzelone przez niemieckie myśliwce i obronę przeciwlotniczą. Lecz nawet gdyby znów zdarzył się cud i samoloty nad Warszawę nadleciały... operacja i tak skończyłaby się fiaskiem. Żołnierze Sosabowskiego zostaliby wystrzelani w powietrzu jak kaczki oraz połamaliby sobie wszystkie kości, spadając na gruzy dopalających się budynków.

„Zrzucenie spadochroniarzy na miasto – pisał Siemaszko – i to miasto palące się, zadymione, z silną artylerią nieprzyjacielską i reflektorami, byłoby całkowitą masakrą. Dobrze się stało, że tego rodzaju mordercza operacja nie doszła do skutku".

Niestety do dzisiaj można spotkać się z twierdzeniem, że upadek Powstania to wina Brytyjczyków i Amerykanów. Wszystko było bowiem rzekomo gruntownie przygotowane i przemyślane, tylko „zdradzieccy sojusznicy" nie przysłali nam na pomoc naszych dzielnych spadochroniarzy, nie dostarczyli broni i amunicji, nie zmusili Stalina do przyjścia na ratunek. Niestety jest to typowa dla Polaków próba zrzucenia winy za własne błędy na obcych.

Zacznijmy od wsparcia lotniczego. Już przed Powstaniem „Bór" słał do Londynu rozmaite oderwane od rzeczywistości żądania. A to, żeby przysłano 1. Brygadę Spadochronową – co jak wiemy było niemożliwe – a to, żeby Brytyjczycy przysłali dywizjony mustangów i spitfire'ów, które miałyby atakować Niemców z opanowanych przez AK lotnisk.

Takie postulaty – pisał Andrzej Solak – ośmieszały stronę polską, bezlitośnie demaskując indolencję naszej kadry dowódczej. Pomijając fakt, że AK nie zdobyła w Warszawie ani jednego lotniska – jak, na Boga, nasi sztabowcy wyobrażali sobie zorganizowanie obsługi naziemnej samolotów? Czy AK dysponowała mechanikami lotniczymi, kontrolerami lotów, czy była w stanie zapewnić obronę przeciwlotniczą lotnisk? Jak zamierzano rozwiązać problem zaopatrzenia w amunicję, paliwo i części zamienne?

Polski rząd na uchodźstwie lojalnie jednak przekazał depesze „Bora" Brytyjczykom. A ci 28 lipca formalnie odpowiedzieli, że „zupełnie niezależnie od trudności skoordynowania takiej akcji z rządem sowieckim, którego wojska prowadzą działania przeciwko Niemcom na terytorium Polski, same tylko względy operacyjne muszą nas powstrzymać od zaspokojenia żądań, jakie Pan wysunął w związku z niesieniem pomocy Powstaniu. Rząd Jego Królewskiej Mości nie jest w stanie nic zrobić w tej sprawie".

Tę odpowiedź na dwa dni przed wybuchem walk w stolicy naczelny wódz przekazał do Komendy Głównej AK. Na co więc liczył „Bór" i inni oficerowie? Że Anglicy wzruszeni ofiarnością młodych polskich żołnierzy jednak zmienią zdanie? Przecież to absurd. „Ludzie, którzy wydali rozkaz do Powstania, sporo z 1939 roku zapomnieli i niewiele się nauczyli. Między innymi, że nie wolno liczyć na niczyją pomoc, tylko na własne siły, według których należy podejmować zamiary" – pisał Tomasz Łubieński.

Niestety więc, choć w 1942 roku sztabowcy Armii Krajowej zastrzegli, że bez wsparcia Zachodu powstanie nie ma najmniejszych szans, w 1944 roku dowódcy tej samej Armii Krajowej wywołali Powstanie, nie zapewniwszy sobie takiego wsparcia. Podczas drugiej wojny światowej Brytyjczycy naprawdę bardzo zawinili wobec Polaków, ale zrzucanie na nich winy za klęskę Powstania jest niedorzeczne. Nie można ich obwiniać, że nie udzielili Powstaniu pomocy, bo żadnej pomocy Powstaniu nie obiecywali.

Szalony projekt bitwy o Warszawę nie został z nimi uzgodniony, nie mogą więc ponosić za jego fiasko żadnej odpowiedzialności. Jak wspominał obecny wówczas w Londynie generał Marian Kukiel, „Anglicy na wiadomość o powstaniu po prostu zdębieli".

W podtrzymywaniu mitu o brytyjskiej i amerykańskiej winie za niepowodzenie Powstania olbrzymią rolę odegrał Norman Davies. Jeszcze w swojej książce *Boże igrzysko* z 1981 roku pisał on, że Powsta-

Hekatomba Warszawy

nie Warszawskie było najtragiczniejszym błędem, jaki popełnili Polacy w swych najnowszych dziejach, że z oczywistych względów nie miało ono szans powodzenia i że wybuchło nie w porę. A założenia taktyczne, na których się opierało, były „żałośnie nietrafne". Cele polityczne Powstania nazwał zaś „z gruntu nierealnymi".

Dwadzieścia lat później swoją słynną książkę *Powstanie '44* napisał już jednak pod polskie gusty. I nie zawiódł się: lansowanie tezy, że za klęskę roku 1944 winę ponoszą Anglosasi, spotkało się z zachwytem Polaków. „Davies – komentował z ironią Tomasz Łubieński – mógłby nas uczyć ofiarnego i trzeźwego brytyjskiego patriotyzmu, niestety, co zresztą bardzo miłe, wyraźnie się spolonizował".

Mimo że niesienie pomocy walczącej Warszawie drogą lotniczą graniczyło niemal z samobójstwem, wielu polskich, a także anglosaskich lotników podjęło się tego straceńczego zadania. Generał polskiego lotnictwa Ludomił Rayski – który sam wtedy latał nad Warszawę – mówił:

Zaledwie połowa wysłanych samolotów dociera na miejsce i wykonuje prawidłowe zrzuty. Ogółem poszło 117 maszyn, z których 30 zostało zestrzelonych. 45 miało kraksy na lotnisku przy lądowaniu. Anglicy starają się iść jak najbardziej na rękę w tej sprawie, ale przy tych olbrzymich stratach stwierdzają zupełną nieopłacalność pomocy. Straty są istotnie kolosalne. Załogi wracają na samolotach postrzelanych jak sito. Nawet spadochrony są przestrzelone, tak że w razie katastrofy nie można ich używać. Przy operacjach nad Niemcami straty wynoszą 3–5 proc. W operacjach nad Polską przenoszą 30 procent. Z polskiego punktu widzenia jest to samobójcze wybijanie lotników, na co Anglicy stanowczo się nie godzą. Mam najbliższą rodzinę w Warszawie, której nie spodziewam się już kiedykolwiek zobaczyć. Powstanie w Warszawie uważam za zbrodnię.

Niestety śmierć tych dzielnych lotników również obciąża konto wysokich rangą oficerów AK, którzy parli do powstania.

Wróćmy jednak do sytuacji, która wytworzyła się wieczorem 1 sierpnia 1944 roku w Warszawie. Tego dnia Powstanie Warszawskie zakończyło się klęską. Mimo to generał „Monter" kontynuował walkę jeszcze przez dwa miesiące. Efektem były kolejne straty: śmierć 16–18 tysięcy żołnierzy, masakra 150 tysięcy cywilów i zniszczenie miasta. Cóż należało zrobić? Oczywiście to, co się robi, gdy przegra się bitwę – kapitulować.

Generał „Bór" powinien był wystąpić do Niemców o pertraktacje kapitulacyjne nie na przełomie września i października 1944 roku, ale już rano 2 sierpnia. Pewne działania, jakie próbował podjąć dowódca AK tego dnia, wskazują, że rzeczywiście nie wykluczał on takiego rozwiązania. Kazał między innymi rozpuścić do domów powstańców bez broni, ograniczyć skalę walk. Projekt ten storpedował jednak znajdujący się już w bojowym szale „Monter".

Dzisiaj pomysł, że Powstanie mogłoby wygasnąć po kilku dniach, wydaje się nam nie do pomyślenia. Ale mamy przykład, że było to możliwe. To przebieg walk na wschodnim brzegu Wisły, na Pradze. Tam również młodzież z Armii Krajowej 1 sierpnia 1944 roku, z takim samym zapałem i ogniem w oczach jak towarzysze broni z lewobrzeżnej części miasta, przystąpiła o godzinie „W" do walki z Niemcami.

Dowodził nią jednak odpowiedzialny oficer, pułkownik Antoni Żurowski. Był to doświadczony stary żołnierz, który błyskawicznie się zorientował, że akcja nie ma najmniejszych szans powodzenia. Stało się tak, mimo że podległe mu 9,5 tysiąca żołnierzy w pierwszym szturmie osiągnęło znacznie lepsze rezultaty niż ich koledzy z drugiego brzegu Wisły. Udało się nawet zająć szereg obiektów, wygrać kilka potyczek.

Straty były jednak zbyt duże, a Niemców cały czas przybywało. Zaczęli również ginąć cywile. Nie chcąc ich narażać, po trzech dniach walk pułkownik Żurowski – za pośrednictwem księży z kościoła przy placu Szembeka – podjął negocjacje z Niemcami. 4 sierpnia walki na Pradze wygasły. Śmierci uniknęły tysiące cywilów, wiele budynków zostało ocalonych przed zniszczeniem. W niczym też nie ucierpiał honor tamtejszej Armii Krajowej. Obowiązek żołnierski został spełniony należycie.

„Czy podobne rozwiązanie było możliwe na lewym brzegu Wisły? – pytał znany popularyzator historii Dariusz Baliszewski w artykule *Przerwać tę rzeź!* – Najpewniej tak. Jak wynika z zeznań generała Ericha von dem Bacha-Zelewskiego, złożonych w 1946 roku przed prokuratorem w Norymberdze, już od połowy sierpnia podejmował on próby dotarcia do dowództwa powstania z propozycjami kapitulacyjnymi. Bez odpowiedzi z polskiej strony".

Na propozycje te należało oczywiście odpowiedzieć. I to pozytywnie. Do podobnego wniosku doszedł Tomasz Łubieński:

> Skoro jednak Powstanie już się stało, kiedy pierwsze dni walki wykazały, że nie ma szans, że nie zaimponowało dostatecznie aliantom, a moralny, sojuszniczy szantaż nie okazał się dość skuteczny – to czy nie należało skapitulować? Bo nawet jeśli samo miasto było już, rozkazem Hitlera, skazane na zagładę, przecież dałoby się uniknąć tylu ofiar. Do takiego kroku musiałby znaleźć się wśród dowódców-polityków ktoś o sile charakteru de Gaulle'a czy Piłsudskiego, z ich odpornością na podłe oszczerstwa, szlachetne pretensje, które trzeba jednako wytrzymać, broniąc koniecznej, niepopularnej decyzji. No, ale nikogo takiego nie było wówczas ani w Warszawie, ani w Londynie.

W połowie sierpnia pojawił się zresztą i inny pomysł. Zgłosił go w Komendzie Głównej słynny kapelan Zgrupowania „Radosław" ksiądz Józef Warszawski. Bohaterski kapłan, który podczas Powstania nie odstępował swoich żołnierzy. 13 sierpnia udał się on do Komendy Głównej.

> Zaproponowałem – wspominał – jako jedyne wyjście wyprowadzenie oddziałów AK z miasta. Trzeba było myśleć teraz o uratowaniu pozostałych żołnierzy, ludności i miasta. Uważałem, że Powstanie było wywołane lekkomyślnie i że trzeba je zakończyć natychmiast, a nie brnąć dalej. Ja poszedłem jako kapelan, aby „nastawiać sumienia". Rozmowa nasza trwała chyba z godzinę. Kłóciliśmy się. „Bór" milczał. Kiedy powiedziałem, że dalsza walka jest nonsensem, miałem na myśli dysproporcję sił i wysuwałem konkretne zarzuty, wykazując dowództwu, że się pomylili, że powstanie nie może się udać, pomocy z Zachodu nie otrzymujemy, front ustala się, Rosjanie nie posuwają się naprzód, nasze rezerwy wyczerpują się, a Niemcy otrzymują nowe posiłki i wyniszczają nas. Wiedzieliśmy

przecież o tym już wszyscy, nawet dziewczynki-sanitariuszki znały tę sytuację. Decyzja należała do Komendy Głównej, ale dzisiaj, patrząc wstecz, powtarzam to samo, co wtedy powiedziałem, bo miałem rację: mogliśmy ocalić moc ludności i wojska, bo od 10 sierpnia już mniej mordowano wziętych do niewoli Polaków.

Niestety ani kapitulacja, ani wycofanie wojsk z miasta dla wysokich rangą oficerów AK nie wchodziły w grę. Cały czas liczyli przecież na pomoc wytęsknionych, wyglądanych bolszewików...

Warszawa trwała więc pod gradem niemieckich pocisków. Po klęsce 1 sierpnia jeszcze przez trzy dni Armia Krajowa mogła prowadzić działania zaczepne. Jej przeciwnikiem były jednak wówczas głównie jednostki policyjne. Po tym, gdy do polskiej stolicy przyjechały zaprawione w bojach na froncie wschodnim niemieckie jednostki, rozpoczęła się regularna masakra. Nieprzyjaciel metodycznie – z powietrza i lądu – obracał w gruzy polską stolicę.

Dzielnicę po dzielnicy, ulicę po ulicy, budynek po budynku, cegłę po cegle. Wraz z Warszawą metodycznie eksterminowana była jej ludność. Komenda Główna Armii Krajowej, która sprowokowała tę straszliwą rzeź, była wobec tego, co się działo, zupełnie bezradna. Jej żołnierze, pozbawieni broni i amunicji, ginęli w beznadziejnej walce wraz ze stolicą swojej ojczyzny. Była to wielka polska tragedia.

Rozdział 14

Dzieci
na barykadach

Na warszawskim Starym Mieście znajduje się pomnik Małego Powstańca. Przedstawia chłopczyka mającego na oko z osiem lat. Na cienkiej, dziecięcej szyi pistolet maszynowy, na głowie zbyt duży niemiecki hełm. Jest to najbardziej poruszający i wymowny z powstańczych pomników. Chyba żaden Polak nie może przejść obok niego obojętnie. Nie przypadkiem w każdą rocznicę zrywu z 1944 roku to właśnie pod Małym Powstańcem warszawiacy zapalają najwięcej zniczy.

W całych dziejach Rzeczypospolitej nie mieliśmy bowiem większych herosów niż te dzieci, które gotowe były dla ojczyzny ponieść największą ofiarę. Nigdy nie mieliśmy pokolenia, z którego moglibyśmy być równie dumni. Pomnik Małego Powstańca – według piszącego te słowa – upamiętnia jednak nie tylko walkę i męczeństwo tych najmłodszych powstańców. Przypomina również o braku odpowiedzialności oficerów Armii Krajowej, którzy pozwolili dzieciom walczyć.

Wzruszenie, jakie ogarnia na myśl o małych bohaterach sprzed blisko siedemdziesięciu lat, nie może przesłonić faktu, że podczas Powstania strona polska złamała jedną z najważniejszych reguł prowadzenia wojny w świecie cywilizowanym. Że wojna to zajęcie dla dorosłych mężczyzn. A dzieci trzyma się od wojny z daleka.

Gdy czytamy w gazetach o dzieciach żołnierzach, które walczą w konfliktach w Sierra Leone, Ugandzie i innych krajach Afryki, nie posiadamy się z oburzenia. Zdjęcia przedstawiające ośmioletnich Murzynów z karabinkami Kałasznikowa wywołują często komentarze ocierające się wręcz o rasizm. O barbarzyńskich i dzikich metodach walki czarnych ludzi, którzy wykorzystują do zabijania dzieci. Dzieci – słyszymy – powinny biegać za piłką, a nie strzelać do ludzi.

W pełni się z tym zgadzam. Miejsce afrykańskich dzieci jest na boisku, a nie na polu bitwy. Tak samo w roku 1944 miejscem polskich dzieci było boisko, a nie powstańcze barykady. To, że w Warszawie dopuszczono piętnasto-, czternasto-, a w skrajnych wypadkach nawet dziewięciolatków do broni i pozwolono im z niej strzelać do nieprzyjaciela, było aberracją. Jednocześnie nie można było bowiem wydać rozkazu zabraniającego im umrzeć.

Żeby zobrazować skalę zjawiska, wystarczy stwierdzić, że w jednym tylko niemieckim obozie dla jeńców wojennych – Stalagu VIII-B w Lamsdorfie – po wojnie znalazło się 550 powstańców poniżej osiemnastego roku życia, w tym 49 poniżej piętnastego.

Gdy miałem mniej więcej dwanaście lat, po raz pierwszy przeczytałem poruszającą książkę Andrzeja Czarskiego *Najmłodsi żołnierze walczącej Warszawy*. To opowieść o dzieciach, które przez Szare Szeregi trafiły do oddziałów powstańczych. Gdy jako ich rówieśnik czytałem o przygodach tych harcerzy, ogarniało mnie patriotyczne dziecięce uniesienie. Oczami wyobraźni widziałem siebie pośród nich. Rzucającego butelką z benzyną w czołgi, strzelającego do szturmujących barykadę Niemców.

Kiedy przeczytałem tę książkę po raz drugi – a było to w trakcie pisania *Obłędu* – wzbudziła we mnie tylko olbrzymi smutek. Najbardziej poraziło mnie bowiem to, czego nawet nie dostrzegłem podczas pierwszej lektury dwadzieścia lat temu. Niemal na każdej stronie książki Czarskiego znajduje się bowiem opowieść o dziecku, które nie wróciło z akcji.

Skoszone serią z karabinu maszynowego, rozerwane na strzępy granatem czy spalone żywcem w powstańczym szpitalu na Starówce. Bezwzględni esesmani schwytanych „małych powstańców" patroszyli jak kurczaki. Na kartach książki Czarskiego roi się też od opowieści o dzieciach, które podczas Powstania Warszawskiego zostały okaleczone. Straciły ręce lub nogi, zostały do końca życia oślepione, oszpecone lub skończyły na wózkach inwalidzkich.

Powtórzę to jeszcze raz: mowa tu o piętnasto-, czternasto-, a nawet dziewięciolatkach. Dzieciach, których oficerowie AK używali do najbardziej niebezpiecznych zadań. Miotania butelek z benzyną w czołgi – były znacznie zwinniejsze niż dorośli i łatwiej im było się ukryć – przekazywania meldunków pod ogniem nieprzyjaciela czy zbierania broni z pełnego trupów przedpola. To dla mnie niepojęte, że armia mojego własnego państwa dopuściła do takich sytuacji.

Oto dwa fragmenty powstańczych wspomnień dotyczących nastoletnich łączniczek:

W czasie bombardowania Państwowej Wytwórni Papierów Wartościowych ranna została łączniczka „Kalina" – wspominała Janina Żurawska. – Miała urwaną łydkę. Przy opuszczaniu pozycji powiedziała: „Może ktoś ciężej ranny powinien iść pierwszy". Trzeba było amputować jej nogę. „Kalina" zginęła potem na Starówce. 27 sierpnia jedna z naszych łączniczek, „Uta", została zabita podczas odwrotu. Siostra jej, „Wala", rzuciła się na ciało zabitej i nie chciała wycofać się sama. Zginęła razem z siostrą – nawet ciał tych dziewcząt nie mogliśmy zabrać.

Jadwiga Gac „Jadzia" mówiła zaś po wojnie: „Kiedy nosiłyśmy meldunki, szłyśmy zawsze po dwie: gdyby jedną z nas zabito, to druga doniosłaby meldunek".

Stoczyłem niezliczone dyskusje na ten temat, także z weteranami Powstania Warszawskiego. Zawsze słyszałem to samo: „To nie nasza wina, te dzieciaki same do nas przychodziły i garnęły się do walki". Zawsze też odpowiadałem tak samo: Jeżeli do jakiejś barykady podszedł dziesięcioletni harcerz i domagał się, żeby pozwolono mu wziąć udział w bitwie, dowódca odcinka powinien zdjąć pas, przełożyć nieletniego zucha przez kolano, spuścić mu porządne lanie i przepędzić do mamy.

Tyłek by się bowiem zagoił po tygodniu i lanie to nie przeszkodziłoby dzieciakowi zostać kiedyś architektem, wykładowcą uniwersyteckim, pisarzem czy poetą. Dziury w czaszce spowodowane przez pocisk wystrzelony przez niemieckiego „gołębiarza" miały zaś to do siebie, że już się nie goiły. Wszystkie te dzieci, które tak lekkomyślnie zmarnowano w Powstaniu Warszawskim, były potrzebne ojczyźnie po wojnie. Martwe nie zdały się Polsce na nic.

„Kierownictwo Podziemia wciągnie w wir swego szaleństwa i skaże na mękę i śmierć nawet małych harcerzy i dziewczęta od 14 lat – pisał Władysław Pobóg-Malinowski. – Nie będzie dla tych dzieci ani żądań niewykonalnych, ani granic w odwadze, bohaterstwie, poczuciu obowiązku! Bezprzykładne wartości tej dziatwy nie usprawiedliwiają kierownictwa, nie rehabilitują go, przeciwnie: wyzyskiwanie tych wartości dziatwy powiększa ogrom odpowiedzialności".

Na tle losu warszawskich dzieci najlepiej widać niebywałą łatwość w posyłaniu ludzi na śmierć, jaką wykazało w sierpniu i wrześniu 1944 roku dowództwo Armii Krajowej. Bezmyślne szafowanie polską krwią podczas drugiej wojny światowej osiągnęło apogeum właśnie podczas Powstania. Powtórzmy to jeszcze raz: podstawowym obowiązkiem każdego dowódcy jest troska o życie swoich żołnierzy. Troski tej dowódcy AK – posyłając warszawską młodzież z gołymi rękami na czołgi – nie okazali.

Pozostała tylko legenda i długie szeregi żołnierskich grobów na cmentarzu powązkowskim – pisał Jan Ciechanowski. – Leży tam pokotem kwiat warszawskiej młodzieży, kwiat Armii Krajowej. Leży batalion za batalionem, kompania za kompanią, pluton za plutonem. Leżą tam ci, których dzisiaj tak bardzo nam brakuje.

Jak bardzo kontrastowało to z cytowanymi już słowami generała Pattona, że „na wojnę nie idziesz po to, żeby zginąć za ojczyznę, ale po to, żeby inny sukinsyn zginął za swoją". Tomasz Łubieński przytaczał zaś opinię Josepha Gallieniego, francuskiego generała z czasu pierwszej wojny światowej, współsprawcy „cudu nad Marną", który stwierdził,

że „za Francję powinni ginąć w pierwszym szeregu złodzieje, alfonsi
i syfilitycy, a najlepszą młodzież francuską trzeba oszczędzać".

Dowódcy Armii Krajowej byli, jak wiemy, przeciwnego zdania niż
tych dwóch wybitnych wojskowych. Jeden z oficerów Komendy Głównej, pułkownik Szostak „Filip", tak skomentował depeszę naczelnego
wodza, generała Sosnkowskiego, w której przestrzegał on, że walka
w Warszawie wywoła masakrę: „Nie można nadużywać hasła o oszczę-
dzaniu krwi. Co komu przyjdzie po życiu, gdy nie będzie miał ojczyzny…?".

„Trudno się dziwić – komentował tę wypowiedź Zbigniew S. Siemaszko – że w oddziałach wojskowych, w których oficerowie sztabowi
mieli tego rodzaju podejście do «oszczędzania krwi», straty wojenne doprowadziły do okaleczeń na skalę narodową. Dla porównania należałoby przypomnieć, że na froncie 2-go Korpusu we Włoszech dowództwo
propagowało hasło: Nie bądź głupi, nie daj się zabić".

Zdecydowanie nie było to hasło, które odpowiadałoby temperamentowi i działaniom dowódców Armii Krajowej. Wszyscy polscy dowódcy
w szkołach wojskowych powinni wykuwać na pamięć to, co miał do
powiedzenia w tej sprawie generał Władysław Anders. Być może kiedyś
któryś z nich – Boże uchowaj – stanie bowiem przed podobną decyzją,
przed jaką w lipcu 1944 roku stanął Tadeusz Bór-Komorowski. Generał Anders powtarzał: „Począwszy od carskiej podchorążówki, a skoń-
czywszy na wyższej szkole wojennej, uczono mnie, że akcję bez nadziei
zwycięstwa trzeba odwołać. Nie należy podejmować takich akcji, które
nie mają szans powodzenia. Stosuje się to szczególnie w wypadkach,
kiedy może być w nie wciągnięta duża ilość osób cywilnych". Powstanie Warszawskie było właśnie modelowym przykładem takiej akcji.

Przykład niebywałej dezynwoltury, z jaką dowódcy Powstania traktowali życie własnych żołnierzy, znajdujemy we wspomnieniach Jana
Nowaka-Jeziorańskiego:

Docieramy w końcu do linii zniszczonych domów ulicy Krochmalnej,
które wychodzą na Hale Mirowskie – pisał kurier z Londynu. – Stąd
właśnie miał nastąpić wypad. Przed pułkownikiem wyłania się z ciem-

ności sylwetka młodego oficera. Melduje się dowódca plutonu: porucznik „Janusz" (Janusz Zapolski).

– Co wy tu jeszcze robicie? – pyta ostro „Monter". – Na co czekacie?

– Panie pułkowniku, próbowaliśmy. Minerki wysadziły dziurę w murze. Wyjść na tamtą stronę nie sposób. Niemieckie granatniki są wstrzelane w otwór i w podwórze.

Spokojny dotychczas „Monter" nagle podnosi głos.

– Wykonać rozkaz. Ma pan natychmiast rozpocząć wypad. My tamtych bez pomocy nie zostawimy.

– Rozkaz, panie pułkowniku – odpowiada głucho „Janusz".

Wspinam się znowu za Chruścielem po czymś, co było kiedyś klatką schodową, i stajemy w wypalonym oknie. Pod nami o dwa piętra niżej studnia podwórka. Po lewej wypalone otwory okienne wychodzą na Hale Mirowskie czy może na plac Żelaznej Bramy. Podwórko pod nami zapełnia się powoli młodymi ludźmi. Rozpoznaję grupę dziewcząt. To pewno patrol minerek, który wysadził dziurę w murze.

Nagle dzieje się coś straszliwego. W ten tłum młodych na dole wpada jeden granat, za nim drugi i trzeci, eksplodując na podwórku. Za nimi wybuchają butelki z benzyną przeznaczone na niemieckie czołgi. Słyszę przejmujące krzyki bólu i przerażenia. Przeważają głosy dziewczęce. Płomienie rozjaśniają w dole pod nami dantejską scenę: ruszający się kłąb rannych i palących się ludzi.

Zbiegamy na dół. Na pomoc pędzą patrole sanitarne z noszami. Oglądamy straszliwe żniwo. Wybuch granatów w tej ciżbie pokaleczył albo poobrywał nogi. Wynoszą żołnierzy martwych albo popalonych, dziewczęta z poobrywanymi stopami, a na końcu na noszach białego jak prześcieradło por. „Janusza". Obie straszliwie krwawiące nogi trzymają się na strzępach ciała. Wpatruje się w pochylonego nad nim „Montera" i szepce:

– Rozkaz wykonałem, panie pułkowniku…

Umarł w pół godziny później z upływu krwi.

Takim samym brakiem odpowiedzialności było wydanie przez „Bora" 14 sierpnia rozkazu do oddziałów Armii Krajowej na terenie całego kraju, aby spieszyły na odsiecz Warszawie. Rozkaz ten został nadany otwartym, nie zaszyfrowanym tekstem przez radio. Na liczne oddziały, które wyruszyły w stronę stolicy, oczywiście czekali więc już po drodze Niemcy. Do stolicy nie przebił się prawie nikt, a do dzisiaj nikt nie policzył, ilu ludzi zginęło w konsekwencji tego rozkazu.

„Zmobilizowaliście tym apelem tysiące ludzi, którzy na ślepo zaczęli pchać się do Warszawy – mówił z żalem po upadku powstania pułkownik Edward Godlewski „Garda". – Bóg raczy wiedzieć, ilu zginęło po drodze, boć przecież Niemcy ten apel usłyszeli i z założonymi rękami nie stali. Zdekonspirowaliście dziesiątki tysięcy ludzi, którzy nie mogą teraz wrócić do legalnego życia i pracy. Plączą się po lasach i chałupach chłopskich".

Niestety gotowość do poświęcania życia własnych żołnierzy nie szła w parze z gotowością do poświęcenia życia własnego. „Dla kontrastu zdarzało się, że niektórzy przedstawiciele powstańczej elity uznali swe życie i zdrowie za zbyt cenne dla kraju, aby nim lekkomyślnie szafować – pisał Tomasz Łubieński. – Ostatnich obrońców Mokotowa, którzy przeszli kanałami do Śródmieścia, witały ironiczne uśmiechy eleganckich oficerów i dociekliwe pytania, dlaczego żeście się wycofali?"

Cierpiący na chorobę zatoki szczękowej, kontuzjowany po eksplozji samochodu pułapki „Bór" siedział całkowicie odrętwiały w zaciemnionym pokoju. Był bierny, nie wydawał żadnych rozkazów, podobno się modlił. Okulicki zadekował się w jakimś mieszkaniu i pił wódkę. „Monter" miotał się, próbując dowodzić (z jakim skutkiem, widzieliśmy powyżej). Ranny, w bombardowaniu gmachu PKO, został tylko generał Pełczyński.

Nieraz w historii polscy dowódcy, gdy już ich oddziały uległy przewadze wroga, bywało, brali broń do ręki i szukali śmierci u boku swych żołnierzy – pisał Andrzej Solak. – Tak zginął generał Józef Sowiński na szańcach Woli, tak w 1939 roku polegli generałowie Stanisław Grzmot-Skotnicki w Turłowicach i Mikołaj Bołtuć pod Łomiankami. Inni, jak pułkownik Stanisław Dąbek (w kampanii wrześniowej dowódca Lądowej Obrony Wybrzeża), odbierali sobie życie, nie mogąc znieść hańby klęski. Klęski przecież przez nich niezawinionej.

Ani jeden z generałów Powstania Warszawskiego, tak beztrosko wysyłających bezbronnych przeciw czołgom i samolotom, żaden z nich nie poległ w walce, żaden też nie strzelił sobie w łeb po klęsce, na całopalnym stosie stolicy. Jeden Okulicki kontynuował walkę w konspiracji. Inni grzecznie pomaszerowali do niewoli, przechować w niej bezpiecznie swe cenne żywoty do końca wojny, potem zaś aby przyznawać i przyjmować medale, pisać pamiętniki...

Jan Ciechanowski podkreślał:

Niestety w decydującym dla nas momencie II wojny światowej, kiedy ważyły się losy nie tylko samej Warszawy, ale też Polski i Polaków, i to na długie lata, nie mieliśmy polityków i przywódców na skalę Churchilla czy de Gaulle'a. Mieliśmy za to wspaniałą i bitną młodzież, której symbolem są do dziś „chłopcy i dziewczęta w panterkach", których proste, żołnierskie groby oglądamy w rosnącym skupieniu, zadumie i z coraz bardziej ściśniętym sercem, corocznie w rocznicę wybuchu Powstania Warszawskiego na powązkowskim cmentarzu.

Bezsensowna, męczeńska śmierć najwspanialszych, najbardziej patriotycznych naszych dzieci jest plamą na honorze Armii Krajowej. Plamą, która nie zostanie zmyta nigdy. Wina wobec tych dzieci jest bowiem zbyt wielka, aby o niej zapomnieć.

Rozdział 15

Ludobójstwo '44

Gdy Heinrich Himmler dowiedział się o wybuchu powstania w Warszawie, natychmiast udał się do kwatery Hitlera. W rozmowie z nim nie ukrywał zadowolenia i satysfakcji.

Mój führerze! – powiedział – to, co robią Polacy, stanowi dla nas błogosławieństwo. Za pięć–sześć tygodni poradzimy sobie z tym. Ale wtedy Warszawa, stolica, głowa i ośrodek inteligencji szesnasto–siedemnastomilionowego narodu polskiego, będzie zgaszona. Tego narodu, który od 700 lat blokuje nas na Wschodzie, a od czasu bitwy pod Grunwaldem ciągle staje na naszej drodze. Problem polski nie będzie już istniał potem dla naszych dzieci oraz tych wszystkich, którzy przyjdą po nas.

Konsekwencją wybuchu Powstania Warszawskiego było wydanie przez Hitlera rozkazu zrównania polskiej stolicy z ziemią. I wymordowania wszystkich jej mieszkańców. Mężczyzn, kobiet i dzieci. W wyniku nieprzemyślanej decyzji Komendy Głównej AK Niemcy wreszcie mogli wyładować swoje zbrodnicze, sadystyczne instynkty na znienawidzonym mieście, które przez pięć lat okupacji było im solą w oku.

„Nie ma więc żadnej wątpliwości, że nierozumna i fatalna decyzja powstańcza rozpętała furię niemiecką i na pastwę jej oddała Warszawę" – pisał Władysław Pobóg-Malinowski.

1 sierpnia 1944 roku rozpoczęła się droga krzyżowa miliona Polaków, która do dzisiaj jest starannie przemilczana przez piewców Powstania Warszawskiego. Mimo że podczas tej nieszczęsnej bitwy Niemcy dokonali największej zbrodni na polskich cywilach w całej drugiej wojnie światowej – dokonali ludobójstwa – fakt ten właściwie nie istnieje w zbiorowej świadomości Polaków. Czasami można odnieść wrażenie, że jest to sprawa, o której po prostu nie wypada mówić.

Powstanie Warszawskie może być bowiem tylko opowieścią o dzielnych powstańcach i dzielnych łączniczkach. Młodych ludziach, którzy dla umiłowanej ojczyzny podjęli heroiczną walkę o wolność. W niemieckich panterkach, z biało-czerwonymi opaskami na ramionach i granatami w rękach rzucili wyzwanie potężnym siłom zbrojnym Adolfa Hitlera. I – a jakżeby inaczej – odnieśli wspaniałe „moralne zwycięstwo".

Cała ta heroiczna opowieść toczy się jednak w próżni. Dziwnym trafem gubi się gdzieś fakt, że ta „najwspanialsza bitwa w polskich dziejach" toczyła się na ulicach milionowego miasta. Gubi się gdzieś to, jak straszliwym nieszczęściem było Powstanie dla ludności cywilnej.

Powstańcy ginęli przeważnie śmiercią żołnierską – pisał Jan Ciechanowski – w walce ze znienawidzonymi Niemcami, a cywile od kul niemieckich plutonów egzekucyjnych, jak to miało miejsce na Woli, Ochocie i Starym Mieście, pod ogniem wrażej artylerii i pod bombami stukasów. Ginęli często pod gruzami walących się domów, w zatłoczonych, ciemnych i cuchnących piwnicach. Ginęły niemowlęta, bezbronne kobiety i starcy. Ginęli też mężczyźni, którzy nie mogli wziąć czynnego udziału w walce, bo nie było dla nich broni. To wszystko jest też nieodzowną częścią historii Powstania Warszawskiego i o tym nie wolno nam ani na chwilę zapomnieć, rozważając i rozpatrując jego dzieje.

Najpierw była Wola. Straszliwe mordy rozpoczęły się tam już 1 sierpnia i apogeum osiągnęły 5 sierpnia. Po przepędzeniu tamtejszych słabych oddziałków AK Niemcy stali się całkowitymi panami sytuacji. Ludność została pozostawiona na ich pastwę i zapłaciła za to straszliwą cenę. Nieprzyjaciel metodycznie opróżniał dom po domu z mieszkańców. Budynki były podpalane, a ludzie spędzani na place i dziedzińce fabryk. Tam ich rozstrzeliwano.

Oto relacja jednej z ocalałych, Wandy Felicji Lurie:

Przed bramą fabryki czekaliśmy około godziny. Z podwórza słychać było strzały, błagania i jęki. Do wnętrza Niemcy wpuszczali, a raczej wpychali, przez bramę od ulicy Wolskiej po 100 osób. Chłopiec około lat 12, ujrzawszy przez uchyloną bramę zabitych swoich rodziców i brata, dostał wprost szału, zaczął krzyczeć, wzywając matkę i ojca. Niemcy i Ukraińcy bili go i odpychali, gdy usiłował wedrzeć się do środka. Nie mieliśmy wątpliwości, że na terenie fabryki zabijają, nie wiedzieliśmy, czy wszystkich.

Ja trzymałam się z tyłu, stale się wycofując, w nadziei, że kobiety w ciąży przecież nie zabiją. Zostałam wyprowadzona w ostatniej grupie. Na podwórzu fabryki zobaczyłam zwały trupów do wysokości jednego metra. Trupy leżały w kilku miejscach po całej lewej i prawej stronie pierwszego podwórza. Wśród trupów rozpoznałam zabitych sąsiadów i znajomych.

Naszą grupę skierowano w kierunku przejścia między budynkami. Leżały tam już trupy. Gdy pierwsza czwórka dochodziła do miejsca, gdzie leżały trupy, strzelali Niemcy i Ukraińcy w kark od tyłu. Zabici padali, podchodziła następna czwórka, by tak samo zginąć. Bezwładną staruszkę zabito na plecach zięcia, on także zginął. Przy ustawianiu ludzie krzyczeli, błagali lub modlili się.

Podeszłam więc w ostatniej czwórce razem z trojgiem dzieci do miejsca egzekucji, trzymając prawą ręką dwie rączki młodszych dzieci, lewą – rączkę starszego synka. Dzieci szły, płacząc i modląc się. Starszy, widząc zabitych, wołał, że i nas zabiją. W pewnym momencie Ukrainiec stojący za nami strzelił najstarszemu synkowi w tył głowy, następne strzały ugodziły młodsze dzieci i mnie. Przewróciłam się na prawy bok. Strzał oddany do mnie nie był śmiertelny.

Kula trafiła w kark z lewej strony i przeszła przez dolną część czaszki, wychodząc przez lewy policzek. Dostałam krwotoku ciążowego. Wraz z kulą wyplułam kilka zębów. Byłam jednak przytomna i leżąc wśród trupów, widziałam prawie wszystko, co się działo dokoła. Obserwowałam dalsze egzekucje. Wprowadzono nową partię mężczyzn, których trupy padały i na mnie. Przywaliło mnie około czterech trupów. Wprowadzono dalszą partię kobiet i dzieci – i tak grupa za grupą rozstrzeliwano aż do późnego wieczora. Było już ciemno, kiedy egzekucje ustały.

Trzeciego dnia poczułam, że dziecko, którego oczekiwałam, żyje. To dodało mi energii i podsunęło myśl o ratunku. Zaczęłam myśleć i badać możliwości ocalenia. Próbując wstać, kilka razy dostałam torsji i zawrotu głowy. Wreszcie na czworakach przeczołgałam się po trupach do muru. Wszędzie leżały trupy, na wysokość co najmniej mojego wzrostu, i to na całym podwórzu. Odniosłam wrażenie, że mogło tam być ponad 6000 zabitych.

Ocenia się, że tylko na Woli Niemcy zamordowali w pierwszych dniach Powstania około 30 tysięcy Polaków. Była to największa masowa egzekucja drugiej wojny światowej. Armia Krajowa – choć dobrze wiedziała, co się dzieje – nie próbowała pospieszyć na pomoc mordowanej dzielnicy. Stacjonujące na pobliskich cmentarzach doborowe oddziały zgrupowania „Radosław" Jana Mazurkiewicza pozostały bierne wobec rzezi ludności. Nie było to oczywiście winą tego dowódcy i jego żołnierzy. Takie dostali rozkazy.

Wola była zaś piekłem. Cała dzielnica płonęła, w powietrzu unosiły się płaty popiołu i gryzący w oczy dym. Odurzeni alkoholem, spoceni oprawcy w rozchełstanych mundurach SS urządzili prawdziwą orgię mordów. Ze wszystkich stron dobiegały strzały, przekleństwa, przeraźliwe krzyki zabijanych. Płacz dzieci. Na rogach ulic układano stosy trupów, oblewano je benzyną i palono. W szpitalach gwałcono pielęgniarki i siostry zakonne.

Rzezi kres położył dopiero przysłany do stłumienia Powstania generał SS Erich von dem Bach-Zelewski. Jeden z największych niemieckich zbrodniarzy, w którym jednak najwyraźniej ten jeden raz odezwały się jakieś wyrzuty sumienia. Być może zaważyło to, że był pół-Polakiem. 5 sierpnia – pod pretekstem, że „na wszystkich Polaków nie starczy amunicji" – zakazał zabijania kobiet i dzieci. Od tej pory mordowano już „tylko" mężczyzn.

Do podobnych scen doszło tymczasem na Ochocie, gdzie ludność również została pozostawiona sam na sam z Niemcami. Zresztą określenie „Niemiec" nie jest w tym wypadku precyzyjne. Połowa żołnierzy tłumiących Powstanie nie mówiła po niemiecku. Byli to przede wszystkim Rosjanie z Brygady Szturmowej SS *RONA* Bronisława Kamińskiego, żołnierze 1. azerbejdżańskiego batalionu polowego i inni przedstawiciele narodów Wschodu. Sporą część Niemców stanowili zaś zwykli przestępcy z brygady Dirlewangera.

Po kilku dniach, gdy walki zamieniły się w regularne oblężenie kilku opanowanych przez Polaków dzielnic, rozpoczęła się gehenna ludności Starówki, Mokotowa, Powiśla, a w końcu Śródmieścia. Sytuacja tych ludzi była dramatyczna.

Przez cały czas na głowy warszawiaków w oblężonych częściach miasta sypały się pociski. Zarówno z samolotów – które krążyły nad Warszawą i bombardowały kolejne ulice – jak i z ciężkich dział. Niemcy wprowadzili do akcji między innymi potężny moździerz oblężniczy *Karl* kalibru 600 mm, który trzeba było ładować dźwigiem. Jeden wystrzelony zeń pocisk obracał w gruzy całą kamienicę. Do tego dochodziły tysiące pocisków mniejszego kalibru, między innymi z niesławnych „ryczących krów", czyli wieloprowadnicowych wyrzutni rakietowych.

Ostrzał prowadzony był przez Niemców całkowicie bezkarnie. AK nie miała bowiem żadnych możliwości, żeby uciszyć artylerię wroga, i mieszkańcy miasta mogli jedynie kryć się przed pociskami. To jednak bardzo często się nie udawało i ludzie byli rozrywani na strzępy lub paleni żywcem.

Rano szedłem ulicą Jasną – wspominał Adam Bień – i zobaczyłem na chodniku gromadkę ludzi, którzy w milczeniu troskliwie coś nieśli. Doszedłem bliżej i zobaczyłem… coś, co kiedyś było człowiekiem, ale teraz widziałem tylko czarny, osmalony tułów, czarną, osmaloną głowę i twarz oraz żywe, błyszczące, niespokojne oczy. Czarna twarz szybko, niecierpliwie powtarzała pytanie: „Czy będę żyć? Czy będę żyć?". To młodą dziewczynę spaliła „krowa".

Zaczynając Powstanie, Armia Krajowa nie miała w stolicy ani jednego działa przeciwlotniczego – pisał Andrzej Solak. – Niemieckie stukasy i messerschmitty z lotniska Okęcie wykonały 1408 lotów na bombardowanie, tracąc jedną maszynę nad Starym Miastem i drugą nad Kampinosem. Była to jedna z najtańszych operacji Luftwaffe. Wielcy, genialni stratedzy z AK nie pomyśleli bowiem, że w połowie XX wieku, chcąc zająć i utrzymać jakiś obszar, należy zapewnić mu osłonę przeciwlotniczą. Podobnie rzecz miała się z artylerią. Warszawa znalazła się pod ostrzałem ciężkich dział, moździerzy i wyrzutni rakietowych kalibru 280, 380, a nawet 600 mm. W jaki sposób powstaniec, zbrojny w pistolet i butelkę z benzyną, albo i nawet takich precjozów pozbawiony, miał uciszyć wrogie baterie niszczące jego miasto z odległości wielu kilometrów?

Najczęstszą przyczyną śmierci było jednak zaduszenie bądź zasypanie gruzem. Przerażeni warszawiacy większość czasu spędzali bowiem właśnie w piwnicach, stłoczeni w straszliwych warunkach. W ciemności, wśród szczurów i smrodu ekskrementów. Bardzo często schronienie to okazywało się złudne. Ostrzał był tak morderczy, że kamienice waliły się w całości, grzebiąc żywcem swoich ukrytych w piwnicach mieszkańców.

Gdy 2 września Stare Miasto skapitulowało, Niemcy wkroczyli w morze ruin. Zatarł się układ ulic, cała dzielnica była pokryta rumowiskiem, z którego z rzadka wystawały kominy i belki stropowe. Był to widok tragiczny. Z bezcennych zabytków nie pozostało nic. „Zawodowi wojskowi doprowadzili nas do kompromitacji i klęski. Bardziej dotkliwej w skutkach niż rok 1939 – meldował jeden z oficerów. – Bezcenne skarby kultury przepadają bezpowrotnie. Stare miasto jest tak zbębnione artylerią i minami, że z architektury jego pozostają gruzy. Gdy o tym mówiłem dowódcy, śmiał się, że są rzeczy ważniejsze".

Ponieważ przed kapitulacją dzielnicy Armia Krajowa wycofała się kanałami, pozostawiając cywilów i własnych rannych na pastwę Niemców, to na nich skupił się odwet okupanta. Niemcy wymordowali przede wszystkim 7 tysięcy rannych w powstańczych szpitalach. Opowiadał mi o tym jeden z ocalałych, Zbigniew Galperyn. Z przestrzelonymi nogami trafił on do szpitala znajdującego się w kościele Świętego Jacka przy ulicy Długiej.

Jeszcze pod koniec sierpnia w szpital uderzyła bomba z opóźnionym zapłonem. W efekcie całe wnętrze zalane było krwią, a kawałki ciał wbite zostały nawet w kraty w oknach. Przypominało to rzeźnię. Do szpitala Niemcy wkroczyli natychmiast po kapitulacji.

– Rozpoczęły się grabieże – opowiadał Zbigniew Galperyn. – Rosjanie w niemieckich mundurach zaczęli dobierać się do pielęgniarek. Jedna z nich, aby nie zostać zgwałcona, musiała wyskoczyć przez okno z pierwszego piętra. Potem żołnierze wyprowadzili na dziedziniec cały personel szpitalny. Usłyszeliśmy z tamtej strony strzały. Już po Powstaniu znaleziono na tym podwórzu szereg ciał rozstrzelanych ludzi…

– *Co zrobili z wami Niemcy?*

– Okazało się, że nie zamierzali nas rozstrzelać. Zamiast tego zaczęli wnosić do kościoła kanistry z benzyną. Pamiętam, jak chodzili wzdłuż naszych łóżek z tymi baniakami. Zdaliśmy sobie sprawę, że chcą nas spalić żywcem! Wkrótce rzeczywiście podpalili świątynię. Straszliwy żar, dym. Ranni kaszlą, próbują się wyczołgiwać na zewnątrz, krzyczą. Trudno dziś opisać to, co się tam wtedy działo. Ja, z przestrzelonymi nogami, nie mogłem się oczywiście ruszyć. Wtedy pojawiła się pielęgniarka, która uratowała mi życie…

– *Kto to był?*

– Nie wiem. Nigdy nie poznałem jej nazwiska. Pomagał jej chodzący o kuli ranny. Pamiętam to jak dzisiaj. Podeszła do mnie i powiedziała: „Jesteś za młody, żeby umierać". Złapała za siennik i wyciągnęła mnie na zewnątrz. Dzięki niej teraz z panem rozmawiam. Ta kobieta uratowała zresztą tego dnia wielu ludzi.

– *Ktoś został w środku?*

– Niestety tak. Pewien ksiądz, który po wojnie brał udział w odbudowie kościoła, opowiadał mi, że znaleziono w nim szkielety na łóżkach.

Duża część ciężko rannych spłonęła żywcem, a część została zasypana pod gruzami walącego się budynku.

A oto inna relacja z tego strasznego dnia: „Niemcy i Ukraińcy wpadają do szpitala powstańczego. Jak bydło zaczęli kopać i bić rannych leżących na ziemi, wyzywając ich od skurwysynów i polskich bandytów. Biedakom leżącym na ziemi roztrzaskiwali buciorami głowy, rycząc przy tym okropnie, kopiąc i waląc, gdzie tylko mogli. Krew i mózgi nieszczęsnych bryzgały na wszystkie strony" – opisywała kobieta, która przeżyła masakrę.

„Rozdawałem komunię rannym w szpitalu na Długiej 7 – wspominał ksiądz Tomasz Rostworowski. – Już po wejściu Niemców. Słyszę za sobą strzały. Odwracam się, a za mną stał oficer SS i strzelał z rewolweru do leżących. Ja szedłem naprzód, rozdawałem komunię do chwili, kiedy zabrakło mi hostii. Niemiec powiedział mi: «I tobie też się należy, tylko nie ma już kul»".

Gdy już mowa o tragedii Starówki, nie sposób nie wspomnieć o słynnej eksplozji zdobycznego samochodu pancernego. Bomba dosłownie rozerwała na strzępy tłum zgromadzonych wokół pojazdu cywilów. „Widziałam szczątki ludzkie zaczepione na drzewach, morze krwi, trupy wszędzie naokoło – relacjonowała Irena Milko-Więckowska „Inka". – Jakaś oszalała z bólu kobieta pokazywała małą stópkę dziecka i szukała resztek, pytając przechodzących, czy nie widzieli jej dziecka". Tu uwaga na marginesie: wbrew obowiązującej przez lata wersji wydarzeń, cała ta sprawa nie była wcale niemiecką pułapką. Pojazd był wyładowany materiałami wybuchowymi, ponieważ Niemcy chcieli za jego pomocą wysadzić barykadę. Mechanizm nie zadziałał i młodzi powstańcy przechwycili samochód, z którego uciekł kierowca. Lekkomyślnie, nie sprawdziwszy, co jest w środku, triumfalnie jeździli nim następnie po Starym Mieście w asyście wiwatujących tłumów. W pewnym momencie nastąpiła eksplozja...

Sprawcy katastrofy Warszawy po wojnie próbowali się usprawiedliwiać, dowodząc, że nie mogli przewidzieć, iż Niemcy zachowają się tak bestialsko wobec cywilnej ludności miasta. Któż mógł przewidzieć, że okażą się takimi zwierzętami? Argument to żałosny. Kto jak kto, ale oni akurat powinni byli znać Niemców – w ich najgorszym hitlerowskim wydaniu – najlepiej na świecie. Okupacja Polski była bowiem najbrutalniejszą i najbardziej bestialską spośród wszystkich okupacji. Niemcy od samego początku prowadzili z nami wojnę totalną.

Przez pięć lat oficerowie z Komendy Głównej Armii Krajowej mogli więc chyba poznać naturę niemieckiego okupanta. Wiedzieli przecież o Auschwitz, o łapankach, masowych rozstrzeliwaniach na ulicach. Wiedzieli o katowniach Gestapo. Na ich oczach w kwietniu 1943 roku doszło do straszliwej pacyfikacji powstania w getcie. W roku 1944 dowódcy AK doskonale wiedzieli, kim są Niemcy i do czego są zdolni. Były to bestie w ludzkiej skórze, które rozdrażnili i sprowokowali do morderczego szału. Dziwienie się niemieckiemu okrucieństwu przypomina reakcję człowieka, który wsadziwszy dwa palce w gniazdko elektryczne, zdumiewa się, że go prąd kopnął.

„Polska Armia Podziemna rozpoczęła wczoraj otwartą walkę o uwolnienie Warszawy – notował wybitny pisarz Andrzej Bobkowski. – Podobno Warszawa się pali i walki na ulicach. Po co? Boję się wymówić słowo «bezsens», ale samo podsuwa mi się na każdym kroku, gdy o tym myślę. Największe bohaterstwo, gdy jest bezcelowe, budzi gorzkie politowanie i nic więcej. Mówi się o nim jak o bohaterstwie szaleńca, który rzuca się pod pociąg, by go zatrzymać".

Tak, sprawcy Powstania rzucili całą ludność Warszawy na tor, po którym pędził rozpędzony niemiecki pociąg. A maszynista nie miał najmniejszej ochoty zaciągnąć hamulców. Przeciwnie, dorzucił tylko węgla do paleniska. Cywilni mieszkańcy stolicy byli największymi, obok oficerów zastrzelonych w Katyniu, męczennikami polskiej historii. Ci cywile – choć całkowicie pomijani w rocznicowych przemówieniach – byli nie mniejszymi bohaterami od żołnierzy Armii Krajowej. A na pewno większymi niż dowódcy AK, którzy lekkomyślnie sprowadzili nieszczęście na własnych rodaków.

Powstanie Warszawskie 1944 roku to gest wielkopański, powyżej naszych możliwości – mówił jeden z warszawskich rozmówców francuskiego dziennikarza Jean-François Steinera, autora wstrząsającego reportażu o tragedii roku 1944. – Żydzi w getcie w 1943 roku mieli rację, organizując powstanie, gdyż wiedzieli, że nie mają nic do stracenia, że są skazani. Buntując się, wybierając śmierć z bronią w ręku, nadali tej śmierci sens, wartość. Podczas gdy my – nasza walka była absurdem. Nie zyskaliśmy nic, a Warszawa, ze wszystkimi swymi pałacami, skarbami, bibliotekami, została zniszczona. Stolica za pląsy, oto jacy jesteśmy. My, Polacy.

To, co Niemcy zrobili w Warszawie w sierpniu i we wrześniu 1944 roku z polską ludnością cywilną, było ludobójstwem. Tymczasem nasi rodzimi hurrapatrioci, którzy z taką werwą walczą – i słusznie! – o to, żeby ten termin został uznany w odniesieniu do rzezi Polaków na Wołyniu i w Galicji Wschodniej, w tej sprawie nabierają wody w usta. O tych swoich rodakach, którzy zostali zarżnięci na ulicach stolicy, dziwnym trafem zapominają. Dlaczego?

Rozdział 16

Oczy obłąkane
ze strachu

W większości politycznie poprawnych artykułów i rocznicowych przemówień kaźń milionowej rzeszy warszawiaków w ogóle nie istnieje.
Gdy mówi się o cywilach, to w kontekście pierwszych dwóch–trzech
dni Powstania, gdy nastroje ludności były wręcz euforyczne. Na do-
mach wywieszano wówczas biało-czerwone flagi, ludzie rzucali się na
szyję nie widzianym od pięciu lat polskim żołnierzom, cywile płakali
ze szczęścia.

Działo się tak, bo warszawiacy, jak zapewniała ich propaganda Armii Krajowej, byli pewni, że wybuch Powstania jest równoznaczny
z wyzwoleniem. Że Niemcy zostaną błyskawicznie wyrzuceni z miasta przez „potężną podziemną armię" uzbrojoną po zęby przez Brytyjczyków, a nadchodząca Armia Czerwona jest „sojusznikiem naszych
sojuszników", nic więc nam nie zrobi. Nikomu nie przychodziło do
głowy, że idealizowani przywódcy ruchu oporu to grupa ryzykantów
bez wyobraźni.

Nastroje warszawiaków szybko się więc zmieniły. To coś, o czym
bardzo rzadko się mówi – kolejny z licznych powstańczych tematów
tabu. Faktem jest jednak, że wraz z przeciąganiem się walk Armia Krajowa została przez wielu warszawiaków wręcz znienawidzona. Ludzie

byli wstrząśnięci skalą zniszczeń i cierpień, jakie sprowadziło na Warszawę Powstanie. Kobiety złorzeczyły powstańcom, dochodziło nawet do tak gorszących scen, jak próby zlinczowania rannych żołnierzy czy rozmyślne wprowadzanie w błąd pododdziałów szukających miejsc bezpiecznych od niemieckiego ostrzału.

Ci sami ludzie, którzy przed 1 sierpnia tak gwałtownie domagali się akcji zbrojnej i pytali: „kiedy wreszcie nasi zaczną?", teraz ostro krytykowali kierownictwo AK za podjęcie przedwczesnej decyzji o walce. Domagali się natychmiastowej kapitulacji, aby wstrzymać rzeź. Tym razem jednak dziwnym trafem dowódcy AK okazali się głusi na „głos ludu" i nie popłynęli z prądem. Nie powinno to specjalnie dziwić, gdyż – jak wiemy – byli to ludzie, którzy wszystko robili odwrotnie, niż należy.

Tymczasem warszawiaków doprowadzało wręcz do szału, że polskie radio z Londynu nadaje na okrągło pieśń *Z dymem pożarów*. Gdy generał Bór-Komorowski przechodził piwnicami zburzonych kamienic przy placu Trzech Krzyży, słyszał za sobą okrzyki zrozpaczonych kobiet: „Ty morderco naszych dzieci!".

„Kiedy batalion «Zośka» przybył do kwatery na Franciszkańską, to szewc mieszkający tam z dwojgiem dzieci wymawiał mi, że oni zginą z naszej winy – wspominał podporucznik Jan Więckowski „Drogosław". – Rzeczywiście po kilku dniach i on, i jedno z dzieci zginęło od bomb". Z okiennych piwnic, gdzie gnieździła się ludność, dochodziły zaś narzekania: „Macie ich, wojsko... Wojny im się zachciało. Całe miasto zniszczyli... Ludzi dobytek, szczeniaki, spalili!".

„Podczas ewakuacji – wspominała Grażyna Zipser – jakiemuś cywilowi rozwiązał się tobołek. Odciął więc kawał kabla telefonicznego i zreperował swój bagaż. Ja, widząc to, oburzyłam się, jak można przecinać linię! A on na to: «I tak was tu wytłuką, po cholerę wam ta linia!»."

Jan Sidorowicz zapamiętał zaś takie sceny:

Przed wycofaniem się w nocy na Mokotów powstańcy zrobili jeszcze zasadzkę na Niemców wchodzących do domu Flory 5, zabijając kilku. W efekcie Niemcy rozstrzelali natychmiast wszystkich mieszkańców Flory 9 i Flory 5, w tym moich dziewięcioletnich kolegów ze szkoły. Dobili bagnetami wszystkich rannych i zastrzelili pozostałe z nimi sanitariuszki. Myśmy ocaleli przez przypadek.

Okazało się też, że rejon Szucha, gdzie stacjonowało około 1500 uzbrojonych po zęby Niemców, atakowało z różnych stron około 500 powstańców, uzbrojonych głównie w rewolwery i granaty własnej produkcji. Zginęło ponad 400 powstańców, w tym cała kompania, której udało się zdobyć Kasyno Oficerskie. Z ulic Bagatela, Flory, Chocimskiej, Marszałkowskiej, Oleandrów, Litewskiej – Niemcy wygarnęli i rozstrzelali w ogródku jordanowskim na Bagateli, koło apteki na Oleandrów i w ruinach GISZ-u około trzech tysięcy mieszkańców. Taka była cena tej fanfaronady. Potem przez lata gnębiło mnie pytanie, jak można było dopuścić do takiego szaleństwa. Jaka była tego przyczyna i kto za to jest odpowiedzialny?

Gdy przed kapitulacją Starówki sztab AK wraz z całym wojskiem ewakuował się do Śródmieścia, porzucając kilkadziesiąt tysięcy cywilów na pastwę Niemców, doszło wręcz do eksplozji nienawiści. Mówiono, że „szczury uciekły kanałami”, a gdy powstańcy schodzili do włazów, ludność zbierała się wokół i miotała na nich obelgi. Są to rzeczy bolesne, wręcz rozdzierające. Ale to wszystko się wydarzyło i nie ma powodu, żeby wycierać to z dziejów Powstania patriotyczną gumką myszką. „Nie było sił i środków na osłonę ludności przed rozpasaniem żołdactwa, a nie zabraknie w dziejach Powstania i takiej czarnej karty, jak pozostawienie ofiarnie współdziałającej w walce, znękanej i zrozpaczonej ludności na pastwę Niemców w dzielnicach opuszczanych po krótszej czy dłuższej obronie” – pisał z goryczą Pobóg-Malinowski.

Ja będę to powtarzać do końca życia, że największymi bohaterami byli cywile, którzy na czas powstania przenieśli się do piwnic – mówiła w wywiadzie prasowym weteranka AK Magdalena Grodzka-Gużkowska. – Oni się tam rodzili i umierali w strasznych warunkach. Nie mając co jeść, nie mając co pić. Ja uważam, że to święci ludzie, że nam gardeł nie poderżnęli. Dlatego że wsadziliśmy ich do tych piwnic. I trwało to tak długo, i nie zaopiekowaliśmy się nimi. Jak człowiek jest chory, jak się rodzą dzieci i umierają dzieci, to człowiek tylko o tym myśli. Ci ludzie mieli prawo nas autentycznie nienawidzić za to, że ich w to wepchnęliśmy. Słyszałam kiedyś opowieść pewnej pani, której matka i dziecko umarły w piwnicy. To było potworne.

Wielu powstańców myślało podobnie. Jeszcze przez wiele lat odczuwali potworny ciężar i ból z powodu cierpień ludności cywilnej. Oto fragment rozmów, które już po wojnie historyk Janusz Zawodny przeprowadził z trzema weterankami AK. Na pytanie o najgorsze przeżycie z Powstania odpowiedziały następująco:

> *Halina Degórska „Iga”:* Odwrócenie się ludności cywilnej od nas, walczących. Wycofywaliśmy się z Muranowa, na jednym z podwórek matki z dziećmi mówiły do nas: „Wy bandyci, zostawcie nas”.
> *Jadwiga Gac „Jadzia”:* Piwnice. Kiedy mogłam, to pomimo strzałów szłam górą, a nie piwnicami. Bo chroniący się w nich ludzie obwiniali nas o to, że przez nas umierają dzieci, kobiety, mężczyźni.
> *Aniela Sienkiewicz „Elżbieta”:* Moje najgorsze przeżycie z Powstania. Strach w oczach rannych, zostawionych na Starówce. Te obłąkane ze strachu oczy.

Sytuacja cywilów z dnia na dzień stawała się coraz bardziej dramatyczna. Sprawcy Powstania, którzy byli pewni, że przepędzą Niemców w dwa–trzy dni, nie przygotowali bowiem niezbędnych zapasów żywności, środków opatrunkowych, lekarstw. Zapanował więc głód i szybko zaczęły rozprzestrzeniać się choroby – przede wszystkim tyfus.

W tej sytuacji starania lekarzy były wręcz niebywałym heroizmem. Trwające całymi nocami operacje, amputacje dokonywane bez znieczulenia, brak podstawowych narzędzi. „Na Miodowej jeden z moich kolegów, nie mając czym amputować nogi, amputował piłą do drzewa – opowiadał doktor Tadeusz Pogórski „Morwa”. – Czy my byliśmy przygotowani pod względem amunicji i broni na 60 dni? Nie! Podobnie nie byliśmy przygotowani absolutnie pod względem środków medycznych ani narzędzi medycznych”.

Warto więc w tym momencie zadać niepoprawne politycznie pytanie. Otóż przez pięć lat okupacji Brytyjczycy pompowali w Polskie Państwo Podziemne olbrzymie sumy. Każdy z cichociemnych miał zaszyte w specjalnych pasach setki tysięcy dolarów w złocie, gotówkę przerzucano również innymi kanałami. Na co poszły te pieniądze? Co się stało z tymi olbrzymimi sumami? Dlaczego nie zakupiono za nie niezbędnych zapasów na wypadek powstania?

Ludzie tymczasem puchli z głodu, zrozpaczeni zjadali psy, koty, kanarki, a wreszcie szczury. W najgorszej sytuacji znalazły się karmiące matki, które potraciły pokarm. Znany jest przypadek kobiety, która zdrapywała ze ścian wapno, rozcieńczała je wodą i w ten sposób uratowała swoje niemowlę. Tysięcy najmłodszych dzieci uratować się jednak nie dało. To właśnie wśród nich śmiertelność była największa. Do tego należy dodać masowe poronienia.

Nieszczęście dotknęło też zresztą rodzinę generała Komorowskiego.

Żona „Bora" była w siódmym miesiącu ciąży, kiedy wybuchło Powstanie – opowiadał Jan Nowak-Jeziorański. – W przeddzień Powstania „Bór" spotkał się ze swoją żoną, oddał jej swoją papierośnicę i osobiste kosztowności, nie mówiąc jej jednak, że powstanie wybuchnie lada moment, i nie doradzając jej wyjazdu z Warszawy. Żona „Bora" przeżyła piekło w podziemiach Opery, a dziecko urodziło się krótko po powstaniu nienormalne.

W 1945 roku zadałem pytanie „Borowi", dlaczego wiedząc o dacie i godzinie wybuchu walk w Warszawie, nie nakazał jej wyjazdu. „Bór" na to: „Nie mogłem uprzedzić wszystkich kobiet w ciąży, jakie były w Warszawie, aby uciekały z miasta. Więc nie mogłem robić wyjątku wobec żony. Nie mogłem ewakuować wszystkich brzemiennych bab i nie mogłem zdradzić tajemnicy wojskowej".

Niestety do coraz poważniejszego konfliktu na linii cywile–powstańcy doprowadziło również skandaliczne zachowanie wielu AK-owców wobec zwykłych warszawiaków. Szczególnie zasłynęli tu cieszący się fatalną sławą żandarmi z Korpusu Bezpieczeństwa. Często zachowywali się niezwykle brutalnie i butnie. Dochodziło do nadużyć. Na przykład

Żołnierze 1. Dywizji Pancerno-Spadochronowej *Hermann Göring*. Wola, początek Powstania.

Młodzi powstańcy na ulicy Sienkiewicza.

Niemieccy żołnierze ładują najcięższy moździerz drugiej wojny światowej – *Karl*. Pociski kalibru 600 mm wystrzeliwane z tej broni niszczyły całe warszawskie kamienice.

Powstaniec warszawski pokazuje swoje uzbrojenie.

Stanowisko niemieckiego karabinu maszynowego MG 42 podczas walk w polskiej stolicy.

Młody żołnierz Armii Krajowej z granatami.   Barykada na rogu Chmielnej i Nowego Światu.

Niemieckie stanowisko pocisków rakietowych – „ryczących krów" – na rogu Żytniej i Żelaznej.

Eksplozja „ryczącej krowy".

Płonie zabytkowy warszawski Nowy Świat.

Niemiecki żołnierz z miotaczem ognia.

Kamienica na rogu ulic Zgoda i Sienkiewicza przestaje istnieć.

Z dymem idą mieszkania prywatne i sklepy.

Druga dekada sierpnia. Ciało mężczyzny spalonego w Śródmieściu Północnym.

Szczątki rannych spalonych żywcem przez Niemców w powstańczym szpitalu u zbiegu Miodowej i Długiej.

Ekshumacja ofiar Powstania Warszawskiego pod kościołem św. Jakuba przy placu Naruto-wicza. Rok 1945.

...

Rynek Starego Miasta.

Cywile, którym udało się przeżyć piekło Powstania, wychodzą spod gruzów.

Ulica Podwale na Starym Mieście.

Widok z kościoła św. Krzyża.

Dworzec Główny w Alejach Jerozolimskich.

Barokowy pałac przy placu Krasińskich.

Ruiny kamienic przy ulicy Podwale na Starym Mieście.

Budynki szkolne przy ulicy Chłodnej.

Ocalali warszawiacy w drodze do obozu w Pruszkowie.

Kobieta zmarła z wyczerpania po przybyciu do obozu.

Warszawa po Powstaniu z lotu ptaka.

Warszawskie Stare Miasto.

przy rozdzielaniu skromnych zapasów żywności, kiedy to wojsko oczywiście zawsze miało pierwszeństwo.

Bardzo ostro obchodzono się z cywilami podczas przymusowej rekrutacji do prac pomocniczych, na przykład kopania dołów dobiegowych. Na porządku dziennym było też przepędzanie cywilów od nielicznych studzien. Tymczasem wody było tak mało, że za jej szklankę płacono po kilkaset złotych. Ludzie dosłownie umierali z pragnienia. „Wstąpili do AK, żeby żreć, pić i nic nie robić!" – krzyczała pewna kobieta do żołnierzy.

W końcu dowództwo powstańcze zmuszone było wydać rozkazy nakazujące okiełznanie zdemoralizowanych żołnierzy, szczególnie żandarmów. „W sposobie zachowania się i traktowania ludności naśladowali żandarmerię niemiecką, siali dookoła zgorszenie, dokonywali kradzieży" – pisał Antoni Chruściel. Jest tajemnicą poliszynela, że podczas Powstania rozstrzeliwano powstańców za gwałty na ludności.

Efekt tego wszystkiego był taki, że – wbrew naszej łzawej, heroicznej literaturze – 2 października 1944 roku oddziały powstańcze idące składać broń nie były wcale żegnane przez ludność „czułymi, wdzięcznymi spojrzeniami", ale najgorszymi wyzwiskami. Oczywiście wielu warszawiaków do końca zachowało dyscyplinę i do końca wspierało wojsko. Postawy takie przeplatały się jednak z olbrzymim rozgoryczeniem, a czasami wręcz agresją.

Rozmawiałem z wieloma ludźmi, którzy przeżyli gehennę Warszawy – mówił profesor Paweł Wieczorkiewicz. – Byli to prawdziwi powstańcy – nie ci, którzy przypięli sobie krzyże Armii Krajowej w latach dziewięćdziesiątych, bo takich jest sporo, tylko ci, którzy byli na barykadach – bardzo krytycznie mówili o powstaniu. Mieli poczucie, że są oszukanym pokoleniem. Także ludność cywilna miała poczucie krzywdy. O tym nie piszemy, bo i nie wypada, i politycznie niepoprawne. A przecież jedną z przesłanek kapitulacji powstania było to, że ludność zaczęła się burzyć. Zaczęła tego żądać. Czemu trudno się dziwić po dwóch miesiącach bombardowań i ostrzału.

Skala katastrofy była niebywała. W sumie podczas Powstania Warszawskiego poległo 18 tysięcy polskich żołnierzy. Gwałtowną śmiercią zginęło zaś 150 tysięcy cywilów. Kolejne tysiące straciły życie w obozach przejściowych i koncentracyjnych, do których wypędzono ludność. Była to więc prawdziwa hekatomba.

Pewnym pocieszeniem byłoby może to, gdyby przy okazji udało się chociaż wyrządzić jakąkolwiek krzywdę nieprzyjacielowi. Niestety zestawienie strat obu walczących stron rozwiewa ostatnie złudzenia.

Otóż Niemcy w Powstaniu Warszawskim stracili 1,6 tysiąca żołnierzy. Historycy na ogół zaokrąglają tę liczbę do dwóch tysięcy. Wciąż jest to jednak mniej niż w niewielkiej potyczce na froncie wschodnim, która nie zasługiwała nawet na to, żeby ją odnotować w dzienniku korpusu czy armii. Wystarczy napisać, że latem 1944 roku na froncie wschodnim Wehrmacht tracił około 10 tysięcy żołnierzy dziennie. Wymowa tych liczb jest dla Polaków przerażająca. „Gdyby jakikolwiek generał amerykański czy brytyjski osiągnął takie wyniki – pisał Andrzej Solak – oddano by go pod sąd. U nas takim ludziom stawia się pomniki".

Jeden zabity Niemiec, Rosjanin, Azer czy Ukrainiec kosztował nas 10 żołnierzy Armii Krajowej i około 90 cywilów. W sumie blisko 100 do 1. W całej tysiącletniej historii Polski nie stoczono bitwy, w której krew polska byłaby tak tania. Szczególnie że po naszej stronie ginął kwiat narodu, a po niemieckiej – zwyrodniali bandyci, często niepiśmienni, zdegenerowani alkoholicy i oprawcy. Wbrew kłamstwom propagandy Goebbelsa to po polskiej stronie ginęli übermensche, po stronie niemieckiej – untermensche.

Niemcy, którzy – cokolwiek by o nich powiedzieć – dbali o życie swoich żołnierzy, do tłumienia Powstania, a więc roboty w gruncie rzeczy paskudnej, posłali bezwartościowe dla nich oddziały. Zbrodniarzy Dirlewangera, którzy zaciągając się do tej jednostki, uniknęli stryczka, kałmuków czy zdeprawowanych, wiecznie pijanych łupieżców z Russkoj Oswoboditielnoj Narodnoj Armii Bronisława Kamińskiego. Strata tych ludzi dla niemieckiego dowództwa mogła być tylko ulgą.

Dla nas strata chłopców i dziewcząt walczących w Warszawie była natomiast… nie, nie trzeba tego nawet pisać. Każdy Polak rozumie to znakomicie.

Aby bilans Powstania był pełen, należy do hekatomby ludności dodać gigantyczne straty materialne. W czasie Powstania oraz po nim Niemcy zburzyli niemal wszystkie budynki stolicy – kościoły, muzea, bezcenne zabytki. Spalone zostały dzieła sztuki. Dorobek kulturalny wielu pokoleń Polaków. Do tego niemal cały dobytek prywatny miliona ludzi. Mieszkania, meble, księgozbiory, obrazy. Kilka tygodni przed napisaniem tych słów byłem w kinie na komputerowej animacji *Warszawa 1935*, której autorzy na podstawie starych zdjęć odtworzyli przedwojenną stolicę. Z kina wyszedłem przygnębiony. Ależ piękne było to miasto! Jak bardzo go żal.

Płonęły biblioteki oraz archiwa – mówił profesor Paweł Wieczorkiewicz. – Wcześniej do Warszawy zwożono z terenu mnóstwo prywatnych zbiorów – wspaniałe kolekcje obrazów, stare księgi – bo sądzono, że w mieście są bezpieczniejsze niż w małych miasteczkach i dworach. Szczególnie że nadchodziła armia sowiecka, która niczego nie szanowała. Daleko nie trzeba szukać. Z biblioteki mego dziadka, pełnej ksiąg średniowiecznych, została garść popiołu. Mam puzderko z resztkami pięciu tysięcy unikalnych woluminów. Takich bibliotek prywatnych były setki. Zamordowano miasto.

Warszawa została zniszczona – pisał z kolei Stanisław Cat-Mackiewicz – spłonęła przeszłość i dusza Polski. Od człowieka, który przybył z Polski, słyszałem: naród polski bez Warszawy już jest innym narodem, niż był, gdy Warszawa żyła. Jesteśmy po jej stracie narodowo, kulturalnie, duchowo ubożsi. Zabytki, pamiątki, amulety przeszłości, amulety narodu. Zginęły bezpowrotnie i tak, jak nie można przywrócić życia człowiekowi, tak nie można wskrzesić tego, co z nimi zginęło. Warszawa została zniszczona bardziej niż Berlin, niż inne miasta niemieckie, tak jak klęska Polski w tej wojnie, w której Polacy walczyli w obozie zwycięzców, jest większa od klęski Niemiec.

Powstanie Warszawskie wyrwało Polsce serce. Nie był to cios śmiertelny, bo nadal żyjemy, ale okaleczyło nas to na wieczność. Zadane nam wówczas rany krwawią do dzisiaj i nie zagoją się nigdy. Kolejne pokolenia Polaków będą płacić za fatalną decyzję kilku oficerów Komendy Głównej AK.

Generał Tadeusz Pełczyński „Grzegorz", pytany po wojnie o skalę tragedii, jaką sprowadził z kolegami na swoich żołnierzy i ludność stolicy, machnął ręką i rzucił: „Jak trzepną atomówką, to ludzie przestaną gadać o Warszawie". Atomówka całe szczęście „nie trzepnęła", więc pokolenia Polaków jeszcze długo będą gadać o hekatombie swojej stolicy. Wbrew wszystkim „autorytetom", które wmawiają nam, że gadać o tym nie wolno.

Rozdział 17

Dwóch generałów

Niezwykle charakterystyczne było, jak w czasie, gdy Powstanie Warszawskie już wygasało, potraktowani zostali dwaj nasi generałowie. Próbujący ratować Warszawę przed katastrofą Kazimierz Sosnkowski i odpowiedzialny za tę katastrofę Tadeusz Bór-Komorowski. Z jednej strony jeden z największych polskich dowódców dwudziestego wieku, z drugiej – jeden z największych polskich nieudaczników.

Otóż generał Kazimierz Sosnkowski został zdymisjonowany, a generał „Bór" mianowany w jego miejsce na naczelnego wodza. Ta dymisja i ten awans należą do jednych z najbardziej zdumiewających decyzji personalnych w długich dziejach oręża polskiego.

Zacznijmy od generała Sosnkowskiego. Wbrew rozpuszczanym do dzisiaj plotkom, w przededniu wybuchu Powstania Warszawskiego naczelny wódz wcale nie wyjechał z Londynu do Włoch, bo „bał się wzięcia odpowiedzialności na swoje barki". Generał Sosnkowski przed wylotem na południe Europy wydał stanowcze instrukcje zabraniające podjęcia walki w Warszawie i nie mógł przypuścić, że jego depesze są cenzurowane, a Komenda Główna AK postąpi wbrew jego woli. Był pewny, że żadnego powstania nie będzie.

Prawdziwym celem jego wyjazdu do Włoch było... zrobienie puczu. Kulisy tej sprawy po wojnie ujawnił adiutant generała Witold Babiński. Otóż Sosnkowski obawiał się, że Mikołajczyk pod koniec lipca 1944 roku poleciał do Moskwy, aby już wówczas skapitulować przed żądaniami Stalina.

Sosnkowski w takim momencie chciał być blisko wojska, chciał oprzeć się na walczącym we Włoszech II Korpusie generała Władysława Andersa i wypowiedzieć posłuszeństwo premierowi zdrajcy. W ten sposób planował zaprotestować przeciwko kapitulacji i oddaniu Polski w łapska Sowietów. Nieoczekiwany dla Sosnkowskiego wybuch powstania w Warszawie, a przede wszystkim przepędzenie Mikołajczyka z Kremla przekreśliły te plany. Jak wiadomo, Mikołajczyk ostatecznie skapitulował kilka miesięcy później.

Sosnkowski rzucił się tymczasem w wir pracy na rzecz pomocy dla Warszawy. Generał, który był zdecydowanym przeciwnikiem zrywu, dokonał rzeczy niebywałych. Przez dwadzieścia cztery godziny na dobę zabiegał u aliantów o wsparcie dla Armii Krajowej. Wykorzystywał swoje prywatne kontakty i autorytet naczelnego wodza, posuwał się nawet do gróźb. Udało mu się osiągnąć bardzo dużo, ale i tak uznał, że pomoc udzielana przez aliantów walczącej polskiej stolicy jest znikoma. Efektem był wydany przez niego 1 września słynny rozkaz numer 19. Jeden z najpiękniejszych i zarazem najbardziej tragicznych rozkazów w historii Polski:

Żołnierze Armii Krajowej! Pięć lat minęło od dnia, gdy Polska, wysłuchawszy zachęty rządu brytyjskiego i otrzymawszy jego gwarancję, stanęła do samotnej walki z potęgą niemiecką. Kampania wrześniowa dała sprzymierzonym osiem miesięcy bezcennego czasu, a Wielkiej Brytanii pozwoliła wyrównać braki przygotowań do wojny w stopniu takim, że bitwa powietrzna o Londyn i wyspy brytyjskie, stanowiąca punkt zwrotny dziejów, mogła być wygrana. [...]

Lud Warszawy, pozostawiony sam sobie i opuszczony na froncie wspólnego boju z Niemcami, oto tragiczna i potworna zagadka, której my, Polacy, odszyfrować nie umiemy na tle technicznej potęgi sprzymierzonych u progu szóstego roku wojny. [...]

Warszawa czeka. Nie na czcze słowa pochwały, nie na wyrazy uznania, nie na zapewnianie litości i współczucia. Czeka ona na broń i amunicję. Nie prosi ona, niby ubogi krewny, o okruchy ze stołu pańskiego, lecz żąda środków walki, znając zobowiązania i umowy sojusznicze. Warszawa walczy i czeka. […]

Jeśliby ludność stolicy dla braku pomocy zginąć musiała pod gruzami swych domów, jeśliby przez bierność, obojętność czy zimne wyrachowanie wydana została na rzeź masową, wówczas sumienie świata obciążone będzie grzechem krzywdy straszliwej i w dziejach niebywałej. Są wyrzuty sumienia, które zabijają. […]

Od lat pięciu zarzuca się systematycznie Armii Krajowej bierność i pozorowanie walki z Niemcami. Dzisiaj oskarża się ją o to, że bije się za wiele i za dobrze. Każdy żołnierz powtarzać sobie musi w duchu słowa Wyspiańskiego:

…podłość, kłam
Znam, zanadto dobrze znam.

Jaki był efekt tego rozkazu? Ryk oburzenia Mikołajczyka i jego kolegów oraz brytyjskiego rządu. Przez litość dla tego małego człowieka spuśćmy kurtynę milczenia nad tym, co wówczas wygadywał, nad tym, jakie artykuły z jego inspiracji ukazywały się w brytyjskiej prasie. Generał Sosnkowski, wobec którego kampania nienawiści trwała od dobrych kilku lat, teraz znalazł się już pod totalnym ostrzałem.

Otwarcie pisano o nim jako o „stronniku Hitlera", który ośmielił się napluć na najwierniejszą sojuszniczkę i przyjaciółkę Polski – świętą Wielką Brytanię. I niestety pisali to również Polacy. Presja, jaką wytworzył Mikołajczyk i Brytyjczycy, okazała się zbyt potężna i prezydent Władysław Raczkiewicz 27 września 1944 roku zdymisjonował generała Kazimierza Sosnkowskiego ze stanowiska naczelnego wodza.

„Mam pełną świadomość, iż popełniam czyn niegodny i wysoce niemoralny, ale niech mi Bóg Najwyższy będzie świadkiem, że innego wyjścia nie mam" – powiedział prezydent Sosnkowskiemu. Generał wyjechał do Kanady, gdzie został de facto na wiele lat internowany. Był to moment, w którym podczas tej wojny upadliśmy najniżej.

Trzy dni później naczelnym wodzem mianowany został generał Bór-Komorowski. Stało się to, gdy trwały już negocjacje kapitulacyjne między warszawskim garnizonem AK a Niemcami. Było to więc prawdziwe kuriozum. „Nominacja generała Bora na Naczelnego Wodza wojsk polskich jest oddaniem Naczelnego Wodza wojsk polskich jako zakładnika w ręce wroga. Kraj, który chce wywalczyć swoją niepodległość, nie oddaje najwyższych instytucji państwowych władzy najeźdźców. Tylko ten, kto chce zdradzić, tak czyni" – pisał Ignacy Matuszewski. „W historii wojen, chyba nie tylko polskich, «Bór» był jedynym dowódcą, na którego ten najwyższy awans spadł w chwili kapitulacji jego wojska" – wtórował mu Jan Nowak-Jeziorański.

Nie mniejsze kontrowersje wywołało nadanie „Borowi" – który niemal całe powstanie spędził w całkowitej apatii, siedząc w ciemnym pokoju – Orderu Virtuti Militari. Major Stanisław Żochowski ze Sztabu Naczelnego Wodza pisał: „Płk Demel polecił mi przygotować uzasadnienie dla odznaczenia gen. Bora krzyżem Virtuti Militari II klasy. Odszukałem statut Orderu. II klasa może być przyznana generałowi za samodzielne działanie, które było zwycięską bitwą lub walnie przyczyniło się do zwycięstwa. Złożyłem wniosek na oddanie gen. Bora pod sąd za zniszczenie stolicy, spowodowanie ogromnych strat i nieosiągnięcie żadnego celu".

Wnioski o postawienie „Bora" przed sądem na emigracji – gdzie zamieszkał po wojnie – były stawiane bardzo często. Dochodziło nawet do tego, że podczas spotkań publicznych weterani, także byli żołnierze Armii Krajowej, krzyczeli w jego stronę obelżywe słowa. Wszystko to nie przeszkadzało „Borowi" chodzić w glorii bohatera. Udzielać wywiadów, pisać książek, pełnić rozmaitych funkcji publicznych. A co najważniejsze, wydawać autorytarnych wyroków, kto jest dobrym, a kto złym patriotą. Tych drugich widział oczywiście we wszystkich, którzy ośmielili się skrytykować koncepcję polityczną Polskiego Państwa Podziemnego. Koncepcję zakończoną spektakularnym fiaskiem.

Trudno Polakowi nie myśleć o tej różnicy w potraktowaniu Sosnkowskiego i Komorowskiego z zażenowaniem. Ale z drugiej strony, jakież to polskie... Wolimy przecież niekompetentnych partaczy – byle tylko mieli usta pełne frazesów i patriotycznych sloganów – od fachowców i zimnych realistów. Wolimy tych, którzy mówią to, co chcielibyśmy usłyszeć, choćby było to kłamstwem, od tych, którzy walą nam prosto w oczy przykrą prawdę. Doprawdy rację miał ten, kto porównał naród polski do kobiety.

Rozdział 18

„Powstanie przegrało, ale wygrało"

Decyzja o wywołaniu Powstania Warszawskiego była błędna. Każda decyzja, która prowadzi do klęski, jest bowiem błędna z definicji. Każda akcja polityczna i wojskowa ma zaś swoje określone cele. W wypadku Powstania Warszawskiego – jeszcze w trakcie jego trwania – tak cele te przedstawiał delegat Jan Stanisław Jankowski:

> Szereg przyczyn spowodował naszą walkę powstańczą. Chcieliśmy odeprzeć z bronią w ręku przygotowany przez Niemców ostatni zamach na żywe siły Polski w chwili opuszczania kraju, chcieliśmy przeszkodzić zapowiadanej zemście na buntowniczej Warszawie. Chcieliśmy światu okazać, że dążąc do istotnej niepodległości, nie chcemy już otrzymać wolności od nikogo w podarunku, aby wraz z podarunkiem nie były dyktowane warunki sprzeczne z interesami, tradycjami i godnością narodu. Wreszcie chcieliśmy uwolnić Polskę od gniotącej zmory kaźni Gestapo i mordowni więziennych. Chcieliśmy być wolni i wolność sobie zawdzięczać.

Spośród tych celów nie udało się zrealizować ani jednego. Armia Krajowa nie tylko nie przeszkodziła zemście na buntowniczej Warszawie, ale tę zemstę sprowokowała. Stolica Polski, a właściwie to, co z niej zostało, została „wyzwolona" przez Armię Czerwoną, a „warunki sprzeczne z interesami, tradycjami i godnością narodu" i tak zostały Polsce narzucone. Ludzie, którzy wywołali Powstanie i walczyli w nim, po jego zakończeniu nie byli zaś wcale wolni. Byli martwi albo zniewoleni przez nowego okupanta. Była to więc klęska absolutna, całkowita. Winę za tę klęskę ponoszą autorzy obłędnej koncepcji Powstania, bo wielka polityka jest grą, w której nie liczą się intencje, choćby nawet były najbardziej szczytne i chwalebne. Liczy się w niej tylko i wyłącznie skuteczność.

Mimo to zastępy historyków, polityków i publicystów od lat dokonują wręcz niebywałych wygibasów intelektualnych, aby zdjąć z dowódców Armii Krajowej odpowiedzialność za hekatombę 200 tysięcy rodaków i zburzenie stolicy. Bronią w ten sposób sprawy, której obronić się nie da.

Część badaczy robi to dla apanaży. Uprawianie propagandy schlebiającej gustom większości zapewnia bowiem stypendia, tytuły naukowe, granty na badania, a wreszcie intratne stanowiska w rozmaitych, zajmujących się „upamiętnianiem" państwowych instytucjach. Część robi to z pobudek ideologicznych. Zgodnie z nacjonalistycznym dogmatem Polacy mają być bowiem lepszym typem człowieka, który nigdy się nie myli. Historia nie ma zaś służyć dochodzeniu do prawdy i wyciąganiu z niej wniosków, ale budowaniu dumy narodowej.

Część wreszcie, nie potrafiąc objąć umysłem koszmarnego bezsensu Powstania Warszawskiego, stara się szukać post factum jakiegokolwiek usprawiedliwienia decyzji Komendy Głównej Armii Krajowej, aby... nie oszaleć. Spośród tych grup sympatię można oczywiście mieć tylko do tej trzeciej. Co nie zmienia faktu, że jej działalność jest równie szkodliwa, co działalność cynicznych apologetów generała Bora-Komorowskiego i jego „dzieła".

Wszyscy ci historycy, wiedząc, że fakty są przeciwko nim, stworzyli powstańczą mitologię. Serię propagandowych tez, które mają zamknąć usta każdemu, kto ośmieliłby się „szargać świętości" i powiedzieć lub napisać prawdę o Powstaniu. Pisałem już o skandalicznym zrzucaniu odpowiedzialności na zwykłych żołnierzy, którzy byli rzekomo cywilbandą gotową zbuntować się przeciwko dowództwu i wszcząć powstanie na własną rękę. Pisałem o wyssanych z palcach twierdzeniach, że gdyby „Bór" nie wydał rozkazu do walki, Niemcy „i tak zburzyliby Warszawę". Pisałem o dziecinnym zwalaniu winy na Amerykanów i Brytyjczyków.

Największym i najbardziej absurdalnym spośród tych mitów jest jednak pogląd, że Powstanie Warszawskie tak naprawdę było naszym zwycięstwem. Kilka lat temu poważny ogólnopolski dziennik opublikował, napisany zupełnie na serio, artykuł profesora akademickiego, którego główną myśl można sprowadzić do zdania „Powstanie przegrało, ale wygrało".

Rzeczywiście „piękne" to było zwycięstwo. Jeszcze jedna, dwie takie wiktorie i po prostu przestaniemy istnieć jako naród. Mimo to ludzie z tytułami naukowymi bez mrugnięcia okiem przekonują, że to Polacy w 1944 roku byli górą. Absurd ten występuje w rozmaitych wersjach, w zależności od fantazji lub tupetu autora. Warto się przyjrzeć kilku najbardziej rozpowszechnionym.

1. Powstanie przegrało militarnie, ale wygrało politycznie

Zgodnie z tym wariantem, choć Armia Krajowa została ciężko pobita i skapitulowała przed Niemcami, Powstanie sprawiło, że Józef Stalin nie wcielił Polski do Związku Sowieckiego jako siedemnastej republiki. Czyli, innymi słowy, rzeź Warszawy miała nam „załatwić" PRL. Oczywiście na potwierdzenie tej tezy nie ma żadnych dowodów, ale kto by się tam przejmował takimi szczegółami, gdy trzeba „dawać odpór" i „bronić honoru". Zwolennicy tej hipotezy bezkrytycznie powtarzają wynurzenia… Wandy Wasilewskiej, która w 1944 roku doszła właśnie do takiego wniosku.

W sowieckich dokumentach nie ma jednak najmniejszej wzmianki czy sugestii, że Józef Stalin po Powstaniu zmienił swoje plany wobec Polski. Jest natomiast sporo dowodów, że już przed Powstaniem planował oderwać od niej Ziemie Wschodnie, a następnie zamienić ją w państwo wasalne rządzone przez polskich agentów. Śmieszny – w oczach Stalina – zryw generała „Bora" nie miał najmniejszego wpływu na wielkie geopolityczne plany Sowietów w Europie Wschodniej.

Zgodnie z przyjętym na Kremlu założeniem po zakończeniu drugiej wojny światowej Związek Sowiecki zaanektował, nie licząc Królewca i okolic, „tylko" te terytoria, które w latach 1939–1941 wziął pod okupację w konsekwencji paktu Ribbentrop–Mołotow. A więc kawałek Finlandii, Estonię, Łotwę, Litwę, pół Polski, Besarabię i Bukowinę. Na pozostałych okupowanych przez Armię Czerwoną terytoriach stworzył zaś kraje „demokracji ludowej", czyli tak zwane demoludy.

Demoludami zostały Czechosłowacja, Rumunia, Bułgaria, chociaż w stolicach tych krajów nie doszło do wystąpień porównywalnych do Powstania Warszawskiego. Mało tego, status demoludu został nadany Węgrom i wschodnim Niemcom, chociaż ich mieszkańcy bronili swoich stolic przed bolszewikami. Gdyby teza apologetów Powstania była słuszna, wszystkie te kraje powinny były więc zostać wcielone do Związku Sowieckiego. Tak się jednak nie stało.

Jest to najlepszym dowodem na nieprawdziwość tezy, że Powstanie uratowało Polskę przed losem siedemnastej republiki. Obie sprawy po prostu nie miały ze sobą nic wspólnego. Każdy, kto choć trochę zna psychikę Stalina i innych członków sowieckiego kierownictwa, doskonale wie, że ludzie ci z żelazną konsekwencją realizowali swoje plany, a takie akty rozpaczy jak powstanie nie miały dla nich żadnego znaczenia.

Zresztą pal sześć dokumenty i meandry sowieckiej polityki. Teoria ta jest przede wszystkim nielogiczna. Niby dlaczego Powstanie Warszawskie miałoby skłonić Stalina do zmiany planów w stosunku do Polski? Odpowiedź, jaką dają na to pytanie nasi rodzimi propagandyści, jest rozbrajająca. Otóż Stalin, widząc szaleńczy zryw Polaków, podobno się ich... przestraszył. Rzekomo uznał – mówiąc kolokwialnie – że takich „kozaków" lepiej nie drażnić.

Argument ten jest niedorzeczny.

Nie opowiadajmy bzdur, że Stalin bał się zrywu, który Niemcy stłumili kosztem 2 tysięcy swoich żołnierzy – pisał Andrzej Solak. – Cóż dla Stalina znaczyło życie 2 tysięcy sołdatów? I kogo właściwie miał się obawiać Józef Wissarionowicz, skoro cała stołeczna konspiracja została zniszczona w Powstaniu, niemieckimi rękami? Kto miał zrobić drugie Powstanie

Warszawskie? Duchy Gajcego i Baczyńskiego, i tysięcy innych, wytraconych z powodu bezmyślności dowództwa?

Powstanie Warszawskie oczywiście nie było dowodem na potęgę Polaków – było dowodem ich słabości. Dowodem na to, że jesteśmy narodem, który można wyrzynać całkowicie bezkarnie.

Powstanie Warszawskie nie „załatwiło" również PRL-owi „ziem odzyskanych", bo i takie „genialne" teorie się pojawiają. Stalin zdecydował o tym, że podaruje kilka wschodnich prowincji III Rzeszy swoim polskim agentom – Bierutowi, Bermanowi i Gomułce – na długo zanim doszło do zrywu w stolicy. Ostatecznie rozwiązanie to potwierdzono na konferencji teherańskiej w grudniu 1943 roku.

2. Powstanie przegrało, ale wygrało po czterdziestu latach

Według tej wersji mitu Armia Krajowa została unicestwiona, warszawiacy zmasakrowani, a stolica Polski zburzona, ale pozostała przynajmniej wspaniała legenda. Legenda, która natchnęła Polaków do utworzenia „Solidarności" i obalenia komunizmu. Bez Powstania Warszawskiego w 1944 roku nie byłoby odzyskania niepodległości w 1989 roku i nie byłoby III Rzeczypospolitej.

Na takie twierdzenia znowu można odpowiedzieć tylko porównaniem. Istnieje dzisiaj niepodległa Republika Czeska, niepodległa Rumunia, niepodległa Słowacja, niepodległa Bułgaria i istnieją niepodległe Węgry. Narody te pod koniec drugiej wojny światowej nie puściły z dymem swoich stolic w szalonych antyniemieckich powstaniach. Dlaczego więc w 1989 roku odzyskały niepodległość? Przecież nie zasłużyły! Przecież nie miały powstańczej legendy!

Odpowiedź jest dla nas bardzo przykra. Wolności nie zawdzięczamy Powstaniu Warszawskiemu, tylko temu, że Ronald Reagan w latach osiemdziesiątych nakręcił wyścig zbrojeń i obniżył światowe ceny ropy, wykańczając w ten sposób Związek Sowiecki. Gdy załamał się okupant, wszystkie narody Europy Środkowo-Wschodniej wyzwoliły się spod jego jarzma. Niezależnie od tego, czy w 1944 roku doszłoby do powstania, czy nie, Polska nie odzyskałaby niepodległości ani o minutę wcześniej, ani o minutę później.

Jedyna różnica polegałaby na tym, że III Rzeczpospolita miałaby teraz piękną stolicę, do której turyści z całego świata przyjeżdżaliby równie chętnie jak do Pragi. A nie – jak dzisiaj – omijali ją szerokim łukiem. Miałaby o kilkaset tysięcy obywateli więcej i silniejsze, niepodległościowe elity. Ocalenie wspaniałego młodego pokolenia, które zostało zasypane pod gruzami Warszawy, do dzisiaj dawałoby bowiem owoce.

Gdyby nie było Powstania, Polska byłaby dzisiaj innym, lepszym państwem. Bardziej przypominającym II Rzeczpospolitą niż – jak obecnie – PRL. Bez Powstania dzisiejsza Polska byłaby bardziej polska.

Powstanie zwyciężyło – pisał Jarosław Marek Rymkiewicz w *Kinderszenen*. – Dowód na to, dobrze widoczny, całkowicie wystarczający, jest tuż obok, wokół nas. I my wszyscy jesteśmy tym dowodem. Tym dowodem jest niepodległa Polska. Komenda Główna AK i Delegatura Rządu na Kraj po to właśnie podjęły decyzję o wybuchu Powstania: żeby osiągnąć właśnie taki, a nie inny skutek. Ktoś, kto myśli inaczej, dzieli sobie historię na jakieś małe kawałki i daje wyraz przekonaniu, że te małe kawałki nie mają ze sobą nic wspólnego, w ogóle się ze sobą nie łączą.

Niestety jest odwrotnie, niż pisze wybitny poeta. Polska nie odrodziła się dzięki Powstaniu Warszawskiemu. Polska odrodziła się, mimo że do Powstania Warszawskiego doszło. Trudno również zgodzić się z tezą, że historia jest jednym długim ciągiem wydarzeń prowadzących w prostej linii do budowy niepodległej III Rzeczypospolitej. Jeżeli bowiem uznamy, że dowodem na zwycięstwo Powstania jest to, że żyjemy obecnie w wolnym kraju, to zwycięstwem musiały być również wszystkie inne nasze porażki. Zgodnie z tą teorią wygraliśmy kampanię wrześniową, wygraliśmy powstanie styczniowe, listopadowe i kościuszkowskie. Zwycięstwem były zabory i splądrowanie naszego kraju przez Szwedów. Zwycięstwem były bitwy pod Żółtymi Wodami i Cecorą. Zwycięstwem było rozbicie dzielnicowe i bitwa pod Legnicą.

Prawda jest oczywiście inna: historia narodów i państw składa się z porażek i z triumfów. Raz powodzenie jest z nami, innym razem fortuna się od nas odwraca. Powstanie Warszawskie w 1944 roku było naszą porażką, a odzyskanie niepodległości w roku 1989 roku było naszym zwycięstwem. Oba wydarzenia nie miały jednak ze sobą związku.

Niezmiernie modny jest w pewnych kołach polskich pogląd – pisał Jan Ciechanowski – że gdy w grę wchodzi walka o niepodległość, nie ma limitu na ofiary w niej poniesione. Każda hekatomba popłaca, jeśli nawet nie dziś, to jutro, gdyż przelana krew zmywa stygmat niewoli i posłużyć może jako natchnienie i świetlany przykład dla przyszłych pokoleń. Pogląd ten dużo mówi o ludziach, którzy go lansują, ale kłóci się ze zdrowym rozsądkiem i logiką. Żaden bowiem naród nie może sobie pozwolić na zbyt duży upust krwi, na zniszczenie swej biologicznej tkanki i wystawienie na szwank swej stolicy.

3. Powstanie przegrało, ale było zwycięstwem moralnym

W tej sprawie oddam głos profesorowi Pawłowi Wieczorkiewiczowi. „Pojęcie moralnego zwycięstwa jest bardzo dziwne – mówił ów historyk – bo wojna jest przedłużeniem polityki, a w polityce nie ma kategorii moralnych. Ważne jest tylko to, czy posunięcie było skuteczne. Powstanie okazało się kompletną klęską. Klęską tego, co pozostało jeszcze z niepodległej Polski".

Trudno też zrozumieć, na czym miałoby właściwie polegać to „moralne zwycięstwo". Co kryje się za tym frazesem powtarzanym jak mantra, aby zamknąć usta malkontentom. Czy to, że gnane patriotycznym uniesieniem piętnastoletnie dzieci z Armii Krajowej stały moralnie wyżej od zdegenerowanych gwałcicieli i morderców z RONA i brygady Dirlewangera? Skoro tak, to niepotrzebna była rzeź Warszawy, żeby to udowodnić. A może to, że podczas drugiej wojny światowej rację miała Polska, a nie Niemcy? To też przecież było jasne od pierwszego dnia wojny.

Niepoważne jest twierdzenie, że gdyby Polacy w 1944 roku nie wywołali Powstania i nie doprowadzili do zburzenia własnej stolicy, ktoś by nam dzisiaj zarzucał, że postąpiliśmy niemoralnie. A czy ktokolwiek przy zdrowych zmysłach stawia podobne zarzuty na przykład Czechom? Wręcz przeciwnie, zresztą gdyby ktoś powiedział nawet najbardziej spokojnemu i sympatycznemu Czechowi, że źle się stało, iż Praga nie została w roku 1945 spalona, a jej mieszkańcy wyrżnięci, dostałby od niego po zębach.

4. Powstanie przegrało, ale wygrało wolność dla RFN

Tak, brzmi to kuriozalnie. Jest to jednak kolejna z piramidalnych bzdur powtarzanych całkiem poważnie w każdą rocznicę Powstania Warszawskiego. Według tej teorii, skoro Stalin w wyniku Powstania zamroził front wschodni na pół roku, to gdyby tego zrywu nie było, Armia Czerwona już latem 1944 roku sforsowałaby Wisłę. W efekcie wszędzie doszłaby szybciej, zdobyłaby nie tylko Berlin, ale całe Niemcy.

W ten sposób oficerowie Komendy Głównej – co zabawne, sami nie wiedząc, że mieli taki genialny zamysł – sprawili, że po wojnie granica wolnego świata przebiegała na Łabie, a nie na Renie. Innymi słowy, walcząc z Niemcami, generał Bór-Komorowski uratował je przed opanowaniem całego ich terytorium przez Armię Czerwoną. Czysta groteska.

Przede wszystkim strefy wpływów i podział teatrów operacji wojennych Sowieci ustalili z Anglosasami już w 1943 roku. Każdy z aliantów po wojnie miał dostać swój kawałek Europy, niezależnie od tego, dokąd dotarłyby jego wojska. Bolszewicy nie mieli więc po co się spieszyć. Złamanie tych ustaleń przez Stalina naraziłoby go niechybnie na otwarty konwencjonalny konflikt z Ameryką i Stanami Zjednoczonymi. Na to był zaś w roku 1944 i 1945 zbyt słaby.

Załóżmy jednak przez chwilę, że Stalin rzeczywiście mógł zwariować, podjąć takie ryzyko i kazać Armii Czerwonej zająć całe Niemcy. Cóż by się stało wtedy? A co nas to obchodzi! Niby dlaczego Polacy mieliby dzisiaj być dumni z tego, że pogrzebali pod gruzami swojej stolicy dziesiątki tysięcy rodaków, aby uratować Niemców, swojego wroga, przed klęską?

Dajmy już spokój tym niedorzecznościom. Powstanie Warszawskie było bitwą. Bitwą między Niemcami a Polakami, która zakończyła się kapitulacją Polaków 2 października 1944 roku. I żadne, nawet najbardziej dzikie teorie nie zmienią oczywistych faktów. Bitwę tę przegraliśmy.

Równie oderwane od rzeczywistości jest niezwykle popularne mniemanie, że gdyby Powstanie nie wybuchło, Armia Krajowa nie wyszłaby z konspiracji i nienaruszone miasto zajęłaby Armia Czerwona... byłoby jeszcze gorzej. Oczywiście do komunistycznych represji doszłoby z pewnością. Ale ich skala byłaby bez wątpienia niczym wobec strat zadanych AK podczas Powstania. Sowieci na pewno nie wyrżnęliby blisko 20 tysięcy młodych żołnierzy i nie okaleczyliby kilkunastu tysięcy innych. Zagrożeni mogliby się czuć oficerowie i co bardziej aktywni konspiratorzy. Dlatego właśnie naczelny wódz tak usilnie sprzeciwiał się ujawnianiu przed NKWD i zalecał ewakuację najcenniejszych elementów na Zachód.

Warto tu zwrócić uwagę na pewien istotny niuans. Otóż głosiciele tej teorii — jak to już apologeci Powstania mają w zwyczaju — ani słowem nie wspominają, że podczas Powstania ginęli nie tylko AK-owcy. A co z wymordowaną ludnością? Co ze zburzonym miastem? W tym wypadku możemy już być absolutnie pewni, że gdyby nie doszło do Powstania i bolszewicy wkroczyliby do nienaruszonej Warszawy, na pewno nie wymordowaliby 200 tysięcy jej mieszkańców i na pewno by jej nie zrównali z ziemią.

Gdyby więc nawet spełnił się najczarniejszy scenariusz — czyli zakrojone na bardzo szeroką skalę sowieckie aresztowania członków polskiego podziemia i masowe egzekucje, straty poniesione w ich wyniku byłyby znacznie mniejsze niż te, które ponieśliśmy wskutek Powstania Warszawskiego. Cała teoria, według której nie ma co płakać nad poległymi w Powstaniu AK-owcami, bo bolszewicy i tak by ich później wykończyli, jest zresztą grubym nonsensem. Gdyby się bowiem nad nią poważnie zastanowić, to sprowadza się do stwierdzenia: „Pomóż Stalinowi, zabij się sam".

Trudno polemizować z ludźmi, którzy zamiast logicznie myśleć, kierują się emocjami i powtarzają wyuczone slogany. Szczególnie że każdy głos rozsądku na temat Powstania Warszawskiego wywołuje histerię i niezwykle agresywne ataki. Ludzie wskazujący na tragiczny bezsens tej bitwy są odsądzani od czci i wiary, jako zaprzańcy i nihiliści, którzy deprawują młodzież i powtarzają komunistyczne kłamstwa.

Szczególnie ten ostatni argument jest niezwykle często używany jako pałka na głowę realistów. Oto rozmowa, którą odbywałem dziesiątki razy:

– Uważam, że o ile młodzież Warszawy w 1944 roku wykazała się niebywałym wręcz bohaterstwem i zasługuje na najwyższy szacunek, o tyle dowódcy Armii Krajowej zawiedli.

– Ha! Jak panu nie wstyd?! Powtarza pan tezy komunistycznej propagandy!

– Kto mordował w Katyniu?

– Cóż za pytanie?! Oczywiście, że bolszewicy!

– Obawiam się, że powtarza pan tezy propagandy Josepha Goebbelsa.

– [chwila ciszy] Co pan opowiada?!

– Staram się po prostu wykazać, że nawet propagandzie państwa totalitarnego zdarza się czasami mówić prawdę.

Tak właśnie było w wypadku Powstania Warszawskiego. Ukazało ono niebywały kontrast między postawą zwykłych żołnierzy i ludności cywilnej Warszawy a postawą oficerów wyższego stopnia. Z jednej strony heroizm, gotowość do najwyższych poświęceń, brawurowa odwaga, solidarność i męczeństwo. Z drugiej – kompromitująca niekompetencja, lekkomyślność, brak wyobraźni i odpowiedzialności.

Ludzie ślepi mają wydoskonalony węch i czucie w palcach – pisał Stanisław Cat-Mackiewicz. – Organizm pozbawiony jednego zmysłu stara się go choć częściowo zastąpić innym. Organizm narodu polskiego nie jest w stanie należycie selekcjonować swego materiału ludzkiego. Do władzy bardzo rzadko dochodzą u nas ludzie odpowiedni, przeważnie frazesowicze, blagierzy lub poczciwe niedołęgi. Toteż organizm narodu polskiego stara się wyrównać tę swoją organiczną wadę, ów niewłaściwy dobór ludzi na stanowiska kierownicze, ofiarnością i egzaltacją patriotyczną. Im głębiej będą topić rządy polskie sprawę polską w czasie tej wojny, tym większe dowody heroizmu składać będzie naród polski w rozpaczliwej walce o niepodległość.

Tak, niestety rację miała komunistyczna propaganda, gdy mówiła, iż zwykli powstańcy zostali oszukani przez swoich dowódców. Ale nie dlatego, że „wciągnęli ich oni w ohydne antyradzieckie machinacje". Ludzie ci zostali oszukani dlatego, że bez ich wiedzy wydano na nich wyrok śmierci. Pamiętamy przerażające słowa Okulickiego, który ogłosił, że „mury muszą się walić, lać się musi krew". Antoni Chruściel mówił zaś podczas Powstania: „Wszyscy, którzy rozpoczęli walkę, wiedzieli, że idą na pewną śmierć, pozostali zazdrościli poległym. Nadziemska siła rozpromieniała serca". Choć rzeczywiście „nadziemska siła rozpromieniała serca", to reszta tej wypowiedzi jest kłamstwem. Żołnierze, którzy rozpoczynali walkę w Warszawie, wcale nie szli na pewną śmierć. Oni nie chcieli umierać, chcieli zwyciężyć.

I to zwycięstwo – „szybkie i łatwe" – im obiecano. Robił to zresztą w odezwach i rozkazach sam Chruściel. Zamiast jednak je odnieść, żółnierze AK zostali wraz z rodzinami i ze swoim miastem przemieleni w wielkiej maszynce do mięsa, jaką było dla Polaków Powstanie Warszawskie.

Jak pisał Tomasz Łubieński w eseju *Ani tryumf, ani zgon*, Polacy na zohydzanie Powstania Warszawskiego przez komunistyczną propagandę odpowiedzieli kontrpropagandą. Zgodnie z nią do dobrego tonu należało bronić Powstania w całości, a więc zarówno „pomysłu", jak i „wykonania". Nastawienie to niestety przetrwało przyczyny, dla których się pojawiło. Komunizmu nie ma od dwudziestu czterech lat. Od Powstania minęło zaś blisko siedemdziesiąt.

Chyba więc wreszcie pora wrócić do narodowej dyskusji na temat tego zrywu. Pora stwierdzić, że Powstanie miało dwa oblicza. Jedno, które zasługuje na najwyższy szacunek, i drugie – zasługujące na potępienie. Jak bowiem pisał Stanisław Cat-Mackiewicz, „przez wiele setek lat, dopóki istnieć będzie naród polski, każdy Polak będzie przyznawał, że Powstanie Warszawskie było samobójczym szałem, i będzie miał do niego synowską tkliwość i miłość. Będzie z niego dumny".

Tak właśnie jest z autorem książki, którą trzymacie państwo w rękach. Jestem dumny z żołnierzy Armii Krajowej, którzy walcząc bez broni przeciwko czołgom, wspięli się na wyżyny ludzkich możliwości i heroizmu. Jestem dumny z miliona warszawiaków, którzy przeszli piekło, tracąc wszystko. Potępiam natomiast sprawców Powstania Warszawskiego, którzy doprowadzili do jednego z największych dramatów w historii mojego państwa. Nikt nigdy nie przekona mnie bowiem, że dla legendy – nawet najpiękniejszej – warto utopić własną stolicę we krwi.

Część V

ZWYCIĘSTWO PROWOKACJI

Rozdział 1

Kto wygrał
Powstanie Warszawskie

Spośród wszystkich państw i narodów, które istniały na kuli ziemskiej w roku Pańskim 1944, Powstanie Warszawskie przyniosło korzyść tylko jednemu. Nie była to oczywiście Polska, dla której Powstanie było olbrzymim nieszczęściem i katastrofą. Nie były to też Niemcy, które już ustępowały z naszego kraju. Nie były to Wielka Brytania, Stany Zjednoczone, Gwatemala, Iran, Tajlandia czy Mandżukuo. Z Powstania Warszawskiego nie wynieśli również żadnych korzyści mieszkańcy Wysp Polinezji ani Nowej Zelandii.

Na Powstaniu Warszawskim skorzystał tylko i wyłącznie Związek Sowiecki.

Paradoksem Powstania Warszawskiego jest bowiem to, że przyniosło skutek odwrotny do zamierzonego. Choć jego celem miało być uchronienie Polski przed całkowitym ujarzmieniem przez Sowiety, to do tego ujarzmienia wybitnie się przyczyniło. Otworzyło Stalinowi drogę do podboju Rzeczypospolitej. Aby zrozumieć tę tragedię, należy przede wszystkim zdać sobie sprawę, czym była Warszawa dla Polski, jaką rolę odgrywało to miasto.

Oddajmy głos specjaliście w tej dziedzinie, czyli generalnemu gubernatorowi Hansowi Frankowi: „Mamy w tym kraju jeden punkt, z którego pochodzi wszystko zło: to Warszawa – mówił 14 grudnia 1943 roku. – Gdybyśmy nie mieli Warszawy w Generalnym Gubernatorstwie, to nie mielibyśmy czterech piątych trudności, z którymi musimy walczyć. Warszawa jest i pozostaje ogniskiem zamętu, punktem, z którego rozprzestrzenia się niepokój w tym kraju".

Warszawa była miastem niepokornym. Sercem i mózgiem narodu. Centralnym punktem Polskiego Państwa Podziemnego. To w Warszawie zbiegały się wszystkie nici Armii Krajowej i Delegatury Rządu na Kraj, to tutaj znajdowały się podziemne sztaby, najważniejsze drukarnie, komórki wyrabiające fałszywe dokumenty, tajne zakłady rusznikarskie. To tutaj mieszkali najbardziej bojowi żołnierze podziemia i olbrzymia część niepodległościowej inteligencji.

A więc ludzie najbardziej niebezpieczni dla nowego okupanta. Ludzie, którzy podczas sowietyzacji Polski mogli sprawiać największe kłopoty. Znakomicie zorientowani w polskich sprawach bolszewicy obawiali się, że miasto będzie odgrywać wobec nich taką samą rolę, jaką odgrywało wobec Niemców. Nietrudno sobie wyobrazić, o czym myślał Stalin, gdy siedział w kłębach papierosowego dymu w swoim kremlowskim gabinecie i wpatrywał się w mapę sztabową, na której czerwone chorągiewki coraz bardziej zbliżały się do Warszawy.

Przed oczami stawał mu obraz wylatujących w powietrze posterunków NKWD, żołnierzy Armii Czerwonej ginących od strzałów zza węgła, zamachów dokonywanych „w imieniu Rzeczypospolitej" na sowieckich oprawcach i gorliwych agentach z PPR. Być może widział nawet ginącego od kul polskich zamachowców Bieruta, Bermana, Wasilewską i Sierowa. Widział tony antykomunistycznej bibuły drukowanej w podziemnych drukarniach stolicy, widział kurierów, którzy starymi, przetartymi szlakami jadą z okupowanej przez Sowiety stolicy do polskiego rządu w Londynie. Widział potencjalne gniazdo oporu. Największą przeszkodę na drodze do stłamszenia znienawidzonej Polski.

Oczywiście Sowieci zinfiltrowali polskie podziemie znacznie lepiej niż Niemcy. Po ich wkroczeniu do Warszawy posypałyby się aresztowania. Całkowita pacyfikacja Armii Krajowej wymagałaby jednak olbrzymich nakładów środków i czasu. Co więc należało zrobić z Warszawą? Oczywiście zrównać ją z ziemią, warszawski garnizon AK wyrżnąć, a resztę mieszkańców zdziesiątkować i rozpędzić na cztery wiatry. Właśnie to zrobił Stalin. Tyle że rękami Hitlera.

Choć militarne zwycięstwo nad Powstaniem Warszawskim odnieśli Niemcy, to jego zwycięzcą politycznym był Związek Sowiecki.

Przewidywał to bezbłędnie podpułkownik Ludwik Muzyczka, który na lipcowych naradach Komendy Głównej AK mówił, że Powstanie „narazi nasze szanse przyszłego oporu przeciwko okupacji sowieckiej".

Warszawa – mówił – jest ośrodkiem podziemnej władzy politycznej i wojskowej. Jeśli rozpoczną się walki, miasto będzie odcięte od kraju, który zostanie wielkim bezwładnym ciałem, niezdolnym do skoordynowania najmniejszej nawet akcji o szerszym zasięgu. Będzie to koniec polskiego oporu. I to tym bardziej, że w przypadku klęski szok będzie tak wielki, że pociągnie za sobą załamanie moralne. Byłoby to równoznaczne z prawdziwym samobójstwem politycznym, gdyż po klęsce Polska pozostanie bez nadziei, bez odwagi i bez dowódcy wobec nowego wroga, o którym można przypuszczać, że będzie dla niepodległości Polski co najmniej równie niebezpieczny, jak poprzedni.

Ostrzeżenia te naturalnie nie zostały wysłuchane. „Zniszczenie Warszawy – mówił po wojnie Wiesław Chrzanowski – unicestwiło scentralizowany ośrodek podziemia. W Warszawie były wszystkie centrale konspiracyjne, które mogły się ukryć w wielkim mieście. Odtworzona konspiracja w roku 1945 w tych różnych małych podwarszawskich miejscowościach i jej panowanie nad terenem konspiracyjnym było bardzo problematyczne".

Od wybuchu Powstania Warszawskiego Armia Krajowa zamieniła się w zbiorowisko luźno powiązanych, rozsianych po całym kraju oddziałów. Formacje te były pozbawione jednolitego dowodzenia, każdy dowódca okręgu, a często wręcz poszczególni dowódcy leśnych oddziałów, podejmowali decyzje na własną rękę. Polskie Państwo Podziemne zostało pozbawione głowy. A co za tym idzie – unicestwione.

Powstanie Warszawskie – pisał pułkownik Wacław Lipiński – doprowadziło nie tylko do całkowitego zniszczenia stolicy Państwa Polskiego z jego wszystkimi historycznymi i kulturalnymi skarbami, nie tylko wtrąciło na dno nędzy i tułaczki przeszło milion mieszkańców Warszawy, ale nade wszystko doprowadziło do zniszczenia i zagłady jedyny w Polsce poważny ośrodek, w którym winna się była skoncentrować energia polityczna Polaków. Konieczna i niezbędna wobec niewątpliwych dalszych jeszcze aktów rosyjskiej agresji skierowanej przeciwko suwerenności państwa polskiego i przeciwko istnieniu narodu polskiego.

Według Lipińskiego decyzją o walce na ulicach Warszawy oddano przysługę Związkowi Sowieckiemu, „dobrowolnie zabijając Warszawę, uśmiercając serce i mózg Polski, wykrwawiając w politycznie bezmyślnej walce najbardziej ofiarną i bohaterską młodzież i ludność Warszawy, tym akcentem ponownej i niepotrzebnej klęski polskiej wchodząc w finał wojny światowej. Pan Mikołajczyk może sobie pogratulować: nikt tak w historii Polski nie zniszczył Warszawy i nikt tak wielkiej przysługi nie oddał Rosji".

Co gorsza, w wyniku Powstania Warszawskiego zniszczona została nie tylko struktura Armii Krajowej. Zniszczony, wręcz zdruzgotany, został duch narodu polskiego. Szok, jaki wywołały rozmiary klęski Armii Krajowej i zniszczeń polskiej stolicy, całkowicie załamał Polaków. Wywołał nastrój rezygnacji i apatię. Rozłożył Polaków moralnie. Przyznawał to nawet mianowany na kolejnego dowódcę Armii Krajowej generał Leopold Okulicki (nowy pseudonim „Niedźwiadek"), który w grudniu 1944 roku pisał do prezydenta Raczkiewicza: „W społeczeństwie zaczęły się szerzyć nastroje klęskowe, które nie oszczędziły również szeregów AK. Wystąpiły poważne objawy rozprężenia".

„Garnizon warszawski poszedł do niewoli, ale reszta była kompletnie załamana i rozłożona – mówił z kolei Janusz Bokszczanin. – Nastroje były bardzo paskudne. Było gorzej niż po wrześniu. Ludzie mieli pretensje do wszystkiego i wszystkich. Za swoje nieszczęście winili dowództwo AK. Sam parokrotnie słyszałem, że «Bora» należy powiesić lub rozstrzelać. Co do AK, to nic nie można było już zrobić. Zachodził proces likwidacji".

Jan Nowak-Jeziorański zaraz po Powstaniu odbył następującą rozmowę z dwoma wysokimi oficerami AK, nowym komendantem Obszaru Warszawskiego podpułkownikiem Zygmuntem Marszewskim „Kazimierzem" i pułkownikiem Edwardem Godlewskim „Gardą":

Zapytałem „Kazimierza", czy nie dostali żadnych rozkazów w sprawie „Niedźwiadka" przez Londyn. Zaprzeczył i dodał:
– Nawet gdyby taki rozkaz był, po tym, coście zrobili w Warszawie, nikt by go nie posłuchał. Sztab AK jest doszczętnie skompromitowany w kraju, a za „Niedźwiadkiem" nikt nie pójdzie. Jest to człowiek całkowicie nieodpowiedzialny.
Posypały się oskarżenia pod adresem „sprawców Powstania". Obaj oficerowie prześcigali się wzajemnie w zarzutach i inwektywach.

Powstanie Warszawskie wywołało falę olbrzymiego rozgoryczenia wobec Zachodu. Zarówno wobec do tej pory wielbionego rządu w Londynie, którego bezsilność obnażyło, jak i przede wszystkim Amerykanów i Anglików, którzy Powstaniu nie przyszli z pomocą. Znakomicie zdawał sobie z tego sprawę „Bór", który 18 września raportował do Londynu:

Należy się więc liczyć, że rozkazy odnośnie spraw zasadniczych nie znajdą oddźwięku w szeregach, nie będą respektowane. Teraz żołnierze i ludność przestali już wierzyć w otrzymanie tak długo i cierpliwie oczekiwanej pomocy z zachodu, a w konsekwencji powstał u nich żal i nieufność do naszych władz emigracyjnych. Z chwilą wkraczania oddziałów sowieckich do Warszawy można przewidywać, że opinia publiczna pociągnięta propagandą sowiecką zwróci się przeciw naszym zwierzchnim władzom w Londynie i zachodnim aliantom.

„Bór" miał rację. Olbrzymia liczba Polaków po klęsce Powstania uznała, że na żaden Zachód nie ma co liczyć i należy się jakoś ułożyć ze Wschodem. Już podczas Powstania rozgoryczeni warszawiacy z pogardą mówili do AK-owców uzbrojonych w butelki z benzyną: „Niedługo przyjdą bolszewicy z prawdziwym wojskiem i pokażą wam, jak się walczy". Klęska Powstania, a więc i klęska polskiego podziemia niepodległościowego, wielu pchnęła w objęcia komunistów.

„Trzeba panu wiedzieć – pisał Czesław Miłosz w liście do Melchiora Wańkowicza – że przyczyną, dla której Andrzejewski jest dziś w partii, był kwietniowy dzień 1945 roku, kiedy w Warszawie szukaliśmy śladów po naszych przyjaciołach w stosach gruzów. W zestawieniu z rzeczywistością, jeżeli człowiek ją silnie przeżywa, frazeologia, wielkie słowa, którymi częstowała nas emigracja, była ohydna".

Powstańczy poeta Józef Szczepański „Ziutek" tak to ujął w swoim słynnym wierszu: „Czekamy ciebie, czerwona zarazo, byś wybawiła nas od czarnej śmierci".

Wmawianie, że Powstanie utrwaliło w narodzie ducha oporu, jest nieprawdą – pisał Jan Sidorowicz. – Po Powstaniu nastąpiła pustka, brak przywódców mogących przeciwstawiać się chwytliwym hasłom komunistycznej propagandy, na lep której szły masy młodzieży wiejskiej i robotniczej. Mówiło się powszechnie, cicho i ze smutkiem: „Najlepsi zginęli, została tylko hołota kolaborantów i ogłupieni przez propagandę". Tych Wspaniałych Chłopców i Dziewcząt już nie było. Jest po prostu zdumiewające, jak dosłownie kilku ludzi bez wyobraźni i odpowiedzialności mogło zniszczyć tak wspaniałą organizację, jaką była Armia Krajowa, zresztą przedmiot ich dumy, i pozbawić Kraj elity.

W tym miejscu dotykamy kolejnej fatalnej konsekwencji Powstania. Likwidacja polskiej elity niepodległościowej, która dokonała się w roku 1944 na ulicach stolicy, ułatwiła rozmaitym komunistycznym szumowinom przechwycenie ważnych stanowisk i instytucji. Powstanie Warszawskie było ostatnim i największym aktem rzezi, która podczas drugiej wojny światowej stała się udziałem naszych elit. Tę część naszej inteligencji, której nie wymordowano w akcji AB, w Katyniu, Palmirach, ulicznych egzekucjach i w Auschwitz, dorżnięto w Powstaniu. I katastrofę tę sprowokowali sami Polacy.

Wilna i Lwowa już nie było – mówił Paweł Wieczorkiewicz – a ośrodek krakowski czy poznański był zbyt słaby, żeby unieść rolę centrum życia politycznego po 1945 roku. Kultywować tradycję niepodległej Polski mogła tylko Warszawa. I tę Warszawę sami wykończyliśmy. Trudno się więc dziwić, że polscy komuniści, późniejszy generał Witaszewski i Franciszek Mazur, pili wódkę na drugim brzegu Wisły i zanosili się radosnym śmiechem, widząc płonącą Warszawę. Bo widzieli, że płonie tam niepodległa Polska, której nienawidzili.

Według profesora, gdyby bolszewicy weszli do nie zburzonej Warszawy, mieliby „kolosalny kłopot".

Sowieci oczywiście potrafiliby zdobyć siłą władzę polityczną w Warszawie, tylko że Polacy nie ponieśliby takich strat. Ocalałoby całe miasto. Wywieziono by potem może dwadzieścia, może pięćdziesiąt tysięcy ludzi na Sybir, lecz te kilkaset tysięcy pozostałoby w mieście. Dużo trudniej byłoby budować Polskę Ludową i mielibyśmy wszystkie przemiany polityczne wcześniej. Duch oporu byłby znacznie większy. Może Solidarność w 1956 roku? Trzeba zwrócić uwagę na fakt, że pokolenie Kolumbów było pokoleniem przegranym po Powstaniu. Oni w większości nie brali się już do konspiracji i czynnej walki. Pogodzili się z tym, co jest. Mieli dość pięciu lat okupacji. A Powstanie wykończyło ich kompletnie.

Należy po raz kolejny podkreślić, że propagandowa opowieść serwowana nam przez apologetów Powstania Warszawskiego, iż zryw ten rzekomo wzmocnił w Polakach wolę oporu, jest nieprawdziwa. Było na odwrót. Spektakularna, straszliwa porażka Powstania skłoniła wielu Polaków do zaniechania wszelkiej myśli o oporze wobec najeźdźców. Pamięć o Powstaniu bynajmniej nie zachęcała do walki.

Zresztą hurrapatriotyczni historycy są w tej sprawie wyjątkowo niekonsekwentni. Otóż przekonują nas, że to właśnie dzięki Powstaniu

Polacy w roku 1956 nie postąpili tak jak Węgrzy i nie rzucili się na Sowietów z bronią w ręku. To również pamięć o Powstaniu podobno natchnęła pokolenie „Solidarności" do przeprowadzenia transformacji ustrojowej nie za pomocą konfrontacji, ale negocjacji. Dzięki temu rzekomo uniknęliśmy kolejnych rzezi.

Przyznacie państwo, że niekonsekwencja jest to olbrzymia. Bo albo krwawe, przegrane powstania uważa się za wspaniałe wydarzenia, z których powinno się być dumnym, albo uważa się je za nieszczęście, którego należy za wszelką cenę unikać. Albo – albo. Chyba że – i tu dochodzimy do sedna sprawy – uważa się, że powstania należy wywoływać tylko przeciwko Niemcom, nie należy natomiast stawiać oporu bolszewikom...

Tak czy inaczej, jeżeli rację mają zwolennicy tezy, że konsekwencją pamięci o porażce roku 1944 był brak powstania w roku 1956, to jest to tylko potwierdzenie, że jedynym zwycięzcą Powstania Warszawskiego był Związek Sowiecki. Polacy przeciwko niemu się bowiem nie buntowali.

Historyk Andrzej Krzysztof Kunert powiedział kiedyś, że „nie ma żadnych wątpliwości, że Powstanie było ciosem w samo serce Moskwy i Lublina". To oczywiście nieprawda. Powstanie było ciosem w samo serce Polski. Powstanie Warszawskie było najpiękniejszym prezentem, jaki mógłby sobie wymarzyć Józef Stalin. Kolejnym po akcji „Burza" aktem zbiorowego polskiego samobójstwa. Generał „Bór" zamiast Virtuti Militari powinien był dostać za bitwę o Warszawę Order Czerwonej Gwiazdy.

Skoro uznajemy, że Powstanie Warszawskie było korzystne tylko i wyłącznie dla Związku Sowieckiego, to należy wreszcie głośno zadać pytanie, które półgębkiem zadawane jest na kuluarowych dyskusjach między historykami. Pytanie niezwykle niepoprawne politycznie. Brzmi ono: Czy Sowiety mogły wpłynąć na decyzję Komendy Głównej o przystąpieniu do walki 1 sierpnia 1944 roku?

Rozdział 2

Pierwsza prowokacja

Główną bronią, jakiej wobec swoich wrogów używał Związek Sowiecki, była prowokacja. Broń tę podczas drugiej wojny światowej stosował również wobec Polski. Od wybuchu wojny niemiecko-sowieckiej w czerwcu 1941 roku bolszewicka agentura i propaganda próbowały skłonić Polaków do natychmiastowego powstania przeciwko Niemcom. Chodziło o osiągnięcie dwóch celów: małego i wielkiego.

Tym małym było osłabienie Niemców. Polskie powstanie miało zdezorganizować prowadzące przez terytorium Polski niemieckie linie komunikacyjne oraz odciągnąć chociaż część jednostek z frontu wschodniego. To jednak wcale nie było najważniejsze. Bez pomocy polskiego zbrojnego podziemia – która, zważywszy na to, jakie potęgi starły się na froncie wschodnim, miała niewielkie znaczenie – Armia Czerwona i tak poradziłaby sobie z Wehrmachtem.

Drugim, znacznie ważniejszym celem akcji mającej sprowokować Polaków do powstania było wywołanie jak najkrwawszego niemieckiego odwetu. Chodziło o eksterminację najbardziej patriotycznie nastawionych Polaków i przygotowanie tym samym gruntu do przyszłej sowietyzacji Polski. Program ten został wyłożony między innymi w memorandum, które w styczniu 1943 roku do Stalina i innych członków Politbiura skierował Pantielejmon Ponomarienko, szef sowieckiego Centralnego Sztabu Ruchu Partyzanckiego.

Polacy są pewni, że klęska Niemiec jest nieuchronna – pisał. – Dlatego nie zamierzają tracić własnych rezerw ludzkich dla tego celu. Siły polskie zachowuje się i organizuje przede wszystkim przeciwko nam. Ludzkie rezerwy Polski należy uznać za dość solidne. Po rozbiciu polskiej armii większość zdolnych do walki mężczyzn pozostała na terenie Polski. W interesie naszego państwa musimy podjąć pewne konieczne kroki. W Polsce trzeba koniecznie rozpalić wojnę partyzancką. Oprócz efektu wojskowego spowoduje to pożądane wydatki ludności polskiej na dzieło walki z okupantem niemieckim i spowoduje, że Polakom nie uda się w całości zachować swych sił.

Od tej pory propaganda sowiecka i będąca na jej usługach propaganda PPR-u jeszcze bardziej nasiliły kampanię wymierzoną w Polskie Państwo Podziemne. Polacy byli oskarżani o tajne porozumienie z Niemcami i tchórzostwo. Wzywano ich do przystąpienia do natychmiastowego powstania przeciwko Niemcom, które miałoby odciążyć front wschodni.

Apogeum kampania ta osiągnęła w ostatnich dniach lipca 1944 roku, gdy w Komendzie Głównej AK toczył się zacięty spór o to, czy „bić się czy nie bić" na ulicach Warszawy. Nie ma żadnych wątpliwości, że – za pośrednictwem swoich agentów na szczytach Polskiego Państwa Podziemnego – bolszewicy byli znakomicie poinformowani o tym sporze i... postanowili wspomóc prącą do wywołania walk grupę generała Okulickiego i pułkownika Rzepeckiego.

29 lipca radio moskiewskie nadało audycję sowieckiego Związku Patriotów Polskich wzywającą mieszkańców Warszawy do natychmiastowego rozpoczęcia walki z Niemcami, by przyspieszyć „ostateczne wyzwolenie" oraz „ocalić majątek narodowy i życie naszych braci". W walce tej Warszawa miała otrzymać pełną pomoc Armii Czerwonej. 30 lipca podobny apel czterokrotnie nadała Radiostacja im.

Kościuszki, pracująca pod kierownictwem wdowy po Feliksie Dzier-żyńskim.

Warszawa drży w posadach od ryku dział – głosił komunikat – wojska sowieckie nacierają gwałtownie i zbliżają się już do Pragi. Nadchodzą, aby przynieść wam wolność. Niemcy wyparci z Pragi będą usiłowali bronić się w Warszawie. Zechcą zniszczyć wszystko. W Białymstoku niszczyli wszystko przez sześć dni. Wymordowali tysiące naszych braci. Uczyńmy, co tylko w naszej mocy, by nie zdołali powtórzyć tego samego w Warszawie. Ludu Warszawy! Do broni! Niech cała ludność stanie murem wokół Krajowej Rady Narodowej, wokół warszawskiej Armii Podziemnej. Uderzcie na Niemców! Udaremnijcie ich plany zburzenia budowli publicznych. Pomóżcie Czerwonej Armii w przeprawie przez Wisłę. Przesyłajcie wiadomości, pokazujcie drogi. Milion ludności Warszawy niech stanie się milionem żołnierzy, którzy wypędzą niemieckich najeźdźców i zdobędą wolność.

Podobne artykuły publikowała komunistyczna prasa podziemna, ulotki z prowokacyjnymi hasłami zrzucali na ulice stolicy sowieccy piloci. Jednocześnie na murach rozlepiona została odezwa podpisana przez dowódcę kontrolowanej przez NKWD Polskiej Armii Ludowej (PAL) pułkownika Juliana Skokowskiego. Jej autorzy twierdzili, że dowództwo AK rzekomo uciekło z Warszawy i Skokowski (podpisany jako „generał") przejął komendę nad całością sił polskich w mieście. Zarządzał on mobilizację wszelkich oddziałów podziemnych do walki z Niemcami. KG AK nie miała wątpliwości, że jest to „akt dywersji sowieckiej".

W działania te włączył się sam Stalin. 23 lipca 1944 roku poinformował on Churchilla: „Nie znaleźliśmy w Polsce żadnych innych sił, które mogłyby stworzyć polską administrację. Organizacje podziemne kierowane przez Rząd Polski w Londynie okazały się efemerydami pozbawionymi wpływów". Wypowiedź ta natychmiast została przekazana Polakom. A więc metody były stare i już dobrze sprawdzone. Podbijanie nam patriotycznego bębenka i granie na ambicji.

Sprawcy Powstania Warszawskiego po wojnie nie ukrywali, że jednym z motywów ich decyzji było „zadanie kłamu sowieckiej propagandzie" o bierności i proniemieckim nastawieniu AK. „Wszystko, co jest w człowieku rozsądkiem i poczuciem odpowiedzialności – pisał Władysław Pobóg-Malinowski – podnosić się musi gniewnie przeciwko temu absurdalnemu szaleństwu sztabowców, odpowiadających na s ł o w n ą propagandę wroga c z y n e m, który już w zarodku swoim grozić musiał nieobliczalną katastrofą narodową, a w skutkach stał się koszmarną hekatombą niepoliczonych ofiar we krwi, mogiłach i gruzach".

Że też wtedy nie zapaliła się w głowie Bora-Komorowskiego czerwona lampka! Skoro bolszewicy tak bardzo starali się sprowokować Warszawę do walki z Niemcami, to Komenda Główna powinna była zachować szczególną ostrożność i nabrać podejrzeń. Nie słucha się bowiem podpowiedzi i zachęt wroga.

Jak podziałały te wszystkie sowieckie zabiegi na „Bora" i jego otoczenie? Podniecająco. „Stronnictwo powstańcze, nad którym, miałem wrażenie, odniosłem zwycięstwo – wspominał Ludwik Muzyczka – otrzymało pomoc ze strony nieoczekiwanego sprzymierzeńca – Moskwy".

Janusz Bokszczanin tak przedstawiał zaś przebieg tych dni, podczas których ważyły się losy stolicy: „Sytuacja była nierozstrzygnięta. Mimo wywieranych na niego presji «Bór» się wahał. Można było jeszcze uniknąć dramatu. W tym właśnie momencie komunistyczne radio rozpętało propagandę wzywającą miasto do powstania. Niektórzy z nas zdawali sobie sprawę, że chodziło o prowokację. Byłem także tego zdania".

Niestety Bokszczanin i Muzyczka zostali zakrzyczani przez coraz bardziej agresywnego Okulickiego i suflującego mu Rzepeckiego. Komenda Główna AK złapała się w sowiecką pułapkę.

„Właściwie proklamacje te nie były niczym nowym – pisał po wojnie „Bór". – Propaganda sowiecka ustawicznie nawoływała naród polski do ogólnego powstania przeciw Niemcom. [Tym razem jednak] mogło to robić wrażenie, że Rosjanie uważali chwilę za dojrzałą, abyśmy rozpoczęli walkę. W każdym razie było pośrednim potwierdzeniem przez Moskwę, że uznaje sytuację Niemców za krytyczną".

Cóż za naiwność. Bolszewicy rzeczywiście uważali sytuację za dojrzałą, aby AK podjęła walkę. Nie był to jednak powód, żeby do walki przystępować. Bór-Komorowski zdawał się zapominać, że jest oficerem Wojska Polskiego, a nie Armii Czerwonej, i rozkazy powinien przyjmować od naczelnego wodza, generała Kazimierza Sosnkowskiego, a nie od moskiewskiego radia.

Tak czy inaczej dowódca AK – jak sam pisał w 1965 roku – prowokacyjne sowieckie odezwy zinterpretował jako „potwierdzenie naszych przypuszczeń, że celem sowieckiego uderzenia jest opanowanie Warszawy". Nie ma więc żadnych wątpliwości, że były one jednym z elementów, na podstawie których podjęto fatalną decyzję o wszczęciu powstania.

Rozklejenie odezwy Skokowskiego wywołało wśród oficerów AK niczym nie uzasadnioną obawę, że jeżeli oni nie wydadzą rozkazu do walki, powstanie urządzi komunistyczna Armia Ludowa. Już po wojnie, w roku 1946, gdy Bór-Komorowski znalazł się w Londynie, doszło do dramatycznej rozmowy między nim a generałem Sosnkowskim.

– Jak mogliście nie usłuchać mego rozkazu zabraniającego powstania? – pytał Sosnkowski.

– Bo wtedy cała chwała spadłaby na oddziały AL.

W podobnym tonie wypowiadał się Antoni Chruściel, Tadeusz Pełczyński, Leopold Okulicki i inni sprawcy Powstania. „Zwolennicy Powstania w Komendzie Głównej AK podnosili, że byłoby olbrzymim ryzykiem nie brać w rachubę komunistów warszawskich – wspominał Janusz Bokszczanin. – «Powinniśmy natychmiast dać rozkaz do Powstania, inaczej komuniści uczynią to przed nami», mówili".

Były to tymczasem obawy nieuzasadnione. Komuniści nie mieli bowiem podobnych planów. Na kilka dni przed wybuchem Powstania najważniejsi działacze PPR, KRN i Armii Ludowej udali się do Lublina po instrukcje. Stolicę opuścił Gomułka, Bierut i szef sztabu AL Franciszek Jóźwiak, przyszły szef milicji i wiceminister bezpieczeństwa publicznego. Na miejscu zostało „kierownictwo zastępcze" z Zenonem Kliszką na czele.

Jak wynika z dokumentów, PPR postanowiła czekać na wyjaśnienie sytuacji i podjąć działania dopiero po zajęciu Warszawy przez Armię Czerwoną. Oczywiście byłyby to działania wymierzone w „reakcyjne podziemie" spod znaku AK. Zresztą siły AL w Warszawie były tak wątłe – około 200 fatalnie uzbrojonych żołnierzy – że o wywołaniu powstania organizacja nie miała co marzyć. W tej sytuacji część AL-owców pod koniec lipca wyszła z miasta na wschód, na spotkanie Armii Czerwonej.

Komenda Główna Armii Krajowej zachowywała się wówczas jak człowiek, który widząc pod własnym domem podpalacza z zapałkami, wrzucił do budynku płonącą pochodnię. Aby to jemu – używając sformułowania „Bora" – przypadła „chwała" puszczenia z dymem własnego domu. Co by zrobił w takiej sytuacji normalny człowiek? Oczywiście, widząc na swojej posesji podpalacza, wyjąłby dubeltówkę i położył go trupem.

Skoro Komenda Główna AK tak bardzo się obawiała, że komuniści wzniecą na ulicach Warszawy powstanie, to od tego miała żandarmerię i podziemną służbę bezpieczeństwa, żeby prowokatorów spacyfikować. Generał Bór-Komorowski stokroć lepiej przysłużyłby się ojczyźnie, gdyby 31 lipca 1944 roku zamiast rozkazu o wywołaniu Powstania Warszawskiego wydał rozkaz o eliminacji wszystkich komunistów mieszkających w mieście. AK miałaby swoją upragnioną walkę i swoje upragnione zwycięstwo. A do tego przynajmniej działałaby na rzecz, a nie wbrew, polskiemu interesowi narodowemu.

Maska została zdjęta 1 sierpnia 1944 roku. Gdy Warszawa zerwała się do walki, Sowiety zrobiły zwrot o 180 stopni. „Ogień artylerii za Wisłą ucichł, a myśliwce sowieckie znikły nagle z nieba nad Warszawą – wspominał Jan Nowak-Jeziorański, który prowadził nasłuch radiowy w powstańczej Warszawie – Dotychczas propaganda sowiecka oskarżała AK o bezczynność. Teraz Powstanie nazwane zostało zbrodnią, której sprawcy powinni stanąć przed sądem".

Ci sami komuniści, którzy jeszcze kilka dni temu robili wszystko, aby skłonić Polaków do zbrojnego wystąpienia, nagle uznali, że to wystąpienie jest „szaleńczym przedsięwzięciem". W pierwszych dniach walki negowali zaś sam fakt, że do niej doszło. Przebywający w Moskwie Stanisław Mikołajczyk usłyszał od Wandy Wasilewskiej, że w polskiej stolicy nie ma żadnego powstania, że jest ono wymysłem Londynu. Stwierdzić tak miał rzekomy naoczny świadek – Bierut.

To samo dzień wcześniej napisał w liście do Churchilla Stalin: „Sądzę, że informacje dostarczone wam przez Polaków są bardzo przesadzone i niegodne zaufania". Po kilku dniach, gdy nie dało się już ukryć prawdy, Stalin postanowił – jak powiedział brytyjskiemu premierowi – „odgrodzić się od awantury warszawskiej, by nie ponosić za nią odpowiedzialności". Sowiecki dyktator kategorycznie odmówił również zgody na lądowanie na swoich lotniskach amerykańskich samolotów z pomocą dla walczącej Armii Krajowej.

Oczywiście do Warszawy nie nadeszła również zapowiadana wcześniej pomoc sowiecka. Lotnicy dostali surowy zakaz zapuszczania się nad polską stolicę i zwalczania bombardujących ją Niemców, umilkła artyleria. A co najważniejsze, wstrzymana została ofensywa Armii Czerwonej. Według bolszewickiej propagandy, powtarzanej do dzisiaj przez Rosję, wynikało to z wyjątkowo silnego oporu stawianego przez Niemców. Armia Czerwona zaś miała być wyczerpana ofensywą, potrzebowała uzupełnień i zaopatrzenia. Właśnie dlatego front zatrzymał się na kilka miesięcy nad Wisłą. A każdy, kto twierdzi inaczej, jest „polskim faszystą".

To oczywiście bzdura. Pomimo przegrania 3 sierpnia bitwy pancernej pod Wołominem, Armia Czerwona – gdyby tylko chciała – mogłaby w kolejnych dniach bez trudu sforsować Wisłę i zająć polską stolicę. Według obliczeń znakomitego rosyjskiego historyka Nikołaja Iwanowa, na przełomie lipca i sierpnia 1944 roku siły dowodzonego przez marszałka Rokossowskiego 1. Frontu Białoruskiego były wręcz gigantyczne. Jak to określił ów badacz, był to „superfront".

„W jego skład wchodziło dziesięć armii (w tym jedna pancerna), sześć samodzielnych korpusów pancernych i kawaleryjskich, a także dwie armie lotnicze. Było to najpotężniejsze sowieckie zgrupowanie wojskowe walczące z Niemcami" – pisał Iwanow. Zgrupowanie to miało olbrzymie ilości sprzętu i znakomite zaopatrzenie. Siły niemieckie, choć przy bezbronnych powstańcach były potęgą, dla bolszewików nie mogły być żadną przeszkodą.

Dowódca stojącej naprzeciw 1. Frontu Białoruskiego 9. Armii, generał Nicolaus von Vorman, wysłał do kwatery głównej Wehrmachtu dramatyczny apel, w którym błagał o udzielenie mu niezwłocznej pomocy. Jego zdaniem wystarczyło jedno sowieckie uderzenie, by front się całkowicie załamał i Warszawa znalazła się w rękach Sowietów. Oceniał, z niewielką tylko przesadą, że bolszewicy mają nad jego siłami siedmiokrotną przewagę w piechocie, czterokrotną w artylerii oraz siedmiokrotną w czołgach.

Oczywiście tak słabe niemieckie oddziały nie miały najmniejszych szans zatrzymać Sowietów, nie mówiąc już o podjęciu kontruderzenia. Więc to nie Wehrmacht zatrzymał Armię Czerwoną nad Wisłą. Zatrzymał ją Stalin. Celem było danie czasu Hitlerowi na wyrżnięcie Armii Krajowej i zburzenie Warszawy. Zagłada niepokornego miasta miała otworzyć mu drogę do ujarzmienia Polski. Niestety Polacy dali się sprowokować jak dzieci.

Rozdział 3

Druga prowokacja

Na początku września, po miesiącu zaciętych walk na ulicach Warszawy, w polskiej stolicy zaczęło się dziać coś – z perspektywy Stalina – bardzo niepokojącego. Coś, co mogło pokrzyżować jego misterny plan. Otóż generał Tadeusz Bór-Komorowski i jego współpracownicy doszli do wniosku, że wobec wstrzymania sowieckiej ofensywy i braku zachodniej pomocy dla walczącej stolicy kontynuowanie walki nie ma sensu.

Nawet do najbardziej zaślepionych oficerów z Komendy Głównej dotarło, że nie jest osiągalny ani militarny cel Powstania (wyrzucenie z Warszawy Niemców), ani cel polityczny (przywitanie wkraczających do miasta bolszewików). W tej sytuacji kontynuowanie działań bojowych skutkowało tylko dalszym niszczeniem miasta i przede wszystkim olbrzymimi stratami wśród ludności cywilnej i w szeregach AK. Dziennie ginęło wówczas 317 żołnierzy oraz 2380 cywilów.

Zdecydowano się więc przyjąć kolejną propozycję kapitulacyjną, z którą Niemcy wystąpili 7 września. Rozmowy z polskiej strony toczyła hrabina Maria Tarnowska, ze strony niemieckiej – generał Günther von Rohr. Oficer ten w geście dobrej woli zgodził się na wypuszczenie z miasta cywilów i w efekcie od 8 do 10 września z płonącej Warszawy wymaszerowało kilka tysięcy ludzi, ratując w ten sposób życie.

Rohr zapewnił, że powstańcy w niewoli będą traktowani jak żołnierze, zgodnie z międzynarodowymi konwencjami. „Czy wasi przywódcy nie pojmują, jak wielkiej straty doznaje Polska, kiedy ginie tyle wspaniałej młodzieży? Czyżby nie rozumieli, że komunistyczna Rosja jest dla was większym od Niemiec zagrożeniem – mówił niemiecki oficer hrabinie Tarnowskiej. – Sojusznicy zdradzili Polskę, wydali ją na łaskę i niełaskę Sowietów. Chyba zdajecie sobie sprawę, co to oznacza na przyszłość".

Jak widać – przykro to pisać – ten niemiecki oficer wykazał się większą przytomnością umysłu i zrozumieniem sytuacji Polski niż dowódcy AK. Polacy postawili tymczasem szereg warunków, na które Niemcy przystali. W nocy z 10 na 11 września generał Günther Rohr przysłał do polskiego dowództwa ostateczny tekst umowy kapitulacyjnej. Wyglądało na to, że po czterdziestu dniach beznadziejny polski zryw dobiegnie wreszcie końca.

„Dla Stalina, który dowiedział się o pertraktacjach, takie rozwiązanie byłoby fatalne – mówił Zbigniew S. Siemaszko. – AK nie została bowiem jeszcze doszczętnie rozbita. Tysiące polskich patriotów, którzy nadal znajdowali się w jej szeregach, stanowiło dla Sowietów olbrzymie zagrożenie. Również zniszczenia w mieście nie były jeszcze dla Stalina wystarczające. Stalin postanowił więc dać powstańcom nadzieję, sprowokować ich do dalszego oporu".

Nieprzypadkowo właśnie 10 września po raz pierwszy po prawej stronie Wisły odezwała się sowiecka artyleria, a z Pragi zaczęły dochodzić odgłosy walki. Nad Warszawą pojawiły się nie widziane od 1 sierpnia sowieckie samoloty. Tego samego dnia do Komendy Głównej AK przyszła wiadomość z Londynu, że Stalin nagle nieoczekiwanie zmienił zdanie i zgodził się na lądowanie amerykańskich samolotów na swoich lotniskach.

13 września radiostacja lubelskiego PKWN nadała odezwę do walczącej stolicy. Wzywała w niej do wytrwania i kontynuowania walki. Ten sam PKWN, który jeszcze kilka dni wcześniej potępiał „warszaw-

skich awanturników", teraz ogłosił: „Nad Wisłą toczy się decydujący bój, chwila wyzwolenia bohaterskiej Warszawy jest bliska". Od 14 września sowieckie samoloty zrzucały na Warszawę broń, amunicję i zaopatrzenie. Dwa dni później na rozkaz Stalina Wisłę zaczęła forsować armia Berlinga.

To, co zrobili bolszewicy, było szczytem perfidii. Działania te były oczywiście pozorowane. Sowiecka artyleria narobiła sporo hałasu, ale fatalnie pudłowała, nie wyrządzając Niemcom poważniejszej krzywdy. Sowieckie dostawy z powietrza były kpiną, gdyż broń zrzucano bez spadochronów w zwykłych workach na zboże, przez co w większości roztrzaskała się ona przy upadku. Zrzucana amunicja nie pasowała zaś do polskiej broni.

Fatalnie zaplanowana i wykonana operacja berlingowców była zaś misją samobójczą. Ludzie ci nie mieli najmniejszych szans na sukces, z premedytacją posłano ich na pewną śmierć. „Siedziałem później w oflagu z oficerem dowodzącym przeprawą berlingowców na Czerniaków – opowiadał mi Janusz Brochwicz-Lewiński „Gryf". – To była żałosna akcja. Sowieci wysłali do nas pułk fatalnie wyszkolonych polskich rekrutów, który natychmiast został wybity. Potraktowali ich jak mięso armatnie. Gdy zapytałem tego oficera, dlaczego Sowieci udzielili powstaniu tak niewielkiej pomocy, powiedział mi wprost: bo Stalin wydał na was wyrok".

Sprawa słynnej „odsieczy" wymaga zresztą dłuższego przedstawienia. Choć od obalenia komunizmu w Polsce minęły dwadzieścia trzy lata, na warszawskiej Pradze do dziś straszy pomnik Zygmunta Berlinga. Do dziś w kręgach postkomunistycznych żywa jest legenda o bohaterskim Berlingu, który nie mógł patrzeć na agonię stolicy i w patriotycznym odruchu, wbrew Stalinowi i sowieckiemu dowództwu, rzucił swoje wojsko przez Wisłę.

„To wszystko brednie. Bujda na resorach – mówił w wywiadzie prasowym Zbigniew S. Siemaszko. – Berling nie dokonał żadnego buntu. Działał ściśle według instrukcji Moskwy".

Operacja rozpoczęła się w nocy z 15 na 16 września. Trwała do 22 września. Żołnierze Berlinga przeprawili się na łodziach i pontonach, które już na Wiśle znalazły się pod ciężkim ostrzałem Niemców. Ci żołnierze, którzy przeżyli przeprawę, wylądowali na wysokości Żoliborza (przyczółek marymoncki) oraz na południu miasta (przyczółek czerniakowski).

Choć berlingowcom udało się nawiązać styczność z oddziałami Armii Krajowej, w walce z Niemcami osiągnęli niewiele. Zostali odparci, podzieleni na mniejsze grupy i metodycznie wybici. Berling swoimi oddziałami dowodził nieudolnie, a straty, jakie poniósł, były olbrzymie. Z blisko 3,7 tysiąca żołnierzy, którzy brali udział w desancie, zginęła lub dostała się do niewoli zdecydowana większość. Na prawą stronę Wisły wróciło zaledwie 400.

Nawet taka amatorska operacja bez wsparcia Armii Czerwonej oczywiście nie mogła się odbyć. To baterie sowieckiej artylerii zapewniły przeprawiającym się berlingowcom wsparcie ogniowe, to sowieckie wojska inżynieryjne dostarczyły im pontony, a sowieckie wojska chemiczne postawiły nad rzeką zasłonę dymną. Sowieci zapewnili także amunicję i zaopatrzenie. A samoloty z czerwoną gwiazdą na ogonach wykonywały w tym czasie naloty na niemieckie stanowiska.

Dziś wiemy już, że rozkaz przeprowadzenia desantu wydał w Moskwie Stalin, a Berlingowi 15 września przekazał go marszałek Armii Czerwonej Konstanty Rokossowski. Zażądał on również szczegółowych raportów z przebiegu operacji, które Berling miał mu składać trzy razy dziennie. O ósmej rano, pierwszej po południu i dziesiątej wieczorem. Meldunki te były zapewne przekazywane na Kreml.

Po co Stalin to wszystko zrobił? Po co wysłał berlingowców na pewną śmierć? Po co zezwolił Amerykanom na lądowanie na jego lotniskach? Po co zrzucał broń i amunicję? Po co zachęcał Warszawę przez radio do oporu? Po co kazał zająć Pragę? Oczywiście odpowiedź może być tylko jedna: aby przedłużyć agonię polskiej stolicy. „Warszawa nie była jeszcze całkowicie spalona, trzeba było jeszcze trochę węgla podrzucić..." – pisał Stanisław Cat-Mackiewicz.

Wszystko to jest zbyt przejrzyste i zbyt wymowne, toteż nie ma wątpliwości, jakie cele przyświecały tutaj Moskwie – dodawał Władysław

Pobóg-Malinowski. – Stalin, przez swych agentów dowiedziawszy się o wszczętych rokowaniach o wcześniejszą kapitulację, postanowił po prostu zapobiec jej przez wywołanie w Warszawie złudzeń, nadziei, oczekiwań, które powstrzymałyby ją przed złożeniem broni. Udawanym zwrotem w stanowisku podtrzymywał i podsycał to beznadziejne borykanie się z Niemcami. Niech walka trwa jak najdłużej. Niech zniszczenie miasta i ofiary w ludziach będą jak największe. Warszawa – to przecież potężne na całą Polskę ognisko wartości i sił moralnych. Toteż im większy upust krwi, im większe cmentarzysko gruzów – tym łatwiejsze opanowanie Polski i ujarzmienie narodu.

Zmiana stanowiska i zachowania bolszewików zrobiły olbrzymie wrażenie w dowództwie Armii Krajowej. „Bór" i inni oficerowie w swojej bezbrzeżnej naiwności uwierzyli, że Armia Czerwona jednak ruszy do ofensywy. W efekcie stało się to, na co liczył Stalin. Generał Bór-Komorowski zerwał pertraktacje kapitulacyjne z Niemcami i wydał rozkazy do kontynuowania walki. Skutki tej decyzji były katastrofalne. Straty Armii Krajowej, a także zniszczenia polskiej stolicy, po 10 września były bowiem największe. „Bór", dając się po raz drugi sprowokować Stalinowi, skazał kolejne dziesiątki tysięcy rodaków na śmierć.

Rozdział 4

Bolszewicy, pomóżcie!

Pułkownik Janusz Bokszczanin i podpułkownik Ludwik Muzyczka już w lipcu ostrzegali kolegów z Komendy Głównej AK, że Stalin nie ma najmniejszego powodu pomagać Armii Krajowej. Że jeżeli „Bór" da rozkaz do powstania, bolszewicy zatrzymają się po drugiej stronie Wisły i z satysfakcją będą obserwować, jak Hitler wykańcza za nich AK. Prący do powstania oficerowie zbyli te ostrzeżenia wzruszeniem ramion.

Nawet po wybuchu walk – gdy nie było już żadnych wątpliwości, że w ocenie intencji sowieckich to realiści mieli rację – Okulicki, Rzepecki, Chruściel i Pełczyński liczyli na… pomoc Sowietów. Jak wiemy, już 2 sierpnia dowództwo Armii Krajowej wysłało do Londynu depeszę, w której stwierdziło: „Wobec rozpoczęcia walk o opanowanie Warszawy prosimy o spowodowanie pomocy sowieckiej przez natychmiastowe uderzenie z zewnątrz".

Potem kontakt z Armią Czerwoną próbowano nawiązać bezpośrednio. Niektóre z tych depesz wywołują dziś rumieniec wstydu. „Proszę pana marszałka o powitanie w imieniu moim i żołnierzy AK zbliżającej się do wrót Warszawy armii sowieckiej i znajdujących się w jej składzie oddziałów polskich" – pisał 11 września Bór-Komorowski do Rokossowskiego.

W dalszej części dokumentu prosił o pomoc i wskazywał cele dla sowieckiej artylerii. Po raz kolejny oferował pełne współdziałanie AK z Armią Czerwoną. Depesza ta szła przez Londyn i wywołała zdumienie naczelnego wodza. Generał Sosnkowski domagał się usunięcia z niej akcentów wiernopoddańczych wobec Sowietów. Mikołajczyk jednak oczywiście na żadne zmiany się nie zgodził.

To doprawdy zdumiewające, co stało się zaledwie przez ćwierć wieku z Polakami. W 1920 roku marszałek Józef Piłsudski szablami i bagnetami swych żołnierzy odegnał bolszewików spod Warszawy. W roku 1944 generał Bór-Komorowski tych samych bolszewików witał „u wrót" stolicy przymilnymi odezwami.

Wyjątkowo gorliwie próbował nawiązać współpracę z Sowietami generał Antoni Chruściel „Monter". Wysyłał do bolszewików depesze za pośrednictwem PPR, przerzucił na drugą stronę Wisły trzy ekipy z radiem. Potem proponował Rokossowskiemu, żeby nawiązał z nim kontakt przez kabel telefoniczny rozciągnięty na dnie Wisły. Dopuścił nawet do sztabu AK agenta NKWD kapitana Konstantego Kaługina – przez którego posłał do Stalina prośbę o pomoc – a później sowieckiego skoczka kapitana Iwana Kołosa. W sumie podczas Powstania dowództwo AK podjęło co najmniej 25 prób nawiązania kontaktu z bolszewikami. Mimo wszystkich zabiegów, próśb i zaklęć Sowieci pozostali niewzruszeni i oczywiście żadnej prawdziwej pomocy Polakom nie udzielili.

„Powstanie, które miało być wobec Moskwy «przejawem siły», stawało się dowodem tragicznej niemocy i w skutkach przekształciło się w bezradne i coraz bardziej poniżające skomlenie o moskiewską pomoc – pisał gorzko Władysław Pobóg-Malinowski. – W matni stworzonej przez własną nierozwagę chwytano się każdej drogi do nawiązania kontaktu z dowództwem rosyjskim".

W efekcie 9 września 1944 roku Antoni Chruściel posunął się do zaprzaństwa. O piątej po południu wysłał następujące pismo do „Bora": „Proponuję nieśmiało wezwać Żymierskiego na odsiecz i przyrzec mu lojalną współpracę. Zmieniają się warunki naszej walki. Bądźmy więcej elastyczni. Każdy, kto da nam pomoc, zasłuży na wdzięczność. Wszystko inne jakoś się ułoży. Więcej nam odpowiada współpraca nawet z Żymierskim niż kapitulacja. W historii wojska polskiego są to tylko fragmenty".

Jak więc widać, wysoki rangą polski oficer kierujący Powstaniem Warszawskim opowiadał się za wypowiedzeniem posłuszeństwa legalnym władzom Rzeczypospolitej i przejściem na służbę wrogowi. Całe szczęście „Bór" zachował się wówczas godnie i zdusił bunt w zarodku. „Zwracanie się do Żymierskiego jest moim zdaniem zdradą. Nie Żymierski decyduje, a Stalin" – odpowiedział Chruścielowi. Nie zdobył się jednak na aresztowanie podwładnego.

Czyż można się dziwić, że Sowieci nie pomogli Powstaniu? Oczywiście nie. Niestety do dziś możemy usłyszeć w Polsce biadolenie, jak to paskudni bolszewicy „zdradzili" Warszawę, zostawiając ją na pastwę Niemców. To tylko dowód na to, że iluzje, którym hołdował „Monter" i inni oficerowie AK, wciąż jeszcze pokutują wśród Polaków. Otóż Związek Sowiecki wcale nie „zdradził" Warszawy. Zdradzić może bowiem tylko przyjaciel. Wróg zaś z definicji zdradzić nie może.

Związek Sowiecki – czego dowódcy AK nie dopuszczali do świadomości – był zaś właśnie naszym wrogiem. Wrogiem śmiertelnym. Najniebezpieczniejszym, jakiego mieliśmy podczas drugiej wojny światowej. Oczekiwanie od bolszewików, że pomogą Powstaniu, było więc skrajną naiwnością.

Sami sprawcy Powstania przyznawali przecież, że celem insurekcji było skłonienie Stalina do kompromisu i wyrwanie z jego rąk choć części władzy w przyszłej Polsce. A więc pokrzyżowanie jego planu całkowitego ujarzmienia Rzeczypospolitej. Liczenie na to, że Stalin wspomoże takie przedsięwzięcie, było więc – delikatnie pisząc – objawem oderwania od rzeczywistości.

Pal sześć naszych „genialnych" generałów i pułkowników. Nie mniejszą naiwnością wykazali się przecież politycy, na czele ze Stanisławem Mikołajczykiem. Jak wiemy, premier uparcie podjudzał Komendę Główną AK do wszczęcia powstania. Decydujące znaczenie miała jego depesza z 26 lipca, w której pisał: „Na posiedzeniu Rządu RP zgodnie zapadła uchwała upoważniająca Was do ogłoszenia powstania w momencie przez Was wybranym". Było to kłamstwo, rząd został bowiem o depeszy tej poinformowany dwa dni po jej wysłaniu. Mikołajczyk parł jednak do powstania za wszelką cenę. Liczył bowiem, że będzie ono olbrzymim atutem w jego rękach podczas rozmów ze Stalinem w Moskwie. Wierzył, że mając za plecami walczącą w Warszawie Armię Krajową, pokaże swoją „siłę" i zmusi Kreml do kompromisu. Do zgody na stworzenie pod jego kierownictwem niezależnego polskiego rządu, w którym sowiecka agentura z PPR miała być tylko jednym ze stronnictw.

Takie mrzonki wywoływały w sowieckim kierownictwie tylko rozbawienie. Znana jest charakterystyczna wypowiedź Nikity Chruszczowa, który ze zdumieniem obserwował wysiłki stronnictwa Mikołajczyka. „Ci ludzie – mówił Chruszczow – chcieli, wykorzystując nasze wojska, naszą siłę, naszą krew, rozgromić Niemców i oswobodzić Polskę, ale żeby Polska pozostała krajem kapitalistycznym, związanym z Zachodem". Każdy, kto miał choćby mgliste pojęcie o bolszewikach i ich ideologii, musiał rozumieć, że nigdy nie zgodziliby się na podobny scenariusz. Jak mówił Stalin, tam gdzie żołnierz Armii Czerwonej postawi nogę – tam będzie komunizm.

Tragiczną rolę odegrał, niechcący zupełnie, Stanisław Mikołajczyk, który nie rozumiał polityki Stalina. Był przekonany, że tak, jak w to wierzą Anglosasi, Stalinowi chodziło jedynie o to, żeby mieć przyjazny rząd w Warszawie – wspominał z kolei Jan Nowak-Jeziorański. – Uważał, że on będzie mógł taki przyjazny rząd zmontować i że trzeba tylko przekonać Stalina o jego intencjach, o jego gotowości współpracy, a wszystko będzie załatwione. Tymczasem Stalinowi chodziło o zniszczenie, likwidację niezależnego polskiego ośrodka władzy. Mikołajczyk w ogóle nie orientował się w intencjach człowieka, z którym rozmawiał. Nie miał zielonego pojęcia o tym, do czego Stalin naprawdę zmierza. Dał mu klucz do sytuacji.

W efekcie, gdy po pięciu dniach pobytu w Moskwie 3 sierpnia 1944 roku dopuszczono wreszcie Mikołajczyka przed oblicze Stalina, okazało się, że Powstanie, które miało być atutem w rękach polskiego premiera i wzmocnić jego pozycję negocjacyjną, sprowadziło go do roli żałosnego petenta. Niepowodzenie militarne AK zmusiło Mikołajczyka do żebrania o pomoc dla walczącej Warszawy.

Stalin bez ogródek oświadczył, że „rząd sowiecki nie chce mieć nic wspólnego z awanturą wywołaną przez kryminalistów dla osiągnięcia celów wrogich wobec Związku Sowieckiego". Pomysły Mikołajczyka, który uważał, że Powstanie Warszawskie jest dowodem „siły" Polaków, sowiecki dyktator zaś po prostu wyśmiał. „Cóż to jest ta wasza Armia Krajowa? – pytał. – Cóż to za armia bez artylerii, lotnictwa i czołgów? To są drobne oddziałki partyzanckie, a nie regularna siła zbrojna. To nie jest wojsko, to raczej ludzki materiał na stworzenie wojska". Spotkanie to – podobnie jak i następne w dniu 9 sierpnia – skończyło się na niczym. Mikołajczyk, nic nie załatwiwszy, odleciał do Londynu. A Warszawa, ku uciesze Stalina, konała.

Jak niemądrym człowiekiem był Mikołajczyk, najlepiej świadczy jego depesza wysłana 13 sierpnia do Stalina: „Warszawa broni się nadludzkim wysiłkiem, nie bacząc na coraz groźniejszy brak broni i amunicji. W naszym i waszym interesie leży, by Czerwona Armia wkroczyła do Warszawy jako oswobodziciel, nie zaś w celu usuwania gruzów i chowania trupów w zniszczonym mieście. Pomoc okazana obecnie przez Związek Sowiecki będzie miała największe znaczenie dla trwałej przyjaźni i praktycznego współdziałania pomiędzy Polską a ZSRS".

Nieszczęsny człowiek. Nie potrafił zrozumieć, że było na odwrót. Że w interesie Związku Sowieckiego leżało właśnie wkroczenie do Warszawy w celu „usuwania gruzów i chowania trupów w zniszczonym mieście". Że Stalin zupełnie inaczej niż on wyobrażał sobie „przyjaźń" między Polską a ZSRS.

Mało było w naszej historii ludzi, którzy przynieśliby sprawie polskiej tak poważne straty jak Mikołajczyk.

Na koniec należy poruszyć jeszcze jedną niezwykle drażliwą sprawę – stosunku Armii Krajowej do przebywających na terenie powstańczej Warszawy komunistów.

Każde normalne państwo, jeżeli u wrót jego stolicy stoi wroga armia, stara się zneutralizować potencjalną piątą kolumnę, a więc agentów wrogiej armii na własnym terytorium. Tymczasem dzieje Powstania Warszawskiego obfitują w liczne egzekucje prawdziwych i domniemanych agentów niemieckich, nie został natomiast wyeliminowany jakikolwiek komunista. Tymczasem agenci wycofujących się Niemców nie mogli już wyrządzić Polsce większej szkody.

Zupełnie inaczej rzecz się przedstawiała z agentami sowieckimi, których pięć minut, a konkretnie 45 lat, pod okupacją Armii Czerwonej miało dopiero nadejść. Byli więc oni oczywiście o stokroć groźniejsi. Woli do rozprawy z agenturą sowiecką nie było jednak ani w prących do ugody ze Stalinem strukturach Polskiego Państwa Podziemnego, ani w usilnie starającym się o to samo polskim rządzie na uchodźstwie.

„Kiedy przed Powstaniem Mikołajczyk jechał do Moskwy, rząd uchwalił zgodę na dopuszczenie komunistów do Rady Jedności Narodowej. To jest zaprotokołowane" – mówił po wojnie Adam Romer, dyrektor Biura Prezydialnego rządu polskiego w Londynie. Decyzję tę Mikołajczyk szybko przekazał do kraju. Tak zwane Memorandum A zakładało rozszerzenie rządu o PPR w proporcji jeden do czterech. Krajowa Rada Jedności Narodowej gorliwie ten chory pomysł przyjęła.

Tak oto najwyższa reprezentacja polityczna Polskiego Państwa Podziemnego zgodziła się przyjąć w swe szeregi ludzi będących na żołdzie wrogiego mocarstwa. Można szukać rozmaitych eufemizmów łagodzących wymowę tego wydarzenia. Pudrowanie historii nie zmieni jednak tego, że była to zdrada. I nie jest to tylko moje zdanie. To także zdanie polskiego podziemia. Tyle że wyrażone w roku 1941.

Pamiętacie państwo ówczesne artykuły „Biuletynu Informacyjnego"? Mówiły one wyraźnie, że każdy Polak, który współpracuje z komunistami, jest renegatem. Minęły cztery lata i renegaci znaleźli się na szczytach władzy polskiego podziemia.

Czy można więc się dziwić, że podczas Powstania Warszawskiego Armia Krajowa nie tylko nie wystąpiła przeciwko agenturze sowieckiej, ale jeszcze walczyła z nią ramię w ramię? Bojowcy, bo trudno tu mówić o żołnierzach, Armii Ludowej przyłączyli się do walki na ulicach miasta i zostali przez dowództwo AK przyjęci życzliwie.

„Trudno znaleźć potwierdzenie relacji członków AL i opracowań pisanych po wojnie przez marksistowskich autorów mówiących o rzekomej nienawiści «góry» akowskiej wobec formacji komunistycznych. Wprost przeciwnie, stosunki rozwijały się w atmosferze wolności i tolerancji, która kazała traktować sowiecką agenturę, czyli PPR, tak samo jak inne ugrupowania polityczne stojące na gruncie niepodległości Polski".

Cytat ten pochodzi z artykułu historyka Janusza Marszalca *Armia Krajowa a komuniści i ich stronnicy podczas Powstania Warszawskiego*, opublikowanego w 2006 roku w zbiorze IPN *Powstanie Warszawskie. Fakty i mity*. Lektura tego tekstu to wyjątkowo przygnębiające zajęcie.

AL-owcy rabowali magazyny należące do Armii Krajowej, żeby zdobyć żywność i inne zaopatrzenie. Prowadzili antypolską agitację wśród żołnierzy, nakłaniając ich do wypowiedzenia posłuszeństwa przełożonym i przejścia na stronę Sowietów. Opuszczali samowolnie stanowiska, narażając na śmiertelne niebezpieczeństwo AK-owców. Na porządku dziennym w szeregach bojówek komunistycznych było pijaństwo i rozmaite wybryki. Bywało i tak, że nowo mianowany „oficer" AL zastrzelił żołnierza AK, nie potrafił bowiem obchodzić się z pistoletem maszynowym…

Mimo to „Monter" w rozkazie z 9 sierpnia nakazywał swoim oficerom „traktować życzliwie oddziały PAL i AL". Armia Krajowa pozwalała drukować komunistom na swoich maszynach gazetki i ulotki plujące na… rząd w Londynie i Armię Krajową. Materiały te były później bezkarnie kolportowane wśród żołnierzy AK. Komunistom pozwalano korzystać ze szpitali i lokalów Armii Krajowej. Agenci NKWD swobodnie chodzili po polskich sztabach, zaglądając przez ramię polskim oficerom.

Mało tego, zdarzało się nawet, że przekazywano komunistom broń ze zrzutów i przydziały amunicji. Była to sytuacja kuriozalna, nie tylko bowiem rozbrajano przez to własne, dramatycznie słabo wyposażone siły, ale i zbrojono wrogów. Generał „Bór" osobiście odznaczał zaś komunistów orderami Virtuti Militari i Krzyżami Walecznych.

Mimo fali dezercji i przypadków tchórzostwa wobec żadnego bojowca AL nie wyciągnięto konsekwencji. Powstańcza żandarmeria w podobnych wypadkach była znacznie surowsza wobec własnych żołnierzy. Najbardziej szokuje to, że dowództwo Powstania dużo bardziej wrogo i nieufnie niż do komunistów odnosiło się do walczących bohatersko żołnierzy... Narodowych Sił Zbrojnych. Kontrwywiad AK był znacznie bardziej zaniepokojony działalnością polskich narodowców niż szpiclów Stalina.

Gdy Powstanie wreszcie dobiegło końca, Niemcy podczas rozmów kapitulacyjnych chcieli wyłączyć z warunków poddania miasta Armię Ludową. Oznaczało to, że o ile żołnierze AK poszliby do oflagów, AL-owcy zostaliby rozstrzelani jako pospolici bandyci. „Bór" stanowczo odrzucił ten postulat. Na wszelki wypadek przed samą kapitulacją członkom sowieckiej agentury wydano legitymacje Armii Krajowej, aby uchronić ich przed niemieckimi represjami. Ilu przyszłym ubekom i milicjantom uratował w ten sposób życie – nie wiadomo.

„W ostatecznym rozrachunku polityka umiaru wobec komunistów – pisał Janusz Marszalec – nie zaowocowała żadnymi pozytywami, a wręcz przeciwnie, wydaje się, że ułatwiła [przyszłą] rozprawę z Polskim Państwem Podziemnym, a zwłaszcza jego ścisłym przywództwem". To bowiem organizacja PAL miała olbrzymi udział w późniejszej prowokacji, która doprowadziła do aresztowania i wywiezienia do Moskwy szesnastu czołowych działaczy podziemia. Również żołnierze AL pod okupacją sowiecką odpowiednio „wykorzystali" wiedzę, którą nabyli podczas Powstania.

Co więc należało zrobić z komunistami? Oczywiście to samo, co komuniści zrobili później – gdy zmienił się układ sił – z żołnierzami podziemia niepodległościowego. Niedawno podczas jednej z dyskusji na te tematy usłyszałem, że tak nie można mówić, bo przecież żołnierze AL także walczyli z Niemcami. To nie ma żadnego znaczenia. Ważne jest bowiem nie to, z kim się walczy, ale o co się walczy.

O ile żołnierze Armii Krajowej walczyli o niepodległą Polskę, o tyle żołnierze Armii Ludowej walczyli o Polskę zniewoloną przez Związek Sowiecki.

Rozdział 5

Macki Moskwy

Wróćmy jednak do głównego tematu rozważań. Czyli wpływu, jaki Związek Sowiecki wywarł na samobójczą decyzję o wszczęciu Powstania Warszawskiego. Widzieliśmy, jak prowokacyjne apele sowieckich radiostacji przyczyniły się do rozstrzygnięcia sporu, który toczył się w Komendzie Głównej Armii Krajowej, na korzyść zwolenników walki. A także jak pozorowane działania podjęte przez Armię Czerwoną skłoniły AK do zerwania rozmów kapitulacyjnych i przedłużyły agonię stolicy o trzy tygodnie.

„Tragicznie błędna decyzja powstańcza była, niestety, przykładem działania w dobrej wierze, ale mimo woli czy nieświadomie na korzyść Rosji, ku szkodzie Polski. Ileż to momentów przemawia za tym, że i decyzja powzięta, i motywy jej były przystosowaniem się do prowokacji moskiewskiej" – pisał Władysław Pobóg-Malinowski. Stwierdzenie to prowokuje najbardziej niepoprawne politycznie pytanie, jakie można zadać w sprawie Powstania. Czy do decyzji o jego wywołaniu przyczynili się polscy agenci sowieckich tajnych służb.

Pobóg-Malinowski nie miał co do tego żadnych wątpliwości. „Obok ludzi – pisał – w krótkowidztwie swym działających z tą odmianą dobrej woli, która stawała się wodą na młyn wrogów Polski, nie tylko w «dołach» AK, ale i w Komendzie Głównej tkwić musieli zakamuflowani agenci Moskwy".

Polacy do dzisiaj bronią się przed myślą, że najwyższe szczeble naszego rządu na emigracji i Polskiego Państwa Podziemnego zostały zinfiltrowane przez sowieckie tajne służby. Upór ten jest jednak niepotrzebny. Nie ma się czego wstydzić. Sowieci zinfiltrowali bowiem nie takich graczy jak my. Ze słynnego archiwum Mitrochina jasno wynika, że bolszewickim agentem był najbliższy doradca Roosevelta Harry Hopkins i szereg innych wysokich urzędników administracji.

Sowieci głęboko spenetrowali także Brytyjczyków. Wystarczy tu wspomnieć słynnego podwójnego agenta Kima Philby'ego i „piątkę z Cambridge". Mało tego, zinfiltrowali także III Rzeszę. Od szpicli bolszewickich roiło się we wszelkich niemieckich instytucjach. Według części historyków dla NKWD pracował człowiek będący prawą ręką Hitlera – Martin Bormann oraz szef Gestapo Müller.

Dziecinną naiwnością byłoby więc sądzić, że najlepszej tajnej służbie na świecie nie udało się zinfiltrować polskich struktur państwowych, które nie miały przecież tak skutecznej ochrony kontrwywiadowczej jak struktury brytyjskie, amerykańskie czy niemieckie. Tym bardziej że wiemy, iż Polska znajdowała się w samym centrum zainteresowania NKWD i Smiersza. Uznawana była za ważnego przeciwnika. Na rozpracowanie Polaków szła duża część wysiłków i środków moskiewskich tajnych służb.

W poprzednich rozdziałach książki pisałem, że sowieckimi agentami było dwóch ministrów naszego rządu na emigracji, o pseudonimach „Henryk" i „Sadownik". Od agentów sowieckich roiło się zarówno w otoczeniu Sikorskiego, jak i Mikołajczyka. NKWD był w stanie umieścić swoich ludzi w polskim podziemiu. Jak wynika z dokumentów, wszyscy ci ludzie korzystali ze swoich wpływów, żeby skłonić Komendę Główną AK do wszczęcia powstania.

Działania takie podjął choćby sowiecki agent Jan Drohojowski – formalnie doradca Mikołajczyka – który ze Stanów Zjednoczonych słał depesze prowokujące do podjęcia walki. A także jeden z ministrów

rządu w Londynie, nazwijmy go od pierwszej litery nazwiska „S", którego wskazuje się jako głównego podejrzanego w dyskusjach o agenturze
w rządzie na emigracji.

W kraju do powstania parły zaś te siły, o których wiemy, że naszpi-
kowane były sowieckimi wtyczkami. A także pożyteczni idioci w rodzaju pułkownika Rzepeckiego i jego kolegów. „Rosja ponosi w dużej
mierze odpowiedzialność za Powstanie Warszawskie. Jej agentury wzy-
wały do takich wystąpień" – pisał zaraz po upadku Powstania Wiesław
Chrzanowski. Szef wywiadu Armii Krajowej Kazimierz Iranek-Osmecki mówił zaś wprost: „Dla mnie nie ulega wątpliwości, że komuniści
sprowokowali Powstanie. Rozkaz przyszedł wprost z Moskwy".
Podobnego zdania był Stanisław Cat-Mackiewicz.

Kto wywołał, spowodował, sprowokował Powstanie Warszawskie? – pisał. – Mój Boże! To takie proste. Każdy sędzia śledczy, gdy ma do czynienia z trupem, bada przede wszystkim, czy ktoś nie był zainteresowany
w tej śmierci. Warszawa była fortecą świadomości narodowej, miastem
wielkim, jednomyślnym w obronie polskości. Nie było w nim różnicy
zdań co do niepodległości Polski – inteligent i robotnik myśleli tak samo
i to samo.

Politycy sowieccy, chociażby z własnego rewolucyjnego doświadczenia
wiedzieli, co to znaczy miasto wielkie, dumne, jednomyślne. Rosyjska
policja polityczna nie mogłaby tak łatwo rządzić Polską, gdyby Warszawa żyła, gdyby nie była umarła. Warszawa była węzłem nerwów naszego
narodu, rządzących jego siłą, odpornością, organizacją. Zniszczono ten
węzeł nerwów, aby cały organizm sparaliżować.

Sowietom zależało na zniszczeniu Warszawy, a tak się pomyślnie dla
nich składało, że dla tego zniszczenia nie trzeba było używać sowieckich
armat ani pocisków. Od czegóż patriotyzm polski! Jest on wielki i wspa-
niały. Polacy to najbardziej patriotyczny naród w Europie. Ale patriotyzm
polski ma właściwość bezrozumnego dynamitu. Wystarczy do niego przyłożyć zapałkę prowokacji, aby wybuchł.

Najbardziej skuteczne popychanie Warszawy do samobójstwa nie odbywało się za pomocą słowa głoszonego publicznie, lecz innymi kanała-

mi... Istotna odpowiedzialność za powstanie siedzi gdzieś głęboko w kanałach infiltrujących do naszych władz i społeczeństwa fałszywe założenia.

Działalność wszystkich wymienionych wyżej agentów mogła wytworzyć niezwykle silną presję na Komendę Główną AK. Czy okazała się ona decydująca – oczywiście tego powiedzieć się nie da. Jak bowiem wiemy, decyzja o wywołaniu Powstania Warszawskiego zapadła w gronie wysokich oficerów Armii Krajowej. To tam zrodziła się ta obłędna myśl, tam została zatwierdzona i tam wprowadzona w życie.

Czy zatem rację miał Władysław Pobóg-Malinowski, pisząc, że i tam – w Komendzie Głównej – „tkwić musieli zakamuflowani agenci Moskwy". Nie wykluczał tego sam Grot-Rowecki, który w jednym z raportów wysyłanych do Londynu już w październiku 1941 roku pisał o potrzebie zweryfikowania podejrzeń, że w Komendzie Głównej działa sowiecki szpicel. Podejrzeń, że „musi być u nas ktoś, kto ich informował".

Dopóki Rosja nie otworzy archiwów pozostawionych przez NKWD i GRU, nie będziemy mieli w tej sprawie pewności. Przesłanki, którymi dysponujemy, każą jednak zadać pytania w sprawie działań dwóch wysokich oficerów AK. Historycy od wielu lat zażarcie dyskutują na temat dwuznacznej roli, jaką odegrali ci dwaj ludzie. Dyskusje te nie wychodzą jednak poza cztery ściany uniwersyteckich gabinetów. Czasami co najwyżej wymsknie się komuś jakaś drobna uwaga czy sugestia.

Wstrzemięźliwość ta jest zrozumiała. Niezwykły ciężar zarzutu pracy dla wroga sprawia, że należy podchodzić do tej sprawy niezwykle ostrożnie. Ja także nie zamierzam niczego przesądzać. Nie chcę nikogo oskarżać. Uważam jednak, że nie ma powodu, by traktować Polaków jak idiotów i ukrywać przed nimi niepokojące fakty. Niech każdy samodzielnie wyciągnie z tych faktów wnioski.

Dwaj oficerowie, o których mowa, to generałowie Stanisław Tatar i Leopold Okulicki.

Rozdział 6

Czarna owca w AK

Generał Stanisław Tatar przedstawiany jest na ogół jako ofiara komunizmu. W 1951 roku na procesie pokazowym komunistyczny sąd skazał go bowiem na dożywocie (wypuszczono go po kilku latach). Wcześniej przeszedł na UB ciężkie śledztwo. W rzeczywistości jednak Tatar był zdrajcą, który wypowiedział posłuszeństwo legalnym władzom Rzeczypospolitej i po wojnie oficjalnie przeszedł na żołd komunistów.

Ale po kolei. Stanisław Tatar był oficerem artylerii armii rosyjskiej. Po upadku caratu trafił do Wojska Polskiego. Bił się podczas wojny 1920 roku, w II Rzeczypospolitej wykładał w Wyższej Szkole Wojennej. Walczył w kampanii 1939 roku, a później dołączył do konspiracji niepodległościowej, przyjmując kryptonim „Erazm". W AK sprawował jedno z najważniejszych stanowisk – był szefem Oddziału Operacyjnego Komendy Głównej.

Zanim przedstawię fatalną działalność Tatara, krótko zarysuję osobowość tego człowieka. W historii Polski są bowiem postacie, które odegrały w niej bardzo pozytywną rolę, ale w życiu osobistym były niegodziwcami. I odwrotnie, są postacie, których działalność wyrzą-

dziła sprawie polskiej olbrzymie szkody, a które w kontaktach między-
ludzkich były pełne uroku.

W wypadku Tatara sprawa wyglądała inaczej. Był niegodziwcem
w życiu prywatnym, a zarazem szkodnikiem w życiu publicznym. Poniżej kilka z licznych opowieści o naszym „bohaterze".

Już w latach trzydziestych Tatar dał się poznać kolegom jako człowiek niezwykle arogancki i wulgarny. Gdy pewnego razu jeden z oficerów zaproponował mu wspólne wyjście do teatru, Tatar odmówił,
stwierdzając, że jego żona jest „kotna". Określenie to padło przy pani Tatarowej. Jak pisał Zbigniew S. Siemaszko, biograf Tatara, przy
stole zapanowała wówczas konsternacja. Podobne zwroi   wśród przedwojennych oficerów były nie do przyjęcia.

Jeden z elewów Wyższej Szkoły Wojennej, kapitan Stai isław Ku-
niczak, nazwał Tatara „despotą i zabójczym ględziarzem" nie uznają-
cym indywidualności słuchaczy. Mało tego, ordynarnie kpił ze swoich
uczniów. Według wszelkich relacji Tatar wręcz obłędnie nienawidził
piłsudczyków. Bardzo charakterystyczne, że zaoferowane mu stanowisko w ZWZ przyjął, dopiero gdy generał Grot-Rowecki zapewnił go,
że organizacja „nie ma nic wspólnego z sanacją".

Wszystkie jego paskudne cechy nasiliły się, gdy Tatar pojawił się
w 1944 roku w Londynie. Przykładem tego jest prześladowanie prze-
żeń majora Jana Jaźwińskiego, wybitnego polskiego oficera, dowódcy
bazy łączności we Włoszech. Otóż Tatar wezwał raz do swojego biura
w Londynie żonę Jaźwińskiego i zrobił jej karczemną awanturę. „Jeżeli pani na niego nie wpłynie, to tu, na mojej dłoni, wyrosną mnie
włosy, jeśli kiedykolwiek on wróci do pani. To ja pani gwarantuję" –
krzyczał. „Boję się tego Tatara, to jakiś dziki potwór" – pisała pani
Jaźwińska do męża.

Andrzej Pomian, oficer AK, a potem znany emigracyjny historyk,
nazywał generała Tatara „człowiekiem brutalnym i prymitywnym"
o „warcholskim usposobieniu". „Pamiętam jedną scenkę w Londynie –
wspominał. – Szliśmy wtedy bodajże Shaftsbury Avenue i spotkaliśmy
jakiegoś Murzyna. Na to Tatar szturchnął mnie i powiedział: «Widzicie,
ociec – małpa idzie!»". Należy w tym miejscu dodać, że owo „ociec"

było stałym elementem protekcjonalnego wulgarnego języka, którym Tatar zwracał się do podkomendnych.

Pobóg-Malinowski pisał o Tatarze, że był to „oficer łączący przeciętną inteligencję z nadmiarem ambicji osobistej i dużą energią. Arbitralny w stosunkach z otoczeniem, bezwzględny w dążeniu do swoich celów. Tupetem, pewnością siebie, kategorycznym tonem onieśmielał także i przełożonych". Generał Stanisław Kopański opisał go zaś jako „ponurego typa, enkawudowca".

Charakterystykę Tatara znajdujemy też we wspomnieniach Jana Nowaka-Jeziorańskiego: „Podwładnych terroryzował sposobem bycia. Oficerów traktował jak feldfebel szeregowców. Od początku nie ukrywał żywiołowej nienawiści do Sosnkowskiego i kompleksu antysanacyjnego graniczącego z aberracją. Tatar dyszał nienawiścią do piłsudczyków. Niestety wygórowane ambicje Tatara nie miały żadnego pokrycia w jego inteligencji politycznej. Był pod tym względem naiwnym prymitywem. Ten człowiek o ponurym, złym spojrzeniu…".

I na koniec jeszcze jedna historia. Po przyjeździe do Londynu w roku 1944 Tatar chodził do polskiego dentysty doktora Jakuba Weinsteina. Niemcy wymordowali Weinsteinowi całą, pozostałą w kraju, rodzinę, a mimo to Tatar – doskonale o tym wiedząc – opowiadał mu makabryczne dowcipy o losie Żydów pod okupacją. Nawet po wielu latach Weinstein, słysząc nazwisko Tatar, trząsł się ze złości.

Opowieści takich można przytoczyć jeszcze wiele. Chyba jednak mają już państwo wyobrażenie, jakim człowiekiem był generał Stanisław Tatar. Wróćmy więc do jego działalności w kraju. Otóż dopóki dowódcą AK był Grot-Rowecki, Tatar się nie wychylał. Jak mówił Zbigniew Siemaszko, „Tatar potrzebował, żeby go trzymać za mordę". Gdy zabrakło silnej ręki Grota i nastał czas chwiejnego „Bora", Tatar – który nowego dowódcę nazywał pajacem – rozpuścił się jak dziadowski bicz.

Nagle ten człowiek o mocno ograniczonych horyzontach odkrył, że jest wielkim politykiem. I wbrew przełożonym oraz racji stanu swojego państwa zaczął nachalnie forsować koncepcję kapitulacji przed Związkiem Sowieckim. Do tej akcji pozyskał szereg oficerów na czele z podpułkownikiem Marianem Drobikiem i pułkownikiem Jerzym

Kirchmayerem. Ten pierwszy jesienią – na polecenie Tatara – przygotował specjalny memoriał skierowany do Komendy Głównej, w którym postulował ugodę ze Stalinem.

Swoją koncepcję Tatar propagował również w referatach wygłaszanych w Komendzie Głównej i w licznych rozmowach z oficerami. Przekonywał, że Polacy powinni porzucić Anglików i przesiąść się na zwycięskiego, czyli sowieckiego, konia. Porozumienie to planował zawrzeć kosztem połowy Polski. „Ziemie Wschodnie – pisał Pobóg--Malinowski – uważał za «raka» od wieków toczącego Polskę. Głosił konieczność wyrzeczenia się ich. Jeden powiat oderwany od Niemiec na zachodzie, mówił, ma większą wartość niż województwo na wschodzie".

Nie jest tajemnicą, że swoje projekty podporządkowania Polskiego Państwa Podziemnego Sowietom – które, jak słusznie przewidział, zwyciężą w drugiej wojnie światowej i będą okupowały Polskę – łączył z osobistymi, niezwykle wygórowanymi ambicjami.

„Wydaje się nie ulegać wątpliwości – pisał Pobóg-Malinowski – że ludzie w kraju, tacy jak Tatar czy płk Kirchmayer, kierowali się w skrytości ducha rachubami, by przez swój pozytywny stosunek do «współdziałania bojowego» z armią najeźdźcy moskiewskiego, także przez powstanie w Warszawie, zaskarbić sobie zawczasu łaskawe względy Kremla i utorować drogę do dygnitarskich stanowisk w czerwono--komunistycznej Polsce".

To właśnie Tatar do spółki z Kirchmayerem opracowali plan operacji „Burza". To oni przeforsowali koncepcję, w ramach której żołnierze Armii Krajowej mieli się sami zdekonspirować przed NKWD.

Skrajnie prosowieckie poglądy Tatara wywoływały jednak przerażenie wśród innych oficerów Komendy Głównej AK. Choć sami coraz bardziej przychylali się do koncepcji Mikołajczyka, uważali, że Tatar idzie stanowczo zbyt daleko. Jak pisał później pułkownik Kazimierz Iranek-Osmecki, gdyby Tatar odważył się głosić swoje tezy za czasów „Grota", sprawa zostałaby załatwiona szybko i zdecydowanie – Rowecki kazałby „rozwalić" Tatara za zdradę. Tak jak wcześniej nakazał zlikwidować Albrechta.

„Wystąpienia Tatara powodowały poważne komplikacje – pisał Siemaszko. – Oto w organizacji wojskowej stojącej na stanowisku suwerenności i nienaruszalności granic państwa jeden z trzech najwyższych funkcją oficerów zaproponował formalnie, aby odejść od tych zasad i poszukać kompromisu z sąsiadem, który niedawno zagarnął połowę polskiego terytorium, zadał jego mieszkańcom ogromne cierpienia i wymordował około ośmiu i pół tysiąca oficerów".

Nawet Bór-Komorowski i jego zastępca generał Pełczyński zdawali sobie sprawę, że dalsze trwanie Tatara na tak ważnym stanowisku grozi rozbiciem Armii Krajowej. Nietrudno było przewidzieć, co zrobi Tatar, gdy do Polski wkroczy Armia Czerwona. Obaj generałowie postanowili więc pozbyć się „Erazma". Ale zamiast wydać rozkaz o jego likwidacji… wysłali go do Londynu. W ten sposób przerzucili „zgniłe jajko" do cudzego gniazda, narażając na kłopoty naczelnego wodza. Był to błąd o bardzo poważnych konsekwencjach.

Generał Stanisław Tatar przybył na Zachód pierwszym „Mostem", czyli wszedł na pokład pierwszego brytyjskiego samolotu, który wylądował na terytorium okupowanej Polski. Odbyło się to w nocy z 15 na 16 kwietnia 1944 roku. Co bardzo charakterystyczne, przed wylotem poinstruował on swojego zaufanego oficera Władysława Romana, że gdy tylko nadejdą Sowieci, ma natychmiast dołączyć do armii Berlinga.

Tymczasem przełożeni Tatara w AK nie tylko nie zdobyli się na to, aby go rozstrzelać, ale nawet na to, aby poinformować naczelnego wodza, kogo mu przysyłają. Zobowiązali tylko Tatara oficerskim słowem honoru, że po przylocie zamelduje się u generała Kazimierza Sosnkowskiego i poinformuje go o swoim prosowieckim nastawieniu (cały „Bór"!). Tatar oczywiście oficerskie słowo honoru złożył, a na miejscu je złamał. Sosnkowskiemu o niczym nie powiedział.

W efekcie w Wielkiej Brytanii, jako pierwszy wysłannik okupowanej Polski o tak wysokiej randze, zrobił furorę. Tatar, który przyjął nowy pseudonim „Tabor", był sensacją sezonu. Przyjmowali go Anglicy i Amerykanie. Nieświadomy, z kim ma do czynienia, generał Sosnkowski mianował go zastępcą szefa Sztabu Naczelnego Wodza do spraw krajowych. Dzięki temu Tatar nieoczekiwanie znalazł się w pozycji nadrzędnej wobec swoich dotychczasowych przełożonych – Bora-Komorowskiego i Pełczyńskiego. Był to wielki paradoks.

W Londynie Tatar naturalnie zbliżył się do mającego podobne poglądy Mikołajczyka. Kontynuował również filosowiecką akcję agitacyjną, którą prowadził w kraju. Odbył szereg spotkań z polskimi oficerami, podczas których próbował przekonać ich do swojej koncepcji.

„Zaprosił mnie na śniadanie – wspominał podpułkownik Michał Protasewicz – i zaczął mówić o potrzebie nawiązania dobrych stosunków z Moskalami. Zaoponowałem, bo nie było ku temu warunków. Więcej Tatara nie widziałem". Sporo oficerów udało się jednak Tatarowi pozyskać. Między innymi Mariana Utnika i Stanisława Nowickiego, którzy mieli się wkrótce stać jego najbliższymi współpracownikami. Tak zaczęła powstawać tajna „organizacja Tatarowska", której członkowie składali nawet specjalną przysięgę.

Tymczasem Tatar został zabrany przez Mikołajczyka w podróż do Ameryki, gdzie 12 czerwca stanął przed Kolegium Szefów Sztabów (Combined Chiefs of Staff, CCS). Generał mówił tam rzeczy zdumiewające. Ku oburzeniu obecnego na sali pułkownika Leona Mitkiewicza – który był przedstawicielem Polski przy CCS – zapytany o współpracę między Armią Krajową a wkraczającą do Polski Armią Czerwoną Tatar zapewnił, że układa się ona… harmonijnie i bez żadnych zadrażnień. Było to oczywiste kłamstwo.

Amerykańscy, a szczególnie brytyjscy generałowie zareagowali jednak na te słowa wręcz entuzjastycznie. Omal nie klaskali w dłonie, co u chłodnych Anglosasów było rzeczą niebywałą. Usłyszeli bowiem od Tatara dokładnie to, co chcieli usłyszeć. Przybyły z okupowanej Polski oficer zdementował „obrzydliwe antysowieckie plotki" kolportowane przez „reakcyjnych Polaków", że Armia Czerwona rozbraja Armię Krajową.

Podczas spotkania z alianckimi oficerami Tatar zapewnił również, że polskie podziemie jest gotowe na dalszą współpracę z Armią Czerwoną, także gdy chodzi o wywołanie powstania na tyłach frontu wschodniego. Gdy pułkownik Mitkiewicz próbował Tatara powstrzymać przed wygadywaniem takich rzeczy, generał ostro go osadził. „Ja tu jestem wyłącznie odpowiedzialny za to, co ja tutaj powiem!" – syknął.

W nagrodę Tatar dostał od Roosevelta do swojej dyspozycji 10 milionów dolarów. Formalnie pieniądze te miały iść na ruch oporu w okupowanej Polsce, w praktyce – co ujawnił po latach Marian Utnik – był to fundusz przeznaczony na „sfinansowanie celów politycznych Mikołajczyka – kompromisowego dogadania się z Kremlem i objęcia przez stronnictwa ugodowe władzy w Polsce na wschód od Bugu". Skąpi Anglicy Tatarowi pieniędzy nie dali, ale odznaczyli go Orderem Łaźni.

Najważniejsze w całej sprawie nie były jednak odznaczenia i nawet nie te 10 milionów dolarów, ale kontrola, jaką Tatar sprawował nad łącznością z krajem. To właśnie ona pozwoliła mu bowiem przeprowadzić zdumiewającą intrygę.

Rozdział 7

Intryga
generała Tatara

Tatar, wbrew temu, co później opowiadał w PRL-u, był gorącym zwolennikiem wszczęcia powstania. Podobnie jak Mikołajczyk przekonywał, że jest ono konieczne jako akt dobrej woli wobec Związku Sowieckiego. Że otworzy drogę do porozumienia ze Stalinem. Według Tatara dotychczasowe wysiłki polskiego podziemia były niewystarczające. „Uważał, że teraz wszystko musi walczyć bez względu na szanse powodzenia i straty" – wspominał generał Kukiel.

Tatar poważnie się jednak obawiał, że wybuchowi powstania w Warszawie zapobiegnie generał Sosnkowski. Dlatego zdecydował się na rzecz trudną do uwierzenia. Rzecz, która nie ma chyba precedensu w całej wielowiekowej historii oręża polskiego. Otóż generał Tatar przechwytywał, cenzurował, poprawiał i opóźniał te depesze wysyłane przez naczelnego wodza do „Bora", w których naczelny wódz przestrzegał przed zgubnymi skutkami powstania.

Organizując ten wymierzony w generała Sosnkowskiego spisek, Tatar nie tylko złamał rozkazy i zhańbił mundur oficera Wojska Polskiego, ale przede wszystkim sparaliżował łączność między krajem a Londynem w decydującym momencie. Momencie, w którym ważyły się losy stolicy Polski i miliona jej mieszkańców.

Jak spisek wyglądał w praktyce? Otóż wysłanie najważniejszych depesz naczelnego wodza opóźniano, nadając im niski status ważności. Zgodnie z procedurami były więc one uznawane za drugorzędne. Leżały długo na biurkach w sztabie, zanim je zaszyfrowano i przesłano do kraju. Działało to także w drugą stronę: Tatar i jego ludzie opóźniali depesze „Bora" do naczelnego wodza.

Tych najważniejszych zaś generał Sosnkowski nie otrzymał w ogóle lub dotarły do niego poważnie okrojone. Tak było choćby z depeszą o czujności do powstania z 21 lipca czy depeszą o gotowości do walki o Warszawę z 25 lipca. Naczelny wódz został więc odcięty od informacji z Polski i całkowicie stracił kontrolę nad sytuacją.

Z kolei z depesz generała Sosnkowskiego za sprawą machinacji Tatara usunięte zostały między innymi stwierdzenia: „trzeba dążyć do zaoszczędzenia substancji biologicznej narodu w obliczu podwójnej eksterminacji", „wycofywać oddziały na zachód", „ujawnianie się nie ma sensu wobec utworzenia tak zwanego Komitetu Wyzwolenia Narodowego i perspektywy aresztowania ujawnionych przez Sowiety".

Z depesz naczelnego wodza wycinane więc było wszystko, co mogło odwieść Komendę Główną AK od wydania rozkazu o wywołaniu powstania. Oczywiście „Bór" i tak doskonale zdawał sobie sprawę, że generał Sosnkowski jest przeciwny powstaniu. Nie można jednak wykluczyć, że depesze te podziałałyby na niego trzeźwiąco. Mogłyby być poważną podporą skupionego wokół pułkownika Bokszczanina stronnictwa realistów i zaciążyć na ostatecznej decyzji.

„Nie wiadomo – pisał Zbigniew S. Siemaszko – jaki wpływ na rozwój wypadków miałaby sprawna wymiana wiadomości między Naczelnym Wodzem a dowódcą AK w końcu lipca 1944 roku. Ale wiadomo, że Tatar obawiał się tego rodzaju wymiany, sądząc widocznie, że depesze Sosnkowskiego mogłyby wpłynąć hamująco na aktywność AK, której Tatar sobie życzył. Trzeba podkreślić, że Tatar zachował się nielojalnie i zawiódł pokładane w nim zaufanie".

Generał Bór-Komorowski zapytany w 1965 roku przez Jana Ciechanowskiego, co by zrobił, gdyby w ostatniej chwili otrzymał jednoznaczny rozkaz od naczelnego wodza zabraniający mu przystąpienia do powstania, odparł: „To byśmy walki nie rozpoczynali. Rozkaz byłby wykonany". Opinię tę potwierdził generał Pełczyński.

Taki rozkaz tymczasem został wydany. Była to depesza z 29 lipca, która nie mogła pozostawiać żadnych wątpliwości co do woli naczelnego wodza: „W obecnych warunkach politycznych – pisał Sosnkowski – jestem bezwzględnie przeciwny powszechnemu powstaniu, którego sens historyczny musiałby z konieczności wyrazić się w zamianie jednej okupacji na drugą". Depesza ta nie została wysłana do Warszawy. Tatar zatrzymał ją, wpływając na szefa sztabu generała Kopańskiego.

Nie wysłano również depeszy naczelnego wodza z 28 lipca, w której pisał on: „W obliczu sowieckiej polityki gwałtów i faktów dokonanych powstanie zbrojne byłoby faktem pozbawionym politycznego sensu, mogącym za sobą pociągnąć niepotrzebne ofiary"…

„Niewyjaśnioną dotąd należycie, lecz bez wątpienia niemałą część odpowiedzialności moralnej za los depesz Naczelnego Wodza ponosi generał Tatar, będący w kontakcie z grupą Mikołajczyka na tle polityki prosowieckiej – pisał po wojnie adiutant generała Sosnkowskiego kapitan Witold Babiński. – Powolność przekazywania przez Londyn depesz Naczelnego Wodza nie da się usprawiedliwić".

Spisek Tatara wymierzony w naczelnego wodza nie ograniczał się tylko do kontrolowania jego depesz. Generał Stanisław Tatar starał się również zrobić wszystko, aby maksymalnie opóźnić dotarcie do Komendy Głównej AK emisariusza naczelnego wodza, młodego oficera Jana Nowaka-Jeziorańskiego.

Ów żołnierz AK w 1943 roku dotarł do Londynu jako kurier podziemia. W Wielkiej Brytanii wielokrotnie rozmawiał z generałem Sosnkowskim, pozwolono mu przeczytać stenogramy rozmów przedstawicieli polskich władz z Churchillem i Edenem. Nowak był tym wszystkim porażony, nie miał żadnych wątpliwości, że Polska została sprzedana Sowietom i że żadne, nawet największe ofiary nie odmienią losu Rzeczypospolitej.

Jego zadaniem po powrocie do Warszawy miało być rozwianie wszelkich iluzji, które żywiła w tej sprawie Komenda Główna. Miał również poinformować „Bora", że na żadną pomoc Zachodu dla powstania nie ma co liczyć. Gdy jednak w czerwcu 1944 roku Nowak rozpoczął przygotowania do wyjazdu do Polski, na jego drodze – jak później wspominał – „wyrosła nowa, najbardziej ze wszystkich nieoczekiwana przeszkoda". Tą przeszkodą był Tatar.

Wkrótce po powrocie Tatara z Waszyngtonu zameldowałem się u niego – wspominał Nowak. – Poprosiłem o umożliwienie mi wykonania rozkazu i odlot w najbliższym terminie do bazy w Brindisi.

– A po co ten pośpiech? – odpowiedział generał. – Wam, ojciec, zanadto się śpieszy. Chcecie jechać na bazę – proszę, pojedziecie konwojem, drogą morską!

Zaskoczony, zaoponowałem energicznie. Droga konwojem mogła potrwać od miesiąca do dwóch.

– Przez szereg miesięcy zbierałem pracowicie informacje wojskowo-polityczne. Dotarłem do najwyższych szczebli. Informacje te – wywodziłem dalej – mają dopomóc dowódcy AK i jego sztabowi w podejmowaniu w najbliższych miesiącach decyzji o wielkim znaczeniu dla przyszłości kraju. Gen. „Bór" wyraźnie nakazuje natychmiastowy powrót. Zbliżają się przełomowe chwile i każdy dzień jest drogi. Dwumiesięczna zwłoka może przekreślić całą moją misję.

Tatar pokręcił głową.

– Wam, ojciec, tylko się zdaje, że jesteście tacy ważni – powtórzył. – Wy nie jesteście żadnym ekstra-gościem. Popłyniecie sobie statkiem, jak każdy inny skoczek.

Z trudem opanowując wzburzenie i wrodzoną popędliwość, jeszcze raz powołałem się na to, że dowódca AK już trzykrotnie domagał się mego powrotu i że rozkaz jest wyraźny. Generał ze złośliwą satysfakcją obserwował moją reakcję.

– Nie traćcie czasu, ojciec, ja tu decyduję!

Nowak skontaktował się czym prędzej z generałem Kazimierzem Sosnkowskim i poinformował go o przebiegu rozmowy.

– Słyszałem o pana trudnościach – powiedział krótko Sosnkowski. – Niech się pan pocieszy, ja także natrafiam na podobne przeszkody. Prawdopodobnie pochodzą z tego samego źródła. W ciągu najbliższych tygodni odlatuję na inspekcję do II Korpusu. Poleci pan w moim samolocie. Proszę szykować się do drogi. Formalności z Anglikami załatwiać będzie adiutantura.

– Co mam zameldować Tatarowi?

– Powtórzy mu pan rozkaz naczelnego wodza. Ja tu decyduję!

Oznajmiając Tatarowi decyzję Sosnkowskiego, ja tym razem obserwowałem z satysfakcją jego wściekłość. Gdyby mógł – pomyślałem – posłałby mnie wprost pod ścianę. Nie przeczuwałem, że napotkam wkrótce z jego strony jeszcze jedną próbę udaremnienia mego zadania. Jakimi motywami mógł kierować się ten człowiek o ponurym, złym spojrzeniu?

Nowak rzeczywiście został przetransportowany samolotem naczelnego wodza do Włoch. Na skutek zakulisowych machinacji Tatara w polskiej bazie „Jutrzenka" pod Brindisi, z której posyłano samoloty do kraju, znalazł się jednak dopiero 17 lipca. A więc gdy sowieckie wojska podchodziły pod Warszawę, a sytuacja w Komendzie Głównej AK stawała się coraz bardziej napięta. Informacje, które miał przewieźć do kraju Nowak, mogły się okazać nieocenione.

W tej sytuacji liczyła się każda godzina. Tymczasem Nowak pod Brindisi utknął na ponad tydzień. W tym czasie szef bazy Marian Dorotycz-Malewicz „Hańcza" – zaufany człowiek Tatara – uniemożliwiał mu kontakt z naczelnym wodzem. „Z niepokojem patrzyłem na czerwoną nitkę frontu na mapie w pokoju operacyjnym. Od dnia mego przyjazdu przesuwano ją bliżej i bliżej miejsca, w którym miało nastąpić lądowanie" – wspominał Nowak. Wreszcie, 25 lipca, samolot z kurierem odleciał z Włoch.

Zgodnie z procedurą depesza o wyjeździe kuriera powinna być wysłana do Komendy Głównej AK dziesięć dni przed jego wylotem. Tymczasem Tatar depeszę o przybyciu Nowaka wysłał do Bora-Komorowskiego… w dniu wylotu. W efekcie dotarła ona do adresata w przeddzień powstania. Tatar „nie mógł udaremnić mego odlotu «Mostem», więc chciał przynajmniej utrudnić i opóźnić mój raport" – pisał Nowak.

Gdy Nowak przybył 26 lipca do Warszawy, nikt go nie oczekiwał i dotarcie przed oblicze komendanta AK zajęło mu trzy dni. Wskutek intrygi Tatara wiozący niezwykle ważne informacje emisariusz z Londynu spotkał się z „Borem" dopiero 29 lipca. Komendant AK w asyście najbliższych współpracowników przyjął Nowaka w kwaterze przy Śliskiej 6. Po latach Nowak opowiadał Kazimierzowi Zawodnemu, że poinformował Komendę Główną o czterech sprawach:

1. Polska wojnę w sensie politycznym przegrała. Kraj znajdzie się w całości pod okupacją sowiecką. Alianci działają na zasadzie podziału strefy wpływów w Europie i zon okupacyjnych. Polska została włączona do sowieckiej strefy wpływów.

2. Alianci w obronie Polski nie zaryzykują swego sojuszu z Rosją.

3. Warszawa nie może liczyć na zrzucenie Brygady Spadochronowej.

4. Warszawa nie może liczyć na poważne zrzuty broni i amunicji.

Innymi słowy, Nowak przekazał Komendzie Głównej informacje, które niezbicie dowodziły, że powstanie w Warszawie nie tylko nie ma najmniejszych szans na wojskowy sukces, ale i nie ma żadnego sensu politycznego. Nawet gdyby jakimś cudem słabo uzbrojeni i wyszkoleni żołnierze Armii Krajowej o własnych siłach wyrzucili ze stolicy potężną armię niemiecką, zostaliby zmiażdżeni przez wkraczającą armię sowiecką.

Gdy szef sztabu generał Pełczyński zapytał Nowaka, jakie wrażenie powstanie wywoła w Wielkiej Brytanii i Ameryce, kurier odpowiedział bez ogródek: „Nie będzie miało żadnego wpływu na politykę sojuszników, a jeśli chodzi o opinię publiczną na zachodzie, będzie to dosłownie burza w szklance wody". Były to słowa prorocze. Oficerowie Komendy Głównej przyjęli je z przygnębieniem. „Moja misja była spóźniona" – pisał Nowak.

Po wojnie Nowak zapytał generała Tadeusza Bora-Komorowskiego, czy gdyby dotarł do niego o tydzień wcześniej, komendant AK wziąłby pod uwagę informacje kuriera. Bór-Komorowski odpowiedział twierdząco. Czy rzeczywiście tak by się stało? Tego oczywiście nie wiemy.

Wszystkie intrygi Tatara zmierzające do wywołania powstania w Warszawie (Tatar jako niezły oficer sztabowy musiał zdawać sobie sprawę, że skończy się ono klęską) prowokują do zadania najważniejszego w tej sprawie pytania: Dlaczego Tatar podjął taką akcję? Czy była ona skutkiem jego własnej koncepcji politycznej, czy też ktoś Tatarem kierował?

Rozdział 8

Damned fool

Podejrzenia, że generał Stanisław Tatar „Tabor" to agent sowieckich służb specjalnych, pojawiły się już podczas drugiej wojny światowej. „Znam tylko opinie, które są w stosunku do generała Tatara bardzo krytyczne – mówił Adam Ciołkosz historykowi Januszowi Kazimierzowi Zawodnemu. – Generał Tatar był podejrzewany o grę na dwie strony". Podejrzewany, dodajmy, zarówno przez Polaków, jak i Brytyjczyków.

Zajmujący się polskimi sprawami oficer SOE pułkownik Harold B. Perkins po przylocie do naszego kraju spotkał się z Tatarem dwukrotnie. Ze spotkań tych wyniósł bardzo kiepskie wrażenia. Tłumaczowi, kapitanowi Janowi Podolskiemu, rzucił: „Wystarczą te dwa razy. Tatar jest skończonym głupcem (*damned fool*), nie ma pojęcia o roli AK albo próbuje zniszczyć AK w oczach Aliantów". Perkins ujawnił polskiemu oficerowi, że kontrwywiad brytyjski poddał Tatara obserwacji i okazało się, że po przybyciu do Londynu kontaktował się on „ze znanym agentem ambasady sowieckiej w Londynie".

Niewykluczone, że obserwacja ta została zarządzona po pierwszym spotkaniu Tatara z Churchillem, które odbyło się w towarzystwie Mikołajczyka. Miało ono kuriozalny przebieg. Polski premier poprosił generała, żeby zreferował Churchillowi sytuację AK. Tatar przedstawił polską organizację tak, że sprawiło to wrażenie, iż jest ona niezorganizowanym „zlepkiem małych, lokalnych grupek", na które nie ma co liczyć. Churchill słuchał referatu przez kilka minut, a następnie wstał i ostentacyjnie wyszedł. „Podobną relację o AK słyszałem już w Moskwie" – powiedział Mikołajczykowi.

Wiemy, jak Tatar reklamował Związek Sowiecki przed Kolegium Szefów Sztabów w Waszyngtonie, zatajając pacyfikacje oddziałów Armii Krajowej przez bolszewików na wschodnich terenach Rzeczypospolitej. O ile jednak incydent ten można od biedy wytłumaczyć chęcią podlizania się prosowiecko nastawionym Anglosasom, o tyle trudno pojąć, dlaczego zatajał prawdę przed Polakami.

Oto szokujący fragment wspomnień Andrzeja Pomiana, który odleciał z Tatarem z Polski i następnie razem z nim oczekiwał w bazie „Jutrzenka" pod Brindisi na transport do Londynu: „We Włoszech Tatar, teraz już w mundurze generała, natychmiast zagroził, że nie dopuści mnie do Anglii, gdy opowiedziałem paru oficerom polskim, jak postępuje Armia Czerwona na Wołyniu, o aresztowaniach, a nawet o wieszaniu żołnierzy AK".

A oto relacja Stanisława Kisiela z centrali radiowej Sztabu Naczelnego Wodza w Londynie: „Pamiętam ostatnie chwile Dywizji Wołyńskiej AK, gdy telegrafista nadawał ostatnie wiadomości: «pułk otoczony», «rozbrajają nas», «zbliżają się do nas». Ku naszemu zdumieniu [Tatar] odpowiedział: «zapytać, kto ich rozbraja? », co oczywiście wykonano. Odpowiedź brzmiała: «Sowieci, Sowieci», a potem już tylko: «żegnajcie, bracia». Reakcja generała Tatara na te meldunki była krótka: «Nieprawda»".

Do hipotezy, że Tatar działał na zlecenie Sowietów, przychyla się jego biograf Zbigniew Siemaszko. Przytacza on w swojej książce między innymi relację majora Sabina Popkiewicza, szefa polskiej Kompanii Radiotelegraficznej odpowiedzialnej za łączność Londynu z krajem. Otóż Popkiewicz ujawnił, że Tatar wiosną 1944 roku nawiązał kontakt z jakąś nieznaną radiostacją nie należącą do sieci Armii Krajowej.

Wymieniane z nią depesze były szyfrowane specjalnym, znanym tylko Tatarowi szyfrem, ale zaniepokojony Popkiewicz po częstotliwości nadawania bez trudu ustalił, że radiostacja znajduje się na terytorium sowieckim, na wschód od linii frontu. Korespondencja była regularna i punktualna. Odebrane depesze Popkiewicz musiał przekazywać specjalnym kurierem Utnikowi, prawej ręce Tatara.

Do zastanowienia skłaniają również metody Tatara. Zakulisowe intrygi, spiski, fałszowanie dokumentów, werbowanie oficerów do tajnych grup. Tatar posunął się nawet do tego, że „zaprzyjaźnił się" z sekretarką Mikołajczyka, dzięki czemu zyskał dostęp do najważniejszych dokumentów i postanowień rządu. Wszystkie te poczynania należą do typowych działań agenta tajnych służb, który stara się spenetrować dane środowisko i uzyskać w nim jak największy wpływ. To ostatnie udało się zresztą Tatarowi znakomicie. Jego pozycja w Londynie stała się tak silna, że Mikołajczyk zamierzał nawet uczynić go... ministrem obrony.

Choć Tatar na każdym kroku dawał wyraz swojej nienawiści do sprzeciwiającego się ugodzie ze Stalinem obozu piłsudczykowskiego, jeszcze bardziej nienawidził Narodowych Sił Zbrojnych. Organizację tę zwalczał po prostu maniacko. Doszło do tego, że próbował zmusić wysłannika NSZ, majora Stanisława Żochowskiego, do złożenia oficjalnego oświadczenia, że nie uważa się już za oficera NSZ. Następnie nie zgodził się na udekorowanie go orderem Virtuti Militari pod tym samym dachem, pod którym Żochowski miał dostać Krzyż Walecznych.

Nowe światło na działalność Tatara rzucają pamiętniki wspomnianego już majora Jana Jaźwińskiego, opublikowane niedawno w Kanadzie pod tytułem *Dramat dowódcy*. Jaźwiński to oficer o nieposzlakowanej opinii, człowiek wyjątkowo prawy, a przy tym znakomity fachowiec. Był on dowódcą polskiej bazy „Jutrzenka" pod Brindisi, z której wysyłano do kraju samoloty ze skoczkami spadochronowymi i sprzętem. Tam również przybywały samoloty przywożące z okupowanej Polski kurierów.

To Jaźwiński 16 kwietnia 1944 roku odebrał z pokładu samolotu *Dakota* generała Tatara. Pomiędzy obydwoma oficerami doszło wówczas do długiej rozmowy. „Tatar operował ogólnikami bez podania konkretnych faktów – pisał Jaźwiński. – Cała ta tyrada ujawniła dwa istotne punkty. Jest zupełnie ciemny politycznie oraz jest zdecydowanie pod wpływem agentur prosowieckich. Jego formułowanie zarzutów przypomina często dosłowne oświadczenia Majskiego, Litwinowa oraz Mołotowa pod adresem Polski. Wyszedłem zmęczony tą sowiecką propagandą wyrażoną przez pełnomocnika dowódcy AK".

Gdy Tatar został w Londynie mianowany szefem odpowiedzialnego za kontakty z krajem Oddziału Specjalnego Sztabu Naczelnego Wodza, Jaźwiński nieoczekiwanie stał się jego podwładnym. Teraz Tatar miał decydować, co przechodzi przez „Jutrzenkę". Było to dla majora prawdziwym dramatem, z czasem nabrał on bowiem przekonania, że misja Tatara była „aferą dywersyjną w myśl dyrektyw Sowietów".

Niezwykle sensacyjne są zawarte w jego wspomnieniach informacje o aferze związanej z niemieckim pociskiem rakietowym V-2. Otóż w maju 1944 roku AK udało się przejąć jedną taką rakietę i rozebrać ją na części. W czerwcu „Bór" poprosił Londyn o przysłanie samolotu, którym byłoby można przetransportować bezcenny obiekt do Wielkiej Brytanii. Jaźwiński przygotował całą operację. Miała się odbyć w lipcu. Kryptonim „Wildhorn III", w polskiej nomenklaturze „Most III".

Nieoczekiwanie jednak ktoś na górze zmienił plan. Teraz samolot wyznaczony do odebrania V-2 miał wystartować nie z polskiej bazy pod Brindisi, ale z bazy… sowieckiej. Do Sowietów miał niezwłocznie udać się polski oficer operacyjny wraz z operatorem i radiostacją, żeby nadzorować całą akcję. Dopiero z terytorium sowieckiego maszyna ta miała przetransportować V-2 na Zachód. Jaźwiński był pewny, że jest to, podjęta przy pomocy sowieckich agentów w Wielkiej Brytanii, próba przechwycenia pocisku przez Stalina. Jak się dowiedział, w sprawie palce maczał Tatar.

Jaźwiński powiedział Brytyjczykom, iż można się spodziewać, że gdy samolot z V-2 wyląduje na sowieckim lotnisku, Moskwa przechwyci ładunek i przyśle do Londynu fałszywą depeszę, że maszynę zestrzelili Niemcy. „Przykro mi będzie, aby tak świetna praca wywiadu AK, ofiarowana przez dowódcę AK Wielkiej Brytanii, wpadła w obce ręce" – stwierdził Jaźwiński w rozmowie z podpułkownikiem Henrym Threlfallem z SOE. Dzięki energicznej akcji obu oficerów udało się storpedować intrygę i akcja „Most" odbyła się w nocy z 25 na 26 lipca zgodnie z pierwotnym planem.

Główne starcie między Tatarem i Jaźwińskim związane było jednak z Powstaniem Warszawskim. Otóż Tatar, który wcześniej wszelkimi sposobami parł do akcji zbrojnej, teraz podjął działania prowadzące do zablokowania pomocy lotniczej dla walczącej stolicy. Między innymi nie godził się na wysłanie do „Jutrzenki" polskich lotników, którzy mogliby latać nad Warszawę. „On robi wszystko, by zniszczyć AK. Gra na korzyść Sowietów" – pisał Jaźwiński.

Podobnego zdania był jeden z lotników, dowódca stacjonującej w Brindisi polskiej eskadry do zadań specjalnych, major Stanisław Król. „W wyniku starań gen. Tatara – mówił – nie tylko nie przysyłane jest do nas uzupełnienie załóg, ale też załogi, które wylatały swe tury, nie są zastąpione. W rezultacie stan dyonu polskiego wynosi obecnie 4 załogi i cztery Liberatory. Jest to po prostu sabotaż ze strony Tatara".

W konkluzji swoich rozważań na temat Tatara Jaźwiński napisał, że generał „Tabor" był „agentem Sowietów, który prowadził zbrodniczą pracę nad zniszczeniem stolicy Polski". Jaźwiński, wykorzystując swoje źródła i kontakty w SOE, doszedł do przekonania, że Tatar wypełniał rozkazy NKWD. Ludzie Tatara mieli między innymi kontaktować się z siatką sowieckiego wywiadu działającą we Włoszech.

Czy tak było naprawdę? Być może nie dowiemy się tego nigdy. Rzeczywiście trudno jednak nie zauważyć zadziwiającej zbieżności poczynań Tatara z taktyką Związku Sowieckiego. Sowiety przecież również robiły wszystko, aby najpierw skłonić Komendę Główną AK do wydania rozkazu o powstaniu. A gdy powstanie wybuchło, całkowicie zmieniły stanowisko i zablokowały wszelką pomoc dla walczącej polskiej stolicy.

Niezwykle obciążające dla generała „Tabora" są także działania, jakie podjął po Powstaniu Warszawskim. A więc przede wszystkim sprawa złota Funduszu Obrony Narodowej. Czyli około 350 kilogramów bezcennego kruszcu, które w przededniu drugiej wojny światowej patriotycznie nastawieni Polacy przekazali na dozbrojenie swojej armii. II Rzeczpospolita nie zdążyła spożytkować tych darów i zostały one wywiezione na Zachód przez grupę dzielnych oficerów.

Podczas drugiej wojny światowej skarb znajdował się w skrzyniach złożonych w specjalnie do tego celu kupionej willi w Londynie. W sprawę złota FON już pod koniec maja 1944 roku wtajemniczył Tatara rozbrajający w swej naiwności generał Marian Kukiel. Później przekazał mu zaś nad nim opiekę. Pomysł ten nie był najlepszy. Po wojnie Tatar wydał bowiem całe to złoto w ręce polskich komunistów.

Jedenaście skrzyń z kruszcem w 1947 roku przetransportowano do ambasady komunistycznej Polski. Tam złote przedmioty przeliczono i spisano. Okazja przemycenia ich za żelazną kurtynę nadarzyła się szybko. „W Londynie zmarł generał Lucjan Żeligowski – opowiadał po latach Tatar. – Zgodnie z jego wolą zwłoki zostały z wojskowymi honorami przewiezione do kraju specjalnym samolotem przysłanym z Polski. Niewiele osób wiedziało, że w artyleryjskich skrzyniach stanowiących katafalk znajdowało się złoto FON-u. Kompania brytyjska oddawała honory i to właśnie oni z trudem dźwigali te skrzynie”.

Złoto i precjoza znajdujące się w skrzyniach – zegarki, papierośnice, broszki – po przybyciu do komunistycznej Polski rozkradli prominenci partyjni, między innymi Bierut. Część przekazano na wydatki UB i Józefa Różańskiego. Według jednej z wersji kolejną część podarowano towarzyszom sowieckim. 142 kilogramy zostały zaś w Londynie i przeznaczono je na finansowanie działalności wywiadowczej bloku sowieckiego na Zachodzie.

Podobnie potoczyły się losy olbrzymiego – idącego w miliony dolarów – majątku Oddziału Specjalnego Naczelnego Wodza, na którym Tatar wraz ze swoimi oficerami położył łapę. Pieniędzmi tymi początkowo finansował ugodową wobec Sowietów politykę Mikołajczyka, gdy ustąpił on ze stanowiska premiera i wyjechał do okupowanej przez bolszewików Polski zakładać PSL. W ten sposób państwowe pieniądze były nielegalnie, za plecami prawowitego rządu Tomasza Arciszewskiego, przekazywane osobie prywatnej.

Jednocześnie Tatar założył prowokacyjną organizację o pseudonimie „Hel", do której wciągał polskich oficerów, okłamując ich, że twór ten ma nastawienie niepodległościowe. „Hel" za sprawą Tatara nawiązał kontakty z powojenną konspiracją niepodległościową w kraju. Jak pisze Zbigniew Siemaszko, doprowadziło to do prawdziwego dramatu. Doszło bowiem do masowego zadenuncjowania UB kurierów przedzierających się do kraju i „żołnierzy wyklętych". Wielu ludzi aresztowano, wielu rozstrzelano.

Gdy bolszewicy uznali, że Mikołajczyk odegrał swoją rolę, i w 1947 roku przepędzili go z Polski, Tatar natychmiast odciął Mikołajczykowi fundusze. Resztę pieniędzy wydał komunistom, podobnie jak zakupione za zdefraudowane pieniądze gmachy w Londynie i Paryżu. Wcześniej Tatar, Utnik i Nowicki spore sumy sobie przywłaszczyli. Trochę gotówki rozdali żonom, kupili sobie po dwa samochody, żyli na wysokiej stopie nieosiągalnej dla większości emigrantów.

Jednocześnie trzej oficerowie rozpoczęli działalność, którą można już otwarcie nazwać szpiegowską. Ukradli między innymi trzy tysiące teczek Oddziału Specjalnego Naczelnego Wodza i przekazali je komunistom. Szczegóły tej operacji załatwiono podczas tajnego spotkania ze starym znajomym Kirchmayerem, który już w 1944 roku przeszedł w kraju na stronę czerwonych.

Tatar i jego ludzie przesyłali do Warszawy szczegółowe mapy krajów zachodnich, fachową literaturę wojskową, urządzenia do mikrofotografii, sprzęt wojskowy z demobilu, a nawet… sześć wytresowanych psów dla Wojsk Ochrony Pogranicza. W końcu posunęli się nawet do wykradania dla komunistów dokumentów z brytyjskiego Foregin Office.

Odwiedzający ich wówczas polscy emigranci ze zdumieniem zauważyli, że na ich stołach pojawiły się krajowe specjały. Wódka Wyborowa, polska kiełbasa, ogórki i kapusta. W owym czasie można było je uzyskać tylko z komunistycznej ambasady. Wielu londyńskich Polaków nabrało przez to podejrzeń i zerwało z grupą Tatara. Co ciekawe, Tatar, Utnik i Nowicki przebywali wówczas w Londynie na mocy paszportów konsularnych wydanych im przez ambasadę komunistycznej Polski.

„Tatar, Utnik i Nowicki stawali się coraz bardziej podwładnymi szefa komunistycznego wywiadu w Warszawie, gen. Komara" – pisał Zbigniew Siemaszko. Ustalenia tego emigracyjnego historyka potwierdzają najnowsze badania Sławomira Cenckiewicza przeprowadzone w archiwach pozostawionych przez komunistyczne służby. Wynika z nich bez żadnej wątpliwości, że trzej oficerowie współpracowali z wywiadem wojskowym reżimu w Warszawie, który był z kolei ekspozyturą służb sowieckich. Został z nimi – jak wynika z raportów bezpieki – nawiązany „kontakt operacyjny". Skaptowanie Tatara, Utnika i Nowickiego oraz przejęcie posiadanych przez nich pieniędzy i złota było największym sukcesem wywiadu wojskowego komunistycznej Polski w pierwszym okresie jego istnienia. Było powodem do dumy dla jego funkcjonariuszy. W 1948 roku w uznaniu zasług Bierut odznaczył Tatara i Nowickiego orderem Polonia Restituta, a Rola-Żymierski awansował Utnika do pełnego pułkownika.

W końcu, w roku 1949, cała trójka została sprowadzona do kraju. Tam jednak czekała na nią przykra niespodzianka. Komuniści, którym tak wiernie służyli, wtrącili ich do więzienia. Reżim uznał, że zrobili już swoje i czas się ich pozbyć. A więc normalna sowiecka praktyka.

Specjalna grupa ubeków została wysłana do Londynu w celu spenetrowania domów i mieszkań aresztowanych. Znaleziono w nich między innymi pudło z… teczkami osobowymi wszystkich członków organizacji „Hel" i kurierów słanych z Zachodu do okupowanej Polski. „Można jedynie zgadywać, ilu ludzi cierpiało i zginęło w wyniku dostania się tego pudełka w ręce służb bezpieczeństwa PRL" – pisał Siemaszko.

Tatar pękł w śledztwie i dostarczył UB kolejnych informacji, poważnie obciążających przedwojennych oficerów, którzy służyli w Ludowym Wojsku Polskim. W tak zwanych odpryskowych procesach tatarowskich wielu oficerów zostało skazanych na śmierć. Sam Tatar dostał dożywocie, ale wypuszczono go po kilku latach. Został doradcą komunistycznego ministra obrony. Miał piękne mieszkanie w Warszawie, powodziło mu się bardzo dobrze. Krajowe środowiska weteranów AK objęły go towarzyskim bojkotem. Zmarł w roku 1980.

Ostatecznych, rozstrzygających dowodów na to, że Tatar już w czasie wojny pracował dla komunistycznych służb, nie ma. Jak jednak państwo widzą, przesłanki są bardzo mocne. Na pewno można również postawić tezę, że oficer ten odegrał sporą rolę w zagładzie stolicy Polski. To jednak było nic w porównaniu z rolą innego generała Wojska Polskiego – Leopolda Okulickiego „Kobry". Człowieka o jeszcze bardziej tajemniczym, zawikłanym życiorysie niż Tatar.

Rozdział 9

Okulicki: pierwszy kontakt z NKWD

Nie ma żadnych wątpliwości, że gdyby nie generał Leopold Okulicki „Kobra", Powstania Warszawskiego by nie było. Oficer ten był autorem pomysłu stoczenia bitwy na ulicach miasta i to on wymusił na generale Borze-Komorowskim rezygnację z poprzedniej koncepcji wyłączenia stolicy z obszaru walk. Wszyscy uczestnicy wydarzeń – „Bór", Iranek--Osmecki, Chruściel, a nawet sam Okulicki – byli zgodni: to on był głównym motorem Powstania.

Pułkownik Janusz Bokszczanin mówił: „Od chwili, gdy przybył Okulicki, wszystko się zmienia. Nie wiem, kto go wysłał ani jaka była jego misja, lecz wiem, że Powstanie Warszawskie było jego dziełem". Pytanie, kto naprawdę wysłał Okulickiego, jest mniej więcej od dwudziestu pięciu lat przedmiotem zażartej dyskusji między historykami drugiej wojny światowej. Znowu jednak jest to dyskusja toczona w kuluarach konferencji naukowych.

Oficjalna wersja jest znana – generał Okulicki wielkim bohaterem był. Według wielu badaczy ujawnienie podejrzeń ciążących na „Kobrze" mogłoby – cytat z mojej rozmowy z jednym z profesorów uniwersyteckich – „być zbyt dużym szokiem dla społeczeństwa i zaszkodzić pięknej legendzie Powstania Warszawskiego". Nie podzielam takich zastrzeżeń. Jak wspomniałem na początku tej książki, napisałem ją dla dorosłych, a nie dla dzieci, przed którymi należy zatajać rzeczy nieprzyjemne.

Najpierw jednak kilka słów o samym Okulickim. Był to oficer o pięknej biografii. Piękniejszą trudno sobie wyobrazić. Rocznik 1898, pochodzenie chłopskie. Dzięki olbrzymiej determinacji i ambicji, żarliwemu patriotyzmowi i osobistej odwadze zrobił zawrotną karierę w Wojsku Polskim. Zaczynał od Związku Strzeleckiego, a jako nastolatek zaciągnął się do Legionów Piłsudskiego.

Działał w POW, w 1918 roku brał udział w rozbrajaniu wycofujących się Niemców. Potem służył już w regularnych jednostkach polskiej armii, walczył z Ukraińcami we Lwowie, w roku 1920 bił się z bolszewikami. Kilkakrotnie ranny i kilkakrotnie odznaczony. Orderem Virtuti Militari dekorował go sam Piłsudski. Gdy wybuchła druga wojna światowa, był podpułkownikiem. Sprawował funkcję oficera łącznikowego naczelnego wodza przy Dowództwie Obrony Warszawy. Bronił przed Niemcami Woli.

W konspiracji najpierw mianowany został komendantem Służby Zwycięstwu Polsce w Łodzi, gdzie znakomicie dawał sobie radę. Potem został skierowany przez generała Stefana Grota-Roweckiego pod okupację sowiecką, aby objąć komendę nad tamtejszą organizacją podziemną. Przyjął tam pseudonim „Mrówka".

Niestety pułkownik Okulicki nie był przygotowany na sytuację panującą pod okupacją sowiecką. Przyzwyczajony do nieporadnego Gestapo, które wodził za nos ze swoimi „dziarskimi chłopakami" z ruchu oporu, w konfrontacji z profesjonalistami z NKWD był zupełnie bezradny. Gdy na przełomie października i listopada 1940 roku przybył do Lwowa, podległa mu organizacja znajdowała się pod kontrolą sowieckiej bezpieki.

Już przewodnik Okulickiego, który pomógł mu przekroczyć sowiecko-niemiecką linię demarkacyjną, był agentem NKWD. Bolesław Zymon „Waldy Wołyński" wiosną spowodował masowe aresztowania w Okręgu Wołyńskim ZWZ, wydając między innymi komendanta okręgu pułkownika Tadeusza Majewskiego. W efekcie Okulicki był pod stałą obserwacją NKWD.

Jakby tego było mało, dotarłszy na miejsce, okazał zdumiewającą dezynwolturę, naruszając elementarne zasady konspiracji. Środki zabezpieczające, jakie stosował, można uznać za niepoważne. Bolszewicy dali mu tak popracować trzy miesiące. Okulicki wreszcie zorientował się, w jak beznadziejnej sytuacji się znalazł. Świadczy o tym jego raport sytuacyjny, który wysłał w połowie stycznia 1941 roku do Grota--Roweckiego.

Znamy ten dokument, gdyż wiozący go kurierzy zostali już na dworcu we Lwowie przechwyceni przez NKWD, a po sześćdziesięciu latach, w roku 2001, jego treść ujawnili Rosjanie. Został on opublikowany w rewelacyjnym tomie dokumentów o haniebnej sowieckiej nazwie *Polskie podziemie na terenach Zachodniej Ukrainy i Zachodniej Białorusi w latach 1939–1941*. Chodzi oczywiście o polskie podziemie na ziemiach wschodnich Rzeczypospolitej.

„Warunki pracy z powodu metod stosowanych przez NKWD są bardzo ciężkie – pisał Okulicki. – Muszę pracować ostrożnie, ponieważ w każdej chwili może dojść do wpadki, dotychczas działalnością organizacji kierowało NKWD. Metody działania NKWD, które kieruje całym życiem i przenika wszędzie, zdemoralizowały ludzi słabszych. Wszędzie tysiące agentów, z których nie mniej niż 50 procent to Żydzi. W porównaniu z NKWD metody Gestapo są dziecinne".

Gra z „Mrówką" zakończyła się w nocy z 22 na 23 stycznia 1941 roku, gdy specjalna grupa agentów bezpieki aresztowała Okulickiego w mieszkaniu przy Zadwórzańskiej 117. NKWD-ziści znaleźli przy nim zwiniętą bibułkę z listą adresów kontaktowych. Natychmiast poddano go ciężkiemu śledztwu. Siedział we lwowskich Brygidkach, potem wywieziono go do Moskwy. Tam najpierw był przetrzymywany na Łubiance, a później w koszmarnym więzieniu w Lefortowie. Znane było ono z niezwykłej brutalności wobec zatrzymanych.

Okulicki był lżony – jak potem opowiadał, oficerowie śledczy wyzywali go od „żulików" – bity, stosowano wobec niego konwejer, czyli metodę polegającą na ustawicznym pozbawianiu snu za pomocą trwających całymi nocami przesłuchań. W wyniku tych tortur nabawił się poważnych problemów z sercem, a ponieważ w jego celi dwadzieścia cztery godziny na dobę paliły się jaskrawe żarówki, popsuł mu się wzrok. „Mrówka" – za co, biorąc pod uwagę bestialskie metody przesłuchań, trudno go winić – został w śledztwie złamany. Wbrew romantycznym legendom funkcjonariusze NKWD potrafili bowiem złamać każdego. Każdy człowiek ma granice wytrzymałości i sowieccy oficerowie śledczy zaprawieni w swoim fachu w okresie wielkiego terroru lat 1937–1938 wiedzieli, jak te granice przekroczyć. Ktoś, kto nie znalazł się w matni sowieckiego śledztwa, nie ma prawa oceniać kogoś, kto przez nie przeszedł.

To, co piszę, nie ma więc na celu potępienia Okulickiego, któremu można tylko współczuć, ale po prostu opisanie faktów. O tym, co się działo w śledztwie w sprawie „Mrówki", wiemy z dwóch dokumentów opublikowanych we wspomnianym zbiorze dokumentów. Pierwszy to protokół przesłuchania z 18 marca 1941 roku, podczas którego Okulicki trzymał się bardzo dzielnie.

Odmówił ujawnienia nazwisk swoich współpracowników, nie ujawnił szyfru, twierdził, że zapomniał adresów kontaktowych. Gdy zmuszono go do podania rysopisów polskich konspiratorów – podał fałszywe. Nie chciał także wskazać miejsca ukrycia broni. Biorąc pod uwagę bestialskie metody przesłuchań, był to bój heroiczny. „O sobie mogę powiedzieć wszystko, ale o osobach, które ze mną pracowały, nie będę informował" – powiedział śledczemu.

Drugi dokument to wielostronicowe „zeznanie własne" spisane własnoręcznie 4 maja 1941 roku. Jego lektura jest niezwykle przykra. Co bolszewicy w kilka miesięcy zrobili z dzielnego polskiego oficera… Można się tylko domyślać, jakim potwornym torturom fizycznym i psychicznym został poddany Okulicki między pierwszym przcsłuchaniem a sporządzeniem tego pisma.

Tym razem pułkownik ujawnił bowiem NKWD wszystko. Nazwiska, pseudonimy, adresy, kanały przerzutowe, ilość broni i stany liczbowe poszczególnych okręgów ZWZ pod obiema okupacjami. Ze szczegółami opisał strukturę i metody funkcjonowania polskiego podziemia. Sporządził charakterystyki i rysopisy najważniejszych oficerów tajnej organizacji. Nietrudno sobie wyobrazić, jakie dramatyczne konsekwencje miało to dla wielu z tych ludzi.

Jednym z przykładów może być generał Michał Karaszewicz-Tokarzewski, poprzednik Okulickiego na stanowisku szefa ZWZ na terenach okupowanych przez Sowietów. Oficer ten został aresztowany przez bolszewików w marcu 1940 roku już na niemiecko-sowieckiej linii demarkacyjnej. Ponieważ jednak posługiwał się dokumentami na fałszywe nazwisko, NKWD nie zorientował się, kogo ma w swoich rękach.

Generał został więc skazany i wysłany do łagru jako zwykły włościanin nielegalnie przekraczający granicę, co było dla Sowietów poważnym przestępstwem. Dopiero Okulicki w swoim „zeznaniu własnym" zdekonspirował Karaszewicza, wyjawiając, że Tokarzewski do Sowietów „szedł na nazwisko Fantiej Michajłowicz Mirowoj".

Wszystkie informacje podane przez Okulickiego były dla sowieckich tajnych służb bezcenne. Szczególnie te, które dotyczyły polskiej organizacji podziemnej pod okupacją niemiecką, którą Sowiety starały się od początku zinfiltrować. Okulicki obszernie opowiadał o generale Grocie-Roweckim, jego pracy, kontaktach i tajnych kwaterach. Wskazywał konkretne adresy, gdzie spotykali się oficerowie Komendy Głównej ZWZ. Ujawnił ich rysopisy i prawdziwe nazwiska.

Zdradził również personalia swoich współpracowników we Lwowie. Powiedział, kto i w jakich mieszkaniach udzielał mu schronienia, ujawnił między innymi w ten sposób personalia dwóch katolickich księży, którzy pomagali mu, gdy przybył pod okupację sowiecką. Ujawnił nazwiska ludzi, którzy wyrobili mu fałszywy paszport, a także własne skrytki i metody stosowane przez ZWZ przy ukrywaniu kompromitujących materiałów.

Idąc do Lwowa, miałem ze sobą: mandat [dokument upoważniający do objęcia kierownictwa organizacji – red.] (ukryty na mej kwaterze w pluszowym krześle w sprężynach od spodu), 1670 dolarów i karteczkę z adresami ludzi, którzy mogą się przydać. Wysołuchowa miała 210 dolarów. Dolary przeniosłem w wydrążonych obcasach, mandat w pędzlu do golenia, karteczkę z adresami zwiniętą w kieszeni – pisał Okulicki. – Po przyjściu do Lwowa zostawiłem pieniądze u Kozłowskiego, który zgodził się prowadzić kasę. Do załatwiania spraw w skrzynce pocztowej miałem łączniczkę „Hankę" nazwisko Szczepańska, mieszka przy ul. bocznej od Sapiehy.

Tak wygląda całe zeznanie. Całe ciągi pseudonimów, nazwisk, adresów...

Jak jednak już pisałem, będę ostatnim, który potępi za te zeznania Okulickiego. Nikt, kto nie przeszedł takiej próby, nie wie, jak by się zachował na jego miejscu. Na NKWD sypali niemal wszyscy. Czymś zupełnie innym jest jednak zakończenie „zeznania własnego". To, co Okulicki w nim napisał, należało już bowiem do rzadkości. Nawet po wielu latach dokument ten budzi zdumienie.

Pułkownik „Mrówka" złożył w nim bowiem Sowietom polityczną propozycję. Propozycja ta była złamaniem żelaznej zasady – obowiązującej oficerów Wojska Polskiego aż do podpisania paktu Sikorski––Stalin – o utrzymaniu równego, wrogiego dystansu w stosunku do obu okupantów. Gdy Okulicki ją składał, Polska i Sowiety de facto znajdowały się w stanie wojny. Pułkownik zaoferował tymczasem Stalinowi swoje usługi podczas spodziewanej przez niego wojny między Niemcami a ZSRS.

Naród polski – pisał – jeżeli nie chce zejść do roli pokornego niewolnika, nie może w tej walce pozostać bezczynny. Dotychczas stał on zdecydowanie przy boku Anglii, licząc na jej zwycięstwo i interwencję. Zaszły jednak wypadki, które każą poddać rewizji to przekonanie. Wybór dla mnie, a sądzę, że i dla narodu polskiego, [jest] nietrudny i jasny. W walce między ZSRS a Niemcami naród polski powinien stanąć przy boku ZSRS.

Walcząc od najmłodszych lat o wolność swego Narodu, gotów zginąć każdej chwili dla jego sprawy, pragnę mu służyć i walczyć nadal, do ostatniego tchu. W przekonaniu, że zwycięstwo ZSRS da Narodowi polskiemu możność życia i rozwoju narodowego, kulturalnego, gospodarczego i politycznego, zeznanie swoje napisałem i deklaruję chęć dalszej pracy.

Będzie Polska czerwona, dobrze, byle tylko była. Zrobi to jej zresztą dobrze, wyzwoli i odkryje nowe, nieznane dotąd siły Narodu.

Dalej Okulicki szczegółowo wyliczał, jakie usługi mógłby oddać bolszewikom, gdyby wypuścili go i gdyby mógł z powrotem znaleźć się na szczycie ZWZ. Jeszcze przed wybuchem wojny niemiecko-sowieckiej polskie podziemie miałoby zaprzestać prowadzenia jakiejkolwiek wrogiej działalności wymierzonej w czerwonego okupanta oraz usunąć z sowieckiej strefy okupacyjnej wszystkich niewygodnych dla Moskwy ludzi.

Związek Walki Zbrojnej miałby również prowadzić na rzecz Sowietów wymierzoną w Niemców działalność szpiegowską w zachodniej części okupowanej Polski. Po wybuchu wojny między Hitlerem a Stalinem miałby zaś dokonywać aktów dywersji i sabotażu. A także podjąć „działania zbrojne całością", co w wypadku podziemnej armii mogło oznaczać tylko jedno – wymierzone w Niemców powstanie. A więc to, na czym bolszewikom zależało najbardziej.

Gdyby wprowadzić w życie taki układ, to w praktyce – wobec nierówności obu partnerów – oznaczałoby to całkowite podporządkowanie i przejęcie całego Polskiego Państwa Podziemnego przez sowieckie służby specjalne. Sprowadzenie go do roli agentury.

Postulaty, które w zamian stawiał Stalinowi Okulicki, zakrawały na żart. Otóż siedzący w celi na Łubiance zwykły pułkownik Wojska Polskiego postulował, aby Sowiety… złagodziły kurs na okupowanych Ziemiach Wschodnich, zgodziły się na powstanie niezależnej Polski w bliżej nieokreślonych granicach. A do tego wypuściły „choćby część" aresztowanych i deportowanych Polaków. Takie postulaty mogły tylko wywołać uśmiech na ustach czytającego „zeznanie własne" Berii.

Obrońcy Okulickiego twierdzą, że podjął on z bolszewikami „ryzykowną grę polityczną". Nie wydaje się to trafną analizą. „Mrówka", mimo swoich olbrzymich ambicji, musiał zdawać sobie sprawę, że nie może być poważnym partnerem dla dyktatora Związku Sowieckiego. Gdyby jego propozycja została przyjęta, Okulicki mógł co najwyżej zostać agentem, tak jak – zastrzelony za zdradę przez polskie podziemie – komendant lwowskiego okręgu ZWZ major Emil Macieliński i wielu innych oficerów złamanych przez NKWD.

Jaka była odpowiedź Sowietów na propozycje „Mrówki"? Nie wiemy. Więcej dokumentacji w tej sprawie, zapewne nieprzypadkowo, Rosja nie ujawniła. Czy oferta została odrzucona, czy z Okulickim prowadzono rozmowy, czy też, jak twierdzą najbardziej zagorzali krytycy „Mrówki", został wówczas zwerbowany przez NKWD – nie wiemy.

Wiadomo jednak, że kilka miesięcy później, po podpisaniu paktu Sikorski–Stalin, Okulicki został błyskawicznie zwolniony z więzienia. W tworzonej na terytorium sowieckim armii polskiej pod dowództwem generała Władysława Andersa zajął stanowisko szefa sztabu. Niestety – tu docieramy do sprawy bardzo nieprzyjemnej – nie poinformował przełożonych o wszystkim, co mówił i pisał w sowieckim więzieniu.

Znany jest bowiem jego meldunek złożony 10 września 1941 roku, a więc miesiąc po zwolnieniu. Okulicki ujawnił w nim, że jeszcze we Lwowie przesłuchiwał go osobiście zastępca szefa NKWD Ławrientija Berii generał Iwan Sierow. „Sierow zaproponował mi dalsze dowodzenie ZWZ pod kontrolą NKWD. Oświadczyłem, że się co do mnie pomylili i że ja ich agentem nie będę" – raportował, rozmijając się z prawdą. Jak bowiem wiemy, to nie jemu złożono taką ofertę, ale to on taką ofertę złożył.

„Przewieziono mnie przez Kijów do Moskwy i osadzono na Łubiance – pisał dalej pułkownik Leopold Okulicki. – Tutaj zgodziłem się, że dam im wiadomości o Niemcach, jakie posiadam, za to zostanę skierowany do «Rakonia» [pseudonim generała Grota-Roweckiego] jako poseł, by zaprzestać walki przeciwko Związkowi Sowieckiemu, a uaktywnić ją przeciwko Niemcom. Gra ta nie udała się".

Jak widać, w tej części raportu Okulicki był już nieco bardziej szczery. Przyznał, że zgodził się podjąć pewną formę współpracy z Sowietami. Mimo to, co zdumiewające, nie wyciągnięto wobec niego żadnych konsekwencji ani nawet nie poddano go obserwacji. Jest to zaskakujące, gdyż wiemy, co się stało z pułkownikiem Albrechtem, który w takich samym okolicznościach i niemal w tym samym czasie zgodził się na identyczny układ z Niemcami.

Złamany w gestapowskim śledztwie Albrecht zgodził się udać jako poseł do Grota-Roweckiego, aby go przekonać do zaprzestania walki z Niemcami i wszczęcia walki przeciw Sowietom. ZWZ skazał go za to na śmierć. 6 września 1941 roku Albrecht zmuszony został do samobójstwa. Niemal w tym samym czasie Okulicki dostał zaś wysokie stanowisko w polskiej armii.

Trudno o lepszy dowód na politykę podwójnych standardów, jaką Polacy podczas minionej wojny stosowali wobec obu swoich wrogów. Albrecht musiał zginąć, ponieważ uznano go za zdrajcę stanowiącego poważne niebezpieczeństwo dla organizacji. Uznano, że skoro został złamany przez Gestapo i podjął z Niemcami rozmowy polityczne, to istnieje zbyt duże ryzyko, iż może działać pod ich wpływem. Wnioski w sprawie Okulickiego nasuwają się więc same.

Rozdział 10

„Uczciwie panu
z twarzy patrzy"

Złamanie Leopolda Okulickiego podczas sowieckiego śledztwa w 1941 roku i potencjalne tego konsekwencje są na ogół w polskiej historiografii skrzętnie pomijane. Najlepszym tego przykładem jest piękny (niestety tylko w formie) album Instytutu Pamięci Narodowej poświęcony generałowi, którego autorami są świętej pamięci Janusz Kurtyka i Jacek Pawłowicz. Ten sam, który przygotował głośny album o Witoldzie Pileckim.

Już pierwsze zdanie książki musi wzbudzić konsternację. Pawłowicz zacytował w nim bowiem następujące słowa Janusza Kurtyki: „robimy ten album razem, żeby postawić pomnik Generałowi". Stawianiem pomników zajmować się powinni tymczasem murarze i politycy. A zadaniem historyków jest opisywać prawdę. Jakakolwiek by ta prawda była. Nawet jeśli jest bardzo bolesna i sprzeczna z patriotycznie poprawnymi mitami.

Tymczasem autorzy albumu IPN nie tylko całkowicie bezkrytycznie przytoczyli tłumaczenia Okulickiego zawarte w jego raporcie z 10 września, ale i uznali, że podczas śledztwa zachowywał się wzorowo. Według nich „nikogo nie wydał", a złożenie Sowietom propozycji współpracy Kurtyka i Pawłowicz nazwali „podjęciem próby śmiałej rozgrywki"…

Zupełnie inaczej więzienną postawę Okulickiego ocenia mieszkający w Londynie historyk emigracyjny Jan Ciechanowski, były powstaniec warszawski i były żołnierz Andersa. Ocena ta nie jest obciążona wymogami polskiej „polityki historycznej" ani patriotycznej autocenzury. Otóż według Ciechanowskiego postawa Okulickiego „nie licowała z honorem, godnością i powinnościami wyższego oficera Wojska Polskiego".

„Niestety płk Leopold Okulicki, składając te zeznania i oferty nieprzyjacielowi, z którym Polska była w stanie niewypowiedzianej wojny od 17 września 1939 roku, łamał wszelkie zasady wojskowej dyscypliny i sprzeniewierzał się swej żołnierskiej przysiędze złożonej na wierność Rzeczpospolitej" – pisał Ciechanowski. Według niego ni ma wątpliwości, że obszerne zeznania i propozycje „Mrówki" miały wia ek z tym, że „szybko i cało" został wypuszczony z więzienia zaraz po ɪ odpisaniu układu polsko-sowieckiego.

Pułkownik wyszedł na wolność 15 sierpnia i wkrótce zajął eksponowane stanowisko w tworzonej w Sowietach polskiej armii. Sam generał Anders mówił później, że ktoś mu Okulickiego podsunął. Niewykluczone, że był to pułkownik NKWD Paweł Kondratiuk, który wcześniej na stanowisko szefa sztabu armii Andersa starał się zarekomendować… pułkownika Zygmunta Berlinga. A więc człowieka, o którym wiemy na pewno, że był już wówczas zwerbowany przez Sowietów.

Okulickiego zresztą znał znakomicie. To on bowiem kierował jego aresztowaniem we Lwowie i on prowadził jego sprawę. Był to jeden z wyższych oficerów NKWD odkomenderowanych przez Berię na „odcinek polski".

Wkrótce Anders zdjął Okulickiego ze stanowiska szefa sztabu i mianował dowódcą 7. Dywizji Piechoty. Z dokumentów sowieckich i polskich z tego okresu wynika, że pułkownik popadł w ostry konflikt ze swoim dowódcą. O ile Anders zachowywał wielką ostrożność i nie palił się do wysłania swoich żołnierzy na front wschodni w roli sowieckiego mięsa armatniego, o tyle Leopold Okulicki coraz bardziej natarczywie się tego domagał.

30 listopada 1941 roku Beria raportował Stalinowi, że pułkownik wzywa innych oficerów do „lojalnego stosunku do władzy sowieckiej"

i „postawienia krzyżyka na tym, co stało się między 1939 a 1941 rokiem". W innym raporcie szef sowieckiej bezpieki pisał, że Okulicki „stoi na pozycji współpracy z ZSRS i walki z Niemcami" i sprzeciwia się ewakuacji polskiego wojska na Bliski Wschód pod skrzydła Brytyjczyków.

Gdy zapadła decyzja o ewakuacji, Okulicki był wyjątkowo niezadowolony. 18 marca 1942 roku w rozmowie ze Stalinem oświadczył, że „dzisiaj nasze marzenia, żeby stworzyć możliwie silną armię i prostą drogą – walcząc – iść do wolnej ojczyzny, rozwiały się". Wypowiedź ta wydaje się co najmniej zagadkowa. Okulicki musiał bowiem zdawać sobie sprawę, że gdyby te jego „marzenia" się spełniły, żołnierze armii Andersa zostaliby wybici do nogi.

Wysłanie polskiej jednostki na front wschodni wiosną 1942 roku oznaczałoby po prostu zagładę kilkudziesięciu tysięcy ludzi, których dopiero co z trudem uratowano z łagrów. Był to bowiem okres, w którym Niemcy wciąż mieli miażdżącą przewagę nad bolszewikami i rozbijali w pył kolejne dywizje Armii Czerwonej. Jeńców traktowali zaś bestialsko. Na domiar złego polscy żołnierze nie mieli wystarczającej ilości broni ani nie byli jeszcze wówczas wystarczająco przeszkoleni, aby wejść do walki. Tym bardziej że nie ma większych wątpliwości, iż Stalin skierowałby ich na najgorszy odcinek frontu.

Do wyjątkowo nieprzyjemnej sceny doszło w lipcu 1941 roku, podczas urządzonego w polskiej armii wieczoru z okazji rocznicy bitwy pod Grunwaldem. Jak wynika z raportu Ławrientija Berii, w pewnym momencie Okulicki wstał i zwrócił się do Andersa: „W obliczu wszystkich żołnierzy ośmielam się zadać panu generałowi pytanie: dlaczego nie jesteśmy dotychczas na froncie?". Anders podobno się wzburzył, lecz Okulickiemu nic nie odpowiedział.

Trudno nie skojarzyć tych zachowań Okulickiego z działaniami, jakie podjął trzy lata później w lipcu 1944 roku wobec Bora-Komorowskiego. Wtedy również wystąpił przeciwko swojemu dowódcy, wtedy również domagał się podjęcia walki bez oglądania się na konsekwencje, wtedy również narażał na potworne straty najcenniejsze, najbardziej patriotyczne polskie elementy, działając w ten sposób – świadomie lub nie – na rzecz interesów sowieckich.

Część historyków notoryczne akty niesubordynacji Okulickiego i jego ślepy pęd do walki tłumaczy jego porywczym charakterem, brawurową odwagą i przekonaniem, że tylko poprzez przelewanie krwi można zbawić ojczyznę. Przekonaniem rzekomo charakterystycznym dla oficerów legionowych. Problem polega na tym, że w marcu 1940 roku Okulicki miał diametralnie inne poglądy.

To on był bowiem tym oficerem – nosił wówczas pseudonim „Miller" – który przyjechał do wsi Gałki do kwatery majora Henryka Dobrzańskiego „Hubala" i nakazał mu rozpuszczenie oddziału. Motywował to właśnie troską o zachowanie substancji biologicznej narodu. Niemcy w odwecie za partyzancką działalność „Hubala" spalili bowiem kilka wsi. Między obydwoma oficerami doszło wówczas do dramatycznej rozmowy. To do Okulickiego „Hubal" powiedział słynne słowa: „Rozkazy takowe mam w dupie".

Jak wiadomo, trzy lata później skrupułów, które Okulicki miał wobec kilku mazowieckich wiosek, nie miał wobec milionowej Warszawy. Trudno nie zauważyć, że jego słynny pęd do walki i przelewania krwi rodaków narodził się po wypuszczeniu go z sowieckich kazamat.

Warto w tym miejscu odnotować jeszcze jeden, wymowny incydent. Doszło do niego 4 grudnia 1941 roku na Kremlu, podczas bankietu wydanego na cześć generała Sikorskiego. Podochocony sporą ilością alkoholu Józef Stalin opowiadał polskim wojskowym o swoich przygodach sprzed pierwszej wojny światowej, gdy jako zawodowy rewolucjonista przekradał się przez granicę zaboru rosyjskiego i austriackiego, aby dotrzeć do mieszkającego wówczas w Poroninie Lenina.

Tak relacjonował jedną z tych opowieści generał Władysław Anders:

Nieszczęśliwym zbiegiem okoliczności osoby, które miały mu przejście granicy ułatwić, zawiodły. Znalazł się sam w obcym, pogranicznym mieście, zwracając uwagę swoim charakterystycznym wyglądem. Kilku Żydów zaproponowało mu usługi. Ale ja – mówił Stalin – do tych Żydów zaufania nie miałem. Widziałem po ich minach, że za pieniądze gotowi byli oddać mnie żandarmom rosyjskim. Wreszcie znalazłem Polaka, któremu uczciwie z twarzy patrzyło, i jemu powierzyłem sprawę. I zwracając się do siedzącego obok pułkownika Okulickiego, Stalin dodał: pan mi go przypomina, pan bardzo do niego podobny. Ten obcy Polak bezinteresownie dał mu schronienie, nakarmił go, a następnie przeprowadził przez granicę.

Obecni na sali byli zaskoczeni zachowaniem Stalina i tym, jak zwrócił się do Okulickiego. Trudno nie dopatrzyć się w tej opowieści dyktatora dwuznacznych aluzji. Co chciał zasugerować Stalin, porównując Okulickiego z pewnym Polakiem, któremu niegdyś miał powierzyć ważną sprawę? Czy była to sugestia, że Okulicki jest jego człowiekiem? Interesująca jest również wzmianka o Żydach, którym Stalin nie mógł zaufać.

Nie jest bowiem tajemnicą, że spora część polskich komunistów przed i w trakcie drugiej wojny światowej była właśnie żydowskiego pochodzenia. I nie jest tajemnicą, że Moskwa uważała to za dość poważną komplikację w realizacji planów przyszłego ujarzmienia Polski. Stalin sądził bowiem, że najlepiej będzie rządzić Polakami przy pomocy Polaków. Czyżby chciał więc dać do zrozumienia Okulickiemu, że może on w przyszłości liczyć na jakieś ważne stanowisko w czerwonej Polsce?

W późniejszej części życiorysu Okulickiego pojawia się szereg innych wydarzeń, które trudno racjonalnie wytłumaczyć. Najważniejszym i dla nas najbardziej interesującym jest zdumiewająca niesubordynacja, której Okulicki dopuścił się wobec naczelnego wodza w lipcu 1944 roku. Jak wiemy, generał Kazimierz Sosnkowski wysłał go do okupowanej Polski z misją zapobieżenia wybuchowi powstania. Zadanie to miał wykonać za wszelką cenę.

Tymczasem Okulicki, skoczywszy ze spadochronem i przedostawszy się do Komendy Głównej AK, postąpił na odwrót. Złamał wyraźne rozkazy swojego dowódcy, co dla żołnierza stanowi najwyższą ujmę. W Warszawie podjął intensywne starania mające doprowadzić do wszczęcia walk. Za plecami „Bora" zawiązał spisek, do którego wciągnął kilku innych oficerów. Aby doprowadzić do wybuchu powstania, nie zawahał się uciec do kłamstw, manipulacji, a wreszcie szantażu. W ten sposób pchnął Warszawę w przepaść.

Skądinąd wiemy, że Okulicki w Warszawie zbliżył się do prosowiecko nastawionego pułkownika Jana Rzepeckiego oraz opowiadającego się za porozumieniem ze Stalinem Stronnictwa Ludowego. Podkreślał na każdym kroku swoje lewicowe poglądy i „proletariacki" rodowód. „Ja jestem synem chłopa – mówił. – Nie jestem politycznie zaangażowany. «Bór» jest hrabią. Pełczyński sanatorem. Ja jestem z czystym chłopskim nazwiskiem".

Okulicki był również gorącym zwolennikiem dekonspiracji żołnierzy podziemia niepodległościowego przed NKWD. „Okulicki oceniał, że ujawnianie się jest konieczne, bo inaczej AK uchodziłaby za wspólnika Niemców" – wspominał po wojnie Bór-Komorowski. Jak wiemy, był to argument nietrafny. AK mimo podjęcia akcji „Burza" i tak w propagandzie sowieckiej „uchodziła za wspólnika Niemców", a ujawnienie jej przed Armią Czerwoną zaoszczędziło tylko pracy bezpiece.

Zaskakujące jest także zachowanie Okulickiego podczas samego Powstania. Ten bojowy, prący za wszelką cenę do walki oficer, który mówił, że „Polska potrzebuje najwyższych ofiar" i „strumieni krwi", sam do złożenia ofiary życia i przelewania krwi się nie palił. Delegowany na szefa nowej organizacji konspiracyjnej „NIE" otrzymał od „Bora" polecenie ukrycia się i niebrania udziału w powstaniu. Tym razem rozkaz grzecznie wykonał.

Okulicki zadekował się w mieszkaniu przy ulicy Śliskiej. Towarzyszyła mu tam łączniczka i sekretarka Janina Pronaszko-Konopacka „Janina". Po latach opowiedziała o tym historykowi Januszowi Kazimierzowi Zawodnemu. Otóż Okulicki całymi nocami siedział w swoim pokoju przy zapalonym świetle i palił jednego papierosa za drugim. Traf chciał, że akurat cierpiał na silny katar i zużyte chusteczki z ligniny... wyrzucał za okno.

Palącym się bez przerwy światłem i wylatującymi na ulicę papierami zainteresowała się żandarmeria AK. Mieszkanie zostało wzięte pod obserwację i wreszcie Okulicki został aresztowany, jako niemiecki szpieg, który miał dawać tajemne znaki Luftwaffe. „Kobra" – jak wówczas brzmiał jego pseudonim – omal nie został rozstrzelany. Zaprowadzono go jednak do sztabu, gdzie udało się wyjaśnić pomyłkę. Historia ta dowodzi, że Okulicki był figurą co najmniej dziwną.

Janina Pronaszko-Konopacka nie zgodziła się powiedzieć Zawodnemu wszystkiego. A być może nie zgodziła się na opublikowanie wszystkiego. Historyk na końcu wywiadu z „Janiną" umieścił bowiem następującą adnotację: „Po wywiadzie idziemy razem do kolejki podziemnej. Bije z niej smutek. Ma łzy w oczach. Mówi do mnie: Poruczniku «Miś», chcę panu dużo rzeczy powiedzieć, ale nie mogę. Coś subtelnego i delikatnego emanowało z tej kobiety w czasie wywiadu. Była przygnębiona, mówiąc o generale Okulickim".

W wywiadzie Zawodnego z Karolem Popielem, chadeckim działaczem politycznym, znalazł się natomiast taki dwuznaczny passus: „W kraju, na gorąco, mówiono mi, że Okulicki to... Tu ma pan odpowiedź, dlaczego Sosnkowski nie zgodził się na wywiad z panem".

Jeszcze przed upadkiem Powstania z Okulickim spotkał się Jan Nowak-Jeziorański. „Byłem przerażony jego beztroską – opowiadał. – Ginie wielkie miasto, stolica, archiwa, muzea, dziedzictwo narodowe, a ten człowiek mówi: «Za kilka dni Warszawa klapnie» i zrobił ten ruch [uderzenie, klepnięcie obiema dłońmi w kolana]. Byłem zupełnie wstrząśnięty samym gestem beztroskiego potraktowania tej straszliwej tragedii".

Janusz Bokszczanin pisał, że „Okulicki po powstaniu nie przeżywał go zupełnie". Pierwszą rzeczą, jaką zrobił po kapitulacji miasta (zgodnie z instrukcjami nie poszedł do niewoli niemieckiej), było poszukiwanie najbliższej knajpy. „Właściciel restauracji w Milanówku zawiadomił dowódcę Okręgu AK, że jakieś typy piją i mówią o polityce w jego lokalu. Sprawę zbadano, okazało się, że był to Okulicki. Mianował ludzi po pijanemu: «jest pan kapitanem – mianuję pana pułkownikiem»" – opowiadał Bokszczanin.

Na koniec jeszcze jedna bardzo zagadkowa okoliczność. Otóż 8 października 1945 roku, gdy Okulicki siedział już po raz drugi w sowieckim więzieniu, nastąpiła rzecz bez precedensu w historii Wojska Polskiego podczas drugiej wojny światowej. Otóż szef Sztabu Naczelnego Wodza generał Stanisław Kopański skreślił generała Okulickiego ze stanu Polskich Sił Zbrojnych. Po prostu usunięto go z szeregów. Z tym dniem przestał być generałem i żołnierzem.

Jest to sankcja wręcz niebywała. Spośród wszystkich najwyższych rangą oficerów Wojska Polskiego poddany jej został tylko i wyłącznie Okulicki. Dlaczego zrobiono coś takiego? Jakie informacje na temat „Niedźwiadka" dotarły do Londynu? Generał Kopański do końca życia nie ujawnił motywów tej decyzji.

Rozdział 11

Kim był „Kobra"?

Wielu ludzi już podczas wojny wysuwało hipotezę, że Okulicki nie był samodzielny, że wypełniał tylko czyjeś polecenia lub sugestie. Uważał tak między innymi cytowany wyżej Bokszczanin, a także generał Kazimierz Sawicki „Opór", który otwarcie mówił po wojnie, że „ktoś za Okulickim stał i podsunął mu koncepcję Powstania". Jak już pisałem, poważne podejrzenia wobec Okulickiego ma także wielu historyków.

Spodziewam się, że archiwa w Rosji kryją odpowiedzi na pytania o to, kto był agentem w czasie drugiej wojny światowej – mówił niedawno Andrzej Leon Sowa. – Obawiam się, że pod tym względem historię trzeba będzie pisać na nowo. Szereg wybitnych postaci było w czasie drugiej wojny światowej bardzo dalece uwikłanych: myślę tu na przykład o generale Leopoldzie Okulickim. Dopóki nie będziemy mieli jego pełnego dossier, trudno będzie jednoznacznie powiedzieć, jaka była jego rola w historii. Przecież jakby nie patrzeć, Armię Krajową całkowicie ujawniono Sowietom, bez względu na to, jak się to motywuje.

Takie sformułowanie znalazło się zaś w zbiorowej pracy *Kulisy katastrofy Powstania Warszawskiego 1944* wydanej przez środowisko weteranów AK: „Motywy działania gen. Okulickiego pozostają zagadkowe, bo były niezgodne z intencjami Naczelnego Wodza i z polską racją stanu, jaką winno być dążenie w tym momencie do zachowania patriotycznej młodzieży dla przetrwania nieuchronnej drugiej okupacji. Osoba Okulickiego winna być przedmiotem badań historyków, a pełne wyjaśnienie jego roli będzie możliwe dopiero po otwarciu archiwów w Rosji".

Jan Matłachowski pisał: „Okulicki swoją maniakalną postawę i zamierzenia skrywał przed swymi władzami, a w szczególności przed Naczelnym Wodzem. Świadomie wbrew instrukcjom działał nielojalnie, łamiąc dyscyplinę wojskową. Ci, co znali bliżej Okulickiego, wykluczają to, by mógł on podjąć się tak wielkiego zadania z własnej inicjatywy, i dowodzą, że musiał być przez kogoś inspirowany. Jeśli tak było, to pozostaje zagadką, przez kogo".

Profesor Wieczorkiewicz mówił: „Jest przerażające, że Okulicki, który poznał mentalność sowiecką, siedząc w więzieniu na Łubiance, nie był w stanie rozpoznać ich elementarnej polityki. Tu pojawia się pytanie: kim on był? Przecież został zrzucony do kraju na spadochronie z jedynym zadaniem: rozkazem naczelnego wodza, Kazimierza Sosnkowskiego, że w Warszawie nie wolno robić powstania!".

Rzeczywiście jest niezwykle prawdopodobne, że złamanie Leopolda Okulickiego przez NKWD w 1941 roku miało wpływ na jego starania o wywołanie Powstania Warszawskiego. Powstanie to bowiem było korzystne tylko i wyłącznie dla Związku Sowieckiego. Zgadzam się również, że dopóki Moskwa nie otworzy archiwów, kwestii tej nie rozstrzygniemy.

Wydaje się jednak, że można postawić cztery hipotezy:

1. Hipoteza optymistyczna. Leopold Okulicki, pchając Komendę Główną AK do Powstania Warszawskiego, chciał zmazać plamę na honorze oficera, jaką było jego zachowanie w sowieckim więzieniu cztery lata wcześniej. Sprawa zeznań i propozycji złożonych w 1941 roku NKWD nie dawała mu spokoju. Czuł, że się pohańbił, i hańbę tę chciał zmyć krwią. Niestety wyszło tak, że nie zmył jej krwią własną, ale blisko 200 tysięcy rodaków.

Leopold Okulicki chciał jednak udowodnić światu, a przede wszystkim samemu sobie, że zasługuje na krzyż Virtuti Militari, którym odznaczył go niegdyś Marszałek. Był więc człowiekiem niemądrym, ryzykantem i warchołem łamiącym wydane mu rozkazy. Odpowiada on za hekatombę swoich rodaków i zburzenie stolicy swojego państwa. Ale działał samodzielnie, obłędna koncepcja powstania zrodziła się w jego umyśle.

2. Hipoteza pesymistyczna. Gdy w 1944 roku Leopold Okulicki dostał się do Warszawy, został namierzony przez sowiecki wywiad, który polskie podziemie miał przecież znakomicie zinfiltrowane. Działający w Warszawie oficerowie NKWD skontaktowali się z nim i zaczęli wywierać na niego presję. Być może padł ofiarą szantażu. Być może brutalnie przypomniano mu epizod z 1941 roku i zagrożono ujawnieniem kompromitujących go materiałów.

Nie ma żadnych wątpliwości, że Okulicki na skutek złamania go na Łubiance był niezwykle podatny na presję i manipulacje Sowietów. Mógł więc zostać zmuszony do wykonywania ich poleceń. To oni mogli mu podsunąć samobójczą koncepcję wywołania powstania w Warszawie.

3. Hipoteza fatalna. Leopold Okulicki był „pożytecznym idiotą". Bolszewicy przeprowadzili z nim grę polegającą na pozornym przyjęciu jego złożonej w 1941 roku oferty współpracy. Być może – wykorzystując jego wielką ambicję – wmówiono mu, że będzie poważnym graczem, że będzie odgrywał wielką rolę polityczną. Wmówiono mu, że jeżeli będzie działał zgodnie z sugestiami Moskwy, w przyszłości stanie na czele owej „czerwonej Polski", o której pisał na Łubiance („Będzie Polska czerwona, dobrze, byle tylko była").

W 1944 roku jego „przyjaciele" z NKWD mogli go przekonać, że powstanie – dając dowód dobrej woli Polaków i chęci walki z Niemcami do końca – otworzy drogę do ugody między Moskwą a Warszawą. Okulicki zaś w swojej naiwności w to uwierzył. Wydawało mu się, że prowadzi misterną polityczną grę, a w rzeczywistości był narzędziem w rękach Stalina. Narzędziem, przy pomocy którego Stalin sprowadził na Polskę wielką katastrofę. Hipoteza ta pozwala wyjaśnić zarówno dziwną opowieść Stalina na bankiecie na Kremlu, jak i późniejsze zachowanie Okulickiego w kolejnym sowieckim śledztwie.

4. *Hipoteza katastrofalna*. Leopold Okulicki był sowieckim agentem. NKWD bez skrupułów wykorzystało jego załamanie w śledztwie w 1941 roku i od tej pory wykonywał on po prostu rozkazy swojego oficera prowadzącego. Był agentem albo agentem wpływu. Dostał od Sowietów polecenie wywołania za wszelką cenę powstania w Warszawie i polecenie to wykonał.

O tym, że tak właśnie było, przekonany był nieżyjący już profesor Paweł Wieczorkiewicz, jeden z najwybitniejszych polskich znawców postsowieckich archiwów i sowieckich służb specjalnych. Poniżej po raz pierwszy ujawniam pełny fragment wywiadu, jakiego udzielił mi na krótko przed śmiercią w 2009 roku. Fragment ten nie został zamieszczony w skróconej wersji rozmowy opublikowanej przez dziennik „Rzeczpospolita":

– *A jak wyglądała kwestia infiltracji AK przez Sowiety?*

– Obawiam się, że jeszcze gorzej niż infiltracja niemiecka. Sowieccy agenci w szeregach polskich władz i polskiej armii podziemnej mieli wielkie wpływy. Wykorzystywali to, że AK z czasem zaczęła skręcać mocno w lewo. Polskie podziemie ostatecznie nie podjęło działań zgodnych z niemieckimi interesami, ale podjęło działania zgodne z interesami sowieckimi. Choćby nieszczęsna operacja „Burza" z Powstaniem Warszawskim na czele. Na Powstaniu zyskała tylko jedna strona – Sowiety. Należy sobie zadać pytanie, czy Stalin mógł, a jeżeli tak, to w jaki sposób, wpłynąć na to, że Warszawa akurat 1 sierpnia 1944 roku stanęła do walki. Odpowiedź na to pytanie mogłaby się okazać szokująca.

– *Dlaczego?*

– Agentem sowieckim był człowiek, którego głos podczas dyskusji był głosem decydującym. Człowiek, który przekonał do koncepcji powstania innych oficerów. Generał Leopold Okulicki.

– *Ależ panie profesorze, Okulicki zmarł w 1946 roku na Łubiance! Nie-wykluczone, że został zamordowany przez bolszewików.*

– To jest akurat bardzo prawdopodobne. Sowiety często pozbywały się jednak w ten sposób swoich agentów, kiedy już odegrali wyznaczoną im rolę. Nie inaczej było z Okulickim. Załamał się w śledztwie w 1941 roku. Sypał. Został wówczas zwerbowany, a w roku 1946 był już niepotrzebny i został wyeliminowany. W Moskwie znajduje się obszerna teczka Okulickiego, którą w latach dziewięćdziesiątych widziało kilku naszych historyków. Po jej przeczytaniu byli wstrząśnięci. Niestety Rosjanie konsekwentnie odmawiają wydania nam tych papierów.

Autor książki, którą trzymacie państwo w rękach, wstrzymuje się od wyrażenia własnej oceny, która z czterech hipotez jest prawdziwa. To zbyt poważna sprawa, aby móc, bez ostatecznych dowodów, jakimi są ukrywane przed Polakami sowieckie dokumenty, wydać w niej ostateczny werdykt. Niech każdy czytelnik wyciągnie własne wnioski z ukazanych tu faktów.

Niezależnie od tego, która z czterech przedstawionych wyżej hipotez jest prawdziwa, każdy się chyba zgodzi, że Okulicki w 1944 roku nie powinien był zostać wysłany do kraju. Skierowanie go do okupowanej Polski było jedną z najgorszych personalnych decyzji, jakie kiedykolwiek zostały podjęte w historii Polski. Porównywalną chyba tylko z fatalnym błędem marszałka Józefa Piłsudskiego, który w 1932 roku wyznaczył na stanowisko szefa polskiej dyplomacji Józefa Becka.

Był to również katastrofalny błąd naszego kontrwywiadu. Człowieka, który załamał się na Łubiance, o czym polskie władze wiedziały z jego raportów z sierpnia i listopada 1941 roku, nigdy nie należało posyłać na tak ważną misję. I to w terenie gęsto oplecionym siatkami NKWD. „Niewątpliwie byłoby o wiele lepiej dla Armii Krajowej, Warszawy, Naczelnego Wodza oraz sprawy polskiej w ogóle i wreszcie dla samego generała Leopolda Okulickiego – pisał Jan Ciechanowski – aby nie wracał on do Polski w 1944 roku, pozostał na zachodzie i poszedł na front jako dowódca liniowy".

Okulickiemu w 1944 roku zaproponowano dowodzenie dywizją we Włoszech. Odrzucił jednak tę ofertę i zdecydował się na lot do kraju.

Gdyby wówczas zdecydował inaczej, zapisałby się w historii swojej ojczyzny w zupełnie inny sposób. Jako bohater. Choć dzisiaj jest otoczony w Polsce patriotycznym kultem – w oknie jednego z warszawskich kościołów znajduje się nawet witraż z jego podobizną – spod nałożonej mu przez naszych upiększaczy historii maski coraz wyraźniej wyziera jego prawdziwe, tragiczne oblicze.

Rozdział 12

Herbatki z wrogiem

Na koniec rozważań o Okulickim nie można pominąć jego dramatycznych losów po zakończeniu Powstania Warszawskiego.

Kiedy upadła Warszawa i generał Komorowski dostał się do niemieckiej niewoli, „Niedźwiadek" – był to kolejny pseudonim, który przyjął Okulicki – stanął na czele AK. Na tym stanowisku cały jego bojowy temperament nagle wyparował. O ile wcześniej do walki z Niemcami gotowy był w każdych okolicznościach i za wszelką cenę, o tyle teraz, gdy większość Polski była pod okupacją sowiecką, przeistoczył się nagle w chłodnego realistę dbającego o substancję biologiczną narodu.

Podejmowania walki z Sowietami i ich polskimi agentami „Niedźwiadek" zabraniał. „Wytyczne Okulickiego nakazywały powstrzymywanie się od wszelkich akcji zaczepnych wobec partyzantki komunistycznej AL" – wspominał Jan Nowak-Jeziorański, który spotykał się wówczas z generałem. Wreszcie 19 stycznia 1945 roku Okulicki Armię Krajową rozwiązał i rozpuścił żołnierzy do domów.

Kilka tygodni później, na początku lutego, odbyła się konferencja jałtańska, na której potwierdzone zostało włączenie Rzeczypospolitej do sowieckiej strefy wpływów. Aby zachować pozory przed zachodnią opinią publiczną, trzy wielkie mocarstwa – Związek Sowiecki, Stany Zjednoczone i Wielka Brytania – ustaliły, że powstanie w Polsce Tymczasowy Rząd Jedności Narodowej oraz rozpisane zostaną „wolne wybory". Każdy przytomny człowiek zdawał sobie sprawę, że to sowiecka farsa. Dlatego nowy rząd polski w Londynie – kierowany przez wybitnego działacza socjalistycznego Tomasza Arciszewskiego – ustalenia konferencji krymskiej z pogardą odrzucił. Zupełnie inaczej zachował się kraj. Tak idealizowane przez nas Polskie Państwo Podziemne natychmiast przeskoczyło z pozycji niepodległościowych na jałtańskie.

21 lutego podczas posiedzenia podziemnego parlamentu, Rady Jedności Narodowej, kraj wypowiedział posłuszeństwo rządowi Rzeczypospolitej i opowiedział się po stronie Mikołajczyka, który już przebierał nogami, żeby wejść do tymczasowego „rządu". „RJN jest zmuszona dostosować się do [postanowień konferencji jałtańskiej], widząc w nich możliwość ratowania niepodległości Polski i uniknięcia dalszego zniszczenia narodu" – głosiła przyjęta wówczas uchwała.

Ponurą rolę odegrał tu ludowiec i zaufany człowiek Mikołajczyka Stefan Korboński, który do dzisiaj uznawany jest za wielkiego bohatera i „autorytet moralny", bo napisał kilka książek o polskim podziemiu. To on, będąc zwolennikiem „dogadania się" z sowieckim okupantem, był głównym motorem tego rokoszu.

Trudno zrozumieć, jak ci ludzie mogli po raz kolejny uwierzyć w możliwość osiągnięcia kompromisu z Sowietami. Do długiej listy sowieckich zbrodni wobec narodu polskiego, które rozpoczęły się 17 września 1939 roku, doszła przecież bierność wobec Powstania Warszawskiego i pacyfikacja AK. W kraju szalały UB i NKWD. A oni wciąż „spoglądali na Wschód z nadzieją".

Najbardziej kuriozalnym aktem tej kolejnej próby kolaboracji z wrogiem była sprawa „procesu szesnastu". Czytając liczne artykuły i książki na temat tego wydarzenia, trudno zrozumieć, o co chodzi. Owych szesnastu przywódców Polski Podziemnej przedstawia się jako niezłomnych strażników polskiej niepodległości, którzy zostali „zdradziecko" i „perfidnie" – te słowa są tu nieodzowne – aresztowani i wywiezieni przez NKWD do Moskwy.

W tej nadętej patriotycznej retoryce gubi się gdzieś podstawowy fakt, że ci panowie sami pojechali na rozmowy z wrogiem. W dodatku po to, aby zabiegać u niego o dopuszczenie do władzy w okupowanym kraju. „Z wrogiem się walczy, a nie przyjmuje zaproszenia na herbatki konferencyjne" – pisał o tym z niesmakiem Józef Mackiewicz. I niesmak ten był niestety w pełni uzasadniony. Dzielni przywódcy podziemia sami wleźli w łapska NKWD-zistów, a potem dziwili się i oburzali, że ich NKWD-ziści aresztowali.

W dyskusjach na ten temat zawsze sięgam po porównanie z okupacją niemiecką. Wyobraźmy sobie, co by się stało, gdyby grupa przywódców Polski Podziemnej, powiedzmy w roku 1940, wybrała się do jakiejś podwarszawskiej willi na rozmowy z generałem SS, aby wejść do okupacyjnej administracji. Nawet gdyby była to prowokacja Gestapo i ludzie ci zostaliby z miejsca aresztowani i wywiezieni na pokazowy proces do Berlina, ich nazwiska na zawsze byłyby zbrukane. Uważalibyśmy ich za zdrajców. Szesnastu podsądnych z procesu moskiewskiego uważamy natomiast za nieskazitelnych bohaterów.

Gdyśmy się dowiedzieli, że szesnastu Polaków po zgłoszeniu się do władz sowieckich zniknęło bez śladu, byliśmy przekonani, że ludzie ci byli nieustępliwi i niezłomni i dlatego Rosjanie wtrącili ich do więzienia – pisał Stanisław Cat-Mackiewicz. – Tymczasem niestety było zupełnie odwrotnie. Owych 16 polityków zgadzało się na deklarację jałtańską, akceptowało rozbiór Polski i jechali do Rosjan nie, by protestować, lecz by prędzej ująć w swe ręce część władzy i administracji. Sytuacja była paradoksalna. Poszli oni do więzienia, ulegli później torturom właśnie za swoją prosowieckość, za zgodę na Jałtę, za zgłoszenie się do wykonania programu ustalonego w Jałcie. Sowiety nie miały ochoty z nikim dzielić się władzą nad Polską.

27 marca 1945 roku na spotkanie z generałem Iwanowem – za nazwiskiem tym krył się dobrze nam znany Iwan Sierow – do pruszkowskiej willi udali się czołowi działacze podziemia. Jan Stanisław Jankowski, Adam Bień, Kazimierz Pużak, Kazimierz Bagiński, Zbigniew Stypułkowski i inni. Po cóż aż kilkunastu!? Oczywiście po to, aby żadnego

nie ominęły spodziewane stanowiska i apanaże w jałtańskiej Polsce. O bezpieczeństwo się nie obawiali, bolszewicy dali im bowiem... słowo honoru, że nic im się nie stanie.

I znowu w naszej dziecinnej literaturze historycznej możemy znaleźć pełne oburzenia tyrady o wrednych Sowietach, którzy złamali dane przez siebie gwarancje. Trudno doprawdy o coś bardziej godnego pożałowania. Nie do bolszewików – którzy byli nałogowymi kłamcami – należy mieć o to pretensje, ale do ludzi, którzy po raz kolejny uwierzyli w ich słowo. Najlepiej całą sprawę podsumował sam Sierow, mówiąc o jednym z polskich przywódców: „Jak inaczej mogłem wyciągnąć z podziemia całą tę swołocz? Wystąpiłem jako «generał Iwanow». A ten idiota uwierzył".

W roku 1944 przywódcy podziemia masowo zadenuncjowali żołnierskie rzesze AK, wydając je NKWD podczas operacji „Burza". W roku 1945 sami się zaś zadenuncjowali, zgłaszając się na NKWD.

Po przybyciu do willi w Pruszkowie Polacy zostali z miejsca aresztowani. Wsadzono ich do samolotu i wywieziono do Moskwy, gdzie zamiast rozmów ze Stalinem – na co liczyli – czekała ich Łubianka i proces pokazowy.

Wróćmy jednak do Okulickiego. Otóż był on jednym z owych szesnastu. Trochę się opierał, krygował, lecz w końcu grzecznie pojechał do Pruszkowa na „herbatkę" z generałem NKWD. Co bardzo charakterystyczne, złamał przy tym wyraźny rozkaz – który to już raz? – pełniącego obowiązki naczelnego wodza generała Władysława Andersa, który surowo zabronił mu ujawniania się i podejmowania jakichkolwiek rozmów czy negocjacji z nowym okupantem. Takie same instrukcje otrzymał od premiera Arciszewskiego (depesza z lutego 1945 roku) oraz szefa Sztabu Naczelnego Wodza, generała Stanisława Kopańskiego.

Warto też odnotować, że zaproszenie od Iwanowa przekazał mu jeden z oficerów PAL, z którą to organizacją Okulicki utrzymywał potajemne kontakty. Organizacją, przypomnijmy, kryptokomunistyczną. Znowu więc „Niedźwiadek" podjął niezwykle ryzykowne działania sprzeczne z wydanymi mu rozkazami oraz polskim interesem, korzystne za to dla Związku Sowieckiego, który dążył do ostatecznej pacyfikacji Polskiego Państwa Podziemnego.

W całej tej sprawie najbardziej jednak szokujące jest to, że gdy Okulicki znalazł się znowu na Łubiance, niemal dokładnie powtórzyły się wydarzenia z roku 1941. Tylko że tym razem wszystko potoczyło się znacznie szybciej. Dysponujemy częścią dokumentacji dotyczącej procesu, w tym protokołami przesłuchań generała, i jest to niestety lektura niewesoła. Zostały one przekazane Polsce przez Rosję na fali jelcynowskiej odwilży i opublikowane na początku lat dziewięćdziesiątych w tomie *Proces szesnastu. Dokumenty NKWD.*

Zaczęło się tak jak cztery lata wcześniej. Najpierw Okulicki stawiał opór, a potem... poszłoooooo. Pierwszy dokument, jaki znamy, to napisany przez niego z więziennej celi tydzień po aresztowaniu – 3 maja 1945 roku – list do ludowego komisarza bezpieczeństwa Mierkułowa. „Niedźwiadek" składał w nim zażalenie na aresztowanie, zapewniając, że „żadnej akcji skierowanej przeciwko ZSRS nie prowadził", i domagał się zwolnienia.

W oporze wytrwał tym razem jeden dzień. Już 4 kwietnia, tak jak w 1941 roku, napisał bowiem list do Berii:

> Zgłosiłem się na zaproszenie p. gen. pułkownika Iwanowa do władz sowieckich celem przeprowadzenia rozmów dla uregulowania życia w Polsce w duchu zgodnego i przyjacielskiego współżycia polsko-sowieckiego. Zdecydowany jestem współpracować ze wszystkich sił dla ułożenia dobrosąsiedzkich stosunków i przeciwdziałania akcji skierowanej przeciw tym dobrym stosunkom. Szczerość moich rozmów ograniczona jest obecnie uzasadnioną obawą, że mogą one spowodować represje w stosunku do byłych żołnierzy AK, z którymi współpracowałem.
>
> Jeśli Pan Minister, jako członek Rządu sowieckiego, zagwarantuje mi, że nikt na skutek moich rozmów nie ulegnie represji Związku Sowieckiego za dotychczasową swoją działalność, i jeśli dana mi będzie możność działania mająca na celu likwidację akcji zaogniającej stosunki polsko-sowieckie, gotów jestem z całą szczerością, otwartością i dobrą wolą przeprowadzić rozmowy na temat Armii Krajowej.

Czy możecie sobie państwo coś podobnego wyobrazić? Generał Leopold Okulicki, który jak nikt inny poznał sowieckie metody i wiedział, z kim ma do czynienia, po raz kolejny zaoferował Sowietom współpracę. Mało tego, gotów był udzielić wszelkich informacji na temat polskiego podziemia, pod warunkiem że... szef NKWD da mu słowo, że w efekcie jego zeznań nie będzie prześladował zdekonspirowanych przez Okulickiego polskich żołnierzy.

Kto jak kto, ale Okulicki musiał świetnie zdawać sobie sprawę, że NKWD stara się wyciągnąć z niego informacje na temat Polaków działających w podziemiu właśnie po to, żeby ich prześladować. Zlikwidować tych ludzi i ich organizację, aby nie utrudniali sowietyzacji Polski. Po cóż innego byłyby NKWD te informacje? Szczytem wszystkiego jest zaś wiara w słowo Berii. Dzieje się to przecież zaledwie kilka dni po tym, gdy Okulicki został aresztowany właśnie na skutek złamania słowa danego przez bolszewików.

Można to oczywiście tłumaczyć naiwnością, głupotą czy zmęczeniem polskiego generała, jest to jednak mało przekonujące. Najwyraźniej Beria wszystko Okulickiemu obiecał, bo „Niedźwiadek" już następnego dnia – 5 kwietnia 1945 roku – sporządził kolejne wielostronicowe „zeznanie własne".

Jest to jeden z najbardziej zatrważających dokumentów najnowszej historii Polski. Okulicki sporządził bowiem dla Sowietów pełny i wyczerpujący raport dotyczący polskiego podziemia. Przedstawił jego historię, struktury, ujawnił liczebność oddziałów, nazwiska i pseudonimy dowódców. Mówił o sposobach łączności z Londynem, sposobach działania, koncepcjach, planach i strategii, jaką polskie podziemie przyjęło po wkroczeniu Armii Czerwonej. O zrzutach, broni i finansowaniu. Sporządził dla NKWD charakterystyki poszczególnych okręgów AK. Relacjonował, jak układają się stosunki między polskimi stronnictwami politycznymi. Opisał dokładnie swoje przeżycia w kraju i w Londynie od ostatniego pobytu na Łubiance. Ujawnił szczegóły dotyczące funkcjonowania polskiego wojska na Zachodzie. Zdradził, jak zorganizowane są i gdzie odbywają się tajne kursy dla polskich żołnierzy z II Korpusu Andersa wysyłanych do okupowanego kraju.

Oto tytuły niektórych rozdziałów jego zeznania: „organizacja Komendy Głównej AK", „Organizacja dowodzenia terenem", „Charakterystyka okręgów", „Wytyczne do działania dla okręgów", „Sprawa dalszego dowodzenia AK", „Łączność radiowa z Londynem i okręgami", „Sprawa broni", „Sprawa zrzutów", „Sprawy pieniężne", „Przekrój stanu obecnie istniejącego". Był to więc materiał całkowicie dekonspirujący przed Sowietami to, co zostało z AK.

Materiał, który pozwalał Sowietom dorżnąć organizację, którą Okulicki dowodził. Dorżnąć ludzi, którzy byli jego podkomendnymi. Bez owijania w bawełnę można napisać, że było to zdradą własnych żołnierzy. Wydaniem ich prosto w ręce sowieckiej bezpieki. W niektórych miejscach Okulicki pozwalał sobie nawet na udzielanie rad NKWD, jak ma działać, aby zniszczyć polskie podziemie niepodległościowe.

Oto przykład:

Poważna część broni [AK] rozeszła się razem z ludźmi po terenie. Broń tę dla spacyfikowania kraju należałoby możliwie szybko odebrać. Z początku należy stworzyć dobrze działający aparat administracyjny, a potem go oczyścić z elementów politycznie nieodpowiednich i wprowadzić na ich miejsce ludzi pewnych. Koniecznym jest zlikwidowanie wszystkich organizacji tajnych i jawnych, które nie są w dyspozycji tymczasowego rządu polskiego i przez to mogłyby przejawiać działalność zakłócającą spokój i bezpieczeństwo publiczne.

Należy tu podkreślić, że mowa jest o rządzie tymczasowym złożonym wyłącznie z komunistów, zanim jeszcze weszli do niego ludowcy Mikołajczyka.

Co ciekawe, Okulicki przyznał Sowietom, że ujawnił się i pojechał na spotkanie z „gen. Iwanowem" wbrew wyraźnemu rozkazowi, jaki dostał z Londynu. Miało to najwyraźniej podnieść w ich oczach jego osobę... Prawdopodobnie taki był też cel tyrady wymierzonej w Polskie Siły Zbrojne na Zachodzie. „Niedźwiadek" napisał, że ich żołnierze „nie rozumieją przemian społecznych, jakie zaszły w Polsce" i cechuje ich „nieprzyjazne nastawienie do ZSRS, które może w znacznej mierze utrudnić dobre sąsiedzkie stosunki".

Pierwszą część „zeznania własnego" kończą następujące słowa skierowane wprost do Ławrientija Berii: „Powyższe swoje zeznania, oświetlające moją działalność na stanowisku Komendanta Głównego AK, dałem szczerze, z własnej woli, będąc pewnym, że zapewnienie Pana Ministra, jako członka rządu sowieckiego, zostanie dotrzymane, i że nikt z moich podkomendnych nie ulegnie represjom za poprzednią swą działalność w AK oraz wierząc, że będą one w rezultacie korzystne dla Narodu Polskiego, jako prowadzące do ułożenia dobrych sąsiedzkich stosunków z ZSRS".

Okulicki, w świetle zeznania własnego, sprawia wrażenie szaleńca. Jak można było opowiadać Sowietom takie rzeczy? Niewykluczone, że doprowadzono go na skraj obłędu, wykorzystując jego pogłębiającą się chorobę alkoholową. Jeden ze współoskarżonych w procesie szesnastu Kazimierz Bagiński tak relacjonował swoje spotkanie z „Niedźwiadkiem" w niewoli. „Okulicki uśmiechnął się słabo. Podejrzewam (może to tylko imaginacja) że on za coś musiał się zgodzić (za wódkę) i podpisał".

Jeszcze bardziej zdumiewające jest to, że w Okulickim do końca nie zgasła osobista ambicja. W drugiej części „zeznania własnego" przedstawiał Sowietom po raz kolejny propozycję polityczną. Jak pisał, zarówno rząd Rzeczypospolitej w Londynie, jak i PKWN są „oderwane od narodu". W tej sytuacji – sugerował – Stalin powinien nowy polski rząd tymczasowy i nową polską armię oprzeć na ludziach byłej Armii Krajowej.

Rząd taki, w równie pewny sposób co gabinet złożony z komunistów, zagwarantowałby zachowanie przyjaznych relacji ze Związkiem Sowieckim, ale w przeciwieństwie do rządu komunistycznego byłby do zaakceptowania dla polskiego narodu. Rząd taki miałby zerwać wszelkie kontakty z Londynem i uznać postanowienia jałtańskie, na czele z linią Curzona. Nietrudno wywnioskować, że w takim rządzie i w takiej armii Okulicki widziałby dla siebie niepoślednie miejsce.

Jestem głęboko przekonany, że gdy te ogólne zasady będą honorowane, współpraca Narodu Polskiego z narodami ZSRS ułoży się w przyszłości harmonijnie i bez żadnych tarć. Chciałbym, aby Pan, Panie Ministrze – zwracał się znów do Berii Okulicki – zrozumiał mnie i zechciał mi uwierzyć. To wszystko, co napisałem, uczyniłem z własnej woli. Zatrzymanie mnie przez władze sowieckie i pobyt na Łubiance nie wpłynęły na to w najmniejszym nawet stopniu. Dosłownie to samo napisałbym, gdybym był na wolności.

Już profesor Jan Ciechanowski wskazał, że Okulicki, gdy składał podobne propozycje, całkowicie oderwał się od rzeczywistości. Wszystkie atuty były bowiem wówczas w rękach Stalina. Cała Polska znajdowała się pod okupacją Armii Czerwonej, Sowiety były całkowitym panem sytuacji. Utworzyły marionetkowy komunistyczny rząd. Okulicki i to, co zostało z AK, nie było im więc do niczego potrzebne. Po cóż mieliby się dzielić władzą, którą już zdobyli?

We wrześniu 1945 roku Okulicki wysłał z więziennej celi list do samego Stalina, w którym ponownie rekomendował pokolenie AK:

Długoletnia konspiracyjna walka [z Niemcami] prowadzona w ciężkich warunkach wyrobić musiała i wyrobiła specjalny typ wysoce ideowych i twardych pracowników. Największym dorobkiem walki konspiracyjnej są ludzie ideowi, zaprawieni do walki o wolność. Nowe pokolenie, wyrosłe i politycznie, i krytycznie dojrzałe w czasie wojny, jest najzdrowszą i najbardziej wartościową częścią Narodu. Są to przewodnicy na okres powojenny.

Rekomendacja taka mogła oczywiście tylko utwierdzić Stalina w przekonaniu, że byłych AK-owców musi eksterminować, aby w pełni podporządkować sobie Polskę. „Ludzie ideowi, zaprawieni do walki o wolność" byli bowiem dla niego najgroźniejszymi wrogami, a nie potencjalnymi partnerami.

W zbiorze dokumentów *Proces szesnastu* znajduje się jeszcze dwanaście protokołów przesłuchań Okulickiego przeprowadzonych między 16 kwietnia a 13 czerwca 1945 roku. Generał mówił niestety wszystko, co chcieli wiedzieć bolszewicy. Znowu przez protokoły przewijają się dziesiątki nazwisk i pseudonimów. Okulicki opowiadał o pobycie misji brytyjskiej na terenie Polski – rzecz, która bardzo niepokoiła Sowiety – o działaniu polskiego podziemia pod nową okupacją, o radiostacjach i lokalach konspiracyjnych.

Jego zeznania były obciążające dla innych aresztowanych i przetrzymywanych w Moskwie przywódców Polski Podziemnej oraz dla wielu ludzi, którzy zostali w Polsce. Ujawnił między innymi Sowietom, jaką rolę w nowych podziemnych strukturach odgrywał generał Emil Fieldorf „Nil". Znowu dużo mówił o rządzie w Londynie i armii polskiej na Zachodzie. W jego zeznaniach roi się również od samooskarżeń.

Generał Leopold Okulicki w „procesie szesnastu" został skazany na dziesięć lat pozbawienia wolności. Po wydaniu wyroku słuch po nim zaginął. Według oficjalnej, sowieckiej wersji podjął w więziennej celi głodówkę, a następnie zmarł na „porażenie serca" 24 grudnia 1946 roku. Jego ciało zostało skremowane. Inna hipoteza mówi o tym, że został przez bolszewików zastrzelony. Prawdy o jego śmierci – tak jak prawdy o jego działalności – nie poznamy pewnie nigdy.

Rozdział 13

Koniec złudzeń

Gdy w Moskwie zapadał wyrok na szesnastu przywódców Polskiego Państwa Podziemnego, kilka przecznic dalej Stanisław Mikołajczyk zgodził się wejść do sowieckiego Tymczasowego Rządu Jedności Narodowej. Był to ostatni z wielkich aktów polskiej naiwności politycznej podczas drugiej wojny światowej. Układ został zawarty 21 czerwca 1945 roku. Zgodnie z nim Mikołajczyk został wicepremierem w gabinecie Osóbki-Morawskiego, a jego ludzie otrzymali cztery z dwudziestu jeden ministerstw.

Była to wielka sowiecka farsa. Tymczasowy Rząd Jedności Narodowej z udziałem Mikołajczyka był narzędziem w rękach Stalina. Narzędziem, które miało mu pozwolić łatwiej ujarzmić Polskę.

Pierwszy celem jego powołania było umożliwienie Ameryce i Wielkiej Brytanii ostatecznego porzucenia polskiego sojusznika. Niemal natychmiast po jego utworzeniu Waszyngton i Londyn wycofały swoje uznanie dla legalnego rządu Rzeczypospolitej Polskiej kierowanego przez Tomasza Arciszewskiego i przeniosły go na dziwaczny twór Osóbki.

Prawdziwemu rządowi polskiemu nie pozostało nic innego, jak zgłosić formalny protest. TRJN został przez niego słusznie nazwany

„ciałem służalczym, narzuconym Polsce z zewnątrz" i porównany do podobnych instytucji powołanych kilka lat wcześniej przez III Rzeszę w części krajów okupowanych. Mikołajczyk został więc de facto uznany za kolaboranta. Protest został oczywiście odrzucony i porzuceni już ostatecznie przez „sojuszników" Polacy znaleźli się sam na sam ze Stalinem. Opinia publiczna w krajach anglosaskich nie protestowała. W skład rządu wszedł bowiem przecież Mikołajczyk. A skoro czołowy polityk obozu niepodległościowego zaakceptował ten kompromis, propaganda sowiecka – twierdząca, że przeciwko nowym porządkom opowiada się tylko garstka polskich „faszystów" i „reakcjonistów" – trafiła na podatny grunt. W ten sposób prezes Stronnictwa Ludowego ułatwił Anglosasom umycie rąk od sprawy polskiej.

„Po zakończeniu procesu szesnastu Brytyjczycy chcą zlikwidować sprawę polską. Aby bezboleśnie z nią skończyć, muszą użyć osoby Mikołajczyka. Gdyby pan Mikołajczyk był się wtedy uparł, uznanie przez Anglię agentury sowieckiej za rząd polski nie nastąpiłoby tak prędko. Ale Mikołajczyk chciał do tej polityki rękę swą przyłożyć" – pisał Stanisław Cat-Mackiewicz, który nazwał wówczas Mikołajczyka „kawalerem jałtańskim".

Swoim akcesem do pseudorządu Osóbki-Morawskiego Mikołajczyk uwiarygodnił sowieckich agentów w oczach świata jako równoprawną polską partię. „Za żadną cenę nie można było dopuścić do wytworzenia pozoru, że to jest «spór toczący się między Polakami». Do tego właśnie dążą Sowiety i o takie też stanowisko Aliantów zabiegają usilnie. Fatalnie się stało, że Mikołajczyk dał się namówić do rozmów z przedstawicielami Komitetu Lubelskiego" – pisał Józef Mackiewicz.

Drugim celem stworzenia przez Stalina „polskiego rządu" z udziałem Mikołajczyka było oszukanie polskiego społeczeństwa. Polacy po sześciu latach okupacji niemieckiej, hekatombie Powstania i wkroczeniu bolszewików byli wymęczeni i zdezorientowani. Komuniści wywieszali biało-czerwone flagi, Bierut brał udział w nabożeństwach. Nie wszyscy wiedzieli więc, jak traktować nowy, utworzony przez bolszewików „rząd". Wejście do niego Mikołajczyka dla wielu Polaków rozstrzygnęło ten dylemat na korzyść komunistów.

Na co liczył Mikołajczyk? Trudno w to uwierzyć, ale wciąż żywił nadzieję, że będzie miał realny wpływ na rządzenie okupowaną przez bolszewików Polską. Że zostaną zwołane – zapowiedziane w Jałcie – wolne wybory. Mikołajczyk brał tę farsę na poważnie i był przekonany, że wybory wygra i w kolejnym rządzie to on, a nie komuniści, będzie miał decydujące słowo. Polska pod jego rządami miała być oczywiście nadal zależna od Sowietów, ale miała to być zależność luźna, pozwalająca na zachowanie suwerenności w sprawach wewnętrznych.

Tak, to zdumiewające, że dorosły mężczyzna, w dodatku włościanin – a więc człowiek, który powinien być obdarzony „chłopskim rozumem" – mógł wierzyć w coś podobnego. Mikołajczykowi wydawało się, że jest wielkim graczem, a w rzeczywistości był tylko instrumentem w rękach Stalina. Polityka Mikołajczyka przez jego apologetów nazywana jest często polityką realną. To niedorzeczność. Mikołajczyk był bowiem najbardziej nierealnym z polskich polityków.

Jan Nowak-Jeziorański zapamiętał następującą rozmowę, którą odbył z Mikołajczykiem na krótko przed jego wejściem do tworu Osóbki:

– Panie Premierze – powiedziałem – czy po tym, co zaszło, można mieć jeszcze złudzenia?

W tym miejscu Mikołajczyk zaczął powtarzać dokładnie to, co już słyszałem. On wierzy w poparcie społeczeństwa i będzie miał za sobą Anglosasów. Przy pomocy tych dwu atutów można uratować coś w Polsce, ale nie w Londynie.

– Mnie się wydaje – powiedziałem – że albo zostanie pan Premier w Polsce zmuszony do kompromisów, które pozbawią pana poparcia i zaufania społeczeństwa, albo prędzej czy później zostanie pan zlikwidowany. Rosjanie pana nienawidzą, a Alianci w pana obronie wojny nie wypowiedzą. Trzeci rozbiór podpisał król i zatwierdził Sejm Rzeczypospolitej. Trzeba było trzech Powstań, żeby krwią wymazać ten podpis z sumienia narodu. Ja uważam, że pan jako były Premier nie powinien swoim nazwiskiem firmować aneksji Ziem Wschodnich i zniewolenia kraju.

– A ja jestem zupełnie przeciwnego zdania – odpowiedział Mikołajczyk. – Właśnie mając autorytet byłego szefa rządu polskiego w Londynie, mogę skupić wokół siebie społeczeństwo i wyciągnąć ludzi z Podziemia na powierzchnię. Nikt inny nie będzie miał w kraju tych możliwości.

– O ile panu Stalin pozwoli z tych możliwości skorzystać – odpowiedziałem.

– Czy pan też widzi we mnie zdrajcę i sprzedawczyka?

– Nie – odpowiedziałem – ale chcę być do końca szczery. Historia i naród osądzi pana zależnie od tego, jak daleko jeszcze posunie się pan na drodze ustępstw wobec okupanta.

– W takim razie – zakończył Mikołajczyk z wyraźną nutą gorzkiej ironii w głosie – niech się pan nie obawia o ten wyrok historii.

Ani podstępne aresztowanie przywódców Podziemia, ani żadne inne wypadki nie zdołały zachwiać koncepcji Mikołajczyka. Z chwilą gdy raz w nią uwierzył i uznał za swoją, trzymał się jej kurczowo do końca.

Teraz trzeci i najważniejszy powód, dla którego Stalin wciągnął Mikołajczyka do swojego marionetkowego rządu. Największą przeszkodę dla sowietyzacji Polski stanowili oczywiście ludzie. A konkretnie ta część społeczeństwa, która była najbardziej przywiązana do idei niepodległości Rzeczypospolitej. Dlatego właśnie Stalin metodycznie eksterminował elitę narodu polskiego od 17 września do samego końca wojny i po niej.

Mimo Katynia, deportacji na Syberię, Wołynia, pacyfikacji AK, Powstania Warszawskiego i wszystkich innych zbrodni sowieckich, niemieckich i ukraińskich, całej polskiej elity wymordować się nie udało. Gdy Polska została zalana przez Armię Czerwoną, na jej terytorium wciąż było sporo ludzi, którzy nie godzili się z nową okupacją i byli źródłem potencjalnych kłopotów.

Stalin użył Mikołajczyka głównie do spacyfikowania tych Polaków. Zaczęło się od podziemia. Jak wiemy, natychmiast po konferencji w Jałcie podziemna Rada Jedności Narodowej wypowiedziała posłuszeństwo legalnemu rządowi Rzeczypospolitej i uznała rozbiór Polski. Teraz, po wejściu Mikołajczyka do sowieckiego Tymczasowego Rządu Jedności Narodowej, podziemny parlament poszedł jeszcze dalej.

Pod wpływem ludowców – znowu fatalną rolę odegrał ostatni delegat rządu na kraj, Stefan Korboński – Rada Jedności Narodowej zdecydowała o samorozwiązaniu. 27 czerwca 1945 roku Polskie Państwo Podziemne przestało istnieć, uznając „rząd" Osóbki-Morawskiego. 1 lipca wydana została pożegnalna odezwa – Testament Polski Walczącej – w której wyrażono „pragnienie wszystkich Polaków" do „zlikwidowania po wieczne czasy nieprzyjaźni polsko-rosyjskiej". Jako źródło tej nieprzyjaźni wskazano… „politykę reakcyjnego caratu".

Korboński, który wcześniej wydał odezwę do wciąż siedzących w lasach AK-owców, wzywając żołnierzy, by „zaniechali walki i wrócili do pracy nad odbudową kraju", sam wyszedł z podziemia i zaangażował się w działalność PSL. W 1947 roku został wybrany na posła do komunistycznego parlamentu. Wszystko to sprawiło, że gdy zagrożony aresztowaniem uciekł na Zachód, część emigracji niepodległościowej przyjęła go niezwykle wrogo.

Ostatni delegat rządu na kraj przestał uznawać rząd i Prezydenta RP – pisał znany dziennikarz Henryk Kleinert w londyńskiej „Myśli Państwowej" – a uznał Bieruta. Gdy zwrócono się do delegata rządu, aby pieniądze rządowe i środki łączności z Londynem oddał do dyspozycji tych, którzy mają zamiar prowadzić dalej akcję oporu, Korboński odmówił. Wszystko przekazał bezpiece. Korboński współpracował z reżymem lojalnie. Został posłem, uchwalał, co trzeba było uchwalać. Zerwanie nastąpiło nie z jego woli i winy, a po prostu dlatego, ze reżymowi już na dalszej współpracy z Korbońskim i jego przyjaciółmi politycznymi nie zależało. Odegrali swoją rolę i stali się zbędni…

Ostatni delegat rządu na kraj, znalazłszy się zagranicą, nie ogłosił, że jego decyzja z 1945 była błędna. Uznawał nadal Jałtę i Bieruta. Jedyną tylko miał do Bieruta pretensję, a mianowicie, że nie wykonuje postanowień jałtańskich w polityce wewnętrznej w Polsce i odtrąca Korbońskiego i współtowarzyszy od współpracy z sobą. Korboński poucza [teraz] z namaszczeniem wszystkich, co powinni robić i jak się zachowywać. Może za parę miesięcy czy lat doczekamy się, że były towarzysz Światło zacznie nas pouczać i wynosić wyroki o ludziach uchodźstwa walczącego.

Niewiele lepiej od podziemnych władz politycznych zachowały się władze wojskowe. Otóż Okulicki na swojego następcę wyznaczył... pułkownika Jana Rzepeckiego. I to Rzepecki – znany ze swoich komunistycznych ciągot już w czasie wojny – został, jak się dzisiaj mówi, „twórcą podziemia antykomunistycznego". Był to człowiek, który po Powstaniu, podczas pobytu w oflagu, prowadził jawną agitację prosowiecką i został uznany przez innych jeńców za „agenta PKWN".

Wbrew nazwie założone przez Rzepeckiego we wrześniu 1945 roku zrzeszenie Wolność i Niezawisłość (WiN) z walką o prawdziwą niezawisłość miało niewiele wspólnego. Przynajmniej w założeniu swojego dowódcy. Rzepecki organizację tę założył bowiem jako wsparcie dla Mikołajczyka i jego planu kompromisu z Sowietami. Od początku piętnował czynne zwalczanie komunistów i razem z Korbońskim wzywał żołnierzy do wyjścia z lasów i „włączenia się w dzieło budowy nowej ojczyzny".

WiN w jego zamyśle miał być raczej organizacją polityczno-propagandową niż zbrojną. Jej ideowe oblicze było zaś co najmniej zaskakujące. W części deklaracji WiN, która dotyczyła polityki zagranicznej, znalazło się między innymi takie zdanie: „za konieczne uważamy utrzymanie dobrych stosunków politycznych i gospodarczych ze Związkiem Radzieckim [tak w oryginale – P.Z.]". Jak więc państwo widzą, był to antybolszewizm bezobjawowy.

Oczywiście co innego centrala, a co innego poszczególni dowódcy w terenie. Wielu WiN-owców tępiło komunistów z bronią w ręku, ale spotykało się to z potępieniem Rzepeckiego. Gdy Mikołajczyk wszedł do Tymczasowego Rządu Jedności Narodowej, pułkownik natychmiast udzielił mu poparcia. Głównym celem WiN-u stało się wspieranie jego polityki. Nie jest tajemnicą, że Rzepecki liczył na to, iż po wygraniu wyborów przez PSL znajdzie się dla niego miejsce w obozie władzy.

Mrzonki te szybko rozwiał Urząd Bezpieczeństwa. Aresztowany w listopadzie 1945 roku Rzepecki już po kilku godzinach ujawnił śledczym całą organizację. Z więzienia zaczął rozsyłać do swoich oficerów listy, w których przekonywał, że w obliczu stworzenia rządu Mikołajczyka dalsza konspiracja nie ma sensu i należy jej zaprzestać. Wydał również

UB cały majątek WiN, który pozostał mu w spadku po AK: milion dolarów w banknotach i złocie, drukarnie, archiwa i radiostacje.

Otworzyło to drogę do wielkiej pacyfikacji podziemia przez bezpiekę, posypały się aresztowania, tortury, wyroki. Sam Rzepecki po procesie pokazowym został skazany na osiem lat, ale już dwa dni później Bierut w uznaniu zasług go ułaskawił. Rzepecki po wyjściu na wolność dostał intratną posadę, a zdradzeni przez niego żołnierze jeszcze długie lata gnili w komunistycznych kazamatach. Jest to jeden z najpaskudniejszych epizodów naszej konspiracji.

Zachowanie Rzepeckiego na procesie było pożałowania godne. O własnej organizacji mówił jako o „smutnej sławy WiN". Potępiał „faszystowskie NSZ". Stwierdził nawet, że „nie ma za złe" bezpiece, iż prześladowała jego żołnierzy. Całość okrasił potępieniem „ginącego kapitalizmu" i peanami na cześć komunizmu. Wyraził satysfakcję z powodu sowieckiego zaboru czterdziestu siedmiu procent terytorium Rzeczypospolitej, nazywając Ziemie Wschodnie „rezultatem polskiej kolonializacji".

Nawet najbardziej przychylni Rzepeckiemu historycy przyznają, że podczas śledztwa nie był torturowany. Że nikt na nim niczego nie wymuszał, że mówił z własnej woli. „Jak to jest, że kiedy nazwiska swoich kolegów podaje żołnierz, to mówi się: sypie, a kiedy dowódca to: ujawnia? Jak to jest, że wyroki śmierci dostają żołnierze, a wyroki niższe, nawet ułaskawienia, dowódcy?" – zastanawiał się jeden z sądzonych z Rzepeckim oficerów, słynny dowódca Kedywu Józef Rybicki.

Po latach Zbigniew S. Siemaszko tak pisał w liście do Jerzego Giedroycia: „W WiN-ie w pierwszym rzędzie chodziło o stworzenie siły podziemnej i rozmawianie z władzami PRL z pozycji siły. Za cenę biernej postawy i wreszcie rozwiązania WiN-u uzyskanie razem z Mikołajczykiem udziału we władzy PRL. A gdy Rzepeckiego aresztowano, to wykupił się wraz ze swoim najbliższym otoczeniem, uzyskując jedynie minimalne względy dla szarych członków swojej organizacji".

Rzeczywiście trudno sprawę Rzepeckiego oceniać w oderwaniu od polityki Mikołajczyka. Obaj panowie mieli te same mrzonki, obaj się łudzili, że możliwe jest porozumienie i współżycie z komunistami. Bez akcesu Mikołajczyka do komunistycznego pseudogabinetu nie byłoby dekonspiracji WiN-u. Efekty tej akcji były więc opłakane. Niestety Mikołajczyk zdezorientował Polaków i sprawił, że bolszewicy mogli brać Polskę gołymi rękami.

Właściwie rzecz biorąc, tak jak ona jest, bez fałszywego wstydu i obsłonek, cały Naród Polski pochłonięty jest w tej chwili wyszukiwaniem usprawiedliwienia moralnego dla rezygnacji ze swej niepodległości na rzecz Sowietów – pisał gorzko Józef Mackiewicz. – Nie wolno nam przy ocenie rzeczywistości chować głowy w piasek. Musimy sobie powiedzieć prawdę w oczy, jakakolwiek jest ona smutna. Żaden z narodów zaatakowanych politycznie przez Sowiety nie okazał tyle gotowości poddania się bolszewikom co Naród Polski.

Gdy myśli się dzisiaj o Mikołajczyku, który siedział przy stole z komunistami, potępiał podziemie zbrojne i gorliwie domagał się, aby pozbawić generała Andersa polskiego obywatelstwa, każdego Polaka musi ogarnąć smutek. Jak nisko upadł człowiek, który wcześniej był premierem Polski.

Można oczywiście uznać, że cała ta jałtańska rozgrywka, do której został wykorzystany, nie ma znaczenia. Że najważniejsze były „pozytywne" skutki jego decyzji o przyjeździe do kraju. A więc utrudnienie życia komunistom poprzez stworzenie masowego ruchu społecznego, jakim był PSL, i rozbudzenie tym samym olbrzymiego entuzjazmu Polaków. Niestety właśnie to, co jest uznawane za jego największą zasługę, było jego największym grzechem. Olbrzymich nadziei, które lekkomyślnie rozbudził w Polakach, Mikołajczyk nie mógł bowiem zaspokoić. Cena, jaką zapłacili za to ludzie, którzy dali się „nabrać na PSL", była olbrzymia.

Mikołajczyk wprowadził naród polski w błąd – pisał Zbigniew S. Siemaszko. – Swoim przyjazdem do kraju stworzył pozory, jakoby w PRL po wojnie można było, legalnie, poprzez działalność polityczną osiągnąć jeszcze coś pozytywnego. Zgromadził dookoła siebie w ramach zalegalizowanego Stronnictwa Ludowego tych, którzy pomimo okupacji niemieckiej, klęski Powstania Warszawskiego, przegranej wojny i wkroczenia armii sowieckiej, mieli jeszcze siłę i odwagę do jawnego działania dla dobra niezależnej Polski. Zostali oni spisani, zarejestrowani w biurach Stronnictwa, co niezmiernie ułatwiło potem UB wytropienie tych wszystkich, którzy zaufali Mikołajczykowi.

Jednym z podstawowych założeń Realpolitik jest szukanie kompromisu, czasami nawet upokarzającego, żeby zmniejszyć cierpienia i straty biologiczne swojego narodu. „Realpolitik" w wykonaniu Mikołajczyka przyczyniła się tylko do nasilenia represji. Gdy już komuniści uznali, że Mikołajczyk odegrał swoją rolę, i przepędzili go za granicę, straszliwie rozprawili się z porzuconymi przez niego współpracownikami.

Aresztowano jego gosposię, kierowców, a nawet dozorcę domu, w którym mieszkał. UB torturowało jego partnerkę życiową Marię Hulewicz. Do aresztów w całym kraju trafiły całe rzesze członków PSL. Wielu zabito, innych uczyniono kalekami, złamano życie tysiącom. Jeszcze przez całe dekady ludzie ci byli pod obserwacją bezpieki. Mikołajczyk odegrał więc rolę mimowolnego prowokatora, który wyciągnął na światło dzienne i skupił wokół siebie ostatnich Polaków mających siłę walczyć o wolność, a następnie uciekł, pozostawiając ich wszystkich na pastwę ubecji.

„Wszystko, co Mikołajczyk mógł zaoferować, to zostać agentem tajnej policji przeciwko własnemu rządowi" – mówił amerykański znawca komunizmu, radca ambasady w Moskwie George Kennan. Według niego Anglosasi nakłonili Mikołajczyka do „haniebnego sprzedania własnej ojczyzny Rosjanom".

Mikołajczyk był przede wszystkim politykiem nieodpowiedzialnym. Po zakończeniu jego poronionego eksperymentu Związek Sowiecki mógł już bez większych problemów zabrać się do trawienia swojej – jak powiedział Józef Stalin – najważniejszej wojennej zdobyczy: Polski.

Polakom pozostał zaś już tylko rozpaczliwy gest protestu. Wykonali go „żołnierze wyklęci". Ci najwięksi herosi naszej historii najnowszej, o których – mimo że sprawa, o którą walczyli, była stracona – myślimy dzisiaj z taką dumą i tkliwością. Wreszcie ktoś zaczął strzelać do bolszewików. Niestety o sześć lat za późno.

Zakończenie

Polska historia ma samych bohaterów. Nie ma w niej miejsca na czarne postacie: zdrajców, agentów, szmalcowników, cwaniaków, malwersantów czy zwyczajnych głupców i nieudaczników. Polska historia różni się od polskiej rzeczywistości zapamiętanej przez Polaka tak jak noc różni się od dnia. Polska historia piórami swoich najwybitniejszych badaczy nikogo i nigdy nie osądza, nikogo i nigdy nie oskarża i zgodnie z niepisaną tradycją, nikogo nie gani.

Każdego potrafi z czasem usprawiedliwić i każdemu wynaleźć jakieś okoliczności łagodzące. Wystarczy przejść do historii, by poczuć się w niej całkowicie niewinnym i bezpiecznym. Tym samym jednak polska historia niczego nie tłumaczy, niczego nie uczy, niczego nie wyjaśnia i niczego nie pomaga zrozumieć.

Słowa te pochodzą z artykułu znanego publicysty Dariusza Baliszewskiego i jest to wyjątkowo trafny opis polskiej historiografii. Polacy przez swoich historyków utrzymywani są w błogim samozadowoleniu, zupełnie nie przystającym do prawdziwego, tragicznego przebiegu naszych dziejów. Historia nasza ma bowiem służyć pokrzepieniu serc, a nie przedstawieniu prawdy. O ile od biedy można uznać, że takie podejście miało jakiś sens w czasach rozbiorów, to teraz, gdy mamy niepodległy kraj, jest ono po prostu szkodliwe. Szczególnie dotyczy to drugiej wojny światowej, poddawanej niebywałym zabiegom retuszującym i upiększającym.

Według oficjalnej wykładni dziejów za wszystko złe, co nas spotkało, odpowiadają obcy – Niemcy, bolszewicy, Ukraińcy, Żydzi, Amerykanie i Anglicy – my zaś nie możemy mieć sobie nic do zarzucenia. Spisaliśmy się na medal. Tymczasem druga wojna światowa w naszym wykonaniu była prawdziwą katastrofą. Nie przez przypadek za motto tej książki posłużyły słowa Winstona Churchilla, że „nie było takiego błędu, którego Polacy by nie popełnili". Niestety brytyjski premier znał się na Polakach.

Nasza klęska była skutkiem szeregu decyzji – pisał na łamach tygodnika „Do Rzeczy" publicysta Rafał Ziemkiewicz – podejmowanych przez polskie władze, których nie sposób ocenić dziś inaczej niż jako maksymalne ułatwienie realizacji celów sił dążących nie tylko do zniszczenia naszej państwowości, ale także do całkowitego biologicznego wyniszczenia Polaków i wyhodowania z ich pozostałości oderwanych od korzeni polskojęzycznych pariasów w ponadnarodowym imperium sowieckim.

Błędy, o których mowa, były naturalną konsekwencją pewnego skrzywienia charakteru ludzi, którzy znaleźli się na szczytach polskiej władzy. Otóż swoją politykę zamiast na twardych faktach oparli oni na własnych pobożnych życzeniach. Oparli ją na mitach. Oto siedem najważniejszych:

Mit pierwszy: niezachwiana pewność, że uda się osiągnąć kompromis ze Związkiem Sowieckim.

Mit drugi: wiara w to, że Wielka Brytania i Ameryka kochają Polskę, tak jak Polska kocha Wielką Brytanię i Amerykę. A co za tym idzie, Anglosasi nie dadzą nas skrzywdzić.

Mit trzeci: przekonanie, że im więcej przelejemy krwi, tym większy wzbudzimy podziw na świecie. I w ten sposób „zasłużymy sobie" na niepodległość.

Mit czwarty: łudzenie się, że Sowieci zmienili się pod wpływem sojuszu z Zachodem i na nasze terytorium w 1944 roku wkroczyli nie jako wróg, ale jako „sojusznik naszych sojuszników".

Mit piąty: przekonanie, że cała rola Polski podczas wojny sprowadza się do walki z Niemcami bez oglądania się na straty i własną rację stanu.

Mit szósty: przeświadczenie, że upadek III Rzeszy automatycznie przyniesie odzyskanie niepodległości przez Polskę.

Mit siódmy: przywiązywanie większej wagi do tego, „co o nas powiedzą" w Londynie, Waszyngtonie i Moskwie, niż do realizowania własnych interesów.

„Naród, którego elita żyje w takiej sprzeczności z rzeczywistością i opiera swe rozumowanie i działanie na mitach i marzeniach, nie uniknie zapłacenia wysokiej ceny za własne urojenia" – pisał Zbigniew S. Siemaszko.

Niestety Polacy podczas drugiej wojny światowej wykazali się całkowitym niezrozumieniem reguł, na jakich opiera się polityka międzynarodowa. Nie rozumieli jej podstawowej zasady. Zasada ta jest zaś niezwykle prosta. W polityce międzynarodowej nie liczy się honor, nie liczą się układy sojusznicze i obietnice. Nie liczy się moralność, demokracja i wszelkie inne wzniosłe ideały. Nie liczą się nawet najpiękniejsze gesty i ofiary.

W polityce międzynarodowej liczy się tylko siła. Słabi nie mają nic do gadania. Są przedmiotem, a nie podmiotem politycznej gry. Polacy podczas ostatniej wojny byli zaś nie tylko słabi, ale jeszcze swoje skromne siły lekkomyślnie trwonili.

Brak zrozumienia tej podstawowej zasady polityki międzynarodowej spowodował, że minister spraw zagranicznych Józef Beck w 1939 rok pchnął Polskę do wojny, której nie mogliśmy wygrać. Odsyłam państwa do swojej poprzedniej książki – *Pakt Ribbentrop–Beck* – którą w całości poświęciłem tej koszmarnej pomyłce. Potem było jeszcze gorzej. Kolejni przywódcy Rzeczypospolitej sprowadzali na swój naród coraz większe nieszczęścia.

Znaleźliśmy się na równi pochyłej, która doprowadziła nas do kolaborcji, akcji „Burza" i straszliwej hekatomby Powstania Warszawskiego.

Doprowadziła nas do samozagłady. Wnioski wypływające z tej lekcji są bardzo gorzkie.

Przechodząc obok filtrów – pisał weteran powstania Jan Ciechanowski – na ul. Filtrowej, prawie w całości wówczas wypalonej, natknęliśmy się na dwa stojące obok siebie niemieckie czołgi „Tygrysy" poobwieszane różnego rodzaju przeciwpancernymi fartuchami i najeżone ciężką bronią. Wtedy to ja, mijając te czołgi, doznałem silnych wrażeń i emocji, że musieliśmy walczyć z nimi głównie butelkami z benzyną i granatami.

Czołgi te, stojąc poza zasięgiem naszych nielicznych piatów, bezkarnie niszczyły ogniem swych dział i cekaemów nasze gniazda karabinów maszynowych, a nawet stanowiska naszych poszczególnych strzelców, czego sam często byłem świadkiem i sam na własnej skórze boleśnie doznałem.

W tym momencie pojąłem wreszcie i raz na zawsze, że na wojnie i w polityce wielkich mocarstw nie liczą się żadne, nawet najszlachetniejsze intencje i zamiary, jeśli nie są poparte odpowiednią siłą i są sprzeczne z ich własnymi celami i żywotnymi interesami, oraz że głową muru się niestety nie przebije.

Polacy podczas drugiej wojny światowej walili zaś właśnie głową w mur i tę głowę sobie roztrzaskali. Cóż należało robić? Mierzyć siły na zamiary. Podczas tego konfliktu mieliśmy czterech poważnych wrogów:

1. Związek Sowiecki,
2. działających na terenie Polski komunistów, czyli PPR i sowiecką partyzantkę,
3. Niemców,
4. ukraińskich nacjonalistów.

Polskie Państwo Podziemne w starciu ze Związkiem Sowieckim i Niemcami nie miało najmniejszych szans. Ich czołgom, artylerii i samolotom mogliśmy przeciwstawić tylko butelki z benzyną i naszą młodzież gotową oddać życie za ojczyznę. Po kampanii 1939 roku, gdy przestały istnieć nasze własne – dysponujące czołgami, artylerią i samolotami – regularne siły zbrojne, otwarta walka z tymi dwoma przeciwnikami powinna zostać wstrzymana i przeniesiona na pole propagandowe. Działania zbrojne powinny być ograniczone tylko i wyłącznie do obrony własnych obywateli tam, gdzie było to możliwe. Nie toczy się bowiem bitew, których nie można wygrać.

Armia Krajowa nie powinna więc była atakować niemieckich pociągów, posterunków i magazynów na terenie okupowanej Polski. Nie powinna była strzelać na ulicach do pojedynczych niemieckich żołnierzy. Nie powinna była wreszcie urządzać operacji „Burza" i wywoływać Powstania Warszawskiego. Działania te Niemcom nie wyrządziły bowiem większej krzywdy, a odwet na polskiej ludności cywilnej był straszliwy. Znacznie lepiej byłoby przyjąć taktykę czeską, czyli uzbroić się w cierpliwość i Niemców po prostu przeczekać.

W 1944 roku szaleństwem byłoby również pchnięcie Armii Krajowej do otwartej walki z Armią Czerwoną. Przejechałaby ona bowiem po polskim podziemiu jak walec. Nie oznacza to jednak, że należało – tak jak się działo – witać bolszewików chlebem i solą oraz pomagać im w podbijaniu Polski. Wobec wkroczenia do Polski Armii Czerwonej winniśmy byli zachować bierność. Nic nie mogło bowiem zmienić naszego losu.

Zupełnie inaczej sytuacja wyglądała z dwoma pozostałymi wrogami działającymi na terenie Polski: komunistami i ukraińskimi nacjonalistami. Oni byli w naszym zasięgu. Ba, rozprawa z tymi dwoma przeciwnikami nie nastręczałaby Polskiemu Państwu Podziemnemu większych problemów. PPR i jego siły zbrojne, Armia Ludowa, liczyły góra kilka tysięcy ludzi, a UPA – około 30 tysięcy. Niewiele silniejsza była grasująca na Ziemiach Wschodnich partyzantka sowiecka. Struktury te Armia Krajowa mogła zniszczyć.

Przyjęcie takiej taktyki oczywiście nie uratowałoby polskiej niepodległości. Ta kwestia rozstrzygnęła się na froncie wschodnim. Po porażce Niemców pod Stalingradem nasz los został przypieczętowany. Taktyka taka pozwoliłaby jednak znacznie zminimalizować straty. Gospodarcze siły Polski zostałyby znacznie mniej uszczuplone, Polska nie byłaby tak zdemolowana. Do dziś stałaby Warszawa, a nie jej atrapa. Ocalałyby bezcenne skarby kultury.

Co jednak najważniejsze, naszym obywatelom oszczędzone zostałyby olbrzymie cierpienia:

1. Nie zginęłoby od kilkudziesięciu do kilkuset tysięcy Polaków (nikt tego nigdy nie policzył) zamordowanych w niemieckich akcjach odwetowych za ataki polskiego podziemia.

2. Przeżyłoby kilkadziesiąt tysięcy żołnierzy Armii Krajowej poległych i zamordowanych podczas akcji wymierzonych w Niemców, na czele z akcją „Burza" oraz Powstaniem Warszawskim.

3. Nie straciłoby życia grubo ponad 150 tysięcy cywilów zabitych w wyniku decyzji o wszczęciu Powstania Warszawskiego.

4. UPA nie wyrżnęłaby na Wołyniu i w Galicji Wschodniej blisko 150 tysięcy Polaków.

5. Żyłyby dziesiątki tysięcy Polaków zamordowanych i zadenuncjowanych przez polskich komunistów i sowieckich partyzantów zarówno w czasie okupacji sowieckiej, jak i niemieckiej.

Jak widać, są to liczby olbrzymie. Proszę nie zrozumieć mnie źle. Ofiary można i należy ponosić. Ale tylko wtedy, jeżeli prowadzi to do sukcesu. Polskie ofiary podczas drugiej wojny światowej nie miały zaś najmniejszego sensu. To bardzo przykra, tragiczna wręcz konstatacja, ale taka jest brutalna prawda. Pomimo straszliwej hekatomby, jaką poniósł naród polski, drugą wojnę światową przegraliśmy. Choć biliśmy się w obozie zwycięzców, na koniec wylądowaliśmy w obozie przegranych.

Na marne poszła krew i tyle młodych istnień – pisał weteran powstania porucznik Zbigniew Blichewicz „Szczerba" – żołnierzy o sercach rozpalonych gniewem i rozkazem, a rozstających się z życiem w wierze, że śmiercią swą utwardzą grunt pod Wolność i Wielkość swej Ojczyzny, pod lepszy, sprawiedliwszy świat. A tymczasem na gruzach starego świata powstał nowy, znacznie gorszy, skażony anglosaskim cynizmem, zakłamaniem i podłością! Na marne poszło wszystko. I krew, i łzy, i tyle śmierci i wiary, i tyle męki.

Niestety winę za to ponoszą nie tylko nasi wrogowie, ale również nasi polityczni i wojskowi przywódcy. Winę za to ponosi generał Władysław Sikorski i premier Stanisław Mikołajczyk. Winę za to ponosi delegat rządu na kraj Jan Stanisław Jankowski. Winę za to ponosi generał Tadeusz Bór-Komorowski, generał Leopold Okulicki i pułkownik Jan Rzepecki. Obecne wynoszenie tych ludzi na pomniki jest nieporozumieniem.

Podanie w wątpliwość „politycznego geniuszu" tych postaci traktowane jest jako herezja i akt narodowej apostazji. „Dobry polski patriota" historię swojego państwa traktuje całkowicie bezkrytycznie i gloryfikuje nawet największe polskie pomyłki. A na każdą ich krytykę reaguje histerią i oburzeniem. Jest to sytuacja niezdrowa, na całym świecie występująca jeszcze tylko w jednym narodzie. Jest to oczywiście naród żydowski.

„Tragedia, która nas dotknęła – pisał Rafał Ziemkiewicz – stała się świętością nie podlegającą żadnej refleksji, żadnej interpretacji. Na kilka pokoleń przyjęto założenie, że wszystko to, co się stało, stać się musiało. Tak jak w przypadku Męki Pańskiej Polska po prostu musiała bohatersko pójść na krzyż i ktokolwiek chciałby temu przeczyć, ten uderza w samą istotę naszego patriotyzmu".

Józef Mackiewicz pisał zaś w 1962 roku:

Po II wojnie światowej nikt w pozostałym na wolności społeczeństwie polskim [mowa o emigracji] nie ośmieli się wystąpić przeciwko „legendzie Armii Krajowej". Mimo że karta AK nie tylko była przegrana, ale postawiona na współpracę z tym najeźdźcą, który do dziś okupuje Polskę.

Podobnie jak odzyskanie niepodległości nie było zasługą legionów Piłsudskiego, tak też utrata niepodległości nie była winą AK i podziemia. W obydwóch wypadkach decydowały siły wyższe. Na ukształtowanie jednak nastrojów w kraju i kierunek myśli narodowej AK wywarła wpływ decydujący. Wynikał on z racji, którą dostrzegano nie w przeciwstawieniu się bolszewikom, a w dobijaniu z nimi razem okupanta poprzedniego, który opuszczał terytorium Polski. Tylko w ten sposób mogła powstać ta ideologiczna „baza", na której komuniści rozbudowali swój dogmat o „wyzwoleniu Polski".

Politycy czy generałowie reprezentujący koncepcję, której rezultatem jest klęska nawet przez nich nie zawiniona, bywają zazwyczaj odsuwani od wpływów. Natomiast dziś ci, którzy wspierali w walce obecnego okupanta, nie tylko nie zostali odsunięci od wpływu na dalszy rozwój polskiej myśli niepodległej, ale uzyskali ponadto w wielu wypadkach monopol na kryterium polityczne i ferowanie decyzji, co było lub jest słuszne, moralne lub niemoralne, zgodne lub niezgodne z interesem narodu.

Olbrzymią tragedią Polaków i Polski podczas drugiej wojny światowej był całkowity rozdźwięk pomiędzy rozumem politycznym – a właściwie jego brakiem – naszych przywódców a gotowością do poświęceń i heroizmem narodu polskiego. Im bardziej nasi przywódcy zatracali zdrowy rozsądek i pchali nas w stronę przepaści, tym chętniej kolejne zastępy Polaków szły na stos całopalny oddawać życie za ojczyznę.

Każdy Polak myśli z dumą o żołnierzach września, o naszych lotnikach i marynarzach, o konspiratorach z Armii Krajowej i o wojsku Andersa. Każdy Polak po wsze czasy będzie dumny z Powstańców Warszawskich, tych najdzielniejszych żołnierzy w naszych dziejach, którzy z gołymi rękami poszli na niemieckie czołgi. Duma ta nie oznacza jednak, że mamy składać hołd ludziom, którzy ich na te czołgi z gołymi rękami posłali.

„Cesarz Napoleon miał powiedzieć, że na wojnie lepsza jest armia baranów dowodzona przez lwa niż armia lwów dowodzona przez barana. Niestety my podczas II wojny światowej byliśmy właśnie lwami dowodzonymi przez baranów" – pisał Ziemkiewicz. Argumenty apologetów Powstania, którzy każdego, kto skrytykuje pomysł jego wywołania, oskarżają o „plucie na pamięć bohaterów z AK", są niedopuszczalnym szantażem moralnym. To bowiem dwie różne sprawy.

Nawet najbardziej zmasowana propaganda, nawet najbardziej skrupulatne zabiegi tuszujące nie mogą bowiem przysłonić podstawowych faktów. Powstanie Warszawskie zakończyło się masakrą 150 tysięcy mieszkańców miasta, poległo w nim blisko 20 tysięcy żołnierzy AK, w gruzy obrócona została nasza stolica razem z bezcennymi skarbami narodowymi. Sprawia to, że Powstanie było największą masakrą w dziejach Polski i narodu polskiego. Nigdy wcześniej i nigdy potem w jednorazowym wydarzeniu nie zginęło gwałtowną śmiercią tylu naszych rodaków. Była to największa nasza tragedia. Tragizm tego wydarzenia pogłębia to, że sami je sprowokowaliśmy.

Powstanie Warszawskie towarzyszyło mi od zawsze. Podczas tej beznadziejnej bitwy na terenie stolicy znajdowała się spora część mojej rodziny. Od dziecka słuchałem więc powstańczych opowieści. Były to na ogół opowieści bardo gorzkie, całkowicie sprzeczne z tym egzaltowanym patriotycznym sosem, którym gęsto zalewa się Powstanie podczas każdej jego rocznicy.

Mój ojciec – wówczas szesnastolatek, żołnierz Szarych Szeregów – wykonywał zadania pomocnicze przy jednym z oddziałów. Przenosił amunicję, chodził na zwiady. Wysyłano go na całkowicie bezsensowne i straceńcze misje. Przeżył właściwie cudem. Na jego oczach Niemcy zabili wielu jego kolegów, często nawet młodszych niż on. Broni oczywiście do ręki mu nie dano. Ale nie dlatego, że był niepełnoletni, bo tym nikt się nie przejmował, lecz dlatego, że tej broni po prostu nie było. Był więc – iście polskie to zjawisko – bezbronnym żołnierzem.

Po powstaniu ojciec został deportowany na roboty do Niemiec. Prawdziwą gehennę przeżyła jego ukrywająca się w piwnicy matka. Taką samą gehennę przeżyła moja rodzina ze strony mamy, którą powstanie zastało przy ulicy Hożej w Śródmieściu. Moja babcia, dziadek i kilkuletnia ciocia. Przeżyli kilkadziesiąt dni pod morderczym ogniem niemieckim. W ciemnej, dusznej i zapylonej piwnicy, bez wody, żywności, w ciągłym strachu o życie.

Konsekwencje tego były fatalne. Po kapitulacji Warszawy trafili do obozu w Pruszkowie, skąd skierowano ich do Starachowic. Tam wycieńczona powstaniem i obozem babcia urodziła dziecko – Janinę Kozłowską – która nie miała najmniejszych szans na przeżycie. Umarła po dwóch dniach. Ponieważ nie można było nigdzie dostać trumny, ciało włożono do walizki.

W Powstaniu Warszawskim bili się dwaj moi wujowie i szereg dalszych krewnych. Ci, z którymi rozmawiałem, opowiadali mi po latach, że te sześćdziesiąt trzy dni były najbardziej dramatycznym i tragicznym okresem w ich życiu. Były dla nich piekłem. W wyniku Powstania stracili przyjaciół, bliskich i niemal cały dobytek. Dorobek wielu pokoleń rodziny został zaprzepaszczony.

Książkę tę napisałem w dużej mierze z myślą o nich.

* * *

Kilka tygodni po premierze *Paktu Ribbentrop–Beck* przyszedł do mnie jeden z najbardziej zagorzałych krytyków książki. „Przeczytałem *Pakt* uważnie – powiedział. – Wygląda na to, że rzeczywiście gdyby Beck podjął inny, bardziej pragmatyczny wybór, uchroniłoby to Polskę przed katastrofą, a Polaków przed straszliwymi cierpieniami. Mimo to uważam, że nie powinieneś o tym głośno mówić. Twoim obowiązkiem jest milczeć".

Gdy zapytałem dlaczego, usłyszałem bardzo charakterystyczne słowa. Usłyszałem, że nie mogę cofnąć historii i przekonać Becka do zmiany decyzji. Że Polska wojnę przegrała i że nie da się już tego w żaden sposób zmienić. Pisanie takich książek może zaś tylko zdeprawować młodzież. Obedrzeć ją z dumy z własnej historii i uczuć patriotycznych. Lepiej, żeby Polacy wierzyli w piękne bajeczki, niż mieli poznać przykrą prawdę.

To prawda – odpowiedziałem – historii nie cofnę i Becka do zmiany decyzji nie namówię. To wszystko już się wydarzyło. Nie zmienił się jednak nasz fatalny adres. Wciąż musimy żyć między Niemcami a Rosją – w najgorszym miejscu na kuli ziemskiej. Dlatego zamiast się sami okłamywać, musimy dokładnie przeanalizować wszystkie błędy, które popełniliśmy w przeszłości. Na ich powtórzenie nas bowiem nie stać.

Pisząc o tym, uprzedzam argumenty krytyków *Obłędu '44*. Nie napisałem tej książki po to, żeby znęcać się nad biednym premierem Sikorskim, generałem „Borem" i innymi nieudacznikami na szczytach naszej władzy. Nie napisałem jej po to, żeby odzierać kogokolwiek z uczuć patriotycznych. Przeciwnie, napisałem ją po to, żeby jak najszerszą rzeszę czytelników skłonić do refleksji i wyciągnięcia wniosków z naszych tragicznych pomyłek.

Jeżeli bowiem nadal w naszym postępowaniu i myśleniu politycznym będziemy kierować się nie własnym, lecz cudzym interesem, jeżeli będziemy ślepo wierzyli w odległych sojuszników i przedkładali piękne gesty nad rację stanu, to czekają nas kolejne nieszczęścia. Gloryfikacja pomyłek może tylko prowadzić do ich powtarzania w przyszłości. Ich rzeczowa analiza natomiast, nawet jeżeli jest dla nas bolesna i nieprzyjemna, być może pozwoli nam ich uniknąć.

„Każdy młody człowiek przechodzi fazę heroizmu – mówił w latach sześćdziesiątych francuskiemu dziennikarzowi Jean-François Steinerowi pewien polski psycholog. – Jest mu ona potrzebna do ustalenia wiedzy o samym sobie. Okres ten może trwać dłużej lub krócej. Na ogół kończy się wraz z wiekiem młodzieńczym. U Polaków heroizm nie zanika. Oznacza to, że w pewnym sensie nigdy nie dorośleją".

Naród polski musi wreszcie wydorośleć. Musimy się wyrwać z błędnego koła. Makabrycznego cyklu kolejnych klęsk, po których podnosimy się niczym feniks z popiołów, aby wkrótce znowu spłonąć. Musimy przerwać to wiszące nad Polską fatum. Musimy wreszcie zacząć zwyciężać. Nasze porażki nie czynią nas bowiem silniejszymi – jak przekonują nas ich apologeci – ale znacznie słabszymi. Kolejnej takiej katastrofy jak druga wojna światowa i Powstanie Warszawskie możemy po prostu nie przetrwać.

Jak bowiem pisał w 1865 roku Cyprian Kamil Norwid w liście do Mariana Sokołowskiego: „nic nie będzie poczciwego w narodzie, w którym Energia jest 100, a Inteligencja jest 3. Albowiem tam zawsze pierwsza uprzedzi drugą, i wyskoczy, i zdradzi wszelki plan, i uniemożebni go, i będzie tylko co kilkanaście lat rzeź, rzeź niewiniąt jednego pokolenia. I cała sprawa nie będzie sprawą ogółu, ale sprawą zawsze jednego pokolenia, i będzie zniszczenie i nicość: tak będzie!".

Bibliografia

Dokumenty wydane drukiem

Adamczyk M., Gmitruk J., *Powstanie Warszawskie w dokumentach i wspomnieniach ludowców*, Kielce–Warszawa 2011

Armia Krajowa na Nowogródczyźnie i Wileńszczyźnie (1942–1944) w świetle dokumentów sowieckich, Warszawa 1997

Armia Krajowa w dokumentach, t. 1–6, Londyn 1970–1989

Armia Polska w ZSRR (1941–1942), pod red. W. Materskiego, Warszawa 1992

„Biuletyn Informacyjny" [w:] „Przegląd Historyczno-Wojskowy", nr. specjalne 1–4, Warszawa 2001–2004

Dokumenty Narodowych Sił Zbrojnych. Scalenie Narodowych Sił Zbrojnych z Armią Krajową, pod red. L. Żebrowskiego, „Zeszyty Historyczne" nr 1, Warszawa 1990

Dzienniki czynności prezydenta RP Władysława Raczkiewicza 1939–1947, t. 1–2, Wrocław 2004

Katyń. Dokumenty zbrodni, t. 1–4, Warszawa 1995–2006

Konflikty polsko-sowieckie 1942–1944, pod red. W. Roszkowskiego, Warszawa 1993

Kościół a powstanie warszawskie. Dokumenty, relacje, poezja, Warszawa 1994

Ludność cywilna w Powstaniu Warszawskim, t. 1–3, Warszawa 1974

Mocarstwa wobec Powstania. Wybór dokumentów i materiałów, Warszawa 1994

Na tropach tragedii – Powstanie Warszawskie 1944: wybór dokumentów wraz z komentarzem, pod red. J. Ciechanowskiego, Warszawa 1992

Narodowe Siły Zbrojne. Dokumenty, struktury, personalia, t. 1–3, pod red. L. Żebrowskiego, Warszawa 1994–1996

NKWD o Polsce i Polakach. Rekonesans archiwalny, pod red. W. Materskiego i A. Paczkowskiego, Warszawa 1996

Nowogródzki Okręg AK w dokumentach, pod red. K. Krajewskiego, Warszawa [b.r.w.]

Od „Łupaszki" do „Młota" 1944–1949. Materiały źródłowe do dziejów V i VI Brygady Wileńskiej, pod red. T. Łabuszewskiego i K. Krajewskiego, Warszawa 1994
Okupacja i ruch oporu w dzienniku Hansa Franka 1939–1945, pod red. S. Płoskiego, t. 1–2, Warszawa 1972
Polska–ZSRR: struktury podległości. Dokumenty WKP(b) 1944–1949, Warszawa 1995
Polskie Państwo Podziemne wobec komunistów polskich (1939–1945). Wypisy prasy konspiracyjnej, pod red. K. Sacewicza, Olsztyn 2005
Polskie podziemie na terenach Zachodniej Białorusi i Zachodniej Ukrainy w latach 1939–1941, Warszawa–Moskwa 2001
Powstanie Warszawskie 1944 w dokumentach z archiwów służb specjalnych, Warszawa–Moskwa 2007
Powstanie Warszawskie. Wybór dokumentów, t. 1–6, Warszawa 1997–2004
Proces szesnastu. Dokumenty NKWD, Warszawa 1995
Protokoły posiedzeń Komitetu dla Spraw Kraju, cz. 1. *1939–1941*, Warszawa 2008
Represje NKWD wobec żołnierzy podziemnego Państwa Polskiego w latach 1944–1945. Wybór źródeł, pod red. F. Gryciuka i P. Matusaka, t. 1, Siedlce 1995
Sprawa polska w czasie drugiej wojny światowej na arenie międzynarodowej. Zbiór dokumentów, Warszawa 1965
Stalin a Powstanie Warszawskie, pod red. T. Strzembosza, Warszawa 1994
Tajne oblicze GL-AL i PPR. Dokumenty, t. 1–3, pod red. M. J. Chodakiewicza, P. Gontarczyka i L. Żebrowskiego, Warszawa 1997–1999
Teczka specjalna Stalina. Raporty NKWD z Polski 1944–1946, Warszawa 1998
Uchwały Rady Jedności Narodowej w sprawie Jałty, pod red. T. Żenczykowskiego, „Zeszyty Historyczne" nr 33, Paryż 1975
Układ Sikorski–Majski. Wybór dokumentów, pod red. E. Duraczyńskiego, Warszawa 1990
Żeby Polska była polska. Antologia publicystyki konspiracyjnej podziemia narodowego 1939–1950, Warszawa 2010
Życie w powstańczej Warszawie: sierpień–wrzesień 1944, pod red. E. Serwańskiego, Warszawa 1965

Dzienniki, wspomnienia, listy

Anders W., *Bez ostatniego rozdziału*, Warszawa 2010
Bagiński K., *„Proces szesnastu" w Moskwie*, „Zeszyty Historyczne" nr 4, Paryż 1963
Bałuk S., *Byłem cichociemnym*, Warszawa 2007
Banasikowski E., *Na zew ziemi wileńskiej*, Paryż 1988
Berling Z., *Wspomnienia*, t. 1–3, Warszawa 1991
Białoszewski M., *Pamiętnik z Powstania Warszawskiego*, Warszawa 1979
Bień A., *Bóg jest wyżej, dom jest dalej*, Warszawa 1986
tenże, *Listy z Łubianki*, Kraków 1997

Blichewicz Z., *Powstańczy tryptyk*, Gdańsk 2009
Chciuk-Celt M., *Z Retingerem do Warszawy i z powrotem. Raport z Podziemia 1944*, Łomianki 2006
Christa O., *U „Szczerbca" i „Łupaszki"*, Warszawa 1999
Chruściel A., *Powstanie Warszawskie*, Londyn 1948
Czapski J., *Na nieludzkiej ziemi*, Warszawa 1990
Drymmer W. T., *W służbie Polsce*, Warszawa 1998
Dzienniki z Powstania Warszawskiego, Łomianki [b.r.w.]
Eden A., *Pamiętniki*, t. 2, Warszawa 1972
Galperyn Zbigniew, *Byłem żołnierzem batalionu „Chrobry"*, Warszawa 2009
Giedroyc J., *Autobiografia na cztery ręce*, Warszawa 1996
Gluth-Nowowiejski Wacław, *Nie umieraj do jutra*, Warszawa 1982
Goetel F., *Czasy wojny*, Kraków 2005
Iranek-Osmecki K., *Powołanie i przeznaczenie*, Warszawa 1998
Jankowski S., *Z fałszywym Ausweisem w prawdziwej Warszawie*, t. 1–2, Warszawa 1980
Januszajtis-Żegota M., *Życie moje tak burzliwe*, Warszawa 1993
Jaźwiński J., *Dramat dowódcy. Pamiętnik oficera sztabu oddziału wywiadowczego i specjalnego*, t. 1–2, Montreal 2012
Karski J., Wierzyński M., *Emisarisz własnymi słowami. Zapis rozmów przeprowadzonych w latach 1995–1997 w Waszyngtonie emitowanych w Głosie Ameryki*, Warszawa 2012
Katelbach T., *Rok złych wróżb (1943)*, Łomianki 2005
tenże, *Spowiedź pokolenia*, Gdańsk 2001
Klotz A., *Zapiski konspiratora 1939–1945*, Kraków 2001
Komorowski T., *Armia Podziemna*, Warszawa 2009
tenże, *Powstanie Warszawskie*, Warszawa 2004
Kopański S., *Wspomnienia wojenne 1939–1946*, Londyn 1961
Kot S., *Listy z Rosji do gen. Sikorskiego*, Londyn 1965
Krzyżanowski B., *Wileński matecznik 1939–1944*, Warszawa 1993
Kurdwanowski J., *Mrówka na szachownicy*, Stalowa Wola 2012
Lerski J., *Emisariusz „Jur"*, Warszawa 1989
Leski K., *Życie niewłaściwie urozmaicone. Wspomnienia oficera wywiadu i kontrwywiadu AK*, Warszawa 1989
Majorkiewicz F., *Lata chmurne – lata dumne*, Warszawa 1983
Matuszewski I., *Wybór pism*, Rzeszów 1991
Mikołajczyk S., *Polska zgwałcona*, Warszawa 2005
Mitkiewicz L., *Powstanie Warszawskie*, „Zeszyty Historyczne" nr 1, Paryż 1962
tenże, *W najwyższym sztabie zachodnich aliantów 1943–45*, Londyn 1971
tenże, *Z gen. Sikorskim na obczyźnie*, Paryż 1968
Nagórski Z., *Wojna w Londynie*, Paryż 1966

Nowak J., *Kurier z Warszawy*, Warszawa 1989
Pamiętniki żołnierzy baonu „Zośka", Warszawa 1986
Pilch A., *Partyzanci trzech puszcz*, Warszawa 1992
Popiel K., *Na mogiłach przyjaciół*, Londyn 1996
Potocki M., *Między Dźwiną a Wilią*, Warszawa 2008
Pragier A., *Czas przeszły dokonany*, Londyn 1966
Prawdzic-Szlaski J., *Nowogródczyzna w walce 1940–1945*, Londyn 1976
Pużak K., *Wspomnienia 1939–1945*, Łomianki 2012
Raczyński E., *W sojuszniczym Londynie*, Warszawa 1989
Rembek S., *Dziennik okupacyjny*, Warszawa 2004
Rokossowski K., *O Powstaniu Warszawskim*, „Zeszyty Historyczne" nr 15, Paryż 1969
Roman W., *Oficer do zleceń*, Warszawa 1989
Ronikier A., *Pamiętniki 1939–1945*, Kraków 2001
Rybicki J., *Notatki szefa warszawskiego Kedywu*, Warszawa 2003
Rzepecki J., *Wspomnienia i przyczynki historyczne*, Warszawa 1956
Sokolnicki M., *Dziennik ankarski 1939–1943*, Londyn 1965
Sosnkowski K., *Materiały historyczne*, Londyn 1966
tenże, *Wybór pism*, Wrocław 2009
Studnicki W., *Tragiczne manowce. Próby przeciwdziałania katastrofom narodowym 1939–1945*, [w:] W. Studnicki, *Pisma wybrane*, t. 4, Toruń 2001
Stypułkowski Z., *W zawierusze dziejowej*, Londyn 1951
tenże, *Zaproszenie do Moskwy*, Warszawa 1991
Sudopłatow P., *Wspomnienia niewygodnego świadka*, Warszawa 1999
Swianiewicz S., *W cieniu Katynia*, Warszawa 1990
Szostak J., *Moja służba Niepodległej. Wspomnienia 1939–1955*, Warszawa 1989
Świadectwa Powstania Warszawskiego 1944, Warszawa 1988
Tarnowska M., *Przyszłość pokaże*, Łomianki 2012
Zaremba Z., *Wojna i konspiracja*, Londyn 1957
Zarzycki W., *Z Wilna do Workuty*, Warszawa 2011
Żórawski B. J., *Kamienie też czasem płaczą*, Warszawa 2012

Wybrane opracowania, publicystyka, artykuły

Adamczyk A., *Piłsudczycy w izolacji 1939–1954*, Bełchatów 2008
Armia Krajowa. Szkice z dziejów sił zbrojnych Polskiego Państwa Podziemnego, pod red. K. Komorowskiego, Warszawa 2001
Babiński W., *Na marginesie polemiki*, „Kultura" nr 127, Paryż 1958
tenże, *Powstanie Warszawskie*, „Zeszyty Historyczne" nr 6, Paryż 1964
tenże, *Przyczynki historyczne do okresu 1939–1945*, Londyn 1967
tenże, *Wymiana depesz między Naczelnym Wodzem a dowódcą AK 1943–1944*, „Zeszyty Historyczne" nr 25, Paryż 1973

Baliński W., *Człowiek w cieniu: Tadeusz Pełczyński*, Kraków 1994

Baliszewski D., *Trzecia strona medalu*, Wrocław 2010

Bartoszewski W., *Straceni na ulicach miasta. Egzekucje w Warszawie 16 X 1943––26 VII 1944*, Warszawa 1970

tenże, *1859 dni Warszawy*, Warszawa 1974

tenże, *Dni walczącej stolicy*, Warszawa 2008

Bechta M., *Rewolucja. Mit. Bandytyzm. Komuniści na Podlasiu w latach 1939–1944*, Warszawa–Biała Podlaska 2000

Bieniecki K., *Współpraca SOE z NKWD i Polacy*, „Zeszyty Historyczne" nr 121, Paryż 1997

Bojemski S., *Likwidacja Widerszala i Makowieckich, czyli Janusz Marszalec widzi drzewa, a nie widzi lasu*, „Glaukopis" nr 9–10, Warszawa 2007–2008

tenże, *Spór o warsztat historyka*, „Rzeczpospolita", 8 maja 2008

tenże, *Narodowe Siły Zbrojne w Powstaniu Warszawskim*, Warszawa 2009

Bolecki W., *Ptasznik z Wilna. O Józefie Mackiewiczu (zarys monograficzny)*, Kraków 2007

Boradyn Z., *Niemen – rzeka niezgody. Polsko-sowiecka wojna partyzancka na Nowogródczyźnie 1943–1944*, Warszawa 1999

Borkiewicz A., *Powstanie warszawskie 1944*, Warszawa 1957

Borodziej W., *Terror i polityka. Policja niemiecka a polski ruch oporu w GG 1939––1944*, Warszawa 1985

Broszat M., Polityka narodowego socjalizmu w sprawie Polski 1939–1945, Warszawa–Poznań 1966

Brzozowski J., Krasucki S., Malinowski J., *„Burza" na Kresach Wschodnich*, Bydgoszcz 1999

Bukalska P., *Rysiek z Kedywu*, Kraków 2009

Celt M., *Raport z Podziemia 1942*, Łomianki 2005

Cenckiewicz S., *Długie ramię Moskwy. Wywiad wojskowy Polski Ludowej 1943–1991 (wprowadzenie do syntezy)*, Poznań 2011

tenże, *Polscy agenci Moskwy w USA*, „Biuletyn IPN" nr 62–63, Warszawa 2006

tenże, *Tadeusz Katelbach. Biografia Polityczna 1897–1977*, Warszawa 2005

Chlebowski C., *Wachlarz*, Warszawa 1985

tenże, *Zagłada IV Odcinka*, Warszawa 1980

Chmielarz A., Kunert A. K., *Spiska 14. Aresztowanie generała „Grota" Stefana Roweckiego*, Warszawa 1983

Chmielarz A., *Polskie Państwo Podziemne*, Warszawa 2007

Chodakiewicz M., *Narodowe Siły Zbrojne. „Ząb" przeciwko dwóm wrogom*, Warszawa 1999

Chrzanowski B., *Związek Jaszczurczy i Narodowe Siły Zbrojne na Pomorzu 1939––1947. Nieznane karty pomorskiej konspiracji*, Toruń 1997

Ciechanowski J., *Pomoc lotnicza Wielkiej Brytanii dla powstania warszawskiego*, Warszawa 1994

tenże, *Powstanie Warszawskie. Zarys podłoża politycznego i dyplomatycznego*, Pułtusk–Warszawa 2012

tenże, *Wielka Brytania i Polska: od Wersalu do Jałty*, Pułtusk 2008

Ciesielski S., *Myśl polityczna polskich komunistów w latach 1939–1944*, Warszawa 1990

Czarski A., *Najmłodsi żołnierze walczącej Warszawy*, Warszawa 1971

Davies N., *Boże igrzysko. Historia Polski*, Kraków 1999

tenże, *Powstanie '44*, Kraków 2004

Dobroszycki L., *Ludność cywilna w powstaniu warszawskim*, Warszawa 1974

Duraczyński E., *Generał Iwanow zaprasza*, Warszawa 1989

tenże, *Kontrowersje i konflikty 1939–1941*, Warszawa 1979

tenże, *Między Londynem a Warszawą*, Warszawa 1986

tenże, *Polska 1939–1945. Dzieje polityczne*, Warszawa 1999

tenże, *Rząd polski na uchodźstwie 1939–1945. Organizacja, personalia, polityka*, Warszawa 1993

Dymarski M., *Stosunki wewnętrzne wśród polskiego wychodźstwa politycznego i wojskowego we Francji i w Wielkiej Brytanii 1939–1945*, Wrocław 1999

Dzikiewicz L. W., *Udział Rosji w hekatombie Warszawy 1944*, Warszawa 2013

Engelking B., Libionka D., *Żydzi w powstańczej Warszawie*, Warszawa 2009

Erdman J., *Droga do Ostrej Bramy*, Londyn 1984

Europa nieprowincjonalna. Przemiany na ziemiach wschodnich dawnej Rzeczypospolitej (Białoruś, Litwa, Łotwa, Ukraina, wschodnie pogranicze III Rzeczypospolitej Polskiej) w latach 1772–1999, pod red. K. Jasiewicza, Warszawa–Londyn 1999

Fieldorf M., Zachuta L., *Generał „Nil" August Emil Fieldorf. Fakty, dokumenty, relacje*, Warszawa 1993

Fijałka M., *27. Wołyńska Dywizja Piechoty AK*, Warszawa 1986

Fikus D., *Pseudonim „Łupaszka"*, Warszawa 1989

Filar W., *„Burza" na Wołyniu*, Warszawa 2010

tenże, *Wołyń 1939–1944*, Warszawa 2012

Foedrowitz M., *W poszukiwaniu „modus vivendi". Kontakty i rozmowy pomiędzy okupantami a okupowanymi dotyczące porozumienia niemiecko-polskiego w czasie II wojny światowej*, „Mars" nr 2, 1994

Friszke A., *Status Finlandii czy wojna domowa?*, „Rzeczpospolita", 19 grudnia 2008

Gałęzowski M., *Orlęta Warszawy*, Warszawa 2009

tenże, *Przeciw dwóm zaborcom. Polityczna konspiracja piłsudczykowska w kraju w latach 1939–1947*, Warszawa 2013

tenże, *Wierni Polsce. Ludzie konspiracji piłsudczykowskiej 1939–1947*, Łomianki 2005

tenże, *Wierni Polsce. Publicystyka piłsudczykowska w kraju 1940–1946*, Warszawa 2007 tenże, *Wzór Piłsudczyka. Wacław Lipiński 1896–1949. Żołnierz, historyk, działacz polityczny*, Warszawa 2001

Garliński J., *Polska w drugiej wojnie światowej*, Warszawa 1988

tenże, *Polskie Państwo Podziemne (1939–1945)*, „Zeszyty Historyczne" nr 29, Paryż 1974

Gasztold T., *Nalibocka puszcza. Z dziejów prześladowań, walki i mordów 1939–1944*, Koszalin 1998

Geneza Powstania Warszawskiego 1944. Dyskusje i polemiki, Warszawa 1984

Głowacki A., *Sowieci wobec Polaków na ziemiach wschodnich II Rzeczypospolitej 1939–1941*, Łódź 1997

Głowiński T., *O nowy porządek europejski. Ewolucja hitlerowskiej propagandy politycznej wobec Polaków w GG 1939–1945*, Wrocław 2000

Głuszek Z., *„Hej, Chłopcy..." Harcerze Szarych Szeregów w Powstaniu Warszawskim*, Warszawa 2001

Gmitruk J., *Stanisław Mikołajczyk: trudny powrót*, Warszawa 2002

Gogol B., *„Czerwony sztandar". Rzecz o sowietyzacji ziem Małopolski Wschodniej. Wrzesień 1939–czerwiec 1941*, Gdańsk 2000

Gontarczyk P., *Kreatywne lakiernictwo*, „Rzeczpospolita", 6 lutego 2009

tenże, *Polska Partia Robotnicza. Droga do władzy 1941–1944*, Warszawa 2003

tenże, *To nie była wojna domowa*, „Rzeczpospolita" 26 grudnia 2008

Górski G., *Administracja Polski Podziemnej w latach 1939–1945. Studium historyczno-prawne*, Toruń 1995

Grabowski W., *Delegatura Rządu Rzeczypospolitej Polskiej na kraj 1940–1945*, Warszawa 1995

Grabowski W., *Polska tajna administracja cywilna 1940–1945*, Warszawa 2003

Grunt-Mejer Z. M., *Partyzancka Brygada „Kmicica". Wileńszczyzna 1943*, Bydgoszcz 1997

Hanson J. K. M., *Nadludzkiej poddani próbie*, Warszawa 2004

Hryciuk G., *Polacy we Lwowie 1939–1944. Życie codzienne*, Warszawa 2000

Iranek-Osmecki J., *Powstanie Warszawskie po 60 latach*, Warszawa 2007

Iwanow N., *Powstanie Warszawskie widziane z Moskwy*, Kraków 2010

Janowski M., *Antykomunista Ludwik Widerszal*, „Rzeczpospolita" 21 listopada 2009

Jaruzelski J., *Mackiewicz i konserwatyści*, Warszawa 1976

tenże, *Stanisław Cat-Mackiewicz 1896–1966. Wilno–Londyn–Warszawa*, Warszawa 1987

Jasiewicz K., *Pierwsi po diable. Elity sowieckie w okupowanej Polsce 1939–1941*, Warszawa 2001

Jasiński G., *Żoliborz 1944*, Pruszków 2009

Kaczmarski K., Tomasik P., *Adam Doboszyński 1904–1949*, Rzeszów 2010

Karski J., *Tajna dyplomacja Churchilla i Roosevelta w sprawie Polski (1940–1945)*, „Zeszyty Historyczne" nr 78, Paryż 1986

tenże, *Wielkie mocarstwa wobec Polski 1919–1945. Od Wersalu do Jałty*, Warszawa 1992

Kazimierz Sosnkowski. Żołnierz, humanista, mąż stanu, pod red. T. Głowińskiego i J. Kirszaka, Wrocław 2005

Kijowski A., *Rachunek naszych słabości*, Warszawa 2009

Kirchmayer J., *Powstanie Warszawskie 1944*, Warszawa 1984

Kirszak J., *Generał Kazimierz Sosnkowski 1885–1969*, Warszawa 2012

tenże, *Naczelny Wódz gen. Kazimierz Sosnkowski wobec Powstania Warszawskiego*, „Niepodległość" nr LVII, Warszawa 2007

Kledzik M., *Rzeczpospolita podzielona*, Łomianki 2011

tenże, *Rzeczpospolita powstańcza 1 sierpnia–2 października 1944*, Łomianki 2010

Kołakowski P., *Pretorianie Stalina. Sowieckie służby bezpieczeństwa i wywiadu na ziemiach polskich 1939–1945*, Warszawa 2010

Komornicki S., *Na barykadach Warszawy*, Warszawa 1981

Komorowski K., *Bitwa o Warszawę '44. Militarne aspekty Powstania Warszawskiego*, Warszawa 2004

tenże, *Praca i walka. Konspiracja zbrojna obozu narodowego 1939–1945*, Warszawa 2000

Komunizm w Polsce. Zdrada, zbrodnia, zakłamanie, zniewolenie, Kraków 2005

Koper S., *Polskie piekiełko. Obrazy z życia elit emigracyjnych 1939–1945*, Warszawa 2012

Koprowski M. A.; *Wołyń. Epopeja polskich losów 1939–2012. Akt I–II*, Zakrzewo 2013

Korab-Żebryk R., *Operacja wileńska AK*, Warszawa 1988

Korboński S., *Polskie Państwo Podziemne*, Warszawa 2008

tenże, *W imieniu Kremla*, Warszawa 1997

tenże, *W imieniu Rzeczypospolitej*, Warszawa 1991

Kozłowski P., *Zygmunt Szendzielarz „Łupaszko" 1910–1951*, Warszawa 2011

Krajewski K., *Na ziemi nowogródzkiej. „Nów" – Nowogródzki Okręg Armii Krajowej*, Warszawa 1997

Król E. C., *Polska i Polacy w propagandzie narodowego socjalizmu w Niemczech 1919––1945*, Warszawa [b.r.w.]

Krząstek T., Tomczyk J., *Siły Zbrojne Polskiego Państwa Podziemnego. Historia i tradycje 1939–2000*, Warszawa 2000

Kulisy katastrofy Powstania Warszawskiego. Wybrane publikacje i dokumenty (praca zbiorowa), Nowy Jork 2009

Kunert A. K., Szarota T., *Generał Stefan Rowecki „Grot" w relacjach i pamięci zbiorowej*, Warszawa 2003

Kunert A. K., *Generał „Monter" – Antoni Chruściel. Komendant podziemnej Warszawy*, Warszawa 2012

tenże, *Generał Tadeusz Bór-Komorowski w relacjach i dokumentach*, Warszawa 2000

tenże, *Kreatywne źródłoznawstwo*, „Rzeczpospolita", 31 stycznia 2009

tenże, *Rzeczpospolita Walcząca. Powstanie Warszawskie 1944. Kalendarium*, Warszawa 1994

tenże, *Rzeczpospolita Walcząca. Styczeń–grudzień 1941. Kalendarium*, Warszawa 2002

tenże, *Słownik biograficzny konspiracji warszawskiej 1939–1944*, t. 1–3, Warszawa 1987–1991

Kurtyka J., *Generał Leopold Okulicki „Niedźwiadek" (1898–1946)*, Warszawa 1989

Kurtyka J., Pawłowicz J., *Generał Leopold Okulicki 1898–1946*, Warszawa 2010

Leksykon militariów Powstania Warszawskiego, Warszawa 2012

Lewandowska S., *Polska konspiracyjna prasa informacyjno-polityczna 1939–1945*, Warszawa 1982

taż, *Prasa okupowanej Warszawy 1939–1945*, Warszawa 1992

Lewandowski J., *NKWD o polskim podziemiu*, „Zeszyty Historyczne" nr 122, Paryż 1997

Lipiński P., *Raport Rzepeckiego. Historia twórcy antykomunistycznego podziemia*, Warszawa 2005

Lisiewicz P. M., *Bezimienni. Z dziejów wywiadu AK*, Warszawa 1987

tenże, *Ósma ekspozytura. Z dziejów wywiadu Komendy Głównej AK na Lwów 1939––1945*, Warszawa 2000

Litauer S., *Zmierzch „Londynu"*, Warszawa–Łódź 1945

Lukas R. C., *Zapomniany Holokaust*, Poznań 2012

Łojek J., *Agresja 17 września*, Warszawa 1990

tenże, *Wokół sporów i polemik. Publicystyka historyczna*, Lublin 1991

Łubieński T., *Ani tryumf, ani zgon. Szkice o Powstaniu Warszawskim*, Warszawa 2004

Mackiewicz J., *Zwycięstwo prowokacji*, Londyn 1997

tenże, *Droga Pani*, Londyn 1998

tenże, *Fakty, przyroda i ludzie*, Londyn 1993

tenże, *Nie trzeba głośno mówić*, Londyn 1993

tenże, *Optymizm nie zastąpi nam Polski*, Londyn 2005

tenże, *Prawda w oczy nie kole*, Londyn 2011

tenże, Toporska B., *Listy do redaktorów „Wiadomości"*, Londyn 2011

Mackiewicz S., kilkanaście broszur z czasu drugiej wojny światowej (za ich udostępnienie dziękuję Sławomirowi Cenckiewiczowi)

tenże, *Lata nadziei: 17 września 1939–5 lipca 1945*, Londyn [b.r.w.]

tenże, *Zielone oczy*, Warszawa 1997

Madajczyk Cz., *Generalna Gubernia w planach hitlerowskich*, Warszawa 1961 tenże, *Polityka III Rzeszy w okupowanej Polsce*, t. 1–2, Warszawa 1970

Maderski-Jaxa J., *Na dwa fronty. Szkice z walk Brygady Świętokrzyskiej NSZ*, Lublin 1995

Malewski J., *Wyrok na Józefa Mackiewicza*, Londyn 1991

Markowski D., *Płonące Kresy*, Warszawa 2011

Marszalec J., *Morderstwo na Makowieckich i Widerszalu. Stara sprawa, nowe pytania, nowe wątpliwości*, „Zagłada Żydów. Studia i Materiały" nr 2, Warszawa 2006

tenże, *Ochrona porządku i bezpieczeństwa publicznego w Powstaniu Warszawskim*, Warszawa 1994

Materski W., *Na widecie. II Rzeczpospolita wobec Sowietów 1918–1943*, Warszawa 2002

Matłachowski J., *Kulisy genezy Powstania Warszawskiego*, Londyn 1978

Mazur G., *Agonia Armii Krajowej 1944–1945*, „Zeszyty Historyczne" nr 114, Paryż 1995

tenże, *Biuro Informacji i Propagandy SZP-ZWZ-AK 1939–1945*, Warszawa 1987

tenże, *Sprawozdanie z działalności Społecznego Komitet Antykomunistycznego w pierwszej połowie 1944 r.*, „Studia Historyczne" nr 4, Kraków 1997

Mazurkiewicz S., *Jan Mazurkiewicz-„Radosław", „Sęp", „Zagłoba"*, Warszawa 1994

Mażewski L., *Powstańczy szantaż*, Warszawa 2004

Międzynarodowe aspekty Powstania Warszawskiego 1944 roku, Warszawa 2004

Motyka G., *Od rzezi wołyńskiej do akcji Wisła*, Kraków 2011

tenże, *W kręgu „Łun w Bieszczadach". Szkice z najnowszej historii polskich Bieszczad*, Warszawa 2009

Musiał B., *Na Zachód po trupie Polski*, Warszawa 2009

tenże, *Rozstrzelać elementy kontrrewolucyjne! Brutalizacja wojny niemiecko-sowieckiej latem 1941 roku*, Warszawa 2001

tenże, *Wojna Stalina*, Poznań 2012

Muszyński W. J., *Atak niesprawiedliwy i niecelny*, „Rzeczpospolita", 12 maja 2009

tenże, *Duch młodych*, Warszawa 2011

tenże, *W walce o Wielką Polskę*, Biała Podlaska–Warszawa 2000

Nadzieje, złudzenia, rzeczywistość. Studia z historii Polski XX wieku, Gorzów Wielkopolski 2004

Narodowe Siły Zbrojne. Materiały z sesji naukowej poświęconej działalności Narodowych Sił Zbrojnych, Warszawa 25 X 1992, pod red. P. Szuckiego, Warszawa 1994

Nazarewicz R., *Razem na tajnym froncie. Polsko-radzieckie współdziałanie wywiadowcze w latach II wojny światowej*, Warszawa 1983

Ney-Krwawicz M., *Armia Krajowa*, Warszawa 2009

tenże, *Komenda Główna Armii Krajowej*, Warszawa 1990

tenże, *Komendanci AK*, Warszawa 1992

tenże, *Powstanie powszechne w koncepcjach i pracach Sztabu Naczelnego Wodza i Komendy Głównej Armii Krajowej*, Warszawa 1999

tenże, *Armia Krajowa. Siły zbrojne Polskiego Państwa Podziemnego*, Warszawa 2009

Niwiński P., *Garnizon konspiracyjny miasta Wilna*, Toruń 1999

tenże, *Okręg wileński AK w latach 1944–1948*, Warszawa 1999

Nowak-Jeziorański J., *Rosja wobec powstania warszawskiego*, Kraków 1986

Olczak M., Strok M., *Kto zabił Makowieckich?*, „Rzeczpospolita", 10 października 2009

Operacja „Burza" i Powstanie Warszawskie 1944, pod red. K. Komorowskiego, Warszawa 2004

Orłowski M., *Prasa konspiracyjna Stronnictwa Narodowego w latach 1939–1947*, Poznań 2006

Orpen N., *Lotnicy '44. Na pomoc Warszawie*, Warszawa 2006

Paczkowski A., *Stanisław Mikołajczyk, czyli klęska realisty*, Warszawa 1991

Parker M., *Monte Cassino: Opowieść o najbardziej zaciętej bitwie II wojny światowej*, Poznań 2005

Pempel S., *ZWZ-AK we Lwowie 1939–1945*, Warszawa 1990

Pepłoński A., *Wywiad Polskich Sił Zbrojnych na Zachodzie 1939–1945*, Warszawa 1995

Pobóg-Malinowski W., *Najnowsza historia polityczna Polski*, t. 3, Warszawa–Gdańsk 1990

Podlewski S., *Przemarsz przez piekło*, Warszawa 1971

tenże, *Rapsodia Żoliborska*, Warszawa 1957

tenże, *Wolność krzyżami się znaczy*, Warszawa 1989

Poksiński J., *Tatar-Utnik-Nowiski „TUN"*, Warszawa 1992

Polonia wobec Powstania Warszawskiego: studia i dokumenty, Warszawa 2001

Polskie Siły Zbrojne w drugiej wojnie światowej, t. 3. *Armia Krajowa*, Warszawa––Londyn 1999

Pomian J, *Józef Retinger. Życie i pamiętniki „szarej eminencji"*, Warszawa 1990

Powstanie Warszawskie. Fakty i mity, pod red. K. Krajewskiego, T. Łabszewskiego, Warszawa 2006

Przemyski A., *Ostatni komendant generał Leopold Okulicki*, Lublin 1990

Przygoński A., *Powstanie Warszawskie w sierpniu 1944*, t. 1–2, Warszawa 1988

tenże, *Stalin i Powstanie Warszawskie*, Warszawa 1994

Puławski A., *Sowiecki partyzant – polski problem*, „Pamięć i Sprawiedliwość" nr 1, Warszawa 2006

Raack R. C., *Polska i Europa w planach Stalina*, Warszawa 1997

Rokicki P., *Armia Krajowa na Wileńszczyźnie 1943–1945*, Warszawa 2007

Rybicki R. W., *Stefan Korboński. Ostatni delegat rządu na kraj*, Warszawa 2010

Rymkiewicz J. M., *Kinderszenen*, Warszawa 2008

Sacewicz K., *Centralna Prasa Polski Podziemnej wobec komunistów polskich 1939–
–1945*, Warszawa 2009

Sacewicz K., *Ocena działalności podziemia komunisycznego na podstawie Memoriału
w sprawie niebezpieczeństwa rewolucji komunistycznej w Polsce (kwiecień 1943 r.)*,
„Pamięć i Sprawiedliwość" nr 14, Warszawa 2009

Salmonowicz S., Ney-Krawicz M., Górski G., *Polskie Państwo Podziemne*, Warszawa 1999

Salmonowicz S., *Polskie Państwo Podziemne. Z dziejów walki cywilnej 1939–1945*,
Warszawa 1994

Sawicki T., *Front wschodni a powstanie warszawskie*, Warszawa 1989

tenże, *Rozkaz: zdławić powstanie. Siły zbrojne III Rzeszy w Powstaniu Warszawskim*,
Warszawa 1999

tenże, *Wyrok na miasto. Berlin i Moskwa wobec Powstania Warszawskiego*, Warszawa 1993

Schenk D., *Hans Frank. Biografia generalnego gubernatora*, Kraków 2009

Siemaszko E., Siemaszko W., *Ludobójstwo dokonane przez nacjonalistów ukraińskich
na ludności polskiej Wołynia 1939–1945*, t. 1 i 2, Warszawa 2000

Siemaszko Z. A., *Wileńska AK a Niemcy*, „Zeszyty Historyczne" nr 110, Paryż 1994

Siemaszko Z. S., *Sprawy i troski 1956–2005*, Lublin 2006

tenże, *Działalność generała Tatara 1943–1949*, Lublin 2004

tenże, *Generał Anders w latach 1892–1942*, Londyn–Warszawa 2012

tenże, *Józef Mackiewicz. Listy, opracowania, wspomnienia*, Lublin 2009

tenże, *Korespondencja z Jerzym Giedroyciem 1959–2000*, Lublin 2008

tenże, *Łączność i polityka*, Lublin 2011

tenże, *Narodowe Siły Zbrojne*, Londyn 1982

tenże, *Polacy i Polska w II wojnie światowej*, Lublin 2010

Sikorski T., *Rzeczpospolita Wielkiego Narodu. Wspólnota wolności i ładu. Refleksja
geopolityczna Adama Doboszyńskiego…*, Szczecin 2012

Skarżyński A., *Polityczne przyczyny Powstania Warszawskiego*, Warszawa 1964

Skwieciński P., *Utracona szansa finlandyzacji*, „Rzeczpospolita", 5 maja 2008

Snyder T., *Skrawione ziemie*, Warszawa 2011

Sobczak J., *Polska w propagandzie i polityce III Rzeszy*, Poznań 1988

Spór o Rymkiewicza, Warszawa 2012

Stachiewicz P., *„Parasol"*, Warszawa 1984

tenże, *Starówka 1944*, Warszawa 1983

Steiner J.-F., *Warszawa 1944*, Warszawa 1991

Strzembosz T., *Akcje zbrojne podziemnej Warszawy 1939–1944*, Warszawa 1983

tenże, *Antysowiecka partyzantka i konspiracja nad Biebrzą X 1939–VI 1941*, Warszawa 2004

tenże, *Oddziały szturmowe konspiracyjnej Warszawy 1939–1944*, Warszawa 1983

tenże, *Refleksje o Polsce i podziemiu 1939–1945*, Warszawa 1990

tenże, *Rzeczpospolita podziemna*, Warszawa 2000

Studnicki W., *Ludzie, idee i czyny*, [w:] Studnicki W., *Pisma wybrane*, t. 3, Toruń 2001

tenże, *Rosja Sowiecka w polityce światowej*, Wilno 1932

tenże, *System polityczny Europy a Polska*, [w:] Studnicki W., *Pisma wybrane*, t. 2, Toruń 2002

tenże, *Wobec nadchodzącej II-ej wojny światowej*, [w:] Studnicki W., *Pisma wybrane*, t. 2, Toruń 2002

Szarota T., *Okupowanej Warszawy dzień powszedni*, Warszawa 1973

tenże, *Stefan Rowecki „Grot"*, Warszawa 1985

Szlaski-Prawdzic J., *Wyjaśnienia w związku z listem Zygmunta Godynia (sprawa Brygady „Łupaszki")*, „Zeszyty Historyczne" nr 49, Paryż 1980

Szubtarska B., *Ambasada polska w ZSRR w latach 1941–1943*, Warszawa 2005

Świderska H., *Z powiązań Polska–SOE–NKWD*, „Zeszyty Historyczne" nr 112, Paryż 1995

Tarka K., *„Generał Wilk". Aleksander Krzyżanowski – komendant Okręgu Wileńskiego ZWZ-AK*, Łomianki 2012

Tebinka J., *Polityka brytyjska wobec problemu granicy polsko-radzieckiej 1939–1945*, Warszawa 1998

Tomaszewski L., *Wileńszczyzna lat wojny i okupacji 1939–1945*, Warszawa 2010

Tragizm i sens Powstania Warszawskiego, Warszawa 2006

Trznadel J., *Kolaboranci. Tadeusz Boy-Żeleński i grupa komunistycznych pisarzy we Lwowie 1939–1941*, Komorów 1998

Tucholski J., *Cichociemni*, Wrocław [b.r.w.]

Urbanowski M., *Człowiek z głębszego podziemia. Życie i twórczość Jana Emila Skiwskiego*, Kraków 2003

W marszu i boju. Z walk i przeżyć partyzanckich żołnierzy Brygady Świętokrzyskiej, Lublin–Warszawa 2010

Wańkowicz M., *Bitwa o Monte Cassino*, Warszawa 2009

Wapiński R., *Władysław Sikorski*, Warszawa 1978

Wardzyńska M., *Mord popełniony latem 1943 r. przez partyzantów radzieckich na żołnierzach AK z oddziału „Kmicica"*, „Pamięć i Sprawiedliwość" t. 39, Warszawa 1996

Wawer Z., *Monte Cassino*, Warszawa 2009

Węgierski J., *Lwów pod okupacją sowiecką 1939–1941*, Warszawa 1991

Wieczorkiewicz P., *Historia polityczna Polski 1935–1945*, Warszawa 2005

tenże, *Kampania 1939 roku*, Warszawa 2001

tenże, *Łańcuch historii*, Łomianki 2013

tenże, *Ostatnie lata Polski niepodległej*, Warszawa 1991

Witkowski H., „*Kedyw" Okręgu Warszawskiego Armii Krajowej w latach 1943–1944*, Warszawa 1984

Władze RP na obczyźnie podczas II wojny światowej, pod red. Z. Błażyńskiego, Londyn 1994

Wnuk R., *Za pierwszego Sowieta. Polska konspiracja na Kresach Wschodnich II Rzeczypospolitej (wrzesień 1939–czerwiec 1941)*, Warszawa 2007

Wojewódzki I., *Kazimierz Sosnkowski podczas II wojny światowej*, Warszawa 2009

Wojna domowa czy nowa okupacja? Polska po roku 1944, pod red. A. Ajnenkiela, Wrocław 1998

Wołkonowski J., *Okręg Wileński ZWZ-AK w latach 1939–1945*, Warszawa 1996

Wywiad i kontrwywiad Armii Krajowej, pod red. W. Bułhaka, Warszawa 2008

Z dziejów Armii Krajowej na Nowogródczyźnie i Wileńszczyźnie (1941–1945). Studia, Warszawa 1997

Zaborski Z., *Tędy przeszła Warszawa. Epilog Powstania Warszawskiego. Pruszków Durchgangslager 121*, Warszawa 2010

Zawodny J. K., *Powstanie Warszawskie w walce i dyplomacji*, Warszawa 1994

tenże, *Uczestnicy i świadkowie Powstania Warszawskiego. Wywiady*, Warszawa 1994

Zychowicz P., *Germanofil. Władysław Studnicki 1939–1945* [biografia w przygotowaniu]

tenże, *Pakt Ribbentrop–Beck*, Poznań 2012

Żebrowski L., Sierchuła R., *Brygada Świętokrzyska NSZ*, Poznań–Warszawa 1994

Żenczykowski T., *Dramatyczny rok 1945*, Łomianki 2005

tenże, *Dwa komitety 1920, 1944. Polska w planach Lenina i Stalina. Szkic historyczny*, Łomianki 2011

tenże, *Rozmowy Delegatura Rządu–PPR w 1943 roku w świetle faktów*, „Zeszyty Historyczne" nr 27, Paryż 1974

tenże, *Samotny bój Warszawy*, Łomianki 2005

Żochowski S., *Brytyjska polityka wobec Polski 1916–1948*, Lublin 1994

tenże, *O Narodowych Siłach Zbrojnych – NSZ*, Lublin 1994

Indeks nazwisk

Spis treści

Książka roku 2012 „Magazynu Literackiego KSIĄŻKI"

PIOTR ZYCHOWICZ

KSIĄŻKA ROKU 2012 książki

PAKT
RIBBENTROP–BECK

czyli jak Polacy mogli u boku III Rzeszy pokonać Związek Sowiecki

Pakt Ribbentrop-Beck

Do tej pory ukazało się 46 tys. egzemplarzy

Książka nominowana była do BESTÓW EMPIKU 2012

Francisco Goya